# Nicolas Poussin
# (1594-1665)

**La collection « Conférences et colloques » du Louvre est publiée :**

**à la Documentation française**

*Winckelmann : la naissance de l'histoire de l'art à l'époque des Lumières*, 1991

*David contre David*, 1993

*Sculptures médiévales allemandes. Conservation et restauration*, 1993

*Germain Pilon et les sculpteurs français de la Renaissance*, 1993

*Clodion et la sculpture française de la fin du XVIII^e^ siècle*, 1993

*Byzance et les images*, 1994

*Khorsabad, le palais de Sargon II, roi d'Assyrie*, 1995

*Géricault*, 1996

**aux éditions Marval**

*Sculpter - Photographier, Photographie - Sculpture*, 1993

**aux éditions Klincksieck**

*Jacques Callot, 1592-1635*, 1993

*Les musées en Europe à la veille de l'ouverture du Louvre*, 1995

*Histoire de l'histoire de l'art*. Tome I : *De l'Antiquité au XVIII^e^ siècle*, 1995

*Andromède ou le héros à l'épreuve de la beauté*, 1996

**aux éditions de la Réunion des musées nationaux**

*Le Paysage en Europe du XVI^e^ au XVIII^e^ siècle*, 1994

**à l'École nationale supérieure des Beaux-Arts**

*Relire Wölfflin*, 1995

*Les "Vies" d'artistes*, 1996

**aux Éditions du Gram**

*L'Égyptomanie à l'épreuve de l'archéologie*, 1996

**Illustrations de couverture :**

1re : Nicolas Poussin, *Moïse et les filles de Jéthro*, détail, Paris, musée du Louvre.
4e : Nicolas Poussin, *Dessin d'après l'Antique, tête d'Apollon*, Chantilly, musée Condé.


**ISBN :** 2-11-003671-0

Louvre

# Nicolas Poussin
# (1594-1665)

## Tome I

**Actes du colloque**
**organisé au musée du Louvre par**
**le Service culturel**
**du 19 au 21 octobre 1994**

Sous la direction scientifique d'Alain Mérot,
professeur à l'université de Lille III-Charles-De-Gaulle

La **documentation** Française

**Direction de la collection**

Jean GALARD, Service culturel du musée du Louvre

**Direction de l'ouvrage**

Alain MÉROT, université de Lille III-Charles-De-Gaulle

**Coordination et réalisation**

Violaine BOUVET-LANSELLE, Service culturel du musée du Louvre

**Index**

Annie DESVACHEZ

**Mise en page et relecture**

Sylvie CHAMBADAL

**Couverture**

Anne-Louise CAVILLON, musée du Louvre

# Sommaire

## Tome I



---

**Poussin, ses œuvres, son atelier**

---

**Rencontres : les mécènes, le milieu romain**



---

**Problèmes d'iconographie**

---

## Tome II

### Théorie et pratique de la peinture



---

### Fortune de Poussin : estampes, collections, institutions

# Avant-propos

*À Youri Zolotov*
*qui vient de nous quitter*

On devinera aisément qu'il m'est spécialement agréable de présenter les actes du colloque Poussin qui s'est tenu à l'auditorium du Louvre du 19 au 21 octobre 1994 devant une salle pleine et tout particulièrement attentive, preuve de l'intérêt toujours croissant porté au maître des Andelys. Organisé par Alain Mérot et Jean Galard, que je tiens à remercier personnellement l'un et l'autre, ce colloque, largement ouvert aux spécialistes de tous les pays, apporte sa riche moisson d'informations, d'interprétations et de réflexions nouvelles. Le résumer en quelques lignes ne serait pas lui rendre justice. On voudrait cependant le comparer au toujours indispensable colloque Poussin de 1958, publié en 1960, dont les maîtres d'œuvres furent André Chastel et Jacques Thuillier, pour constater qu'en une génération, la place de Poussin dans l'histoire de son siècle, dans l'art de son temps s'est considérablement affermie. Et n'est-ce pas le reflet des orientations de la jeune histoire de l'art qui voit le peintre céder quelque peu le pas au penseur?

Une confidence pour conclure : mon espoir de trouver le temps et l'énergie, demain ou après-demain, de rédiger le catalogue raisonné de l'œuvre peint de Poussin.

Pierre ROSENBERG
de l'Académie française
Président-Directeur du musée du Louvre

# Introduction

Alain MÉROT

Voici, publiés par les soins du Service culturel du musée du Louvre, les actes du colloque international consacré à Nicolas Poussin, qui s'est tenu dans l'auditorium du musée les 19, 20 et 21 octobre 1994. Deux volumes qui regroupent, outre la trentaine de communications prononcées par des spécialistes venus du monde entier, quelques études qui n'avaient pu trouver place dans un emploi du temps déjà chargé. Le sujet semble en vérité inépuisable, et les expositions organisées à l'occasion du quatrième centenaire de la naissance du peintre tant à Paris et à Londres qu'à Chantilly et à Bayonne n'ont pas fini de susciter découvertes et discussions. La position éminente et singulière de l'artiste dans l'histoire de l'art français et italien, ses liens avec les milieux culturels « de pointe » au XVIIe siècle, le caractère de référence de son œuvre à l'intérieur comme en dehors des académies contribuent à expliquer l'abondance des travaux et des réflexions qui lui ont été et lui seront consacrés. Les liens étroits que ses « inventions » entretiennent avec la parole écrite et la rhétorique l'ont tout particulièrement désigné comme objet d'analyse et d'exégèse, à une époque où l'histoire de l'art voit se diversifier ses méthodes et s'ouvre aux disciplines voisines.

Après les ouvrages pionniers de deux Allemands, Otto Grautoff et Walter Friedlaender, la prédilection des savants comme des connaisseurs anglo-saxons a entraîné une universelle curiosité. Le débat entre Anthony Blunt et Denis Mahon – Poussin « peintre-philosophe » contre

Poussin peintre tout court – se poursuit aujourd'hui, alors que l'érudition se fait plus exigeante et les gloses toujours plus ingénieuses.

Ce foisonnement, qui reflète la vitalité mais aussi les interrogations de la discipline, n'aurait pas été possible si le terrain, désormais défriché en tous sens, n'avait été préparé, voici près de quarante ans, par un premier et mémorable colloque. En 1958, à une époque où ces manifestations étaient infiniment plus rares qu'aujourd'hui, André Chastel avait réuni à l'Institut d'art de l'université de Paris un certain nombre de savants – historiens de l'art et littéraires que Poussin ne laissait pas indifférents. Leurs échanges, rassemblés en deux épais volumes par les soins de Jacques Thuillier, et complétés par une masse imposante de documents inédits, avaient précédé l'exposition qui fut organisée deux ans après au Louvre par Charles Sterling. Ces deux hommages marquent le grand tournant des études sur Poussin. Ils nourrirent notamment les travaux de Blunt et de Mahon, qui reconsidérèrent totalement la biographie, les ambitions culturelles, le catalogue et la chronologie du peintre. Non que ce dernier n'eût pas déjà été étudié ni célébré : outre la monographie de Grautoff citée plus haut, on pourrait évoquer, rien qu'en France, les travaux d'Émile Magne, de Louis Hourticq et de Paul Jamot, sans oublier la révérence manifestée par de prestigieux écrivains comme Gide ou Valéry. Mais avec le colloque de 1958, une approche un peu convenue et normative du peintre de *L'Inspiration du poète* et des *Bergers d'Arcadie* n'était plus possible. On découvrait bien des aspects ignorés de l'œuvre et de la personnalité d'un grand artiste qui fut aussi un grand esprit. L'afflux des documents comme l'établissement d'un catalogue complet et plus critique mettait en branle un insatiable intérêt. Les publications, les expositions allaient désormais se succéder à un rythme accéléré : la bibliographie recensée par Blunt dans sa monumentale monographie de 1967 comptait déjà 1 444 titres; en 1994, Jacques Thuillier l'estime à quelque 1 800... Doit-on se réjouir ou se méfier de pareille inflation? Il faut bien constater que nos connaissances sur le peintre, ses amis et clients, sa culture, ses pratiques et la signification de ses œuvres sont beaucoup plus fournies et nous oserions dire solides qu'il y a trente ou quarante ans.

Le colloque de 1958 et l'exposition de 1960 ont montré l'importance et l'efficacité d'une démarche résolument positiviste qui constitue, pour ingrate qu'elle soit, la base de toute étude un peu sérieuse de la peinture ancienne : recherche et commentaire de documents, archives ou correspondances; établissement d'un recueil de textes critiques (dont Jacques Thuillier a fourni un modèle avec son *Corpus Pussinianum*); examen attentif des œuvres elles-mêmes et leur confrontation, essentiels pour dresser un catalogue et une chronologie plus sûrs, en dépit de bien des points obscurs. Ces entreprises ont consacré la rencontre de l'érudition « chartiste » française et du *connoisseurship* à l'anglaise. Tout ce que l'on a écrit sur Poussin par la suite en découle : catalogues d'expositions, comme celles de Rome et de Düsseldorf organisée en 1977-1978 par Pierre Rosenberg ou de Fort-Worth en 1988 par Konrad Oberhuber, qui tentaient de rectifier le catalogue du peintre, voire d'en proposer une révision radicale; études consacrées aux milieux, français et italiens, que Poussin a traversés et fréquentés au cours de sa vie, comme à ses idées sur l'art; lectures iconologiques dans la lignée de Panofsky, qui s'efforcent de décrypter la signification d'œuvres souvent énigmatiques. À peintre savant, glose érudite : Poussin offre à la fois un défi et un terrain de choix aux chercheurs et aux interprètes de tous bords. Actuellement, le déséquilibre entre le peintre et le « philosophe » s'accentue – au point que Neil MacGregor, dans l'une des préfaces au catalogue de l'exposition parisienne de 1994, s'en inquiète, reprenant à son compte ce « plaidoyer pour Poussin peintre » que Denis Mahon avait écrit dès 1965.

Ce sont ces déplacements d'intérêt que le colloque du quatrième centenaire enregistre. Il marque ainsi sa nette différence avec son aîné, auquel il ne cesse pourtant de renvoyer. Les nouveaux documents concernant notre peintre se font rares. On en saluera d'autant plus les minutieuses contributions d'Olivier Michel et de Donatella Sparti, qui nous renseignent sur la fortune matérielle de Poussin et son cadre de vie. L'examen critique des tableaux et des dessins occupe toujours une place importante, même si, là encore, les nouveautés sont trop peu nombreuses. En revanche, certains points difficiles ont été revus sur nouveaux frais. Le problème des œuvres du jeune « Poussin avant Rome » (auquel Jacques Thuillier a consacré en 1995 à la galerie Feigen de Londres et de New York un dossier) est abordé par Lorenzo Pericolo à propos du *Saint Denis couronné par un ange* de Rouen; les pratiques d'atelier, les répliques et les œuvres produites dans le cercle romain de l'artiste sont bien étudiées par deux « connaisseurs » d'outre-Manche, Hugh Brigstocke et Clovis Whitfield; le mystère des termes de Vaux-le-Vicomte, unique contribution de Poussin à l'histoire de la sculpture, est éclairci par Sylvain Kerspern. Les problèmes d'attribution suscitent toujours des débats passionnés, comme l'ont montré les communications de Nicholas Turner sur l'*Autoportrait* dessiné du British Museum et d'Ann Sutherland Harris sur le *Mariage mystique de sainte Catherine* d'Édimbourg. Konrad Oberhuber livre ici le dernier état de ses réflexions sur les dessins de jeunesse (et principalement les paysages). En s'appuyant sur l'examen radiographique, Humphrey Wine a pu réhabiliter la *Nymphe endormie* de la National Gallery de Londres – tableau présenté dans une exposition-dossier organisée par ce musée en 1995. Des documents d'archives, en l'occurrence les inventaires de la famille dal Pozzo, ont permis à Arabella Cifani et Franco Monetti de maintenir l'attribution à Poussin, très controversée, d'un *Repos de la Sainte Famille* conservé à Budapest. Ce tableau figurait avec plusieurs autres lors d'une exposition intitulée : *Autour de Poussin*, présentée au Louvre même par Gilles Chomer et Sylvain Laveissière. Les participants au colloque ont pu ainsi confronter leurs points de vue à ce sujet. Enfin Eric Wilberding, arguments neufs à l'appui, propose de rectifier l'historique de l'*Annonciation* de Londres, dont la destination première fait problème.

Une section importante du colloque était consacrée au milieu romain, domaine qui connaît actuellement la faveur des érudits et qu'a exploré une autre réunion, organisée peu après à Rome par l'Académie de France et la Bibliotheca Hertziana. La double culture de Poussin, française et italienne, dont Blunt et Thuillier ont déjà souligné la richesse, a fait l'objet de débats récents : le « peintre français » par excellence, selon une longue tradition critique, tend à céder le pas au Romain d'adoption, placé dès 1624 au cœur d'un réseau cosmopolite, à la fois artistique et intellectuel. L'essor des études sur Cassiano dal Pozzo et sur le cercle des Barberini a grandement contribué à enrichir et à nuancer les remarques de René Pintard et d'Anthony Blunt sur les liens de Poussin avec les « libertins » – au point que les croyances religieuses réelles ou supposées du peintre des *Sacrements* reviennent depuis peu au centre des débats. Sans s'engager sur ce terrain glissant, les participants au colloque ont rappelé l'importance de certaines rencontres : dal Pozzo bien sûr (Francesco Solinas), mais aussi Giovanni Battista Ferrari (David Freedberg) et Camillo Massimi (Timothy J. Standring). Véronique Gerard-Powell s'est efforcée, pour sa part, de cerner une autre rencontre – probable sinon prouvée – entre Poussin et Vélázquez, en dégageant notamment analogies et différences de styles.

L'étude du langage formel de notre peintre ne fut pas, loin de là, le point fort du colloque, même si plusieurs remarques faites au gré des différentes attributions, analyses ou interprétations, trahissaient de l'intérêt à cet égard. L'actuelle évolution du concept de *style*, qui tend à faire place aux éléments littéraires voire philosophiques à côté des aspects visuels, est ici illustrée par les communications de Sebastian Schütze sur l'expression des *affetti*, du regretté Youri Zolotov, grand poussiniste russe qui vient de nous quitter, sur « le rameau d'or de Virgile » et le problème de l'inspiration, d'Anthony Colantuono enfin sur la « manière magnifique » et le rôle de la métaphore dans l'invention poussinienne. Dans tous les cas, l'idée a été privilégiée par rapport à la matière picturale et aux réalités du métier. Il ressortait pourtant de plusieurs interventions comme des débats qui ont suivi que le domaine du coloris chez Poussin restait encore en partie à explorer. La visite des expositions parisiennes et londoniennes n'a pu que le confirmer. Le séminaire qui s'est tenu le 24 mars 1995 à la Royal Academy, centré sur la technique et les méthodes de travail de Poussin, est venu apporter quelques réponses ponctuelles, mais opportunes. La confrontation des œuvres entre elles et l'utilisation des analyses menées en laboratoire devraient permettre non seulement de trancher des cas litigieux, comme l'indique ici Hugh Brigstocke, mais aussi de préciser l'évolution de toutes les pratiques du peintre.

Pour l'heure, le fond semble intéresser plus que la forme. Iconographes et iconologues déploient toute leur science et leur ingéniosité interprétative pour mettre en valeur l'érudition et les capacités d'invention de l'artiste. Les sources antiques ont été ici particulièrement bien servies : des dieux fleuves de la statuaire antique (Ruth Rubinstein) au Phocion et au Camille de Plutarque (Richard Verdi, Saburo Kimura), en passant par Achille et Énée (Claire Pace) : autant de figures tutélaires de l'œuvre de Poussin. Certains tableaux célèbres, comme *L'Empire de Flore* (Mathias Winner) et *Le Triomphe de Flore* (David Freedberg) ont été particulièrement scrutés et mis en relation avec des sources littéraires ou formelles négligées. L'*Apollon et Daphné*, testament artistique inachevé, a fait l'objet de deux analyses différentes et complémentaires de Charles Dempsey et d'Oskar Bätschmann, replaçant le tableau au cœur de l'Arcadie poussinienne comme du mythe, récurrent depuis Pline l'Ancien, de la « dernière œuvre », à laquelle la vieillesse du génie confère une aura particulière. L'étude d'Elizabeth Cropper, consacrée à *La Guérison de l'aveugle*, se situe dans le prolongement des travaux du regretté Louis Marin : le tableau apparaît comme une méditation sur la vue retrouvée et, par analogie, sur le coloris et la lumière. Tous ces aperçus ingénieux, souvent éclairants, déboucheront-ils un jour sur une meilleure compréhension de Poussin? Sera-t-on en mesure, comme le fait depuis longtemps la critique littéraire

« thématique », de passer (pour reprendre les termes de Charles Mauron à propos de Mallarmé) des « métaphores obsédantes » au « mythe personnel »?

Le développement spectaculaire des recherches sur les collections et les collectionneurs, illustré notamment par Antoine Schnapper (dont *Curieux du Grand Siècle* est paru au moment du colloque), trouve un écho dans les communications qui ferment ces volumes. Les amateurs contemporains de Poussin comme Gaspard de Daillon du Lude (Jean-Claude Boyer) et Séraphin de Mauroy (Richard Beresford) côtoient ici le duc d'Orléans (Françoise Mardrus) ou les collectionneurs piémontais du XVI^e^ au XVIII^e^ siècles (Arabella Cifani et Franco Monetti), sans oublier les peintres collectionneurs du XVII^e^ siècle, qui furent parfois aussi marchands (Emmanuel Coquery). L'étude d'Arnauld Brejon sur une collection parisienne vers 1860, qui comptait plusieurs belles copies d'après Poussin, vient compléter cet ensemble. Les copies sont fonction de la « fortune » d'un artiste, de la diffusion et du prestige de son œuvre. Deux relais essentiels sont abordés ici : l'estampe, avec l'exemple de l'éditeur Étienne Gantrel (Maxime Préaud), et les académies du XIX^e^ siècle (Carl Goldstein).

Ni célébration convenue, ni panorama définitif, ces actes marquent donc avant tout une certaine étape de la recherche – de cette *Poussin Forschung* qu'évoquait en 1960 André Chastel. L'intérêt pour l'artiste et son monde s'est considérablement accru depuis trente-cinq ans. D'abord concentré sur la publication des « documents positifs » et l'établissement d'un catalogue critique de l'œuvre (dont Jacques Thuillier pour les peintures et Pierre Rosenberg et Louis-Antoine Prat pour les dessins viennent de nous livrer le dernier état), il a pour ainsi dire éclaté dans de multiples directions. L'histoire de l'art a conjugué ses efforts et ses méthodes avec ceux de l'histoire économique et sociale, de l'histoire littéraire, religieuse et scientifique, de l'iconologie et de la sémiologie. En même temps, la dimension mythiquement française de Poussin est devenue résolument internationale : l'artiste occupe désormais une place stratégique dans l'étude des relations entre la France et l'Italie. L'attention nouvelle des chercheurs italiens, après une longue indifférence, est à cet égard symptomatique. Poussin sort ainsi d'un splendide mais quelque peu stérile isolement pour prendre rang parmi les figures essentielles de la culture européenne.

Ce qui n'est pas sans quelque danger. Replacé dans les multiples « cercles » qui l'enserrent, l'artiste risque de s'effacer derrières les recherches érudites, de plus en plus étendues et raffinées, qu'il suscite. D'autre part, l'ingéniosité des interprétations et des analyses auxquelles il est soumis nous éloignent souvent d'un Poussin plus vrai et plus dru, que l'on devine dans sa correspondance et avec qui se mesurèrent des peintres comme David, Ingres ou Cézanne, sans parler de nos contemporains. L'attention fascinée et souvent passionnelle que les récentes expositions ont suscitée chez ces derniers doit nous mettre en garde : quels que soient les bénéfices tirés des études sur ce *Poussin in context*, il faudra en revenir un jour à la part du peintre et à l'élaboration du tableau. Le peintre des *Saisons* n'est à cet égard pas moins captivant qu'un Rembrandt ou qu'un Vélasquez, même si son métier a moins de brio. La publication, par les soins du Laboratoire des Musées de France, d'un CD-Rom consacré à Poussin qui permet de scruter les œuvres comme jamais auparavant, devrait apporter plus d'une révélation. N'oublions pas que les belles inventions de l'artiste et la « délectation » qu'il entend procurer au spectateur passent par l'intermédiaire de la main et de l'œil. Le plus difficile reste peut-être à faire : aimer et faire aimer Poussin dans la plénitude charnelle de sa peinture.

# Remerciements

L'initiative du colloque revient à Pierre Rosenberg, alors à la tête du département des Peintures du musée du Louvre et aujourd'hui président-directeur de cet établissement. Il a souhaité que l'exposition qu'il organisait au Grand-Palais fût assortie d'une réunion des poussinistes du monde entier et nous en a confié l'organisation scientifique.

Michel Laclotte, alors président-directeur du Louvre, a permis d'accueillir les participants et le nombreux public venu les entendre dans le prestigieux auditorium du musée. Le Service culturel, sous la direction efficace et toujours souriante de Jean Galard, s'est chargé de l'organisation matérielle du colloque, puis de la publication des actes. Nous avons une dette particulière à l'égard de Sophie Beckouche et de Mathias Waschek, auxquels revient, de l'avis unanime de nos invités, la pleine réussite de ces journées d'octobre 1994. À Violaine Bouvet-Lanselle, dont les talents et la patience ont fait merveille pour transformer cette série de communications en un vrai livre, digne, on l'espère, de son prédécesseur de 1960, va notre gratitude, ainsi qu'à Sylvie Chambadal, qui s'est lancée avec courage dans la relecture et une laborieuse mise en page assortie des corrections, et à Annie Desvachez, à qui l'on doit l'exécution d'un index révélateur de la richesse de ces journées. Merci pour leur aide discrète et efficace à Fabrice Douar, Anne Droguet, Marie-Thérèse Genin, Jacqueline Brunet et Jean Durin. La décision de traduire en français l'ensemble des contributions posait des problèmes délicats, surmontés par la diligence de Jeanne Bouniort, Lorenzo Pericolo, et Aude Virey-Wallon.

Nous tenons à remercier tous les intervenants qui se sont prêtés de bonne grâce aux contraintes orales et écrites du genre. Nous sommes très reconnaissant aux personnalités qui ont accepté de présider les séances du colloque : Jean-Pierre Cuzin, conservateur général chargé du département des Peintures du musée du Louvre; John Shearman, professeur à l'université de Harvard; Neil MacGregor, directeur de la National Gallery de Londres; Marc Fumaroli, professeur au Collège de France; Shuji Takashina, directeur du musée national d'Art occidental à Tokyo. Nous avions souhaité que Jacques Thuillier présidât l'une des séances : il a préféré rester discrètement en retrait, ainsi que Sir Denis Mahon, également sollicité. Mais tous deux ont assisté assidûment au colloque, et nous savons tous ce que celui-ci leur doit.

Nous aimerions dédier ces deux volumes d'actes à la mémoire d'Anthony Blunt, dont la personnalité continue de dominer les études poussiniennes, et à celle d'André Chastel, qui fut notre maître et inspira le colloque parisien de 1958. Sans doute auraient-ils considéré avec intérêt la vitalité des études actuelles et l'élargissement du « tout petit monde » qu'ils ont tant contribué à animer.

Alain MÉROT

1re partie

# POUSSIN, SES ŒUVRES, SON ATELIER

# La fortune matérielle de Poussin

**Olivier Michel**
Chargé de recherche au CNRS, Rome

Pierre Du Colombier, dans les actes du colloque de 1958, comparant la fortune de Claude Lorrain à celle de Poussin, à partir de leurs inventaires après décès, s'interrogeait sur le dénuement apparent de Poussin. Des découvertes successives dans les archives nous ont amené à reconsidérer ce propos. La personnalité de Poussin s'en trouve-t-elle résolument changée à nos yeux?

Arrivé à Rome en 1624, Poussin n'est pas resté longtemps un peintre besogneux, malgré la mort de son premier protecteur, le cavalier Marin, malgré même sa maladie. Son insertion dans le groupe de collectionneurs et de lettrés que protégeait la famille Barberini lui a donné toutes ses chances et si en 1624-1625 il se plaint de vendre des tableaux 3 et 7 écus romains pour survivre[1], dès 1626 il en reçoit 61 du cardinal Francesco Barberini pour *La Prise de Jérusalem* et, l'année suivante, 60 du même prélat pour *La Mort de Germanicus*[2]. La progression semble rapide, puisque la fabrique de Saint-Pierre lui paie en 1628, 300 écus pour *Le Martyre de saint Érasme* et qu'il obtiendra en outre une gratification de 100 écus pour ce tableau, soit 400 en tout[3]. En 1631, enfin, l'aventurier Valguarnera n'hésite pas à donner 110 et 90 écus pour *La Peste d'Asdod* et *L'Empire de Flore*[4]. Ses prix se sont donc bien stabilisés à un niveau élevé.

Le temps est venu pour lui de s'installer; le 9 septembre 1630, il épouse une des filles de Jacques Dughet[5], ce pâtissier qui l'avait accueilli dans sa maison et soigné lorsqu'il était gravement malade. Anne-Marie Dughet est loin d'être riche, mais comme les jeunes filles pauvres de la « Nation française » (une entité linguistique comprenant outre les Français, les Lorrains, les Francs-Comtois et les

Savoyards), elle se vit attribuer en 1629 une dot de 35 écus, venant du legs institué par le cardinal de Rambouillet et distribuée par les Messieurs de Saint-Louis-des-Français[6], somme qui ne lui sera versée qu'en janvier 1632[7] (augmentée de ses intérêts). Mais ce legs avait été précédé d'un autre : le 18 janvier 1631, on voit Poussin recevoir 45 écus des mains de son beau-père[8], qui lui-même les tenait de la générosité posthume d'un noble français, Antoine Firmin, marquis de La Feuille, agent à Rome du cardinal Louis III de Guise. Dans son testament[9], il avait réservé 200 écus pour doter « six pauvres filles de père français » que devait désigner son exécuteur testamentaire. C'est donc à Christophe Ravanel de Rantigny, le neveu même du cardinal de Rambouillet, qui à la fin de sa vie s'était retiré dans le couvent de la Trinité-des-Monts, que l'on doit le choix d'Anne-Marie Dughet. Il n'y avait là rien d'étonnant. Jacques Dughet venant de Paris était à son service depuis son arrivée et quand ils se séparèrent, Ravanel eut soin de le coucher sur son testament, lui et ses enfants[10].

Cette noblesse française installée au pied de la Trinité-des-Monts exerçait volontiers sa protection sur ses compatriotes, surtout artisans et artistes : il nous suffira de noter une coïncidence qui ne manque pas d'humour : deux ans avant Anne-Marie Dughet, Antoine Firmin accordait une dot de 100 écus à Virginia Vezzi, la femme de Simon Vouet[11].

Malgré la modestie de ces nouveaux avoirs, Passeri nous dit : « Ce qu'il eut de dot lui servit pour s'installer dans une maison sans plus vivre dans des chambres louées[12] » et de fait entre Pâques 1631 et Pâques 1632, Poussin déménage pour s'installer définitivement « en face de l'église des Grecs », via Paolina[13] (aujourd'hui via del Babuino).

Nous le voyons dès cette époque thésauriser, puisque, ayant ouvert en 1627 un compte non fructifère à la banque du Saint-Esprit[14], il procède le 8 novembre 1634 au placement d'une somme importante, presque 2000 écus romains, avec l'achat de 19 « lieux de monts » provenant d'une revente massive de la famille Orsini[15]. On désigne ainsi à Rome un emprunt d'état émis par le trésorier de la Chambre apostolique, chaque « lieu » – nous dirions aujourd'hui obligation – ayant une valeur de 100 écus romains et rapportant un intérêt. La dénomination « lieu de mont » étonne : son acception est ancienne, unissant à la fois la notion de « mont » qui désigne une accumulation et de « lieu » qui explicite sa destination et rejoint notre idée de « placement ». Ainsi les *Monte Sale* et *Monte Fede* qu'achètera plus tard Poussin devaient être employés, l'un à améliorer la production du sel dans les États pontificaux, l'autre à financer la guerre contre les Turcs. Le *Monte Novennale* auquel il souscrit en 1634 avait été fondé par Paul IV pour diminuer les dettes de la Chambre apostolique. Il devait son nom à un système de remboursement par tirage au sort dans un délai de neuf ans. Du fait de ce court terme, son intérêt était élevé : 8 % à l'origine ramenés ensuite à 7 %[16].

Durant les dix années qui le séparent de son départ pour la France, Poussin eut des rentrées d'argent nombreuses et régulières, lui assurant un train de vie confortable, tout en gardant des réserves qu'il fera fructifier. En effet chaque année, il reçoit des commandes de personnages du premier rang ; citons les *Bacchanales* destinés au cardinal de Richelieu, *Le Bain des femmes* pour le maréchal de Créquy, *Le Maître d'école de Faléries* pour M. de La Vrillière. Lorsqu'il parle de *La Manne* qu'il peint pour Chantelou, il l'estime plus de 300 écus dans une lettre de février 1639 à son ami le peintre Jean Lemaire rentré en France et il déclare qu'il n'en demandera que 200 pour faire un « cadeau » à son protecteur[17]. Cela nous montre le niveau de ses exigences. Il n'avait pas fini la série des sept *Sacrements* pour Cassiano dal Pozzo, quand arrive l'intermède français qui magnifiera son ascension sociale.

La cour de France avait besoin d'artistes de valeur qu'elle ne croyait pouvoir trouver qu'en Italie et surtout à Rome. On pensa au Cavalier d'Arpin, mais il était désormais trop âgé, à Reni, au Dominiquin, à Lanfranco ou aux plus jeunes, Cortone et Sacchi ; à Poussin, enfin, dont les rapports avec sa patrie étaient restés très étroits. À l'automne 1638 contact est pris avec lui par l'intermédiaire de Jean Lemaire et, dès 1639, il est sollicité par Sublet de Noyers qui annonce une lettre du roi[18]. Malgré des tergiversations et des atermoiements, Poussin qui semble à la fois inquiet, mais tenté par l'argent qu'on lui promet, suit enfin la voie qui lui est tracée : il allait connaître la fortune exceptionnelle d'un « peintre du roi ». Une fois décidé à partir pour la France, il rédige alors le 23 octobre 1640 un testament[19] – le premier d'une série de sept – dans lequel il laisse à sa femme 2600 écus dont 2100 en usufruit et 500 dont elle peut disposer à sa guise, cette somme étant placée en « lieux de monts ». Une partie de sa fortune nous reste cachée, c'est la part que Poussin laisse directement à ses neveux des Andelys sans la préciser.

L'approche de son départ se traduit par une activité financière exceptionnelle pour mettre ses affaires en ordre et ne laisser place à aucun imprévu. Dès le 25 octobre, il achète lui-même huit « lieux » du *Monte Fede*[20]. Le *Monte Novennale* dont il était possesseur arrivant à remboursement par tirage au sort, Poussin se voit obligé d'acquérir progressivement d'autres lieux de mont pour les remplacer et c'est pour cela que le 19 octobre 1640 il établit chez un notaire romain un acte instituant Carl'Antonio dal Pozzo son procureur, pour agir en son nom, durant son absence, auprès de l'administration des « Monts », encaisser les dividendes et substituer aux « lieux » remboursés d'autres placements[21]. C'est ainsi qu'à la date du 2 mai 1641, il a dans son portefeuille vingt-cinq « lieux » du *Monte Fede* qui correspondent à peu près à la somme de 2600 écus, laissés à sa femme par testament en 1640[22]. Après ces réinvestissements, son procureur lui achète les 20 novembre et 20 décembre 1641, douze autres « lieux » (dix *Sale*[23] et deux *Fede*[24]); il semble que cet argent provienne du paiement de tableaux peints, avant son départ, pour Cassiano dal Pozzo et Stefano Roccatagliata. Dans une seconde procuration du 5 mars 1642 envoyée de Paris à Carl'Antonio dal Pozzo[25], Poussin précise la valeur de son « portefeuille » : « vingt-sept lieux de la Foi et dix du Sel » ce qui correspond exactement aux achats faits entre le 25 octobre 1640 et le 20 décembre 1641.

C'est en août qu'il prend la décision de rentrer à Rome sous le prétexte d'aller y chercher sa femme. Dans un deuxième testament rédigé à Paris le 20 septembre 1642[26], peu de temps avant de se mettre en route, il donne à Anne Marie-Dughet l'usufruit de 4000 écus placés en « lieux ». Ce chiffre montre à l'évidence l'enrichissement rapide de Poussin.

Aussitôt arrivé à Rome le 5 novembre 1642, il se livre à de nouvelles opérations financières en vendant les 2 et 6 décembre tous les « lieux de monts » qu'il possédait[27]. Sans le savoir, il tirait un trait sur son aventure parisienne, ce qui nous permet d'établir le bilan de son enrichissement en qualité de Peintre du roi. M. Jacques Thuillier propose de répartir ainsi les 16000 à 20000 livres qu'il aurait gagnées en vingt mois de séjour parisien[28] (nous comptons ici en livres tournois qui valent environ le tiers des écus romains) : 3000 de cadeau de bienvenue, 6000 pour les gages des deux années 1641 et 1642, 1500 pour les dessins de la Grande Galerie du Louvre, 2000 pour *La Cène*; à ces paiements il faut ajouter sans pouvoir les chiffrer ceux du grand retable du noviciat des Jésuites, de deux tableaux peints pour le cardinal de Richelieu et de divers travaux comme les frontispices dessinés pour l'Imprimerie royale. Avant de quitter Paris, il confie 10000 livres tournois à ses amis, les marchands banquiers Pointel et Sérisier, les destinant par le testament de 1642, à ses neveux des Andelys.

Poussin en laissant cet argent gagné en France envisage-t-il réellement un retour rapide à Paris? Sans doute reste-t-il dans l'expectative. Nous abordons là une période d'incertitude. Le 30 avril 1643, il rédige à Rome un troisième testament[29] où Anne-Marie Dughet devient sa légataire universelle, où il acquitte une dette morale à l'égard de Carl' Antonio dal Pozzo en léguant à son fils 2000 écus, d'où surtout les héritiers français sont exclus. Il n'y est mentionné aucun « lieu de monts ». Son argent est déposé à la banque du Saint-Esprit et dans une deuxième banque, le Mont-de-Piété[30] qui venait d'ouvrir des comptes libres, accessibles à tous (par opposition aux comptes *vincolati* qui étaient réservés aux institutions religieuses et aux fidéicommis). L'une et l'autre ne versaient pas d'intérêts. Ces sommes ne sont donc pas « placées » et il lui est possible à tout moment de les transférer en France s'il décide d'y revenir.

Cette disponibilité paraît bien le signe d'un projet ou simplement d'un espoir.

Mais en tant que Peintre du roi ses mouvements ne dépendaient plus seulement de lui et la mort de Louis XIII le 14 mai 1643, suivant de quelques mois celle de Richelieu, doit le déterminer à rester à Rome, ce que suggérait déjà Bourdelot à Cassiano dal Pozzo dans une lettre du 18 avril 1643 où, annonçant la disgrâce de Sublet de Noyers, il ajoutait « que Monsieur Poussin se trouve bien où il est et *che ci stia*[31] [qu'il y reste] ». En conséquence en avril et mai 1644, il achète à nouveau des « lieux » (*Sale* deuxième émission[32]) dans une quantité presque égale à celle qu'il avait possédée deux ans auparavant.

Il ne les gardera pas longtemps puisqu'en juin et juillet 1645 il vend tout[33] : peut-être après la mort d'Urbain VIII et l'exil français des Barberini a-t-il de nouvelles espérances parisiennes, ce que confirmerait le ton passionné de la lettre du 18 juin 1645 où il proteste contre l'attribution à Samson Le Page du logement somptueux dont il disposait aux Tuileries[34] ?

En définitive il restera à Rome et il n'est plus question pour lui d'opérations sur les « lieux de monts » durant une période de quatorze ans. Mais à partir de ce moment les finances de Poussin deviennent plus énigmatiques encore : dès 1645 le compte du Mont-de-Piété que l'on peut suivre année par année, diminue peu à peu, et si, au moment de la vente des derniers « lieux de monts », une partie de l'argent avait été déposée à la banque du Saint-Esprit, il ne s'y retrouve plus après une lacune de cinq ans dans les registres. En 1652 Poussin ne posséderait même que 250 écus en totalisant les deux comptes[35]. Son capital ne semble plus alors se trouver à Rome. Nous risquerons donc une hypothèse : ayant annulé en 1646 le testament défavorable à ses neveux des

Andelys[36], Poussin, toujours attaché à la France, aurait confié sa fortune à son ami Jean Pointel qui séjourna en Italie entre 1645 et 1647. Placée dans les entreprises commerciales de Nicolas Pointel et de Jean Sérisier, elle aurait fructifié et aurait été rapportée à Rome par Jean Pointel à son second voyage de 1654-1657. Hypothèse fragile puisque les troubles de la Fronde ont pu être défavorables au commerce des soies lyonnaises! Toujours est-il que Poussin le 3 novembre 1654 dicte un nouveau testament[37] dans lequel il distribue près de 5000 écus avant de déclarer son neveu Nicolas Le Tellier héritier du reste de ses biens. Une clause confie à Jean Dughet le soin de restituer les arrhes reçues pour des œuvres qu'il craignait de ne pouvoir exécuter. Ces commandes prouvent que, malgré sa mauvaise santé soulignée par Bellori, il travaille encore beaucoup durant cette période[38].

De fait en 1656-1657 nous voyons le total des deux comptes dépasser 11400 écus romains, c'est-à-dire presque trois fois ce qu'il possédait dix ans auparavant. Son rapport à l'argent apparaît aussi dans son opiniâtreté à exiger ce qu'il estime être son dû : en 1655 il fait intervenir le jeune abbé Louis Fouquet, de passage à Rome, auprès de son frère le surintendant et il obtiendra le paiement de sa pension de peintre du roi pour l'année 1643 qui ne lui avait jamais été versée[39]; en 1662 encore, il enverra une procuration à Jacques Sérisier pour qu'il poursuive à Paris le sculpteur Thibaut Poissant à qui il avait prêté de l'argent lorsque celui-ci rentrait en France seize ans plus tôt[40]!

Ce n'est que le 22 novembre 1659 que Poussin achète à nouveau des « lieux de monts[41] », une démarche qui se présente sous un jour différent des précédents. Malgré sa main qui tremblait, Poussin ne cessa pas de travailler et il peignit alors des chefs-d'œuvre comme les quatre *Saisons* pour le duc de Richelieu. Mais il n'était plus question d'accroître sa fortune, les jeux étaient faits. Le peintre témoigne ici davantage de sa volonté émouvante de contrer la mort qui l'entourait, si l'on songe à la peste de 1656 qui avait emporté une sœur et une jeune nièce d'Anne-Marie[42], si l'on pense à la mort misérable de Dorothée Dughet, *stroppia e ceca*[43], puis à celle de sa femme Anne-Marie âgée d'un peu plus de cinquante ans[44]. D'où ces trois testaments dont seul le dernier sera lu publiquement. En 1660[45] et 1664[46] pour la première fois – signe de méfiance? – Poussin remet les deux premiers clos et scellés. Ils ne sont donc pas conservés, l'un ayant été repris[47] et l'autre vraisemblablement détruit, mais on sait par une lettre à Chantelou du 16 novembre 1664 qu'il laissait alors plus de 10000 écus romains à ses parents des Andelys[48].

Il y a surtout le placement de sa fortune destinée à assurer la sécurité du vieil homme qu'il était devenu. En moins de deux ans, profitant des occasions, il acquerra cent « lieux de monts » par groupes de vingt-cinq, trois du *Monte restaurato* et un du *Subsidio*[49]. Poussin s'est, semble-t-il, occupé lui-même de ces opérations financières pour les deux premiers groupes. Mais le 3 octobre 1660, il délègue ses pouvoirs à Jean Dughet[50] qui aura la délicate mission de faire passer de la banque du Saint-Esprit[51] au Mont-de-Piété 2000 écus à convertir en « lieux » pour la troisième série[52]. Le compte de la banque du Saint-Esprit est définitivement arrêté le 4 avril[53]. Aussitôt après, le 8 avril 1661, Poussin clôt cette série d'achats[54]. Une dernière acquisition de dix « lieux[55] » suit de quelques jours la disparition d'Anne-Marie Dughet et pourrait correspondre à une demande de legs qu'elle aurait destiné à sa filleule Barbara Carabiti.

Quand Poussin meurt le 19 novembre 1665, il peut avoir le sentiment de laisser sa famille à son aise. Les Français sont privilégiés, recevant les deux tiers de l'héritage[56], mais à Rome, tous les Dughet, sauf Gaspard, sont abondamment pourvus. Les deux nièces seront faciles à marier : Catherine Carabiti, qui saura faire fructifier sa dot[57], et sa sœur Barbara, la préférée, qui recueillera outre de l'argent et des « lieux de monts[58] », les souvenirs précieux de la maison : bijoux, argenterie et linge, sans oublier une *Vierge à l'enfant*, inachevée, de la main de Poussin lui-même[59]. Jean Dughet, à qui seront généreusement remises ses dettes, saura de toute évidence profiter d'un capital artistique fait essentiellement de dessins et de marbres antiques qu'il propose à la vente en 1678[60]. Presque aveugle, en 1691, il tentera encore d'exploiter le nom de Poussin en offrant au prince Gasparo Altieri deux tableaux[61], une *Vierge* et un « *Trionfo romano* riguardevole per l'oggetto e per l'autor insigne Nicolo Possino mio cognato ».

Quelle image ces opérations financières donnent-elles de Poussin ? Bellori souligne qu'il aurait dû gagner bien davantage que les 15000 écus romains qu'il laissa à sa mort[62]. S'il paraît à ses débuts animé d'une ambition, bien légitime au demeurant, la maladie le contraindra à s'en éloigner et il envisagera désormais ses ressources comme le moyen de s'assurer une vie à sa convenance tout en préparant la réussite de sa famille tant italienne que française. Son détachement des biens de ce monde et sa générosité le pousseront de son vivant à donner autour de lui presque tout ce qu'il possédait et cela peut expliquer l'apparent dénuement qui avait étonné nos prédécesseurs.

## ANNEXE

### Tableau synoptique des opérations financières de Nicolas Poussin

*à partir des documents inédits cités dans les notes et de la publication de Donatella Livia Sparti pour la banque du Saint-Esprit.*

| Année | Lieux de monts achat | Lieux de monts vente | Monte di pietà « dare » | Monte di pietà « avere » | Banco di S. Spirito « dare » | Banco di S. Spirito « avere » | Observations |
|---|---|---|---|---|---|---|---|
| 1627 | | | | | *3.01.1628* 100 | *29.11* 100 | |
| 1628 | | | | | *12.12* 100<br>*12.12* 170 | *3.01* 100<br>*4.09* 70<br>*12.12* 100 | |
| 1630 | | | | | *2.01* 316,20 | *2.01* (575)<br>116,20<br>*2.01* 714,20 | |
| 1633 | | | | | *2.01.1634* 612 | *6.09* 152<br>*4.10* 460 | |
| 1634 | *8.11* 19 lieux Novennale 1° payés à Giovanni Grillo | | | | *8.11* (760)<br>185<br>*2.11* 2128<br>payés à Gio. Grillo | *7.01* (760)<br>185<br>*7.11* 2128 | achat de 19 lieux pour 2128 écus G. Grillo est procureur d'Alessandro Orsini |
| 1635 | | | | | *2.01.1638* (188)<br>500 | *2.08* (188)<br>500 | |
| 1637 | | | | | *15.06* (188)<br>720<br>*17.11* 30<br>*2.01.1638* (300)<br>940<br>totaux (488)<br>1690 | *3.01* (188)<br>720<br>*27.07* 120<br>*20.08* 850<br>*5.09* (300)<br>totaux (488)<br>1690 | |

| | | | | | | | |
|---|---|---|---|---|---|---|---|
| 1638 | | | | | *28.06* 50<br>*3.01.1639* 890 | *2.01* (300)<br>940 | |
| 1639 | | | | | *23.07* 50<br>*2.01.1640* (300)<br>1040<br>totaux (300)<br>1090 | *23.01* 890<br>*9.04* 200<br>totaux (300)<br>1090 | |
| 1640 | *25.10* 8 Fede<br>*7.11* 1 Fede | 1 Novennale I° extractione 3a | | | | | *3.10* premier testament 2600 écus en lieux |
| 1641 | *8.02* 7 Fede<br>*12.03* 3 Fede<br>*2.05* 6 Fede<br>*20.11* 10 Sale<br>*20.12* 2 Fede | 7 Novennale 1° extr. 4a<br>3 Novennale 1° extr. 5a<br>6 Novennale 1° extr. 6a | | | | | |
| 1642 | | *2.12* 27 Fede<br>*6.12* 10 Sale | (fol. 1131)<br>solde 900 | *9.12* 500<br>*15.12* 400 | | | *20.09* second testament 4000 écus en lieux + 10000 livres |
| 1643 | | | (fol. 279)<br>*28.04* solde 900 | *2.01* 900 | *28.02* 2277<br>*3.09* 100<br>*5.09* 100<br>*2.01.1644* 400<br>total 2877 | *2.01* 2277<br>*4.08* 600<br>total 2877 | *30.04* troisième testament 3500 écus de legs |

| | | | | | | | |
|---|---|---|---|---|---|---|---|
| 1644 | *9.04* 18 Sale 2°<br>*11.05* 18 Sale 2° | | (fol. 482)<br>*18.04* 1647<br>*18.05* 1647<br>*23.07* 600<br>solde 362,45<br>total 4246,45 | *7.04* 3646,45<br>*8.04* 410<br>*4.07* 200<br>total 4246,45 | *21.01* 100<br>*2.04* 150<br>*21.11* 750<br>total 1000 | *2.01* 400<br>*12.11* 600<br>total 1000 | achat de 36 lieux pour 3646,45 |
| 1645 | | *10.06*<br>*13.06*<br>*19.06*<br>*27.06*<br>*1.07*<br>36 Sale | (fol. 180)<br>solde 1466 | *2.01* 362,45<br>*18.02* 300<br>*25.02* 23,55<br>*26.04* 780<br>total 1466 | *6.07* 600<br>*14.07* 300<br>*9.10* 400<br>*16.11* 400<br>*4.12* 281<br>*2.01.46* 600,70<br>total 2581,70 | *10.06* 1260<br>*17.06* 315<br>*19.06* 105<br>*? 06* 210<br>*27.06* 691,70<br>total 2581,70 | L'argent des 36 lieux revendus est versé sur les deux comptes |
| 1646 | | | (fol. 110)<br>*15.02* 300<br>*2.05* 700<br>solde 466<br>total 1466 | *2.01* 1466 | *15.02* 600,70 | *2.01* 600,70 | |
| 1647 | | | (fol. 80)<br>*10.07* 66<br>*18.11* 200<br>*2.12* solde 200<br>total 466 | *2.01* 466 | | | |
| 1650 | | | (fol. 1060)<br>solde 150 | *29.10* 150 | | | |
| 1651 | | | (fol. 361)<br>solde 150 | *2.01* 150 | | | |

| | | | | | | | |
|---|---|---|---|---|---|---|---|
| 1652 | | | (fol. 201)<br>solde 150 | *2.01* 150 | *2.01* 100 | *2.09* 100 | |
| 1653 | | | | | *2.01.1654* 300 | *2.01* 100<br>*6.11* 200 | |
| 1654 | | | (fol. 86)<br>*18.09 (?)*<br>solde 262 | *2.02* 262 | | | *3.11* quatrième testament 4900 écus de legs |
| 1656 | | | (fol. 1165 et 1251)<br>solde 4614,45 | *20.09* 2880,95<br>*6.11* 1733,50<br>total 4614,45 | | | *3.11* quatrième testament 4900 écus de legs |
| 1657 | | | (fol. 408)<br>solde 4614,45 | *2.01* 4614,45 | *2.01* solde 6820,60 | *2.01* 6820,60 | |
| 1658 | | | (fol. 175 et 206)<br>*10.05* 1000<br>solde 3614,45 | *2.01* 4614,45 | *8.03* 430<br>*2.05* 1000<br>*2.01.1659*<br>solde 5390<br>total 6820,60 | *2.01* 6820,60 | |
| 1659 | *22.11* 25 Restaurato 2° payés 2700 à Francesco Boragine | | (fol. 132)<br>solde 3614,45 | *2.01* 3614,45 | *15.11* 50<br>*6.12* 2700<br>payés à F. Boragine<br>*2.01.1660*<br>solde 2640,60<br>total 5390,60 | *2.01* 5390,60 | |

| | | | | | | | |
|---|---|---|---|---|---|---|---|
| 1660 | *29.07* 25<br>Sussidio 4°<br>payés à Lelio Valletta | | (fol. 95)<br>*13.08* 2700<br>payés à Lelio Valletta<br>*13.08*<br>solde 914,45 | 3614,45 | *3.01* 2640,60 | *2.01* 2640,60 | L. Valletta est procureur du duc de Latera Pietro Farnese<br>*16.10* cinquième testament (texte inconnu) |
| 1661 | *14.01* 25<br>Restaurato 1°<br>payés 2712,50 à Pietro Nerli<br>*8.04* 25<br>Restaurato 2°<br>payés 2725 à Benedetto Guastaldi | | (fol. 72)<br>*19.01* 2712,50<br>payés à Pietro Nerli<br>*??* 2725<br>payés à Benedetto Guastaldi | *3.01* 914,45<br>*14.01* 2000<br>versés par J. Dughet<br>*2.04* 2981,40<br>*4.04* 541,65 | *13.01* 2000<br>payés à Jean Dughet<br>*4.04* 640,60<br>payés à Jean Dughet | *3.01* 2640,60 | Pietro Nerli est procureur de Giuseppe Caetani |
| 1664 | *29.10* 10<br>Restaurato 3°<br>payés 1060 à Vincenzo Baccelli | | (fol. 833)<br>*23.10* 1060<br>per dieci luoghi<br>solde 1000<br>total 2060 | *31.07* 1615,20<br>*23.10* 444,80<br>total 2060 | | | *25.11* sixième testament (annulé son texte est inconnu) |
| 1665 | | | (fol. 212)<br>*10.12* 1000<br>payés à J. Rétrou et J. Dughet exécuteurs testamentaires sur ordre de Mgr Carpegna du 22 juin | *2.01* 1000 | | | *21.09* septième testament legs de 4720 écus, 1000 livres et 10 lieux |

## Notes

1. Félibien cité par Thuillier, 1994, p. 244, n° 14; Bellori, 1976, p. 426.

2. M. Aronberg Lavin, *Seventeenth-Century Barberini Documents and Inventories of Art*, New York, 1976, p. 28, documents 337 et 338.

3. O. Pollak, *Die Kunsttätigkeit unter Urban VIII*, t. II *Die Peterskirche in Rom*, Wien-Rom, 1931, pp. 540-541.

4. Thuillier, 1994, p. 154.

5. Archivio del Vicariato di Roma, S. Lorenzo in Lucina, *Lib. matr.* 4, 1607-1641, fol. 173 r°, 9 septembre 1630. Anne-Marie avait été baptisée à S. Lorenzo in Lucina (*Lib. bapt.* 8, 1603-1613, fol. 235 r°) le 23 avril 1613 : « *Anna suscepta fuit ab Ill. mo D. Christoforo Ravanelli de Rantienghi et D. Anna Juliot parisien[sis].* »

6. Archives des Pieux établissements français de Rome et de Lorette, registre 33, *Liber decretorum Congregationis Sancti Ludovici* 1621-1630, fol. 123 v°, « *die tertia 7mbris 1629* ».

7. *Idem,* registre 211/6, *Liber dotorum Ill.mi Cardinalis Rambouillet ab anno 1621 usque ad annum 1640... : « Exposita de anno 1632... Die 13 januarii 1632 solvi Anna Jacobi Dugay et pro ea Nicolai Pousin eius marito scuta triginta septibus et baioc. 45; scuta 35 pro subsidio dotali alia vero scuta duo ac b. 45 pro fructis unius anni et duorum mensium pro ut in mandati dd. RR. ac dictae Annae quietantiarum obligarunt D. de Rantigni ac Nicolai Poussin, 37,45. »*

8. Archivio di Stato di Roma, 30 notai capitolini, ufficio 19 (Tranquillus Pizzutus), busta 159, fol. 159 r°.

9. *Idem,* Testamenti, busta 6, fol. 686, testament du 28 mai 1618 ouvert le 2 juin à la demande des exécuteurs testamentaires Christophe Ravanel de Rantigny et Henri de Sponde.

10. Archivio di Stato di Roma, 30 notai capitolini, ufficio 19, Testamenti, busta 12, fol. 259.

11. O. Michel, « Virginia Vezzi et l'entourage de Simon Vouet à Rome », dans *Simon Vouet,* Actes du colloque international, 5-7 février 1991, Paris, 1992, p. 126.

12. Passeri, 1772, p. 351.

13. Archivio del Vicariato di Roma, S. Maria del Popolo, LSA 1631, fol. 9, n° 241; S. Lorenzo in Lucina, LSA 1632, fol. 32 v°. Voir dans le présent ouvrage l'article de D. L. Sparti.

14. Sparti, 1993, p. 341.

15. Archivio di Stato di Roma, *Luoghi di monte,* vol. 334 (Monte Novenalia, prima erezione, *liber* X, 1633-1638, patente), fol. 24 v° et 77 r°; *idem*, vol. 1787 (Brogliardi), fol. 1241 « mediante banci Sancti Spiritus ».

16. J. Delumeau, *Vie économique et sociale de Rome dans la seconde moitié du XVI^e siècle,* t. II, Paris, 1959, p. 786.

17. Jouanny, 1911, p. 14.

18. Thuillier, 1988, p. 172; Jouanny, 1911, p. 5.

19. Archivio di Stato di Roma, Notai del tribunale dell'A. C., Testamenti vol. 4, fol. 53 et 60 : « *Item jure legati, seu institutionis... reliquit D. Annam Mariam Duguet eius uxore[m] heredem usufructuariam tot locor[um] montium in Alma Urbe in favorem ipsius D. Testatoris*

*cantantium quod ascendant ad scuta duomillia, et sexenta m[one]tae, donec ipsa D. Anna Maria vixerit, et vitam castam, et honestam, ac viduilem servaverit ita ut ipsa functa proprietas dd. locor[um] montium una cum fructib[u]s in posterum a die obitus d[icta]e Anna[e] Maria[e] spectent, et pertineant ad infra[di]ctos suos heredes un[iversa]les cum hac tamen condit[io]ne, quod vita functo ipso D. Nicolao testatore ead[em] D. Anna Maria in articulo mortis ipsius Annae Mariae possit, et valeat eius prop[tere]a auc[torita]te, et de facto absque aliqua licentia infra[di]ctor[um] hered[um], et absque alicuius judicis decreto..., ex dictis locis montium ad eius libitum disponere, et proprietatem usque ad summam scutor[um] quingentorum m[one]tae alienare, illamque in proprium commodum, et utilitatem, ac usum, et servitium convertere, vel d[ic]ta scuta quingenta person[a]e seu personis sibi bene visis, ac videbitur, et placebit relinquere, et quat[enu]s de illis neque in vita neque in morte disponeret d[ic]ta D. Anna Maria occ[asio]ne remanea[n]t in hereditate ipsius D. testatoris, et devoluantur, et sint infra [dic]torum suor[um] haered[um] »*. Nous remercions Mme Ursula Fischer Pace qui nous a signalé ce texte.

20. Archivio di Stato di Roma, *Luoghi di Monte,* vol. 268, fol. 55 et vol. 1762, fol. 807.

21. *Idem,* vol. 3415 (Monte Novenalis, prima erezione, Giustificazioni 1640), « Die 5a 9mbris 1640 »; le nom des témoins figure sur l'acte original (ASR, Notai del tribunale dell'A. C. vol. 728, 19 octobre 1640) : *« Ill. D. Jo. Stephano Rocchatagliata Januen[sis] et D. Joanne q. Laurentij Raguetti Tullen[sis] »*; ce dernier est un marguillier de Saint-Louis-des-Français.

22. 8 lieux achetés le 25 octobre 1640 (vol. 268, fol. 55), 1 le 7 novembre (vol. 268, fol. 63), 7 le 8 février 1641 (vol. 268, fol. 111), 3 le 12 mars (vol. 268, fol. 140), 6 le 2 mai (vol. 268, fol. 151).

23. Archivio di Stato di Roma, *Luoghi di Monte,* vol. 1050, fol. 424.

24. *Idem,* vol. 269, fol. 60.

25. Paris, Archives nationales, Minutier central, XXXIV, 83; nous remercions M. Jacques Thuillier de nous avoir communiqué ce document.

26. *Ibidem.*

27. Archivio di Stato di Roma, *Luoghi di Monte,* vol. 2393, fol. 444 v°; vol. 1763, fol. 82 v°; *idem,* fol. 86 r°.

28. Thuillier, 1988, p. 202.

29. Archivio di Stato di Roma, 30 notai capitolini, ufficio 19 (Jacobus Pizzutus), Testamenti, vol. 16, fol. 301 et 308. Publié par A. Bertoloti, *Artisti francesi...,* Mantoue, 1886, pp. 108-109; traduit par Jouanny (1911, pp. 193-195) qui indique par erreur 1500 écus au lieu de 500 pour le legs à Barbara et Caterina Carabiti.

30. Archivio di Stato di Roma, Monte di Pieta, *Libri mastri (liberi).*

31. Thuillier, 1994, p. 159.

32. Archivio di Stato di Roma, *Luoghi di monte,* vol. 1051, fol. 99 (18 lieux le 9 avril 1644); *idem,* fol. 142 (18 lieux le 11 mai 1644).

33. *Idem,* vol. 2394, fol. 867, 869, 871, 874 et 875.

34. Jouanny, 1911, pp. 307-310.

35. Voir le tableau synoptique, ci-dessus.

36. Archivio di Stato di Roma, 30 notai capitolini, ufficio 19, Testamenti, vol.18, fol 99, 23 avril 1646, « Revocatio testamenti ».

37. Archivio di Stato di Roma, Notai del tribunale dell'A. C., Testamenti, busta 5, fol. 561; trouvé par J. Montagu, il a été analysé par Blunt, 1982, pp. 703-704.

38. Archivio di Stato di Roma, Notai del tribunale dell'A. C., Testamenti, busta 5, fol. 568 v° : « *Che li esequtori testamentarii debbano restituire e far restituire le caparre havute da esso testatore da diverse persone per far quadri che per ancora non sono da esso fatti conforme alla nota da esso data al Sig.r Giovanni suo cognato.* »

39. Thuillier, 1988, p. 246.

40. Archivio di Stato di Roma, 30 notai capitolini, ufficio 19, vol. 284, fol. 159.

41. *Idem*, *Luoghi di Monte,* vol. 915 (Ristaurato 2°), fol. 126, achat de 25 lieux pour 2 700 écus.

42. Archivio del Vicariato di Roma, S. Lorenzo in Lucina, *Lib. mort.* 1651-1656, 5 janvier 1656, Lucia Dughet Segetti; 17 août 1656, « *Appollonia [Carabiti] putta in età di anni 11* ».

43. *Idem*, S. Lorenzo in Lucina, *Lib. mort.* 1657-1667, 26 mars 1659; *idem,* LSA 1659, p. 80 « *Dorotea vedova stroppia e ceca, morta* ».

44. Archivio del Vicariato di Roma, S. Lorenzo in Lucina, *Lib. mort.* 1657-1667, 16 octobre 1664.

45. Archivio di Stato di Roma, 30 notai capitolini, ufficio 19, Testamenti, vol. 22, fol. 251, 16 octobre 1660.

46. *Idem,* Testamenti vol. 24, fol. 477, 25 novembre 1664.

47. *Ibidem,* fol. 476, 25 novembre 1664 : « *Restitutio testamenti clausi et sigillati.* »

48. Jouanny, 1911, p. 459.

49. Le 22 novembre 1659 (voir n. 41); le 29 juillet 1660 (Archivio di Stato di Roma, *Luoghi di Monte,* vol. 1122, Subsidio 4°, fol. 180); 14 janvier 1661, vol. 871, Ristaurato 1°, fol. 262; 8 avril 1661, vol. 917, Ristaurato 2°, fol. 68.

50. Archivio di Stato di Roma, 30 notai capitolini, ufficio 19, vol. 278, fol. 26.

51. Sparti, 1993, p. 350.

52. Archivio di Stato di Roma, Monte di Pieta, *Libro mastro (libero),* vol. 21, 1661, fol. 72, 14 et 19 janvier.

53. Sparti, 1993, p. 350.

54. Voir n. 49.

55. Archivio di Stato di Roma, *Luoghi di Monte,* vol. 985, fol. 362, 29 octobre 1664.

56. Félibien, 1705, IV, p. 60 : « De la somme de cinquante mille livres ou environ, a quoi ils (= ses biens) pouvoit monter, il en donna cinq à six mille écus à des parents de sa femme. »

57. Par le testament de 1665, elle reçoit 1000 écus; le 5 septembre 1668, on les retrouve dans sa dot de 1083 écus lors de son mariage avec Giuseppe Gabussi (Archivio Capitolino, Archivio notarile, sezione 19, vol. 38).

58. Par le testament de 1665, elle reçoit les dix lieux de mont achetés le 29 octobre 1664 (voir n. 55) et « *tutti li mobili, suppelletili e massaritie... compresi tutti l'ori, argenti e denari... contanti sino pero alla somma di scudi venti di moneta di Roma respetto alli denari contanti* ». Le 24 avril 1667, on les retrouve dans sa dot de 1207,70 écus lors de son mariage avec le marchand Girolamo Magnani. Le 19 décembre 1667, une quittance est établie, les lieux de mont estimés 1000 écus ayant

été vendus 1100 (Archivio Capitolino, Archivio notarile, sezione 8, vol. 20).

59. « *Pictura rappresentante imagine Beatae Mariae Virginis cum Christo puero manu dicti quondam Nicolai ut asseritur picta et non perfecta* » (« Quietanza dotis » du 19 décembre 1667).

60. Montaiglon, 1858, XI, pp. 251-254.

61. Bibliotheca Apostolica Vaticana, ms. Burghesius latinus 730, fol. 176, 306 et 334. Nous remercions M. Bonfait de nous avoir signalé ces curieux documents.

62. Bellori, 1976, p. 455.

# La maison de Nicolas Poussin via del Babuino, à Rome

**Donatella Livia Sparti**

Allocataire de recherches au J. Paul Getty Center
for the Arts and the Humanities, Malibu

*Traduction de Lorenzo Pericolo et François Moulinat*

L'actuelle via del Babuino avait déjà, dans les premières années du XVII^e siècle, pris ce nom, bien que la précédente dénomination de strada Paolina prévalût encore, en particulier dans les plans. Cette rue, qui reliait le *Popolo* à la place située sous la Trinité-des-Monts[1] (fig. 1), tire son nom actuel d'une fontaine décorée par une statue de Silène ; celle-ci était autrefois accotée au palais, aujourd'hui démoli, du prince de Piombino remplacé, vers 1577, par l'église de Sant'Atanasio dei Greci. Cette statue, à cause de son aspect, fut surnommée le babouin[2]. En raison de sa position stratégique – elle menait à une porte de la ville –, cette rue a toujours servi de lieu de résidence aux étrangers, ainsi qu'aux artistes, qui avaient fait du quartier du Campo Marzio, alors comme aujourd'hui, leur lieu de rassemblement[3]. Parmi ceux-ci, on peut mentionner Poussin qui eut comme voisins, entre autres et à différents moments, Claude Lorrain, Salvator Rosa, Giovan Antonio Lelli, Francesco Ragusa, Baldassare Mari[4].

Avant de déménager via del Babuino, Poussin avait déjà, en 1626, partagé un appartement via dei Maroniti (sur le rio Trevi, près de l'actuel largo del Tritone) avec François Du Quesnoy[5]. C'est seulement à partir de 1628 que Poussin est mentionné via del Babuino[6], où il vécut avec Jean Le Maire, vraisemblablement jusqu'à son mariage avec Anne-Marie Dughet, le 1^er^ septembre 1630[7]. Toutefois, il n'est pas encore possible non plus de situer avec précision l'endroit loué par l'artiste, bien que nous sachions qu'il faisait partie, comme nous le verrons, d'un groupe d'habitations sis face à l'église de Sant'Atanasio dei Greci. En revanche, nous pouvons faire quelques remarques au sujet de l'aménagement des espaces de la maison de Poussin et des objets qui s'y trouvaient, de comprendre aussi de quelle manière le peintre avait « choisi de vivre », et cela par rapport aux autres artistes.

L'intérêt de l'historiographie pour le lieu d'habitation de Poussin naquit dans les années mêmes où, partout en Europe, on commença à se préoccuper de créer une histoire pour les nations nouvellement fondées. En France, à la suite d'Alexandre Lenoir qui institua le musée des Monuments français, on écrivit des pages et on fit des tableaux sur la vie des artistes, promus au rang de héros nationaux, dans l'intention de justifier l'existence d'une Histoire du pays[8]. C'est pour cela que Poussin entra dans le Parnasse idéal de la nation française; parmi les différentes manifestations données en son honneur[9] en 1829, il y eut celle de Chateaubriand qui fit ériger, comme on le sait, à San Lorenzo in Lucina un cénotaphe (fig. 2), bien qu'alors on n'eût pas encore localisé le tombeau de l'artiste[10]. Mais on n'a pas encore relevé à ce sujet que, sur la paroi de la terrasse de la villa Médicis (fig. 3), avait été placée (peut-être par Chateaubriand?), une épigraphe à l'état d'ébauche, très probablement pour exalter la mémoire de Poussin sur un territoire qui était déjà français et qui, en tant qu'Académie, rassemblait un certain nombre de monuments élevés à la gloire des artistes nationaux[11].

Le XIXe siècle ajouta à l'histoire du peintre français une iconographie qui, au travers de traits saillants, d'une accentuation de la personnalité et du *modus vivendi*, dessina avec force Poussin sous la figure d'un héros, tant et si bien qu'il devint le protagoniste de romans, de récits, de comédies, de feuilletons et même d'études physiognomiques[12]. C'est ainsi que l'on confectionna le « mythe » Poussin : un enfant prodige qui, alors qu'il était encore aux Andelys, peignit un *Christ* sur le mur de l'atelier de Quentin Varin, comme cela a été rapporté – calqué sur le stéréotype que constitue l'iconographie de l'enfance de Giotto –, dans une gravure de Pierre Nolasque Bergeret[13]. Corot immortalisa la maturité : la *Promenade du Poussin sur les bords du Tibre*, qui devint un sujet aimé des contemporains et dont Paul Flandrin montra son interprétation au Salon de 1843 (sa *Promenade* a été perdue, mais on la connaît par une lithographie de Louis Français[14]). On créa enfin, pour souligner l'idée de « peintre-génie », l'image d'un Poussin artiste misérable, sans véritable position sociale, qui, en fin de carrière, n'avait pas connu une reconnaissance économique égale à la valeur de ses œuvres. Au Salon de 1834, François-Marius Granet le montra sous les traits d'un « génie incompris » dans une chambre étroite, sur les murs de laquelle étaient accrochés, en plus de quelques tableaux, ses pinceaux et sa palette (fig. 4), indiquant par là que cette pièce était à la fois sa chambre et son atelier[15]. Cette œuvre fut gravée avec quelques modifications par Félix Bracquemond en 1870.

L'équivoque qui a amené, même récemment, des savants à suggérer que Poussin « est mort dans la misère[16] », est démentie par son imposant compte bancaire[17]. Il n'est certes pas comparable aux fortunes accumulées par un Pierre de Cortone, voire par un Bernin, artistes de cour ayant servi pendant plus de quarante ans la papauté, car Poussin a surtout exécuté, comme nous le savons, des commandes privées. Les 15000 écus qu'il laissa en héritage, s'il l'avait désiré, lui auraient permis de mener un train de vie bien plus élevé; il aurait même pu faire l'acquisition d'une maison, qui, certes, n'eût pas été l'égale des palais des artistes de cour, mais il ne le fit pas, comme certains l'ont soutenu[18]. Poussin avait choisi de vivre modestement et, je le répète, c'était un choix[19]. Celui-ci est bien en accord avec les nombreuses anecdotes qui le concernent, dont la plus connue est rapportée par Bellori : le peintre s'était targué devant le cardinal Massimi de ne pas avoir de domestiques; il se serait même écrié, après avoir accompagné le cardinal à sa porte : « *Ed io compatisco più V.S. Illustriss. che ne ha molti*[20] » (« Je plains davantage Votre Excellence qui en a tant! »). Tous ces éléments, en tout cas à partir du XIXe siècle (Granet a représenté l'épisode dans une esquisse), ont formé la légende, encore très présente, de la pauvreté de Poussin. La première équivoque, générée par le siècle dernier, est celle d'un Poussin sans argent, condition démentie par ses comptes en banque; la seconde concerne, à proprement parler, son habitation.

Dans certaines biographies du XIXe siècle, consacrées à ce peintre, on rapportait que, sur la façade de sa maison, se trouvait une plaque commémorative indiquant qu'il y avait habité[21]. Pourtant, elle n'est mentionnée dans aucun des guides de Rome publiés depuis le XVIIe siècle et, quand, en 1872, la commune de Rome fit placer des inscriptions commémoratives sur les maisons d'une importance historique – notamment celles d'un certain nombre d'artistes : Michel-Ange, le Dominiquin, Jules Romain, Canova et Visconti[22] –, la demeure de Poussin ne faisait pas partie du nombre. On peut supposer que la plaque fut posée, comme cela s'est passé pour d'autres habitations d'artistes, à une époque antérieure, bien que, dans les guides sur la capitale, non seulement l'épigraphe n'est pas évoquée, mais encore la maison elle-même, à la différence de certaines autres[23], n'est que rarement mentionnée. Voilà qui laisse perplexe quant à la fiabilité d'une certaine littérature poussinesque remontant au siècle dernier. Chaque fois, par ailleurs, que les guides incluaient la maison à l'intérieur d'un itinéraire touristique de la ville, ils l'identifiaient fort mal, même si quelques-uns des inconsistants biographes du XIXe siècle avaient écrit avec raison que Poussin habitait via del Babuino. Mais ceux d'entre eux qui allaient jusqu'à donner son numéro, le 79, confondaient (inconsciemment?) la maison de Wagner avec celle de Poussin, qui était, en fait, dans un tout autre palais[24]. Sa demeure n'apparaît pas dans les guides italiens ou français; elle se trouve signalée, mais d'une façon erronée, seulement à partir de la seconde moitié du XIXe siècle, dans les ouvrages américains, anglais et allemands. Un seul exemple suffira. Dans les *Walks in Rome* de Hare[25], publiés en 1875, on peut lire : « *From the Trinità the two popular streets – Sistina and Gregoriana – branch off... The house adjoining the Trinità was that of Nicholas Poussin; that at the angle of the two streets, called the Tempietto, was once inhabited by Claude Lorraine* » (« Les deux rues populaires – Sistina et Gregoriana – partent de la Trinité... La maison à côté de la Trinité était celle de Nicolas Poussin; celle à l'angle de deux rues, appelée le *Tempietto*, fut habité autrefois par Claude Lorrain »). À la suite des guides et d'une certaine littérature biographique, les rares œuvres du XIXe siècle ayant représenté la maison de Poussin ont, en fait, montré le bâtiment situé à côté de l'église de la Trinité-des-Monts. Parmi celles-ci, signalons une lithographie d'Engelman (fig. 5), dont la légende est la suivante : *House of Poussin, on the Trinità dei Monti, seen from the Portico of Claude's House*[26]. Le point de vue a été pris depuis l'intérieur du vestibule d'entrée du palais Zuccari (fig. 6), qui n'a jamais été habité par Claude Lorrain! Il est curieux de noter aussi que Jean-Auguste Bard, dans son œuvre qui représente la maison (fig. 7), a lui aussi interverti, peut-être involontairement, la situation. Citons encore Pierre-Eugène Grandsire qui publia dans le *Magasin Pittoresque* une gravure (fig. 8), dont la légende est identique à celle d'Engelman : *Vue de la maison du Poussin sur la Trinité-du-Mont, prise du portique de la maison de Claude Lorrain*[27]. Comme dans le tableau de Bard, le point de vue est inversé : du coup, c'est Poussin qui a habité dans le palais Zuccari! Mais nous savons qu'il n'a jamais quitté la via del Babuino et qu'il n'a ni possédé ni loué des palais de cette importance[28]. Le siècle dernier a élaboré une équivoque, voire une contradiction : Poussin mourant dans la misère, tout en résidant dans un palais luxueux. Retrouver le dessin à l'encre de chine de Giovan Paolo Pannini (autrefois dans la collection Mahéreault) qui fut vendu aux enchères à Paris en 1880 et qui était intitulé, dans le catalogue de vente, *Maison de Poussin*, permettrait de savoir si seul le XIXe siècle avait posé l'identification de la maison de Poussin avec le palais Zuccari ou s'il en revenait une part au

XVIIIe siècle[29]. Ni le *Baedeker* ni le guide du Touring Club italien ne mentionnent la maison. Il fallut attendre 1979 et la seconde édition américaine du *Blue Guide to Rome*, pour qu'en fin de compte, les guides de la ville lui rendent sa véritable adresse : via del Babuino, même si la littérature consacrée à Poussin au cours du XIXe siècle n'avait, dans certains cas, rectifié l'erreur que partiellement[30].

Visitons à présent la maison. Comme nous l'avons déjà fait remarquer, il ne s'agit pas d'un hôtel particulier semblable à ceux des peintres de cour. Nous sommes face à un type d'architecture qui correspond à celle utilisée dans les demeures des classes moyennes. Les réaménagements effectués, au XIXe siècle, sur la via del Babuino (ajouts d'étages, fermetures de cours et jardins) nous empêchent de localiser avec précision la parcelle de terrain occupée par la maison de Poussin, mais il est possible de s'en faire une idée approximative. Dans l'inventaire des biens de l'artiste, publié en 1928[31], on lit ceci : « *habitationis bonae memoriae domini Nicolai Poussini positae in via Paulina ante Collegium Graecorum*[32] » (« maison de feu Monsieur Nicolas Poussin, sise sur la via Paolina face au collège des Grecs »). Cet emplacement est confirmé dans ses différents testaments[33], mais aussi par les listes de l'Académie de Saint-Luc[34]. L'inventaire après décès spécifie que la construction était à deux étages, qu'elle avait un petit jardin sur l'arrière. Poussin aurait donc loué une maison située un peu à gauche ou bien un peu à droite de la ruelle (aujourd'hui vicolo dell'Orto di Napoli), perpendiculaire à l'église de Sant'Atanasio dei Greci (laquelle abritait le collège des Grecs). Ainsi qu'il ressort des plans contemporains (fig. 9), à ces deux endroits se trouvaient de nombreuses constructions dont les caractéristiques architecturales étaient celles de la résidence de Poussin. L'Algarde, pour sa maison de *la Lungara* (fig. 10), avait choisi le même type d'habitation. On a retrouvé un plan inédit (fig. 11), qui a permis d'ajouter à l'adresse découverte par Jennifer Montagu, l'exact emplacement de la parcelle de terrain qu'elle occupait dans le jardin Salviati[35]. Une telle concordance est malheureusement encore impossible pour l'édifice de la strada Paolina.

Ouvrons, avec l'aide de l'inventaire cité plus haut, la porte d'entrée de la maison de Poussin. Elle ne possède pas de porche ni de vestibule donnant sur une cour, comme cela était courant dans les hôtels particuliers, dans ceux du Bernin et de Pierre de Cortone, par exemple. Il suffit de quelques pas seulement pour arriver dans les appartements. Si, dans les hôtels de ces deux artistes de cour, les lieux réservés au travail ne coïncidaient pas avec les pièces d'apparat de l'étage noble (l'atelier de sculpture du Bernin était situé dans une pièce communiquant avec la cour pour faciliter le transport des marbres et l'atelier de Pierre de Cortone était situé au dernier étage, où l'on avait construit une lanterne qui en augmentait la luminosité[36]), en revanche, chez Poussin, il n'y avait ni division physique ni division pratique : ainsi que l'indique l'inventaire, la maison tout entière était remplie de toiles, de pinceaux, de palettes, de chevalets, de modèles en cire et en plâtre, de bustes antiques et de répertoires illustrés. Tous ces instruments de travail coexistaient harmonieusement avec les objets domestiques d'usage courant. Grâce aux rapports équilibrés que Poussin entretenait avec Anne-Marie Dughet, ainsi qu'avec Gaspard, Jean et Ludovico, ses beaux-frères, Apollonia, Barbara et Caterina et ses nièces qui vécurent avec eux dans cette maison, soit chacun à son tour, soit plusieurs à la fois, du mariage à la mort du peintre[37], l'étroitesse de l'espace n'eut pas d'influences négatives sur son travail, comme cela arriva à d'autres. Par exemple, l'Algarde n'avait pas placé son atelier dans sa maison de *la Lungara*[38] ; l'Albane, à Bologne, avait fait aussi de son habitation son atelier. En 1659, âgé alors de quatre-vingt-un ans, il se plaignit de cela à Gerolamo Bonini, dans une lettre : « *Di novo... vivo con qualche guerra civile in casa, come VS vedrà che ho fabricato quel poco che ho potuto, per il quale consegue il potere operare comodamente, ma mi viene impedito da mia moglie, per un passo ch'ella vuole godere per andare alle sue Cucine, & VS vedrà la poca discrezione che mi si usa, e se ne potria fare di manco perché essa mia consorte ha comodità di trapassare per tutto e non sturbare me e miei giovini, che bisogna si riducano di dipingere allo scuro e per necessità a fenestra aperta*[39]... » (« De nouveau... c'est la guerre civile chez moi ; comme Votre Excellence le verra, j'ai fait le peu que j'ai pu faire et il me faudrait plus d'aise pour pouvoir travailler, mais ma femme m'en empêche parce qu'elle voudrait pouvoir aller à sa cuisine par mon atelier, et Votre Excellence verra avec quel peu de discrétion elle en use, bien qu'elle puisse l'éviter car mon épouse a la possibilité de passer partout ailleurs et donc de ne pas me déranger moi et mes aides : ils doivent peindre dans l'obscurité et, par nécessité, la fenêtre ouverte... ») Poussin, quand il écrivit de Paris à Carlo Antonio dal Pozzo, se montra enthousiasmé par le pavillon de la Cloche aux Tuileries, où il avait séjourné[40] ; il le définit comme un *palazzetto* (un petit palais), composé de neuf pièces sur trois étages avec, en plus, un rez-de-chaussée comprenant une cuisine, des chambres pour les domestiques, une étable et une serre ; il loua le *gran giardino* (grand jardin), c'est-à-dire les arbres, les plantes, les fleurs, les fontaines, la cour et il conclut : « *ho le vedute che scuoprono da tutte le parti, e credo l'estate sia un paradiso. Entrando in questo luogo, trovai tutto il piano di mezzo accommodato e mobiliato nobilmente, con tutte le provisioni di cose necessarie fino al legno, ed una botte di buon vino vecchio di due anni*[41] » (« j'ai des points de vue qui s'ouvrent de toutes parts et l'été, je crois, ce doit être un paradis. En entrant dans cet endroit, j'ai trouvé tout l'étage du milieu arrangé et meublé convenablement, avec toutes les fournitures nécessaires, jusqu'au bois, ainsi qu'un tonneau d'excellent vin, de deux ans d'âge »). Cet enthousiasme était justifié car ce qui vient d'être cité manquait dans la résidence romaine : de l'espace, un vaste jardin et une grande cour. Le *palazzetto* à Paris comprenait neuf pièces sur trois niveaux, alors que, à Rome, la maison avait seulement six pièces sur deux étages et un petit jardin, et l'on ne parle pas de la différence du décor entre les deux.

L'inventaire après décès des biens de Poussin n'est pas aussi riche que nous le voudrions, ni non plus très méticuleux dans la description des objets. Ce sont là des obstacles qui empêchent la reconstitution et la représentation de la demeure. Cependant, si l'on compare l'acte notarié avec les lettres de l'artiste et les documents concernant son héritage, il est possible d'avoir un aperçu de la disposition des pièces et des objets qui s'y trouvaient. Une autre source, enfin, qu'on n'a pas encore prise en considération, décrit cette maison : ce sont les *Mémoires sur Christine de Suède* écrits par Pierre-Daniel Huet, évêque d'Avranches, qui fut au service de la reine[42]. Ils n'ont été publiés qu'en 1806 et contiennent d'évidents remaniements dus à l'éditeur[43]. On ne peut donc s'y fier totalement. On y trouve cependant de nombreux passages que l'inventaire, les lettres et les documents sur l'héritage accréditent; cela nous amène à penser que, si on retrouvait le manuscrit autographe de l'évêque, on retrouverait en même temps les notes prises pendant la visite que Christine de Suède aurait faite à Poussin dans son atelier. En outre, l'édition du XIXe siècle comporte de criants anachronismes qui doivent nous rendre circonspects dans l'exploitation du document : citons, par exemple, parmi les nombreux livres remarqués par la reine Christine, la *Perspectiva...* d'Andrea Pozzo, dont le premier volume ne sortit qu'en 1693[44], ou encore un tableau que Poussin était en train d'achever[45], le *Christ et la femme adultère* du Louvre, fort admiré par la reine et dont nous savons qu'il fut peint en 1653 pour Le Nôtre[46]. Quand on sait que Christine de Suède effectua son premier séjour en Italie de décembre 1655 à juillet 1656, on voit bien qu'il y a là un écart d'au moins deux ans, qui s'accroît, si on prend en compte la date plus tardive de son établissement à Rome. Il semblerait, enfin, que Huet ou son éditeur ait fortement utilisé la biographie de Bellori. Si l'on met de côté ces considérations, nombreux sont, je le répète, les détails communs qu'on rencontre dans cette source et dans l'inventaire, les lettres et les documents sur l'héritage du peintre ; ces documents ont été publiés, il faut le souligner, bien après l'édition des *Mémoires* de l'évêque. Ils coïncident en particulier sur la distribution et la grandeur des pièces ; parmi celles-ci, Huet décrit une chambre où Poussin aurait réuni « la collection de ses ouvrages, en originaux, en copies, en dessins[47] ». Cet arrangement systématique a de quoi surprendre, mais il ne faut pas oublier que, quand Jean Dughet mit en vente en 1678 l'héritage de Poussin – nous y reviendrons –, celui-ci comprenait, en effet, plus de 460 dessins de sa main[48].

Ainsi que l'a récemment suggéré Salvatore Settis, les maisons d'artistes peuvent être considérées comme des œuvres d'art en soi, c'est-à-dire comme une réalisation de l'artiste qui y vit et qui le propose aux contemporains comme une image où il affirme sa personnalité. Elles sont semblables, en substance, à un autoportrait ou à une autobiographie parce que, comme ceux-ci, elles sont le résultat d'une élaboration libre, ce qui n'était pas le cas pour les œuvres de commande. Ce sont donc des lieux où l'artiste peut s'exprimer en toute liberté parce qu'il est son propre mécène[49]. Si l'on regarde, selon cette optique, les autoportraits de Berlin (fig. 12) et du Louvre (voir fig. 2, p. 93), il devient évident que Poussin y a placé les attributs nécessaires à l'identification de sa personne. Dans celui de Paris, il a sa main posée sur un portefeuille contenant des papiers et, derrière lui, se trouvent plusieurs tableaux superposés, dont l'un montre une tête de femme ; dans celui de Berlin, le peintre tient un livre. Ces divers éléments, nous les retrouvons tous dans sa maison : ils désignent son *modus vivendi et operandi*.

Les tableaux sont un de ces éléments. L'inventaire après décès atteste la présence de plusieurs œuvres sur les murs de la maison (parmi celles-ci, une *Madone* de Jean Dughet) ; le sujet de la plupart n'est pas mentionné et nombreuses étaient les toiles à avoir été seulement ébauchées par Poussin. Il y avait, en outre, trois copies de portraits, dont il n'est pas dit qui ils représentaient, et les quelques portraits qu'on trouve répertoriés de nos jours, non sans un doute, dans le *corpus* de Poussin, ne nous permettent pas de tirer de conclusions. Huet confirme la présence de copies ce qui est, d'ailleurs, une constante dans les maisons d'artistes[50]. Parmi les instruments, au sens strict du terme, l'inventaire mentionne des pinceaux, des couleurs et des petits bols, ainsi que des plats de cuivre appartenant à Ludovico Dughet, frère cadet de Gaspard et de Jean, qui, en 1665, emménagea chez son beau-frère devenu veuf; ceux-ci confirment d'ailleurs son activité picturale, sur laquelle nous ne savons rien[51].

Dans l'*Autoportrait* du Louvre, la référence à l'antique et à la mythologie se trouve dans l'allégorie de la Peinture. Dans l'inventaire, quelques têtes en marbre et en plâtre sont mentionnées. En 1645, Poussin lui-même, écrivant à Chantelou, fait allusion à sa petite collection d'antiquités. Il expliquait qu'il avait fait restaurer une tête antique afin de la conserver dans sa « petite salle, et prendre plaisir de la voir souvent »; puis il renonçait au « plaisir de la posséder [en] préférant Vostre contentement au mien propre[52] ». Ailleurs, il précisait : « je ne me sens jamais tant excité à prendre de la peine et travailler, comme quand j'ai vu quelque bel objet[53] ». Ce fut Jean Dughet, à l'occasion de la vente de l'héritage, comme nous le verrons, qui fit dresser un inventaire détaillé de la collection. En 1647, Poussin apprend à Chantelou qu'il a fait transporter chez lui un moulage de l'*Hercule Farnèse* (exécuté par Thibaut Poissant) qu'il garde, pendant l'absence du sculpteur, et que ce plâtre « occupe la moitié de [ma] maison[54] », soulignant ainsi la petitesse de son habitation. Le tableau représentant le *Choix d'Hercule*, conservé aujourd'hui au National Trust de Stourhead (fig. 13) – on ne discutera pas ici de savoir s'il s'agit d'une copie ou d'un original[55] – fait réfléchir sur le modèle que le peintre pouvait connaître quand il peignit l'œuvre que Félibien désignait sous le titre d'*Hercule entre le Vice et la Vertu*[56]. Parmi toutes les sculptures antiques représentant Hercule, la seule connue – aujourd'hui comme alors – pour avoir une posture similaire à celle représentée par Poussin, est l'*Hercule Farnèse*[57] (fig. 14). Je crois que Poussin a "réinterprété" et "réélaboré" cette sculpture dans le tableau de Stourhead[58] : la distribution du *contrappeso* est identique, de même que le bras droit passé derrière le dos. Pour rendre convenables toutes les parties, Poussin lui fit lever son bras gauche, en le faisant poser sur la massue, et lui fit tourner la tête vers la droite. On situe la datation de ce tableau (qu'il s'agisse d'un original ou d'une copie[59]) entre 1635 et 1640, soit presque une décennie avant que le moulage ne soit chez Poussin. Cependant, le peintre avait eu sûrement d'autres occasions d'avoir connaissance de l'*Hercule Farnèse* : en 1644, par exemple, quand il supervisait la restauration de cette statue par Francesco Rondone[60] et, au début des années 1640, quand il travaillait aux dessins pour l'édition du *Traité de la Peinture* de Léonard (fig. 15); à cette époque, il connaissait de toute évidence cette œuvre et voilà qui nous place à une date proche de celle proposée pour le tableau.

Il ne semble pas que Poussin ait constitué une collection de médailles. Il affirme pourtant dans ses lettres qu'il s'en servait pour en identifier l'iconographie et pour attribuer des visages à des statues antiques qu'il avait retrouvées ou encore qu'il avait acquises, en particulier pour Chantelou[61]. On le sait, les monnaies et les médailles étaient une source de renseignements précieux pour les artistes et la plupart d'entre eux utilisaient les collections de leurs commanditaires. Poussin lui-même allait au palais dal Pozzo[62] où un *Studio delle Medaglie* (Cabinet des Médailles) avait été spécialement aménagé pour les artistes[63]. Mariette rapporte, en outre, que Poussin collectionnait empreintes dans le soufre, dans la cire d'Espagne et dans la pâte de verre des plus belles pierres gravées[64], ce qui est très vraisemblable, car la numismatique et la glyptique proposaient un vaste répertoire d'images, bien qu'aucune autre source ne vienne encore l'attester.

Les livres et les manuscrits sont le troisième et dernier élément important dans les autoportraits. Le volume intitulé *De lumine et colore* que Poussin tient dans l'*Autoportrait* de Berlin[65], a fait couler beaucoup d'encre ; dans celui du Louvre, on ne sait pas si le portefeuille contient des esquisses ou des feuilles manuscrites. Dans ces deux tableaux, il ressort que Poussin a voulu mettre en avant, en particulier dans celui de Berlin, son rapport avec les traités théoriques et, dans ce cas, son propre apport. D'une façon plus large, il met en évidence ses relations avec la sphère littéraire. Nous nous serions attendue de la part du peintre philosophe à une bibliothèque importante, mais, à en croire les documents, nous sommes plutôt déçue[66]. Dans l'inventaire sont seulement cités « *19 libri stampati et manoscritti di professione di pittura* » (« 19 livres imprimés et manuscrits sur la peinture »). Il est possible qu'il en ait eu plus, si l'on tient compte du fait que, dans de nombreux inventaires romains du XVII^e^ siècle, voire dans des actes notariés, on omettait, totalement ou en partie, l'enregistrement des volumes imprimés et manuscrits. Il suffit de penser, entre autres, à la bibliothèque des dal Pozzo, présente dans l'inventaire de 1689 et omise, bien qu'elle appartînt encore à la famille, dans celui de 1695, ou à la bibliothèque de Pierre de Cortone, mentionnée seulement dans des papiers privés, indépendamment des actes notariés concernant l'héritage où l'on parlait vaguement de *scritture* [écrits]. Il en alla de même pour celle de l'Académie de Saint-Luc[67]. Nous savons cependant, grâce à Jean Dughet que, quand il mit en vente en 1678 les biens de son beau-frère, il y avait chez Poussin, en plus des *corpora* gravés de Dürer, Mantegna, Titien, Jules Romain, Polydore de Caravage et des Carrache, les traités de Vignole et de Labacco[68]. Huet mentionne aussi ceux de Leon Battista Alberti et de Léonard de Vinci[69]. Pourtant, le fait que Poussin croyait essentiel d'intégrer le métier de peintre dans une culture littéraire, suivant la théorie contemporaine du *doctus artifex*[70], apparaît tant à travers ses biographes[71], qu'à travers un de ses dessins conservé aux Offices (fig. 16), publié par Blunt[72] qui le compara avec les *académies* de Bandinelli et de Stradano[73]. Parmi les nombreux exemples qu'en a donnés le XVIIe siècle (Michael Sweerts, Giovan Angelo Canini...), il faut citer l'*académie* d'Odoardo Fialetti (fig. 17); elle est très semblable, dans sa composition, au dessin de Poussin et elle s'en différencie, d'une façon fondamentale, par une absence totale de livres, fait qui la rapproche, par ailleurs, des autres *académies*. Il semble, en effet, que Poussin ait été le seul à représenter des livres dans son *académie*, vraisemblablement pour souligner la nécessité qu'il y avait de lier la peinture à la littérature[74].

L'héritage laissé par Poussin a été l'objet depuis le milieu du XIXe siècle de « polémiques », dont le point de départ fut la publication d'une lettre que Jean Dughet avait écrite, en avril 1678, à l'abbé Claude Nicaise, un vieil ami de son beau-frère, à qui il proposait de vendre les antiquités, les dessins et les livres ayant appartenu à Poussin[75]. Peu de temps après la publication de cette lettre, on retrouva une liste détaillée des collections qui avait été rédigée par Jean, en vue de la vente[76] (elle est datée de 1678). De nombreux savants, jusqu'à nos jours, se sont demandés dans quelle condition Jean était entré en possession de ces collections, dans la mesure où, avançaient-ils, jamais Poussin n'avait déclaré un tel legs. On en arriva à formuler trois hypothèses : ou bien Jean, en cherchant à vendre des objets qui ne provenaient pas de l'héritage de son beau-frère, aurait déclaré qu'ils en provenaient afin d'en tirer un meilleur prix sur le marché, ou bien il aurait soustrait au beau-frère moribond ces objets, ou, enfin, Poussin lui-même, de son vivant, les lui aurait donnés[77]. Que Jean ait pu trahir la confiance de Poussin, est une hypothèse qu'on peut exclure immédiatement, car Poussin connaissait l'insuccès de son beau-frère en tant que peintre et graveur. Il était aussi au courant de sa cécité progressive et de sa situation financière catastrophique, puisqu'ils avaient vécu ensemble, sans interruption, de 1636 à 1663[78]. Les années passant, il fit de lui son secrétaire et son « bras droit », Jean lui étant « *di grandissimo sollievo e consolazione* » (« d'un grand soulagement et d'un immense réconfort »), comme l'écrivait Passeri[79]. Nous savons encore qu'à la demande de Poussin, Jean recopiait des papiers manuscrits, qu'il le suivait partout (il était, par exemple, avec le peintre, quand Poussin séjourna à Paris, mais aussi, à chaque fois qu'on établissait un acte notarié); de nouveaux documents prouvent qu'il l'accompagnait aussi à la banque et qu'il tenait sa comptabilité concernant les arrhes versées à titre d'acompte pour les tableaux commandés[80]. Jean fut désigné, dans le testament de 1654, comme exécuteur testamentaire (ainsi que des banquiers), et il devait recevoir la somme la plus importante après celle léguée à Anne-Marie Dughet ; à la mort de celle-ci, cette somme devenait, dans le dernier testament, la plus importante dans l'absolu ; en 1660, Poussin le désigna procureur pour toute question, y compris pour ses opérations bancaires[81]. « *Confidando* – écrivit-il dans son dernier testament – *nella* [*sua*] *integrità et sincero affetto*[82] » (« J'ai foi en son intégrité et en son attachement sincère »). Poussin, qui plus est, n'avait ni enfants ni atelier. Ne désirant pas laisser ses biens à l'Académie de Saint-Luc, qui aurait dû en hériter, à qui d'autre aurait-il pu léguer les instruments de son métier, si ce n'est à son homme de confiance ? La relecture, à la lumière de ces éléments, du dernier testament de Poussin semble confirmer cette hypothèse puisqu'il spécifie : « *item, lascia al S.r Giovanni Douquei* (sic) *scudi 1300 di moneta di Roma per una sol volta da pagarseli dopo la sua morte dall'infrascritto suo erede universale, et inoltre rimette et condona al medesimo S.re Giovanni tutto quello che esso testatore può o potesse pretendere da lui, ordinando che per tal causa non sia molestato*[83] » (« Idem, il laisse au sieur Jean Dughet la somme de 1 300 écus romains payable en une seule fois après sa mort par sondit légataire universel ; il baille et délaisse, en outre, audit sieur Jean Dughet tout ce que ledit testateur pouvait ou aurait pu lui réclamer ; et, par cette clause, le garantit de tous troubles et empêchements »). En septembre 1665, date du testament, Jean était donc déjà en possession des biens qui appartenaient à son beau-frère ; bien que Poussin ne les décrivît pas, il les inclut dans l'acte notarié en spécifiant que c'étaient là des avoirs qu'il aurait pu réclamer. En les lui donnant, en effet, le peintre voulait sauvegarder Jean, afin que personne, y compris l'héritier universel, ne puisse le spolier. Tout porte donc à penser qu'il s'agit, en vérité, d'autographes de Poussin et d'œuvres d'art qui, il faut le souligner, ne sont jamais apparus dans le testament en tant que tels ou sous une forme similaire. Celui qui a écrit que Poussin avait laissé à sa nièce Barbara une grande partie de ses biens[84], n'a peut-être pas assez pris en considération la portée de son testament : « *a Barbara… lascia tutti li mobili, supellettili et masseritie che esso testatore haverà al tempo della sua morte nella casa dove succederà compresi tutti gli ori, argenti et denari che vi saranno contanti sino alla somma di scudi 20 di moneta di Roma rispetto alli denari contanti*[85] » (« à Barbara… il laisse tous les meubles, ustensiles et instruments que ledit testateur possédera dans sa maison au moment de sa mort, y compris toutes les pièces d'or, d'argent et les deniers qui y seront jusqu'à concurrence de la somme de vingt écus romains et cela quant aux deniers comptants »).

En fait, avec les legs laissés à Jean et à Barbara, l'héritier universel – son neveu Jean Le Tellier – ne reçut pas grand chose, surtout si l'on considère que Poussin s'est servi de son testament pour entériner une donation déjà promise. Si c'est lui-même, en effet, qui explique que Jean Dughet possédait plusieurs de ses biens, on peut donc établir que ce dernier les avait transportés dans sa maison proche du *Corso* entre le 30 avril 1663, jour où il quitta la via del Babuino après s'être marié[86], et le 21 septembre 1665, quand Poussin les lui donna par testament. Si, par ailleurs, Jean tenait la comptabilité des arrhes versées pour les tableaux de Poussin, comme cela apparaît de nos jours, il est possible que le beau-frère l'ait aidé en tant qu'agent, et que, peut-être pour cette raison, il ait eu en sa possession des biens de Poussin. La présence de nombreuses œuvres d'art dans la maison de Jean, via del Corso, avant la mort du peintre, peut expliquer les différences existant entre la riche liste rédigée par Jean Dughet, la description de Huet, les mentions dans les lettres de Poussin et l'inventaire elliptique de ce dernier. En outre, Poussin avait spécifié, dans son testament que tous les biens laissés par lui en héritage à Rome au moment de sa mort, à l'exclusion des objets donnés par legs, devaient être vendus par ses deux exécuteurs testamentaires. Le bénéfice réalisé couvrirait les legs en argent et ce qui resterait constituerait l'héritage du neveu français[87]. En plus de ce que Poussin avait donné à son beau-frère, se trouvaient dans l'atelier de la via del Babuino, ainsi que l'atteste l'inventaire, des œuvres destinées, par sa volonté testamentaire, à être vendues ; Jean aurait pu entrer en leur possession avec l'argent qui lui avait été légué, et ainsi réunir la collection tout entière, d'autant plus que le 14 juin 1666, le banquier Rétrou, second exécuteur testamentaire de Poussin, renonça à sa charge et donna à Jean les complets pouvoirs pour gérer l'héritage[88]. La présence de biens appartenant à Poussin dans la maison de Jean, via del Corso, est encore attestée, en janvier 1679. Cette année-là, un certain frère Chappuy écrivit à Nicaise, qui l'avait envoyé à Rome en reconnaissance à la suite de l'offre de vente faite par Jean : « J'ay vû les bustes et les desseins de feu M.r Poussin chez M. Jean Dugueht. Il y a de très-belles choses et de grand usage pour les peintres[89]. » Il n'est pas possible aujourd'hui d'établir s'il s'agissait seulement de biens donnés par Poussin à Jean, ou si une partie de ces objets appartenait au reste de l'héritage. Nous pouvons en tout cas éliminer l'adjectif « famélique » que la critique du XIX^e siècle et certaines personnes encore attribuent à Jean[90], en l'accusant d'avoir capté les biens de son beau-frère, puis de les avoir vendus. *A posteriori*, il est, par ailleurs, possible d'affirmer que Jean a joué un rôle fondamental en donnant des informations sur Poussin à ses biographes, en les aidant considérablement dans l'achèvement et la transmission de sa *Vita*[91]. Jean avait expliqué à Nicaise qu'il était contraint de se séparer des biens de son beau-frère parce qu'il était désormais tout à fait aveugle[92]. Pourquoi ne pas le croire ? Si les motifs étaient surtout pécuniaires, Poussin en a certainement tenu compte quand il lui légua une partie de ses biens, et il savait d'ailleurs, quand il lui confia, en tant qu'exécuteur testamentaire, la vente des biens restants sur l'héritage, que Jean était un habile vendeur[93]. En avril 1678, au moment même où il proposait à Nicaise les collections, Jean venait d'avoir un second enfant[94] ; il est très vraisemblable qu'alors, sans état et presque aveugle, il ait eu besoin d'argent. Nous ne savons pas si la vente eut lieu. Pourtant, en mai 1679, Félibien, qui rédigeait alors sa biographie sur Poussin, écrivit ceci à Nicaise : « J'ay esté bien aise d'apprendre ce que Bellori vous écrit des mémoires que Monsieur Poussin a laissez qu'aparement il n'avoit faits que pour son instruction[95]. » Profitant de l'occasion, Félibien demanda à Nicaise de lui envoyer tout ce que ce dernier possédait de la main de Poussin, ou à son sujet. Il est donc légitime de se demander, si les mémoires de Poussin possédés par Bellori et Nicaise, ne provenaient pas en fait de l'héritage de l'artiste. La reine Christine de Suède fut aussi une cliente éventuelle. On a dit, en effet, qu'elle avait acheté des dessins de la collection Poussin[96]. Cela est possible, d'autant plus qu'elle était en rapport étroit aussi bien avec Bellori qu'avec Nicaise. Pourtant, il faut le dire, aucun document ne prouve un marché passé entre elle et Jean. Rien n'atteste non plus que le noyau de la collection de dessins de Leipzig, qui appartenait à la reine, provenait effectivement de la maison de Poussin. On a avancé ce fait, en se fondant seulement sur des conjectures et sur une erreur d'attribution, puisqu'on donna ces dessins à Poussin.

## Notes

Je voudrais remercier Vittoria Colotti de m'avoir aidée à relire mon texte.

1. Voir, par exemple, les plans de Rome de Giovanni Maggi (1625), de Giuseppe De'Rossi (1637), d'Antonio Tempesta (1661-1662), de Giovan Battista Falda (1667 et 1676), de Matteo Gregorio De'Rossi (1668), dans A. P. Frutaz, *Le piante di Roma*, Rome, 1962, vol. II et III; les plans d'Antonio Tempesta (1593), de Matteo Greuter (1618) et de Francesco De Paoli (1623), dans *ibidem*, ne comportent aucune indication toponymique, à l'inverse de celui de Mario Cartaro (1576), dans *ibidem*, qui mentionne la « via in Capite Domo ». Les premiers travaux effectués dans cette rue eurent lieu sous Léon X; ce fut Clément VII, en 1525, qui inaugura vraiment les travaux de cette rue et, après lui, Paul III, dont elle tirera le nom de *Strada Paolina*. Sur les différentes phases de construction, voir : P. Hoffman (éd.), *Guide Rionali di Roma. Rione IV, Campo Marzio,* Rome, 1981, 1re partie, *ad indicem*.

2. Nibby écrivit en 1841 : « *per essere sconcia e disadatta fece sì che il Popolo [romano] le dasse il nome di Babuino* » (« parce qu'il était indécent et difforme, le peuple lui donna le nom de babouin »), car le Silène ressemblait à un petit singe, dans *Roma nell'anno MCMDXXXVIII*, Rome, 1841, IIe partie, moderne, p. 7; à ce sujet, voir aussi A. Rufini, *Dizionario etimologico-storico delle strade, piazze, borghi e vicoli della città di Roma*, Rome, 1847, pp. 18-19.

3. Sur les endroits de prédilection des artistes demeurant à Rome au XVIIe siècle et sur les lieux où se déroulait la plus grande partie de la vie artistique (commerce, expositions, académies, etc.), voir D. L. Sparti, *La casa « alla Pedacchia » di Pietro da Cortona : architettura, accademia, atelier e officina*, thèse de doctorat soutenue à l'École normale supérieure de Pise, mars 1994 (en cours de publication).

4. Voir à ce sujet M. Piacentini, « Ricerche archivistiche per la storia dell'arte. Documenti per l'arte barocca. Gli artisti in Roma nel 1634 », dans *Archivi d'Italia e Rassegna Internazionale degli Archivi*, 1939, VI, pp. 156-183; J. Bousquet, *Recherches sur le séjour des artistes français à Rome au XVIIe siècle*, Montpellier, 1960; D. L. Sparti, *Criteri e tecniche nel restauro della scultura antica nella Roma seicentesca. La collezione di sculture antiche del Cardinal Flavio Chigi*, appendice documentaire I, voir B. Mari, en cours de publication pour l'*Accademia Nazionale dei Lincei. Contributi del Centro interdisciplinare Beniamino Segre*.

5. Voir Bellori, 1672 (1976, p. 289 et p. 426), et F. Baldinucci, *Notizie dei professori del disegno da Cimabue in qua*, Florence, 1846, vol. IV, p. 701, qui avaient déjà attesté la vie en commun des deux hommes sans avoir pu toutefois préciser l'année ni l'emplacement de la maison. Même si J. Bousquet (*op. cit.* n. 4, II, p. 4) avait écrit que les deux artistes vivaient ensemble via del Babuino (strada Paolina), la vérification du document des Stati delle Anime, traduit par l'auteur, indique, au contraire, que les deux artistes habitaient via dei Maroniti, comme me l'a courtoisement signalé M. Fagiolo dell'Arno, qui publiera prochainement dans son *Jean Le Maire, pittore antiquario*, Milan (à paraître).

6. La relecture des documents des Stati delle Anime confirme cette fois la traduction de Bousquet (*op. cit.* n. 4, II, p. 4). De 1630 jusqu'à la mort de l'artiste, la traduction de Bousquet coïncide encore

avec les documents alors qu'il n'est pas possible de vérifier la curieuse et ambiguë citation relative à l'année 1629 qu'il relève : « *Monsiu Pussino pittore fiamingo col servitore* », puisqu'elle fait partie du document « *mancante dal 1993* » (« manquant à partir de 1993 ») comme le rapporte sa fiche aux archives (je dois encore cette information à M. Fagiolo dell'Arco). Poussin a donc déménagé en 1628 (ou 1627, mais il manque la documentation) et si Jacques Thuillier (1988, p. 127) dit qu'il « habite une chambre louée, partagée d'abord avec d'autres artistes, puis, à partir de 1629, comme il dispose de plus d'argent, avec un petit serviteur... Puis, à un certain âge, se perd le goût de parier toujours sur l'avenir. Surtout quand le succès est venu. Une maison, un peu de confort... En juin 1630, Poussin... se marie. Il quitte les chambres meublées pour un véritable foyer. » La justification économique qu'il fournit ne peut correspondre à cette date. G. B. Passeri (*Die Künstlerbiographien von Giovanni Battista Passeri*, Leipzig-Vienne, éd. J. Hess, 1934, p. 325) rapporte que Poussin « *hebbe di dove gli servì di stabilirsi una casa senza più stare nelle camere locande* » (« eut les moyens de s'établir dans une maison sans plus devoir demeurer dans des chambres louées »), mais ne fournit aucune date. Nous n'avons, par ailleurs, aucun document certain sur ce que Poussin a gagné en 1629, car les documents relatifs à ses comptes bancaires manquent pour cette année-là (Sparti, 1993, p. 342).

7. Bousquet (*op. cit.* n. 4, II, p. 4) avait déjà documenté la vie en commun de Poussin et Le Maire; M. Faggiolo dell'Arco approfondit l'argument dans « *Via del Babuino 1629-1630* », *Strenna dei Romanisti*, avril 1995, pp. 203-211. Boyer, 1931, pp. 235-236.

8. F. Haskell, *Mécènes et peintres. L'art et la société au temps du baroque italien* (éd. anglaise, 1993, pp. 236-252).

9. Voir à ce sujet Gandar, 1860, pp. 1-2 et 16-19; Advielle, 1902, pp. 171-178; Coutil, 1924, pp. 53 *sqq*.

10. Le cénotaphe fut construit par Paul Lemoyne et Louis Desprez; la pierre tombale, qu'on n'a jamais retrouvée, reçut une épigraphe rédigée par Giovan Pietro Bellori, que lui avait commandée le beau-frère de Poussin, Jean Dughet (sur lequel voir Magne, 1914, p. 174, n. 5) écrit que la pierre est mentionnée jusqu'en 1779 et ceci est confirmé par les guides de Rome. Pour l'inscription portée sur le cénotaphe et celle gravée sous le buste de Poussin au Panthéon, voir V. Forcella, *Iscrizioni delle Chiese e d'altri Edifici di Roma*, Rome, 1883-1884, vol. I, p. 99, n° 340 et vol. V, p. 147, n° 428.

11. À propos de la Villa Médicis, il est intéressant de noter que ni M. Cagiano de Azevedo (*Le antichità di Villa Medici*, Rome, 1951) ni l'ouvrage *La Villa Médicis* (éd. A. Chastel et P. Morel, Rome, 1989, III vol.) ne mentionnent l'ébauche d'inscription du cénotaphe; nous remercions F. Caglioti de nous l'avoir gentiment signalée.

12. Sur Poussin et le XIXe siècle, voir surtout Verdi, 1969, pp. 741-750, et Chastel, 1960, pp. 297-310 et, plus récemment, Thuillier, 1994, pp. 146-149. Voir, par ailleurs, la bibliographie fournie dans la note 9.

13. Cette gravure fut exécutée pour *Les Voyages pittoresques dans l'ancienne France*, de Taylor et Nodier, publiés en 1828; pour la reproduction, voir Coutil, 1924, p. 5, fig. 2. Raymond René Aiffre exécuta, en 1845, le même sujet (voir Verdi, 1969, fig. 31).

14. *Hippolyte, Auguste et Paul Flandrin. Une fraternité picturale au XIXe siècle*, cat. exp. Paris, musée du Luxembourg, 1984, p. 269, n° 178.

15. Cette iconographie, en tout cas à partir de 1819, année où Pierre Nolasque Bergeret présenta son *Service funèbre de Poussin*, connut un grand succès, attesté par les différentes versions présentées au Salon (voir Verdi, 1969, fig. 42).

16. Du Colombier, 1960, p. 53.

17. Sparti, 1993.

18. E. Gandar (1860, p. 70) soutient que Poussin s'est servi de la dot d'Anne-Marie Dughet pour acquérir sa maison; il utilise très vraisemblablement Passeri comme autorité (*op. cit.*, n. 6, p. 325), mais Advielle (1902, p. 165) semble en douter, ainsi que Magne (1914, p. 86). C'est pourtant Poussin qui écrit à Paul Fréart de Chantelou, en 1643, les mots suivants : « Nous n'avons rien en propre... nous avons tout à louage » (Jouanny, 1911, p. 197). Dans la mesure où Poussin n'a légué aucune propriété dans ses deux testaments, on peut déduire qu'il n'a jamais acheté sa maison. De plus, la traduction fautive de certains passages et/ou de certains mots de son dernier testament par Charles Jouanny (1911, p. 471) a ultérieurement induit en erreur des chercheurs sur cette question, surtout parce que Jouanny a traduit *masseritie* par « immeubles », dans le passage concernant les legs faits par Poussin à sa nièce Barbara : « Il laisse tous les biens meubles et immeubles... » (Pour le texte original, voir la présente communication et la note 85.)

19. Bellori (1672), 1976, p. 456. Cette humilité est soulignée par les autres biographes contemporains de Poussin, parmi lesquels on peut citer Vigneul Marville (*Mélanges d'histoire et de littérature, recueillis par M. de Vigneul-Marville*, Rouen-Paris, 1700, II, p. 140, dans Advielle, 1902, pp. 221-222). Vigneul-Marville rapportait : « Durant mon séjour à Rome, j'ai souvent vu le Poussin chez lui et chez M. le Chevalier del Pozzo... je l'ai rencontré parmi les débris de l'ancienne Rome, et quelque fois dans la campagne et sur les bords du Tibre qui dessinoit ce qu'il remarquoit le plus à son goust... Je lui demandai un jour par quelle voie il était arrivé à ce haut point d'élévation qui lui donnoit un rang si considérable entre les plus grands Peintres d'Italie; il me répondit modestement : "Je n'ai rien négligé". » Ce passage est aussi cité dans *Actes du colloque*..., II, 1960, pp. 236-237, où il est attribué à Bonaventure d'Argonne.

20. Elle a été publiée par Verdi, 1969, fig. 41.

21. Gandar, 1860, p. 70 : « il aurait acheté en 1637 la célèbre maison qui porte encore son nom, et que tant de voyageurs ont visitée » et Advielle, 1902, p. 165 : « La maison [...] était classée au rang des Monuments historiques, ce qui n'a pas empêché sa démolition. Le nom de l'artiste y était rappelé. »

22. J. Murray, *A Handbook of Rome and Its Environs*, Londres, 1894, p. 11.

23. Parmi celles-ci, citons celles de Michel-Ange, de Raphaël, des frères Zuccari, du Bernin, de Salvator Rosa et de Rubens.

24. E. H. Denio (1898, p. 34, n. 3) a mentionné le numéro de la maison, le 79 et, avant elle, d'autres encore; voir, à ce propos Jouanny (1911, p. 197, n. 3) qui écrit : « Les registres de l'état de la population [il s'agit vraisemblablement des *Stati delle Anime*] constatent que la maison habitée par Poussin, dans la via Paolina, maintenant via Babuino, est celle qui porte le numéro 79 ». Mais au 79, à partir de 1876, habita Wagner, si bien que, sur la façade du palais, qui est toujours situé au numéro 79, a été inscrite cette phrase commémorative : « Ici habita en 1876 Richard Wagner – mai 1905. » On peut penser qu'on a voulu confondre le lieu d'habitation

de Poussin avec celui d'un autre grand artiste pour en glorifier la mémoire.

25. A.J.C. Hare, *Walks in Rome*, New York, 1875, p. 20 (on retrouve cela dans les éditions de 1893, p. 33 et de 1909, p. 38). Voir aussi Th. Gsell Fels, *Rom und die Campagna Meyers Reisebücher*, Leipzig, 1883, p. 673 : « An der Piazza della Trinità nr. 9 wohnte und starb der Maler Nicolas Poussin » (« sur la piazza della Trinita, au n° 9, vécut et mourut le peintre Nicolas Poussin »; on retrouve cela dans les éditions de 1875, p. 727 et de 1901, p. 760). Cependant, c'est dans J. Murray (*op. cit.* n. 22, p. 13) qu'on rapporte : « *This neighbourhood [Trinità de'Monti] has always been a favourite residence of painters, several of whome [sic] including Nicolas Poussin, Claude Lorrain and Salvator Rosa, lived close by but their houses have been rebuilt and cannot by now be identified with certainty* » (« ce voisinage [la Trinité-des-Monts] a toujours été le lieu de résidence préféré des peintres; plusieurs d'entre eux, entre autres Nicolas Poussin, Claude Lorrain et Salvator Rosa, vécurent non loin de là, mais leurs maisons ont été reconstruites et on ne peut à présent les identifier avec certitude »).

26. La lithographie d'Engelman illustrait le livre de M. Graham (1820, pl. 1).

27. La lithographie d'après un tableau de Prosper-François-Irénée Barrigue de Fontainieu, comme elle le spécifie, illustrait un article intitulé : « Lettres d'artiste. Une lettre de Nicolas Poussin », dans *Le Magasin Pittoresque*, octobre 1856, p. 337.

28. Ch. Jouanny (1911, p. 24, n. 1) a alimenté cette confusion; il a rapporté qu'en 1639, Poussin a habité au « 9, via Sistina selon la tradition »; il s'était inspiré des conclusions erronées de Pattison (1882, p. 122).

29. *Catalogue de Dessins Anciens et Modernes, Aquarelles et Miniatures formant la collection de Feu M. Mahérault*, Paris, 1880 (vente Hôtel Drouot, 27-27 mai 1880), p. 83, n° 240 : « Panini J. P., La Maison du Poussin à Rome. Plume et encre de Chine »; V. Advielle (1902, p. 166) cite aussi le catalogue.

30. Le *Blue Guide. Rome and its Environs*, Chicago-New York-San Francisco, 1979, p. 157 : « *Via del Babuino, opened in 1525, connects Piazza di Spagna with Piazza del Popolo. Rubens lived here in 1606-08, and Poussin in 1624*·» (« la via del Babuino, ouverte en 1525, relie la place d'Espagne avec la piazza del Popolo. Rubens y vécut de 1606 à 1608 et Poussin en 1624 »). Boyer (1928 (1), pp. 119-121) avait déjà identifié l'emplacement correct de cette maison, corrigeant ainsi toute la littérature précédente (voir la note 28). La confusion du XIXe siècle a été soulignée par J. Bousquet (*op. cit.* n. 4, II, p. 1) et il est intéressant de voir que, bien que J. Thuillier (1988, p. 140) se soit senti encore obligé de rappeler que la strada Paolina était aussi la via del Babuino, le catalogue de l'exposition consacrée à Nicolas Poussin (Paris, 1994, pp. 132-133) présente la strada Paolina et la via del Babuino comme deux rues distinctes; il laisse entendre par là que Poussin, entre 1623 et 1639, aurait alternativement séjourné dans chacune d'elles. Citons, pour finir, quelqu'un comme Ch. L. Frommel (discours d'ouverture du *Convegno Poussin Roma 1630*) qui soutient que le bout de rue où Poussin aurait vécu quand il était domicilié strada Paolina, correspondrait à l'actuelle via di Propaganda Fide, laquelle donne sur le côté droit (sud) de la place d'Espagne, donc à l'opposé de la via del Babuino et du Collège des Grecs, qui relient cette place à la piazza del Popolo (nord).

31. Boyer, 1928 (2), pp. 143-149. La transcription de Boyer comporte de nombreuses erreurs, nous nous

sommes donc reporté au document original.

32. Archivio di Stato di Roma, *30 Notai Capitolini* (30 Not. Cap.), *ufficio* (uff.) 19, vol. 229 (notaire Rondinus), c. 537.

33. Le premier testament date de 1643 (voir pour la transcription en italien A. Bertolotti, *Artisti francesi in Roma nei secoli XV, XVI e XVII. Ricerche e studi negli archivi romani*, Mantoue, 1886, pp. 107-109, et, pour la transcription française, voir Jouanny, 1911, pp. 193-195). En 1646, Poussin révoqua ce premier testament et voulut volontairement « *decedere ab intestato* » (« mourir *ab intestat* ») : à ce sujet, voir Sparti, 1993, p. 346, n. 31. En 1654, le peintre fit un nouveau testament (A. Blunt l'a partiellement publié en 1982, pp. 703-704 et, en partie, par Sparti, 1993, p. 343). En 1660, il en fit un autre dont on ignore toujours le contenu (*ibidem*). Un autre testament étant resté lui aussi « *chiuso e sigillato* », remonte à 1664 (Thuillier, 1988, p. 278). Le dernier testament fut fait en 1665 (Archivio di Stato di Roma, 30 Not. Cap., uff. 19, Testaments, vol. 24, notaire Rondinus, cc. 620 ss., 21 septembre; pour la traduction française comportant de nombreuses erreurs, voir Jouanny, 1911, pp. 466-477).

34. Archivio dell'Accademia di San Luca, vol. 166, n° 68, c. 12 (1634) : « Nicolo Posino pittore franzese alli Greci… » (« Nicolas Poussin, peintre français aux Grecs ») (document publié par M. Piacentini, *op. cit.* n. 4, p. 161) et *idem*, vol. 72, n. 32, cc. s.n. (1635) : « Nicolo Posuin franzese pittore alli Greci… » (« Nicolas Poussin, peintre français aux Grecs ») et voir plus loin pour les années suivantes.

35. Si J. Montagu (*Alessandro Algardi*, New Haven-Londres, 1985, p. 30) avait trouvé où l'Algarde résidait sur la via della Lungara, probablement grâce à son voisinage avec les fonderies de Saint-Pierre, près desquelles elle avait localisé aussi son atelier (*idem*, p. 208), nous ne savions pas avec exactitude sur quelle parcelle d'habitation, dans la mesure où la via della Lungara, comme la via del Babuino était caractérisée par des pâtés de maisons.

36. Sur la maison du Bernin, voir F. Borsi, C. Acidini Luchinat et F. Quinterio, *Gian Lorenzo Bernini. Il testamento, la casa, la raccolta dei beni*, Florence, 1981 ; et sur celle de Pierre de Cortone, voir Sparti, *op. cit.* n. 3.

37. Que les beaux-frères et les neveux aient hanté la maison est un fait amplement documenté et qu'ils aient tous vécu en bonne intelligence, se déduit aussi bien des lettres de Poussin que de ses legs testamentaires ; voir en outre Bousquet, *op. cit.* n. 4, II, pp. 1-10 et Thuillier, 1988, p. 139.

38. Voir la note 35.

39. *The Getty Center for the Art and Humanities, Archives of the History of Art*, ref. n° 870360, lettre de Francesco Albani à Gerolamo Bonini.

40. Ce pavillon fut détruit par Louis Le Vau en 1659.

41. Cette lettre, datée du 6 janvier 1641, est rapportée par Bellori, 1672 (1976, p. 439). Elle a été publiée aussi par G. Bottari et S. Ticozzi, *Raccolta di lettere sulla pittura, scultura ed architettura scritte dai più celebri personaggi dei secoli XV, XVI e XVII*, Milan, 1822, II, p. 389. Et publiée aussi par Ch. Jouanny, 1911, p. 40.

42. Sur Pierre-Daniel Huet (1630-1721) voir Archives biographiques françaises, microfiche, Londres-Paris-Munich, 1988, *ad indicem*.

43. P.J.B. Chaussard, *Les Anténors modernes ou Voyages de Christine et de Casimir en France, pendant le*

*règne de Louis XIV : esquisse des mœurs générales et particulières du dix-septième siècle, d'après les Mémoires secrets des deux ex-souverains, continués par Huet, évêque d'Avranches*, Paris, 1806, II, ch. IX : « Intérieur du Poussin. Son atelier. Ses chefs-d'œuvre ».

44. *Ibidem,* p. 63.

45 *Ibidem,* pp. 63-64.

46. Félibien, 1725, t. IV, p. 63.

47. P.J.B. Chaussard, *op. cit.* n. 43, II, p. 65.

48. Montaiglon, 1858-1860, pp. 251-252.

49. Voir l'introduction de S. Settis, *Case d'artista. Dal Rinascimento a oggi*, dir. E. Hüttinger, Turin, 1992, p. IX.

50. Voir Sparti, *op. cit.* n. 3.

51. J. Bousquet (*op. cit.* n. 4, II, p. 10) avait déjà démontré qu'en 1665 Ludovico vivait avec Poussin, et l'inventaire cité décrit le lit où Ludovico dormait. Sur le troisième et dernier frère Dughet, qui paraît avoir été aussi, pendant un certain temps, pâtissier, suivant en cela l'exemple paternel, voir Thuillier, 1988, pp. 138-139.

52. Jouanny, 1911, pp. 313-314.

53. Desjardins, 1903, p. 96.

54. Jouanny, 1911, p. 357.

55. Blunt, 1966, n° 159 et Wright, 1985, n° 116; ces deux auteurs considèrent que ce tableau est un original et qu'il date des années 1630. En revanche, J. Thuillier (1974, n° B35) et A. Mérot (1990, n° 142) pensent qu'il s'agit d'une copie d'après un original perdu exécuté dans les années 1630.

56. Félibien, 1725, IV, p. 152; l'œuvre, écrit ce biographe, se trouvait dans la maison de l'avocat Richaumont, puis dans celle de son gendre, l'architecte Blondel, et il ajoute qu'elle était « des premières manières du Poussin » : ce sont ces mots qui ont poussé une partie de la critique à considérer l'œuvre de Stourhead comme une copie de l'original qui avait été perdu.

57. Les autres représentations d'Hercule parvenues jusqu'à nous sont mutilées, à l'exclusion de l'*Hercule Capitolin*, en bronze, qui a une toute autre position.

58. Poussin s'est, à d'autres occasions, intéressé ouvertement à des statues antiques; par exemple, dans un dessin conservé aujourd'hui au musée Condé, identifié par Malo comme représentant une statue de Jules César (Malo, 1933, fig. 60), il est possible de voir qu'il s'agit là d'une citation évidente de l'*Antinoüs* du Belvédère, complété dans ses parties manquantes (l'avant-bras gauche et le bras droit) et doté de ses propres attributs; ceci est confirmé par une gravure représentant cette statue, publiée dans l'ouvrage de Bellori à partir d'un dessin d'Errard, montrant les mesures prises par Poussin lui-même (Bellori, 1976, p. 472, n. 5). En 1628, Poussin avait déjà cité l'*Hercule Farnèse* dans son *Martyre de Saint Érasme*. Sur Poussin et les collections d'antiquités des Farnèse, voir Ph. Sénéchal (1994).

59. Voir la n. 55.

60. Jouanny, 1911, p. 251 et p. 292.

61. Il lui écrivit, à propos des deux têtes en marbres qu'il avait acquises pour lui : « l'une est le portret du dernier Ptolomée, frère de Cléopâtre, ainse comme l'on le peut cognoistre par les médalles » (Jouanny, 1911, p. 313, lettre du 29 juillet 1645).

62. Félibien, 1725, IV, p. 21 : « Il possedoit alors, comme je vous ai dit, l'amitié du Cavalier del Pozzo, qui avoit amassé dans son cabinet

tout ce qu'il avoit pû trouver de plus rare dans les médailles & dans toutes les choses antiques, dont le Poussin pouvoit disposer, & en faire des études. »

63. Voir Sparti, 1992, pp. 135-142.

64. P.J. Mariette, *Traité des pierres gravées*, Paris, 1705, I, p. 92 : « J'aimerois beaucoup mieux rassembler, comme avoit fait le Poussin, un grand nombre d'empreintes tirées en souffre, ou en cire d'Espagne, sur les plus belles Pierres gravées qui sont éparses de côté & d'autre, ou bien de ces Pâtes de verres, qui à la matière près, ont de quoi satisfaire autant que les originaux, puis qu'étant moulées dessus, elles en font des copies très-fidèles ». Anthony Blunt mentionnait déjà ce fait (1967, I, p. 241, n. 65).

65. Voir la bibliographie de la notice 189 consacrée à ce tableau dans le catalogue (Paris, Grand Palais, 1994-1995).

66. Et en effet J. Bialostøcki (*The Message of Images*, Vienne, 1988, pp. 155-156) a supposé que la « bibliothèque de Poussin devait avoir été considérable ».

67. Pour les inventaires des dal Pozzo, voir Sparti, 1992, appendice documentaire (documents 14a et 14b); sur la bibliothèque de Pierre de Cortone et sur celle de l'Académie de Saint-Luc, voir Sparti, *op. cit.* n. 3.

68. Montaiglon, 1858-1860, p. 252.

69. J.P.B. Chaussard, *op. cit.*, n. 43, p. 63. Et, en effet, A. Blunt (1937-1938, 4, pp. 344-351) souligne lui aussi les racines des XVe et XVIe siècles des théories de Poussin sur la peinture.

70. Ces théories étaient déjà en vogue du temps de Giovan Paolo Lomazzo; elles furent « canonisées » au XVIIe siècle par les essayistes qui proposèrent, à la suite des codifications littéraires contemporaines, des bibliographies exemplaires que devait lire l'« artiste érudit » (à ce sujet : J. Bialostøcki, *op. cit.* n. 66, pp. 150-165).

71. Félibien (1725, IV, p. 21), entre autres, rapporte que Poussin fréquentait les bibliothèques de ses mécènes : «...ce qui joint aux entretiens sçavans qu'il avoit avec ce généreux ami [Cassiano], ne lui étoit pas d'un petit secours, parce qu'il apprenoit de lui à connoître dans les livres des meilleurs Auteurs, les choses dont il avoit besoin pour bien représenter les sujets qu'il entreprenoit de traiter. »

72. A. Blunt (1967, fig. 197) publia le premier une copie de ce dessin conservé à l'Ermitage, puis l'original conservé aux Offices (Blunt et Friedlaender, 1974, V, p. 55).

73. Elizabeth Cropper (1980, pp. 570-583) s'est appuyée sur le dessin des Offices, entre autres, pour mettre en évidence les études sur les ombres projetées par des corps tridimensionnels.

74. Blunt et Friedlaender (1974, V, p. 55) datent l'esquisse des années 1640 et ils suggèrent que ce dessin représente un atelier idéal, puisque l'artiste n'avait pas d'école. On peut l'interpréter d'une autre manière : Poussin y aurait représenté ses trois beaux-frères Gaspard, Jean et Ludovico qui, bien qu'ils n'eussent jamais vécu tous les trois en même temps avec lui, reçurent chacun à leur tour l'enseignement du peintre.

75. Chennevières, 1851-1852, pp. 6-8.

76. Montaiglon, 1858-1860.

77. Chennevières, 1851-1852, p. 5; Boyer, 1928, p. 143; Du Colombier, 1960, p. 53, n. 22; J. Bousquet, *op. cit.* n. 4, I, p. 14.

78. Voir les documents du décompte des âmes publiés par J. Bousquet (*op. cit.* n. 4, II).

79. Passeri, *op. cit.*, n. 6, p. 328.

80. Voir *Dizionario biografico degli Italiani*, s.v. Jean Dughet (M. N. Boisclair), pp. 797-799, en particulier pour le voyage en France et la copie des papiers manuscrits; sur sa présence chez les notaires, J. Bousquet, *op. cit.* n. 4, I, p. 14, n. 16. Sur la comptabilité des œuvres, voir Sparti, *op. cit.*, p. 343.

81. Pour le testament de 1654, voir la note 33 *supra*; pour Jean en tant que procureur, voir Sparti, 1993, p. 343 et la note 40.

82. Archivio di Stato di Roma, 30 Not. Cap., uff. 19, Testaments, vol. 24, notaire Rondinus, c. 653; pour la traduction française, voir Jouanny, 1911, p. 474.

83. Archivio di Stato di Roma, 30 Not. Cap., uff. 19, Testaments, vol. 24, notaire Rondinus, c. 621. Pour la traduction française, voir Jouanny, 1911, p. 471.

84. Thuillier, 1994, p. 141.

85. Archivio di Stato di Roma, 30 Not. Cap., uff. 19, Testaments, vol. 24, notaire Rondinus, c. 621; ce passage a été traduit en français (Jouanny, 1911, pp. 470-471), non sans erreurs, qui ont entraîné auprès des chercheurs de nombreuses équivoques aussi bien sur la propriété de la maison que sur le legs à Barbara. Voir aussi la note 18.

86. J. Bousquet, *op. cit.* n. 4, II, p. 10.

87. Archivio di Stato di Roma, 30 Not. Cap., uff. 19, Testaments, vol. 24, notaire Rondinus : « *et perché la sua intentione, et volontà è che tutti gli effetti della sua heredità che haverà in Roma à tempo della sua morte eccettuati li luoghi de Monti, mobili et altro come di sopra lasciati alla sopraddetta Barbara, li vendino* [c. 621] ... *et anco vendere et rassegnare tutti detti luoghi de Monte, eccettuati quelli come sopra lasciati, et qualsivoglia altro effetto della sua heredità* [c. 653] ... *et che li denari... di detti effetti* » (doit couvrir les différents legs et revenir, pour ce qui restera, à Jean Le Tellier : « son intention et sa volonté sont que les biens de son héritage qui seront à Rome au moment de sa mort, à l'exception de ceux qui seront à Monti, des meubles et des autres effets laissés ci-dessus à ladite Barbara, seront vendus [...] vendre et faire l'inventaire de tout ce qui se trouve au susdit Monti, à l'exception de ce qui a été dejà légué et de tous les autres effets de son héritage [...] et que l'argent des susdits effets »).

88. Archivio di Stato di Roma, 30 Not. Cap., uff. 19, Testaments, vol. 24, notaire Rondinus, c. 168 v°. Poussin avait envisagé la possibilité qu'un des deux exécuteurs testamentaires délaisse sa charge et, dans cette éventualité, il avait pris la disposition suivante : « *vuole in tal caso che tutte le sopraddette facoltà et auttorità si consolidino et unischino nell'altro* [c. 654] » (« il veut, dans ce cas, que tous les pouvoirs et autorités susdits se coalisent et reviennent à l'autre »).

89. Chennevières, 1851-1852, p. 10.

90. *Ibidem*, p. 5; Du Colombier, 1960, p. 49.

91. Félibien, 1725, IV, entr. VIII.

92. Chennevières, 1851-1852, p. 7.

93. A. Bertolotti (*op. cit.* n. 33, p. 110) rapporte que Jean a vendu en France des antiquités conservées à Rome (19 novembre 1667).

94. Antonia Catarina Dorotea, sœur de Giacomo Giuseppe, naquit le 20 février 1678; pour l'arbre généalogique, Thuillier, 1988, p. 286.

95. « Correspondance de l'abbé Nicaise », dans *Archives de l'art français*, I, 1851-52, p. 24.

96. Le premier à avoir soutenu cette position, fut E. Kroker (« Eine Sammlung von Handzeichnungen in der Leipziger Stadtbibliothek », dans *Zeitschrift für Bildende Kunst*, 1913-1914, XXV, p. 119), suivi par J. Q. van Regteren Altena (*Les Dessins italiens de la reine Christine de Suède*, Stockholm, 1966, p. 19). Dans les *Meisterzeichnungen. Museum der Bildenden Künste Leipzig* (Leipzig, 1990, pp. 18-19), on a rejeté avec raison l'attribution à Poussin, bien qu'on ait soutenu que ce fonds de dessins provenait de la maison de l'artiste.

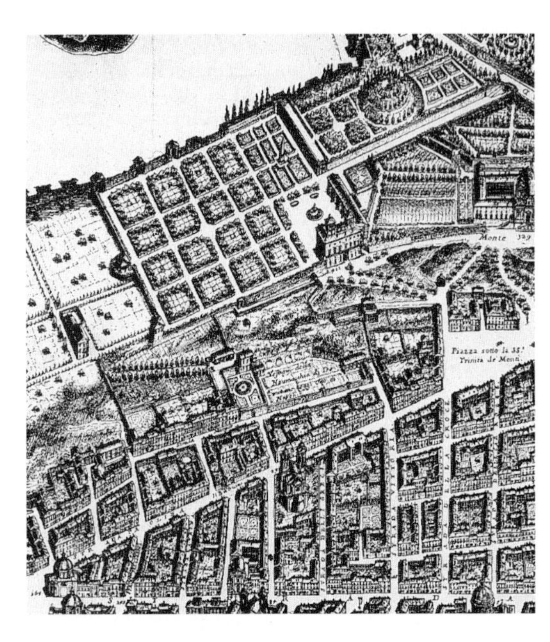

Fig. 1
Giovan Battista Falda
(?-1678)
Détail du *Plan de Rome*,
1676
(A.P. Frutaz, *Le piante di Roma,* Rome, 1962, vol. III, pl. 358).

Fig. 2
Paul Lemoyne (1784-1873) et
Louis Desprez (1799-1870)
*Cénotaphe de Nicolas Poussin*,
1829
Marbre
Rome, San Lorenzo in Lucina.

Fig. 3
*Épigraphe* apposée sur la terrasse de la Villa Médicis, Rome.

Fig. 4
François-Marius Granet (1775-1849)
*Mort du Poussin*, 1834
Aix-en-Provence, musée Granet.

Fig. 5
C.L. Engelman
*La Maison de Poussin*
Lithographie
(M. Graham, *Memoirs of the Life of Nicolas Poussin*, Londres, 1820, fig. 1).

Fig. 6
Palais Zuccari
*Le Tempietto*
Rome.

Fig. 7
Jean-Auguste Bard (1812-?)
*Maison du Poussin*
Les Andelys, musée Nicolas-Poussin
(avec l'aimable autorisation de M. Yvan Parrault).

Fig. 8
Pierre-Eugène Grandsire (1825-1905)
*La Maison de Poussin*, Lithographie (*Le Magasin Pittoresque*, 1856, octobre, p. 337).

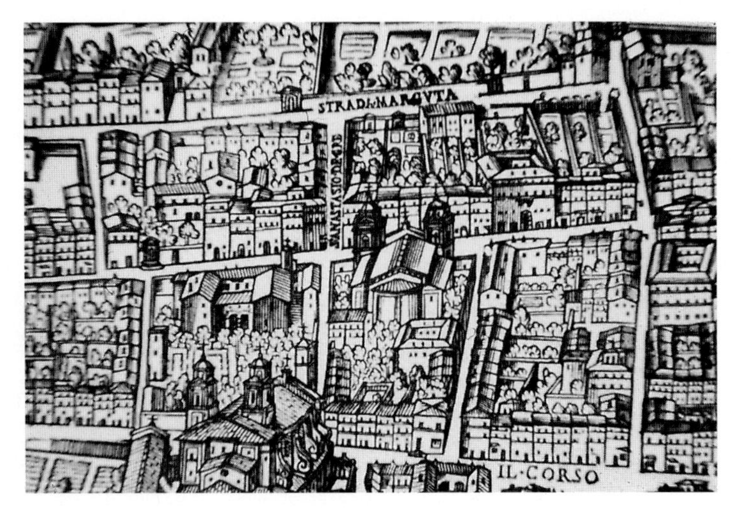


Fig. 9
Giovanni Maggi (1566-1618)
Détail du *Plan de Rome* (1625)
(A.P. Frutaz, *Le piante di Roma*, Rome, 1962, vol. III, pl. 308).

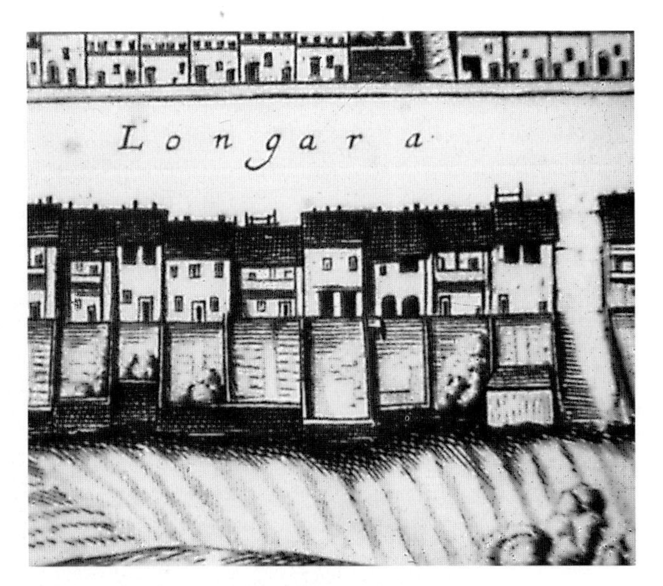


Fig. 10
Antonio Tempesta (1555-1630)
Détail du *Plan de Rome*
édité par Giovan Giacomo De Rossi en 1661-1662
(A.P. Frutaz, *Le piante di Roma*, Rome, 1962, vol. III, pl. 340).

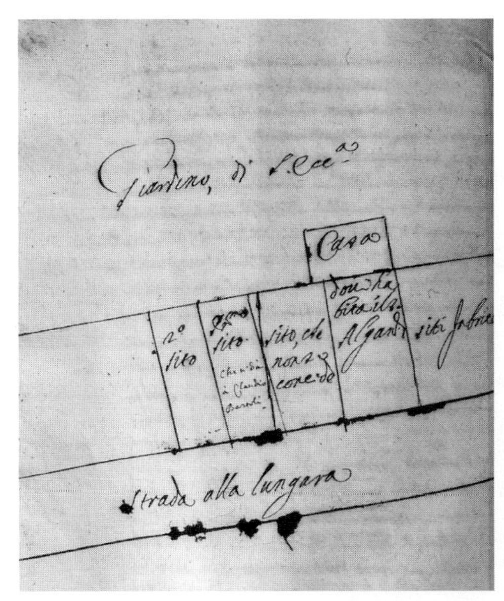


Fig. 11
Plan comportant la maison d'Alessandro Algardi, via della Lungara à Rome (Archivio di Stato di Roma, *Notai Auditor Camerae*, vol. 3189, c. 319 v°).

Fig. 12
Nicolas Poussin
*Autoportrait* (1649)
Toile,
0,78 x 0,64 m
Berlin, Staatliche Museen zu Berlin, Gemäldegalerie.

Fig. 13
Nicolas Poussin
*Le Choix d'Hercule*
Toile, 0,91 x 0,72 m
Stourhead (Wiltshire),
National Trust.

Fig. 14
*Hercule Farnèse*
Marbre. H. 3,17 m
Naples, Museo Nazionale
di Capodimonte.

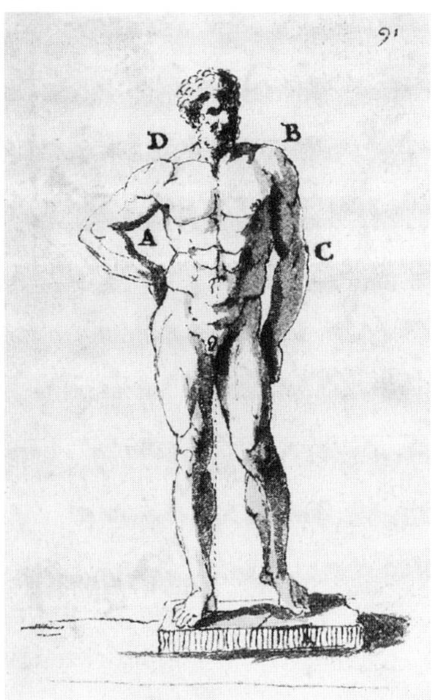


Fig. 15
Nicolas Poussin
Esquisse pour une illustration du
*Traité sur la Peinture* de Léonard de
Vinci
Plume et bistre
Milan, bibliothèque Ambrosienne,

Fig. 16
Nicolas Poussin
*Atelier d'artiste*
Plume
Florence, musée des Offices, cabinet des Dessins et des Gravures, 6121 F.

Fig. 17
Odoardo Fialetti (1573-1638)
*Atelier d'artiste*
Bologne, Pinacothèque nationale,
cabinet des Dessins et des Gravures.

# L'*Autoportrait* dessiné de Poussin au British Museum

**Nicholas Turner**
Conservateur en chef au J. Paul Getty Museum,
Malibu

*Traduit de l'anglais par Jeanne Bouniort*

Le dessin[1] (fig. 1) dont je vais parler ici est bien connu de la plupart des amateurs de Poussin. Identifié comme un *Autoportrait* par l'inscription « *simigliantissimo [...] fatto nello specchio di propria mano circa l'anno 1630* » (« très ressemblant [...] fait devant le miroir de sa propre main vers l'an 1630 »), il est admis comme tel dans la plupart des publications récentes[2]. L'inscription explique en outre que Poussin a exécuté le dessin après une grave maladie – encore que la date donnée semble fausse, mais j'y reviendrai – et qu'il l'a offert au cardinal Camillo Massimi (1620-1677) à l'époque où il lui donnait des cours de dessin, donc vraisemblablement quand ce dernier était encore un jeune homme. Le tout est complété par un hommage à la grandeur de Poussin et une reconnaissance de ce que l'Italie doit à son style classique[3].

Il s'agit, à tous égards, d'une œuvre exceptionnelle et proprement saisissante. Le physique hirsute du modèle et son regard inquiet produisent une impression dérangeante. Il a mis son bonnet de travers sur ses cheveux en bataille et ne semble pas rasé. Quel que soit le personnage en question, nous n'avons certes pas affaire à un portrait traditionnel pour l'époque. Loin de déployer son charme pour séduire le spectateur, il fait même tout le contraire.

Le British Museum de Londres a acquis le dessin en 1901, date à laquelle tout le monde acceptait sans broncher l'identification traditionnelle[4]. Il figure sous le titre d'*Autoportrait* dans bon nombre des ouvrages de référence sur Poussin, notamment dans le volume V du catalogue raisonné des dessins publié en 1974 par Anthony Blunt et Walter Friedlaender[5]. C'est également en tant qu'autoportrait de Poussin qu'il a été exposé à plusieurs reprises au cours des vingt dernières années : avec d'autres portraits dessinés au British Museum en 1974, avec d'autres dessins de Poussin provenant des collections britanniques à l'Ashmolean Museum d'Oxford en 1991, et avec des œuvres rassemblées autour du *Tancrède et Herminie* de Poussin à Birmingham en 1992[6].

Cependant, Pierre Rosenberg a commencé à émettre des doutes sur la paternité du dessin et sur son véritable sujet. Dans son compte rendu de l'exposition de l'Ashmolean Museum pour le *Burlington Magazine*, en 1991[7], il se demandait si le modèle était bien Poussin. Puis il évoquait le style selon lui atypique : « [...] aucun dessin dans toute son œuvre [...] ne présente cet étrange mélange de naturalisme à la Carrache et de franchise nordique (tous deux si étrangers à l'esthétique poussinienne). » Enfin, il relevait diverses erreurs dans l'inscription : « Nul n'aurait songé un instant à Poussin si ce dessin ne s'était accompagné d'une longue inscription qui est de toute façon inexacte ou, à tout le moins, vague sur plusieurs points. »

Même si la ressemblance n'apparaît pas clairement de prime abord, la plupart des spécialistes reconnus (Anthony Blunt, Denis Mahon, J. A. Gere, Hugh Brigstocke et Richard Verdi) s'accordent pour dire que le dessin du British Museum représente effectivement Poussin. Comme le signale l'inscription, une comparaison s'impose avec le noble *Autoportrait* du Louvre (fig. 2; cat. 190*), peint pour Chantelou en 1650, malgré le contraste frappant entre l'exubérance du dessin et la calme assurance du tableau. Le modèle du dessin a les cheveux plus courts, et pourtant on reconnaît les yeux globuleux et le regard pénétrant, le nez légèrement bulbeux, la fine moustache et la bouche un peu maussade. Les deux visages présentent la même ride horizontale en haut du nez, surmontée par des plis verticaux.

D'autres interprétations de l'aspect hirsute de Poussin ont pu être proposées. Ainsi, Adrienne von Lates suppose que l'artiste s'est fait une tête de mendiant-philosophe léonin, et John Chvostal pense qu'il a voulu se représenter en Apollodore, dont Pline nous dit qu'il détruisait parfois ses œuvres dans un geste rageur[8]. Malgré tout, je prendrais pour argent comptant l'explication fournie par l'inscription. D'après ce texte, Poussin a fait son portait *« nello specchio di propria mano circa l'anno 1630 nella convalescenza della sua grave malattia, e lo donò al Cardinale de Massimi allora che andava da lui ad imparare il Disegno »* [devant le miroir de sa propre main, vers l'an 1630, pendant sa convalescence d'une maladie grave, et il l'a donné au cardinal Massimi qui est allé apprendre le dessin auprès de lui]. Le regard fixe et perçant, joint à l'inclinaison de la tête vers l'avant, découlent assurément du fait de se dessiner devant un miroir.

Le bonnet de nuit et la chemise ample portée sur un gilet ou un linge de corps sembleraient concorder avec l'allusion à la convalescence. Et, qui sait, le rasage matinal dispensé dans les hôpitaux modernes ne faisait peut-être pas partie des soins habituels au XVIIe siècle, d'où les pilosités inélégantes des deux côtés du menton, bien susceptibles d'échapper à quelqu'un qui manie le rasoir distraitement.

Poussin est-il tombé gravement malade vers 1630, comme le dit l'inscription, et le dessin le représente-t-il à trente-six ans, âge qu'il aurait eu cette année-là, ou plus tard, à une date où il aurait effectivement pu enseigner le dessin au jeune Massimi ? On voit mal comment Massimi, né en 1620, aurait pris ces cours alors qu'il avait tout juste dix ans. En revanche, il est tout à fait possible qu'il ait reçu cette formation quand il avait, disons, dix-neuf ans, donc en 1639 ; cette date concorde parfaitement avec le peu que l'on sait des activités artistiques de Camillo Massimi. Il appartenait au groupe d'artistes amateurs issus de l'entourage des Barberini, en majorité aristocrates, qui a fourni les dessins pour l'édition de 1640 des *Documenti d'Amore* du poète Francesco Da Barberino (1264-1348) dont les Barberini se prétendaient les descendants. Les trois illustrations de Massimi, exécutées sans doute environ un an auparavant, ont des accents tellement poussiniens que l'on ne peut exclure une intervention du maître dans leur réalisation[9].

Deux lettres de Poussin rédigées en 1639 confirment qu'il est tombé malade cette année-là[10], et à cette date il aurait eu quarante-cinq ans, un âge plus en conformité avec le physique du modèle dans le dessin. Poussin parle d'un « mal de carnosité », ou gonflement, qui peut résulter d'une affection urinaire[11]. Les joues pleines de l'artiste dans le portrait, qui ont incité certains commentateurs à présumer qu'il avait bien moins de quarante-cinq ans, s'expliqueraient donc par cette maladie. Et c'est même cette modification de son aspect physique qui a peut-être motivé l'exécution d'un autoportrait.

Poussin était également tombé malade avant 1630. D'après son biographe Giovanni Battista Passeri, l'une des premières crises de ce qu'il appelle son *mal di Francia* (ou maladie vénérienne) s'est déclenchée peu après son arrivée à Rome en 1624, et elle a duré *per qualche anno*[12]. Dans une lettre à Cassiano dal Pozzo, non datée (souvent située à tort vers 1630), l'artiste se déclare sans le sou en raison d'une « indisposition[13] ». Il pourrait bien l'avoir écrite à l'automne 1626, lorsque Cassiano est rentré à Rome après un voyage à

Madrid. Donatella Sparti, qui a examiné le compte en banque de Poussin[14], me dit que l'artiste l'a ouvert en 1627 et qu'il avait une somme coquette à son crédit en 1630.

On a une autre raison de penser que Poussin était en bonne santé en 1630, compte tenu de l'affection particulière dont il se plaignait. C'est en effet l'année où il s'est marié (le 9 août ou le 1er septembre, selon les auteurs), et l'on est en droit de présumer qu'il connaissait à tout le moins une rémission de son mal[15].

Voyons maintenant la bordure du dessin et l'inscription, qui fournissent des indications sur l'historique de l'œuvre après Massimi. Comme John Shearman l'a montré il y a plus de vingt ans, c'est précisément ce dessin que le collectionneur Francesco Maria Niccolò Gabburri (1676-1742), membre de la noblesse florentine, a prêté en 1724 pour une exposition en l'église Santissima Annunziata de Florence[16]. Shearman avait découvert, dans la *Nota de'Quadri [...] esposti per la festa di S. Luca dagli Accademici del disegno* accompagnant l'exposition[17], une allusion à un autoportrait dessiné par Poussin (« *un disegno del ritratto del Possino fatto da se medesimo dell'Ill. sig. Cav. Francesco Maria Gabburri* »), d'où il avait déduit que cette feuille et celle du British Museum ne faisaient qu'une.

Je n'ai hélas pas pu consulter à temps le catalogue de cette exposition[18]. Cependant, l'examen de quelques noms de prêteurs, prélevés au hasard sur la liste donnée dans le catalogue de l'exposition de 1706, révèle que bon nombre des tableaux présentés dans l'église et le cloître venaient des collections du prince Ferdinand et autres gentilshommes de Florence, tels le marquis Ottaviano Acciaioli ou le sieur Giuseppe Dini[19].

Si l'on en croit l'inscription, à un certain moment entre 1677, année de la mort du cardinal Massimi, et 1724, année de l'exposition, le portrait dessiné de Poussin a dû passer des héritiers de Massimi à Gabburri. Qui était donc ce Gabburri[20] ? On connaît un portrait de lui[21] (fig. 3), dessiné par son ami le peintre florentin Tommaso Redi (1665-1726), qui le montre en 1723, à l'âge de quarante-six ans, un an avant l'exposition où il a prêté le dessin de Poussin. Après avoir exercé des fonctions de diplomate à Rome au service de Côme III de Médicis, Gabburri a consacré le plus clair de son temps à rédiger une série de vies d'artistes pour compléter l'*Abecedario pittorico* du père Pellegrino Orlandi, dont la première édition remonte à 1704[22].

La collection de Gabburri est surtout connue aujourd'hui pour ses trois magnifiques albums de dessins de Fra Bartolomeo. Les deux premiers, réunissant des études de figures, se trouvent désormais au musée Boymans Van Beuningen de Rotterdam[23]. Le troisième, réservé aux paysages (qui étaient d'ailleurs attribués à Andrea del Sarto du temps de Gabburri), est apparu sur le marché de l'art en 1957, lors d'une vente de Sotheby's à Londres[24]. Le British Museum a acquis deux de ces dessins de paysage, dont l'un[25] (fig. 4) présente une bordure à la plume et au lavis analogue à celle qui entoure le portrait de Poussin (fig. 1).

En 1758 ou 1759, les héritiers de Gabburri ont cédé la totalité de sa collection de dessins au marchand anglais William Kent, qui l'a rapportée à Londres où il en a vendu une partie en 1762. L'autre partie, sans doute plus importante en quantité, a été dispersée en 1767, vraisemblablement après la mort de Kent[26]. Une donnée que l'on a négligée jusqu'ici, c'est que la collection de Gabburri comportait, outre les Fra Bartolomeo et bien d'autres ensembles de dessins remarquables, une superbe série de portraits et autoportraits d'artistes dessinés[27]. Si l'on veut mieux comprendre le portrait de Poussin qui a appartenu à Gabburri, on doit le replacer dans le contexte de cette collection.

La série de portraits d'artistes rassemblée par Gabburri dépassait largement les cent numéros. Plusieurs dessins portent au dos, ou sur leur support, une inscription manuscrite du collectionneur[28] (fig. 5). D'autres s'accompagnent d'une légende soigneusement calligraphiée, souvent incorporée dans la bordure ornementale. Gabburri en a cité quelques-uns dans ses vies d'artistes, et il en a prêté beaucoup pour les expositions de l'église Santissima Annunziata, surtout en 1737[29]. Deux motivations principales ont présidé à l'accumulation de ces feuilles. Il s'agissait, d'une part, de créer l'équivalent graphique de la célèbre collection d'autoportraits peints commencée dans les années 1660 par le cardinal Léopold de Médicis (actuellement au musée des Offices) et, de l'autre, de préparer une galerie de portraits gravés pour illustrer les vies d'artistes.

Parmi les autoportraits acquis par Gabburri, deux d'entre eux, également au British Museum[30] (fig. 6 et 7), représentent respectivement le peintre siennois Ventura Salimbeni (1568-1613) et le peintre romain Giuseppe Cesari, dit le Cavalier d'Arpin (1568-1640). Le premier est entouré de la bordure caractéristique de la collection de Gabburri. L'écriture est la même que sur le portrait de Poussin, mais ici, le texte est une légende, et non un long commentaire. Un troisième autoportrait, lui aussi au British Museum[31] (fig. 8), représente le peintre génois Clemente Bocciardo (1620-1658). À ma connaissance, l'authenticité de ces trois autoportraits dessinés n'a jamais été mise en doute, mais on a pu contester l'identification de quelques feuilles provenant de la même série, dont les supposés autoportraits de Pontormo et de Pierre de Cortone conservés aujourd'hui à l'Ashmolean Museum[32] (fig. 9 et 10). Ce genre de question ne se pose pas pour les autoportraits des artistes contemporains de Gabburri, auxquels il s'est adressé directement. Ces dessins comptent parmi les plus belles pièces de la collection. On peut citer par exemple le portrait de Ranieri del Pace (actif de 1704 à 1719) conservé au British Museum et celui de Lambert Sigisbert Adam (1700-1759) à l'Ashmolean Museum[33] (fig. 11 et 12).

La longue inscription placée sous l'effigie de Poussin est, à ma connaissance, la seule du genre dans toute la série de dessins. La plupart des portraits sont de format ovale, entourés d'une bordure ornementale empruntée à l'architecture. Certaines des images de format rectangulaire, tel le portrait de Bernin aujourd'hui à l'Ashmolean[34], étaient peut-être aussi accompagnées d'un commentaire analogue autrefois. Ce dernier dessin et beaucoup d'autres de la série ont appartenu entre-temps à l'éminent collectionneur anglais Charles Rogers (1711-1784), qui avait dû les acheter à la vente Kent en 1767[35]. Rogers utilisait des cartons de montage bien particuliers et il pourrait bien avoir fait supprimer des inscriptions ajoutées sous les dessins par Gabburri. C'est peu probable, toutefois, car il a eu la bonne idée de conserver les supports élégamment décorés sur lesquels Gabburri avait fait monter les portraits ovales qu'il possédait (par exemple fig. 6, 8 et 9).

Il semblerait donc que la longue inscription de Gabburri sous le portrait de Poussin constitue véritablement une exception. Peut-être le collectionneur était-il très fier d'avoir pu acquérir ce dessin. Ou alors, il a voulu l'accompagner d'une notice informative lorsqu'il l'a exposé en public en 1724. (Et l'on doit présumer que les portraits de Ranieri Del Pace et de Lambert Sigisbert Adam, pour ne citer qu'eux, étaient aussi agrémentés d'inscriptions lorsqu'ils ont figuré dans l'exposition à la Santissima Annunziata en 1737, avec des dizaines d'autres dessins de la collection de Gabburri.)

Il convient de noter ici que Gabburri possédait quasi certainement d'autres portraits de Poussin, dont l'un très probablement dessiné par le peintre florentin Giuseppe Menabuoni, qui ne porte pas d'autre inscription que l'habituelle légende destinée à identifier le modèle[36]. Je n'ai pu retrouver la trace des deux autres portraits de Poussin signalés dans le catalogue de la vente Rogers en 1799. Le premier est une pierre noire et sanguine anonyme qui montre l'artiste de profil, le second est attribué dans le catalogue à l'artiste hollandais Abraham Bloteling[37] (1640-1690).

Pour en revenir à la longue inscription sur le portrait dessiné de Poussin conservé au British Museum, on constate que la formulation est bien dans le style de Gabburri et de ses nombreux plagiats : il s'est inspiré ici de la vie de Poussin par Giovanni Pietro Bellori. L'emprunt est trahi par l'erreur dans la date de la canonisation d'Ignace de Loyola et de François Xavier, que Bellori situe en 1623 au lieu de 1622[38].

Ce qui n'est pas une erreur, me semble-t-il, c'est l'affirmation que le dessin a appartenu au cardinal Massimi, membre d'une grande famille, que Gabburri devait trop respecter pour l'invoquer à tort et à travers, d'autant que le dessin a été exposé en public. Parmi les rares dessins de la collection qui représentaient des écrivains ou des aristocrates, il y avait un portrait de Ferdinando Massimi, dont la trace s'est perdue[39]. Ce Massimi était probablement Francesco Ferdinando, comte d'Ursenbech[40] (1678-1728). La présence de son portrait dans la collection dénote sûrement l'existence de relations entre Gabburri et la famille Massimi.

Cependant, le portrait de Poussin n'est pas mentionné dans le *Catalogue manuscrit des dessins Massimi* établi au XVIIe siècle par Giovanni Battista Marinella et conservé aujourd'hui à Windsor. Je n'ai pas pu examiner ce manuscrit, qui semble répertorier les dessins de Poussin réunis dans l'album de Massimi[41]. Si le portrait n'y figure pas, c'est peut-être parce qu'il n'était pas dans l'album, mais accroché sur un mur dans une des résidences familiales.

De même, Timothy Standring confirme qu'il n'est pas fait mention de ce dessin dans l'inventaire des biens du cardinal Massimi dressé en 1735 par le peintre romain Marco Benefial (1684-1764), ce qui n'a rien d'étonnant puisque l'on sait qu'à cette date l'œuvre appartenait à Gabburri[42]. Comme l'explique Standring, l'inventaire signale l'album de cent soixante-treize dessins originaux de Poussin, dont le contenu se trouve actuellement à Windsor, y compris le frontispice copié d'après l'*Autoportrait* de 1650 conservé au Louvre (fig. 2).

En ce temps-là comme aujourd'hui, le monde était petit, et l'on peut supposer que Gabburri devait être au courant du travail de catalogage entrepris par Benefial sur la collection Massimi, tâche fort longue et astreignante, mais plutôt prestigieuse. Gabburri est entré personnellement en contact avec Benefial, au plus quatre ans avant la fin de l'inventaire. En effet, l'artiste lui a envoyé en 1731 un autoportrait qui le montre à l'âge de quarante-sept ans et un mois[43] (fig. 13).

Existe-t-il une discordance de style entre l'autoportrait présumé et les dessins exécutés par Poussin vers 1640 ? Rejeter le portrait du British Museum pour la seule raison qu'il est à la sanguine, c'est aller un peu vite en besogne, car on ne peut imaginer qu'un aussi grand dessinateur que Poussin, actif pendant plus de cinquante ans, n'ait pas utilisé cette technique de temps à autre, même s'il ne l'a certes pas privilégiée. Il est vrai en revanche, qu'en peinture il a rarement abordé le domaine du portrait[44]. Un exemple de dessin de Poussin à la sanguine est fourni par la *Nymphe et Satyre* du British Museum[45], une étude, avec variantes, pour une peinture conservée à Kassel que l'on peut dater de la seconde moitié des années 1620. Les hachures grossières sur le tronc de l'arbre appellent la comparaison avec l'arrière-plan du portrait et il y a d'autres ressemblances, malgré la distance d'une quinzaine d'années entre les deux dessins.

En outre, la facture n'est pas inconciliable avec celle de certains dessins à la plume de la maturité. Pour prendre deux exemples presque au hasard, l'*Apollon poursuivant Daphné* de Chatsworth (cat. 60; vers 1635-1637) et la *Sainte Famille avec le petit saint Jean-Baptiste* de Windsor (cat. 102; vers 1640) présentent les mêmes sortes de hachures, les mêmes rythmes de plans légèrement aplatis, et la même tendance à rabattre les volumes vers la surface de l'image. Étant donné la différence de technique, j'irai jusqu'à dire que leur facture présente des similitudes vraiment remarquables.

Il est vrai que l'attribution du portrait de Poussin conservé au British Museum soulève un problème délicat, qui demeurera peut-être sans réponse définitive (même si mon opinion est faite). On doit toutefois rester vigilant sur l'examen des données historiques qui sous-tendent l'identification traditionnelle d'un dessin donné. La provenance est l'un des éléments de l'attribution, et, comme j'ai essayé de le montrer, beaucoup d'indices laissent à penser que l'identification traditionnelle est, en l'occurrence, exacte. Il est facile d'énoncer un avis subjectif, mais, à mon sens, la preuve concrète que ce dessin n'est pas un autoportrait de Poussin n'a toujours pas été apportée.

## Notes

Je voudrais remercier Sir Denis Mahon de son aide généreuse pendant toute la préparation de cette intervention au colloque. Il m'a signalé des documents qui allaient m'échapper et m'a vaillamment soutenu dans ma thèse d'une attribution à Poussin. Donatella Sparti, Timothy Standring et Jon Whiteley m'ont également apporté leur concours pour des questions bien précises. Je suis très reconnaissant à Stéphanie Schrader, du département des Dessins au J. Paul Getty Museum, pour son assistance inappréciable dans la préparation et la rédaction de ce texte, et aussi à Rhoda Eitel Porter, du département des Estampes et Dessins du British Museum, pour les commandes de photographies. Enfin, ma gratitude va à Alain Mérot, de l'université Charles-De-Gaulle à Lille, et à Jean Galard et Sophie Beckouche, du Service culturel du Louvre.

* Les références mentionnées ainsi renvoient au catalogue d'exposition du Grand Palais, Paris, 1994-1995.

1. Sanguine, 25,6 x 19,7 cm. Londres, British Museum, département des Estampes et Dessins, inv. 1901-4-17-2.

2. Voir deux récents catalogues d'exposition : Fort Worth, 1988, n° D177, et Oxford, 1990, n° 24.

3. L'inscription à l'encre brune est ajoutée en dessous du portrait, sur le support utilisé pour le montage du dessin au début du XVIII^e^ siècle. En voici le texte intégral : *Ritratto Originale simigliantissimo di Monsr Niccolò POSSINO fatto nello specchio di pro- / pria mano circa l'anno 1630. nella convalescenza della sua grave malattia, e lo donò al Cardinale / de Massimi allora che andava da lui ad imparare il Disegno. Notisi che và in stampa nella sua / vita il ritratto ch'ei dipinse per il Sig. Cha[n]telou l'anno 1650. quando non aveva che anni 56. Fù / buon Geometra, e prospettivo, e studioso d'Istorie. A Niccolò Possino è obbligata l'Italia, e massi- / me la Scuola Romana d'averei fatto vedere praticato lo stile di Raffaello, e nell'antico da lui com- / preso nel suo fondo sostanziale imbevuto ne i suoi primi anni, poichè nacque nobile nel conta- / do di Soison di Piccardia in Andelò l'anno 1594. Andò à Parigi, dove dal Mattematico Regio / gl'erano imprestate le stampe di Raffaello, e di Giulio Romano, sulle quali indefessamente, e di / tutto suo genio s'affaticò sù quello stile di disegnare ad imitazione, e di colorire a proprio talen- / to. Fu trattenuto a Parigi per alcuni quadri ordinatisi l'anno 1623. per la Canonizazione di / S. Ignazio, e S. Francesco Xaviero. Nell'Ospedale studiò d'Anatomia in Roma venuto quà / nel 1624. per il Naturale all'Accademia del Disegno.* De chaque côté de la bordure, en bas, une inscription de la même main, avec la même encre brune, indique les dates de naissance et de mort, respectivement, de Poussin : « 1594 » et « 1665 ».

4. Le dessin, acheté à P. et D. Colnaghi en 1901, est inscrit dans le registre du département des Estampes et Dessins du British Museum comme un autoportrait de Poussin.

5. Friedlaender et Blunt, V (1974), p. 58, n° 379.

6. Londres, British Museum, *Portrait Drawings, XV-XX Centuries*, catalogue d'exposition par J. A. Gere, 1974, n° 139; Oxford, 1990, n° 24; Birmingham, 1992, n° 11.

7. Rosenberg, mars 1991, pp. 910-911.

8. A. von Lates, *Stoics and Libertines : Philosophical Themes in the Art of Caravaggio, Poussin and their*

*Contemporaries*, thèse, New York, Columbia University, 1988, pp. 133-141 et 188-245. A. von Lates a exposé son point de vue sur la signification du dessin dans une conférence à la College Art Association, en février 1990, *Poussin as a Leonine Beggar Philosopher : A Physiognomic Interpretation of his Scowling Self-Portrait Drawing*. C'est J. Chvostal qui m'a signalé la thèse et la conférence, dans une lettre du 12 novembre 1992 où il émet l'hypothèse que Poussin a peut-être voulu s'identifier au portrait d'Apollodore par Silanion décrit dans l'*Histoire naturelle* de Pline l'Ancien (XXXIV, 81-82). D'après Pline, Apollodore, extrêmement scrupuleux dans son art et très sévère envers lui-même, cassait souvent ses statues achevées, car il était incapable de se sentir satisfait. C'est pourquoi on l'avait surnommé le Fou. Silanion a cherché à traduire cet aspect de sa personnalité, de sorte que le portrait qu'il a coulé dans le bronze n'était pas celui d'un homme, mais celui de la fureur même.

9. Francesco Da Barberino, *Documenti d'Amore*, Rome, 1640. Massimi a créé les illustrations qui précèdent les parties intitulées respectivement *Industria* (face p. 90), *Gloria* (face p. 306) et *Canzone dove si ragiona della forma da lui data ad Amore* (face p. 356). Trois dessins conservés à la Royal Library de Windsor se rapportent directement aux illustrations de Massimi. Voir A. Blunt, *The French Drawings at Windsor Castle,* Oxford-Londres, 1945, pp. 41-45, n[os] 203 et 212-213.

10. Voir Du Colombier, 1929, pp. 2-3 et 13-14. Dans la première lettre datée de Rome, le 15 janvier 1639, Poussin explique à Chantelou : « [...] un mal de vessie auquel je suis sujet, de quatre ans en ça, m'a travaillé de manière que, dès lors jusques à présent, j'ai été entre les mains des médecins et chirurgiens, tourmenté comme un damné; mais grâce à Dieu, je me porte mieux, et espère que la santé me retournera comme devant. » Il achève en réaffirmant son désir de servir le roi, le cardinal de Richelieu, Sublet de Noyers et Chantelou lui-même, en France. « Mais cependant, je mettrais ma vie et ma santé en compromis, pour la grande difficulté qu'il y a à voyager maintenant; outre que je suis mal sain. » Dans la deuxième lettre, datée de Rome, le 6 août 1639, Poussin annonce à Jean Le Maire : « Mon misérable mal de carnosité n'est point guéri, et j'ai peur qu'il faudra retomber entre les mains des bourreaux de chirurgiens. »

11. Le mot « carnosité » est un de ces italianismes dont Poussin était coutumier. Il vient de *carnosità*, dérivé du latin *carnositas*, qui est parfois la conséquence d'« *una malattia, che viene per lo più giù per canale della verga, che impedisce il passare dell'orina* » (*Vocabolario della Crusca*, éd. de 1741). En italien moderne, *carnosità* désigne l'embonpoint.

12. J. Hess, *Die Künstlerbiographien von Giovanni Battista Passeri*, Leipzig-Vienne, 1934, pp. 324-325.

13. G. Bottari, *Raccolta di lettere sulla pittura, scultura ed architettura*, vol. I, 1754, p. 260. Le peintre parle d'une *incomodità che m'è intervenuta.*

14. Voir son intervention au colloque, ainsi que celle d'O. Michel.

15. J. Hess, *op. cit.* n. 12, p. 325.

16. La remarque de Shearman est rapportée dans Blunt, 1974, n° 379.

17. Sur les expositions d'art à la Santissima Annunziata, y compris celle de 1724, voir F. Borroni Salvadori, « Le esposizioni d'arte a Firenze dal 1674 al 1767 », *Mitteilungen des Kunsthistorischen Instituts in Florenz,* vol. 18, 1974, p. 113. Dans cette remarquable étude, l'auteur fait apparaître l'importance

des expositions de la Santissima Annunziata dans la vie sociale et culturelle de l'époque.

18. Dont on trouve d'utiles extraits dans F. Borroni Salvadori, *op. cit.* n. 17, p. 23, n. 97.

19. *Ibidem,* p. 14, fig. 4.

20. Francesco Maria Niccolò Gabburri (1676-1742) appartenait à une famille de la noblesse florentine dont le palais, dit palais Giuntini, se trouvait dans la via Ghibellina (actuellement Vivarelli Colonna, n° 30). Voir F. Lugt, *Les Marques de collections. Supplément,* La Haye, 1956, p. 424, n° 2992b; F. Borroni Salvadori, « Francesco Maria Niccolò Gabburri e gli artisti contemporanei », *Annali della Scuola Normale di Pisa, classe di lettere e filosofia,* 3e série, n° 4, 1974, pp. 1503-1564; et N. Turner, « The Gabburri/Rogers Series of Drawn Self-Portraits and Portraits of Artists », *Journal of the History of Collections,* vol. 5, n° 2, 1993, pp. 179-216, avec bibliographie (supplément à paraître).

21. Pierre noire et estompe, quelques rehauts de craie blanche, sur papier bleu gris clair, 33,1 x 21,6 cm. St Michael's Mount Settlement, en dépôt au National Trust, St Michael's Mount (Cornouailles). Inscription à la pierre noire dans le cartouche, en bas au milieu, sans doute de la main de l'artiste : « *CAV. FRANC. Ma GABBURRI / D'AN. IVL.* » Et, à la pierre noire repassée à l'encre noire, sans doute aussi de la main de l'artiste : « *Tom. Redi / f 1723.* » Le dessin est commenté dans Turner, *op. cit.* n. 20, pp. 202-203, annexe I, n° 15.

22. Le manuscrit des *Vite di pittori* est réparti entre quatre gros volumes à la Biblioteca nazionale centrale de Florence, Ms. Palatini E.B.9.5., nos I-IV.

23. Voir C. Fischer, *Fra Bartolomeo, Master Draughtsman of the High Renaissance,* Rotterdam, Museum Boymans Van Beuningen, 1990, où sont reproduits des dessins des deux albums.

24. Londres, Sotheby's, 20 novembre 1957.

25. N. Turner, *Florentine Drawings of the Sixteenth Century,* Londres, 1986, pp. 77-78, n° 49 (n° 12 dans le catalogue de vente cité n. 24 *supra*).

26. N. Turner, *op. cit.* n. 20, p. 179 *sq.*

27. *Ibidem, passim.*

28. Inscription au dos du portrait de Filippo Baldinucci (N. Turner, *op. cit.* n. 20, p. 196, n° 7, annexe I) : « *Filippo Baldinucci in età giovanile. Disegnato / da Mauro Soderini dal Ritratto dipinto / da Piero Dandini pitt[or]e fiorentino.* » Gabburri a également numéroté le dessin (n° 1230).

29. Voir Borroni Salvadori, *op. cit.* n. 17, pp. 38-44.

30. Pierre noire et craie sur papier bleu, 15,6 x 11,9 cm. Londres, British Museum, département des Estampes et Dessins, inv. 1895-9-15-585. J. A. Gere, *op. cit.* n. 6, p. 36, n° 131; N. Turner, *op. cit.* n. 20, p. 203, n° 6, annexe II. Pierre noire et sanguine, 36,2 x 25,3 cm. Londres, British Museum, département des Estampes et Dessins, inv. 1895-9-15-664. J. A. Gere, *op. cit.* n. 6, p. 36, n° 127.

31. Pierre noire et sanguine, lavis brun, 18,2 x 15,3 cm. Londres, British Museum, département des Estampes et Dessins, inv. 1934-10-1-2. M. Newcome, « Genoese Artists in the Shadow of Castiglione », *Paragone,* n° 361, 1982, p. 27, n° 13.

32. Pierre noire, 10,5 x 8,2 cm. Oxford, Ashmolean Museum, département de l'Art occidental, KTP 489 (K.T. Parker, *Catalogue of the Collection of Drawings in the Ashmo-*

*lean Museum,* vol. II, Oxford, 1956, p. 243, n° 489). Pierre noire, 10,3 x 7,9 cm. Oxford, Ashmolean Museum, département de l'Art occidental, KTP 835A (H. Macandrew, *Catalogue of Drawings. III. Italian Schools : Supplement,* Oxford, 1980, pp. 103-106, n° 835A).

33. Pierre noire, 37,2 x 24,4 cm. Londres, British Museum, département des Estampes et Dessins, inv. 1874-1-10-429. J. A. Gere, *op. cit.* n. 6, p. 44, n° 153; N. Turner, *op. cit.* n. 20, p. 203, n° 4, annexe II. Sanguine, 37,5 x 24,7 cm. Oxford, Ashmolean Museum, département de l'Art occidental, KTP 465. J. Whiteley, *Drawings by Contemporaries of Voltaire,* Oxford, 1994, p. 12, n° 10.

34. Pierre noire et sanguine, traces de craie blanche, 27,5 x 21,5 cm. Oxford, Ashmolean Museum, département de l'Art occidental, KTP 792 (K. T. Parker, *op. cit.* n. 32, p. 417, n° 792).

35. Sur Rogers et sa collection de dessins, voir F. Lugt, *Les Marques de collections,* Amsterdam, 1921, p. 110 *sq.*, n^os^ 624-626. Sur les portraits dessinés de la collection Gabburri qui lui ont appartenu, voir N. Turner, *op. cit.* n. 20, *passim.*

36. N. Turner, *op. cit.* n. 20, p. 189, note 27.

37. Les deux portraits figuraient dans la vente de la collection de dessins de Charles Rogers, le 19 avril 1799, n^os^ 500-501. N. Turner, *op. cit.* n. 20, p. 210, n^os^ 42-43, annexe III.

38. Bellori, 1672 (1976), p. 424.

39. Le dessin figurait dans la vente Rogers, le 23 avril 1799, n° 787 (« *Ferd. Massimi* »). N. Turner, *op. cit.* n. 20, p. 211, n° 69.

40. P. Litta, « Massimo di Roma », *Famiglie celebri italiane,* fascicule 74, pl. VII, Milan, 1819-[1883].

41. A. Blunt, *op. cit.* n. 9, 1945, p. 32.

42. Voir l'intervention de T. Standring au présent colloque.

43. Sanguine, 35,4 x 23 cm.

44. Poussin éprouvait des réticences manifestes à l'égard du genre du portrait et n'avait guère d'estime pour ses compatriotes portraitistes. Il exprime son point de vue sur la question dans une lettre datée du 2 août 1648, où il explique à Chantelou pourquoi il a dû peindre lui-même le portrait que lui demandait son mécène : « J'aurais déjà fait faire mon portrait pour vous l'envoyer, ainsi comme vous le désirez. Mais il me fâche de dépenser une dizaine de pistoles pour une tête de la façon du sieur Mignard, qui est celui que je connais qui les fait le mieux, quoique froids, pilés, fardés et sans aucune facilité ni vigueur. » Blunt, 1964, p. 132 (rééd., 1989, p. 144).

45. Sanguine, 18,6 x 15,1 cm. Londres, British Museum, département des Estampes et Dessins, inv. 1895-9-15-929. Oxford, 1990, n° 23.

Fig. 1
Nicolas Poussin (?)
*Autoportrait* (?)
c. 1639
Sanguine, 25,6 x 19,7 cm
Londres, British Museum,
département des Estampes
et Dessins.

Fig. 2
Nicolas Poussin
*Autoportrait*
inscription en lettres
capitales : *EFFIGIES NICO-
LAI POVSSINI ANDEL : /
YENSIS PICTORIS. ANNO
ÆTATIS. 56 / ROMÆ ANNO
IVBILEI / 1650*
Toile, 0,98 x 0,74 m
Paris, musée du Louvre.

Fig. 3
Tommaso Redi (1665-1726)
*Portrait de Francesco Maria Niccolo Gabburri*
1723
Pierre noire et estompe, quelques rehauts de craie blanche sur papier bleu gris clair, 33,1 x 21,6 cm
St Michael's Mount (Cornouailles), St Michael's Mount Settlement, en dépôt au National Trust.

Fig. 4
Fra Bartolomeo (1472-1517)
*Paysage*
c. 1500
Plume et encre brune, 28,7 x 21,4 cm.
Londres, British Museum, département des Estampes et Dessins.

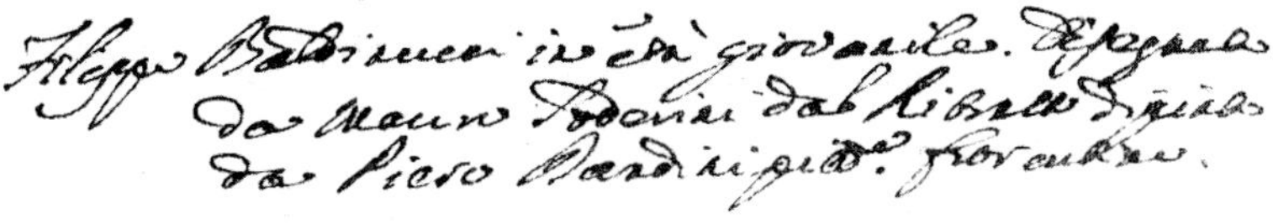

Fig. 5
Écriture de Francesco Maria Niccolò Gabburi au dos
d'un dessin du St Michael's Mount
St Michael's Mount (Cornouailles), St Michael's Mount
Settlement, en dépôt au National Trust.

Fig. 6
Ventura Salimbeni (1568-1613)
*Autoportrait,* c. 1590
Pierre noire et craie blanche
sur papier bleu, 15,6 x 11,9 cm
Londres, British Museum,
département des Estampes et Dessins.

Fig. 7
Giuseppe Cesari, dit le Cavalier d'Arpin
(1568-1640)
*Autoportrait,* c. 1620-1630
Pierre noire et sanguine, 36,2 x 25,3 cm
Londres, British Museum, département
des Estampes et Dessins.

Fig. 8
Clemento Bocciardo (1620-1658)
*Autoportrait*
c. 1650
Pierre noire et sanguine,
lavis brun, 18,2 x 15,3 cm
Londres, British Museum,
département des Estampes
et Dessins.

Fig. 9
Jacopo Pontormo (1494-1557) (?)
*Autoportrait* (?)
Pierre noire, 10,5 x 8,2 cm
Oxford, Ashmolean Museum.

Fig. 10
Pierre de Cortone (1596-1669) (?)
*Autoportrait* (?)
Pierre noire, 10,3 x 7,9 cm
Oxford, Ashmolean Museum.

Fig. 11
Ranieri del Pace (actif de 1704 à 1719)
*Autoportrait* (?), c. 1710
Pierre noire, 37,2 x 24,4 cm
Londres, British Museum, département des Estampes et Dessins.

Fig. 12
Lambert Sigisbert Adam (1700-1759)
*Autoportrait*
1737 ou peu avant
Sanguine, 37,5 x 24,7 cm
Oxford, Ashmolean Museum.

Fig. 13
Marco Benefial (1684-1764)
*Autoportrait*
1731
Sanguine, 35,4 x 23 cm
Collection privée.

# Les dessins de paysage du jeune Poussin

**Konrad Oberhuber**
Directeur de l'Albertina Graphische Sammlung,
Vienne

*Traduit de l'anglais par Jeanne Bouniort*

Il sera question ici des dessins de paysage encore une fois exclus de l'œuvre de jeunesse du maître, dans le catalogue raisonné publié par Pierre Rosenberg et Louis-Antoine Prat[1]. Auparavant, je dois avouer une erreur commise en rédigeant mon livre *The Early Years in Rome*[2]. Dans mon enthousiasme pour les œuvres de jeunesse du maître, si libres et spontanées, j'ai relégué au rang de copies les célèbres dessins Marino conservés à Windsor. L'analyse des filigranes et un nouvel examen de ces feuilles[3] m'ont convaincu à présent que ce ne sont pas de simples reproductions fidèles de la pensée visuelle de Poussin avant son départ pour Rome, mais des œuvres autographes. J'ajouterai enfin qu'elles relèvent en tout cas d'un type de dessin bien particulier employé dans l'Europe septentrionale, essentiellement pour des séquences narratives et des illustrations à la plume rehaussées de lavis apparentées aux enluminures. Leur caractère septentrional est encore souligné par l'association de l'encre brune et du lavis gris, totalement inusitée en Italie.

Ce n'est pas parce que l'on admet l'authenticité de la série Marino (fig. 1) qu'il faut en déduire que tous les dessins de jeunesse de Poussin répondent forcément aux mêmes critères de qualité, ou que toutes les feuilles qui leur ressemblent datent du début de sa carrière, une erreur commise par Friedlaender et Blunt, répétée maintenant par Rosenberg et Prat. L'un des arguments que j'avais invoqués reposait sur un dessin de *La Sainte Famille* (fig. 2) conservé au Nationalmuseum de Stockholm (R-P, 1994, n° R 1137), qui restitue sur le même mode précis mais un peu froid que la série Marino une esquisse datable de 1649 environ, également à Stockholm (R-P, 1994, n° 336; cat. 197*, verso). Je pensais que les dessins Marino étaient de la même main et devaient donc dater eux aussi de 1649 environ, hypothèse contredite par le filigrane des feuilles de Windsor, beaucoup plus ancien. Dans le catalogue raisonné de Rosenberg et Prat, le dessin de Stockholm est toujours qualifié de copie, et pourtant l'acceptation de la série Marino aurait dû inciter les auteurs à poser un autre regard sur les œuvres graphiques de cette sorte. Il faudrait d'ailleurs repérer tous les dessins analogues encore classés parmi les copies et les reconsidérer à la lumière des données nouvelles. Je pense, par exemple, au *Saint François Xavier rappelant à la vie la fille d'un habitant de Cangoxima au Japon* (cat. fig. 100 b), de 1641, que Rosenberg et Prat tiennent pour une œuvre d'atelier, voire une copie française tardive (R-P, 1994, n° R 1119), alors même que la reproduction donne à voir toutes les caractéristiques graphiques de l'ensemble de Windsor. On les retrouve également sur une feuille de *La Mort de Priam* (fig. 3) à Hambourg, située vers 1636-1638 dans le catalogue du Grand Palais (cat. 87; R-P, 1994, n° 136), et, de manière plus flagrante encore, dans *La Résurrection de Lazare* du British Museum, que l'on peut dater de la fin des années 1650 (cat. 199; R-P, 1994, n° 99). Cela veut dire que Poussin a utilisé toute sa vie ce type de graphisme alliant un trait nourri et assez régulier à des ombres amples et relativement légères. Par conséquent, rien n'autorise à se fonder uniquement sur cet aspect pour situer en 1626-1628 les deux feuilles de Windsor intitulées *L'Empire de Flore* (fig. 4; cat. 14; R-P, 1994, n° 30) et *L'Origine du corail* (cat. 15; R-P, 1994, n° 36), quand la première se rattache précisément à une peinture de 1631 et que la seconde pourrait bien lui faire pendant.

Dans le domaine des œuvres graphiques, il arrive hélas souvent que l'on soit tenté de prendre comme critère de datation ou d'attribution un mode d'exécution lié en fait à la fonction du dessin. Pour évaluer correctement la date, on doit laisser de côté cette composante technique et prendre en compte les proportions des personnages, les effets d'éclairage et, surtout, les principes de composition et d'organisation de l'espace. Sur tous ces points, *L'Empire de Flore* présente des différences fondamentales avec les dessins Marino, et même avec les deux feuilles du *Martyre de saint Érasme* (cat. 28 et 29; R-P, 1994, n^os^ 39 et 40). Là, Poussin a employé à titre exceptionnel le même trait de plume épais pour des esquisses de composition que pour les dessins autonomes dont nous avons parlé. La différence entre les diverses catégories de dessins se manifeste nettement dans les relations entre les personnages et l'espace environnant. *L'Empire de Flore* comporte une perspective accentuée, avec un sol qui fuit vers un horizon plutôt bas. Sur ce sol, les personnages fermement arrimés sont disposés de telle façon que les verticales et les horizontales déterminent la structure de la composition. De vifs contrastes d'ombres et de lumières, traitées assez largement, suggèrent les volumes des corps aux proportions classiques. Dans les dessins Marino (cat. 1-4 ; R-P, 1994, n^os^ 9, 10, 12 et 17 ; Clayton, 1995, n^os^ 1-15), les figures restent dans la lignée du maniérisme, tandis que la lumière enveloppe davantage leurs formes. Elles se répartissent de manière plus dynamique et mobile dans un espace où les orthogonales jouent un rôle très secondaire. La perspective et la ligne d'horizon ne sont pratiquement pas prises en compte. Les esquisses du *Martyre de saint Érasme* présentent déjà les personnages monumentaux italianisants que Poussin a introduits après son arrivée à Rome et une lumière qui vise moins à modeler les formes qu'à assurer la cohésion dynamique de l'ensemble, encore renforcée par l'orientation oblique de la composition. On ne retrouve pas ici l'espace uniforme de *L'Empire de Flore*, ni la grille de verticales et horizontales, ni l'éclairage qui détachait du fond chacun des personnages en jouant sur les contrastes accusés. Dans mon livre, je démontrais que Poussin avait élaboré une nouvelle perception de l'espace et découvert un système perspectif mathématique à la fin de 1629[4]. Il faut attendre les années 1630 pour que cette évolution se fasse pleinement sentir. Alors seulement, Poussin a commencé à se servir de la fameuse boîte à perspective. Le dessin de *L'Empire de Flore* dénote clairement cette innovation, de sorte que l'on peut le situer tout simplement en 1630 ou 1631, date de la commande du tableau.

On remarquera qu'il en va de même pour *La Victoire de Godefroy de Bouillon sur le roi d'Égypte* (cat. 9 ; R-P, 1994, n° 22), que Rosenberg et Prat situent à tort vers 1626. C'est un dessin qui possède toutes les caractéristiques d'une œuvre de maturité de Poussin et appartient de toute évidence aux années trente, comme l'observe également Martin Clayton (Clayton, 1995, n° 24). Il est dommage de continuer à regrouper les dessins d'après leur sujet ou leur fonction, alors que cette vieille méthode de travail a été abandonnée pour les peintures.

*La Mort de Priam*, exécutée vers 1638, témoigne d'un nouveau changement stylistique fondamental, intervenu dans la seconde moitié des années 1630. La grille de verticales et horizontales, la construction en perspective sur un sol d'un seul tenant, tout cela est bien en place, mais Poussin s'efforce à présent d'intégrer plus complètement les figures dans le plan de l'image. Les contours deviennent heurtés, la grille orthogonale commence à s'étendre sur la totalité de la feuille. L'éclairage souligne le plan où s'insèrent les groupes de figures au lieu de les mettre en valeur isolément. Le mouvement qui anime les personnages se déploie plus largement dans l'espace. Cette conception des relations spatiales s'affirme vers 1635-1636, avec *Le Triomphe de Pan* de la National Gallery, à Londres, et ses dessins préparatoires (Clayton, 1995, n° 37), et persiste jusqu'au séjour parisien de 1640-1642. Ensuite, Poussin adopte une autre démarche, consistant à structurer la composition tout entière avec des verticales et des horizontales, mais aussi des obliques. Cette nouvelle inflexion va de pair avec une insistance accrue sur les effets d'éclairage spectaculaires qui contribuent à unifier l'image. Dans certains dessins, Poussin en arrive à appliquer des lavis sombres presque envahissants, en utilisant les lumières pour organiser et clarifier la composition. Cette tendance est amplement confirmée par les *Sacrements* Chantelou et leurs dessins préparatoires (cat. 107-134). Ce qui nous ramène à *La Sainte Famille* de Stockholm, qui possède précisément les particularités de style dont je viens de parler, malgré sa technique encore voisine de celle des dessins Marino.

Ces considérations, fondées sur l'examen des dessins à la plume et au lavis représentant des scènes figurées, vont nous servir maintenant à dater les dessins de paysage et à élucider la question connexe de l'attribution. Je commencerai par la célèbre *Vue de l'Aventin* (fig. 5; cat. 98) conservée aux Offices, traditionnellement située au moment du retour de Poussin à Rome, mais que Rosenberg et Prat datent maintenant de la période qui a précédé immédiatement l'épisode parisien, tout en commençant à émettre quelques doutes sur son authenticité (R-P, 1994, n° 116). L'axe oblique fortement marqué, joint à la prépondérance des lavis sombres, qui assignent à la blancheur des réserves le rôle de définir les formes des arbres, des architectures et des reliefs du terrain, rapproche cette feuille des dessins préparatoires pour les *Sacrements* Chantelou, en particulier *Le Baptême* de Saint-Pétersbourg (cat. 119; R-P, 1994, n° 253). Sa composition diffère totalement de l'arrière-plan paysager monumental que l'on peut voir dans la magnifique esquisse préparatoire pour *Camille et le maître d'école de Faléries* de 1637 environ, conservée au British Museum (R-P, 1994, n° 127; Clayton, 1995, fig. 38). Aucun des arrière-plans paysagers antérieurs à 1640, ni même des tableaux de paysage avec saint Jean à Patmos et avec saint Matthieu et l'ange (cat. 94-95), ne présentent une composition comparable à celle de la *Vue de l'Aventin*. L'espace y est plus dégagé, délimité par des éléments verticaux isolés, répartis à travers l'espace, qui n'obéissent pas à un schéma global oblique comme dans les œuvres ultérieures. Par l'exactitude topographique et la finesse des détails, notamment le feuillage minutieusement peint en petites touches nerveuses, la *Vue de l'Aventin* se distingue des arrière-plans paysagers et se range dans la catégorie des études d'après nature, qui appelle ce genre de technique et d'observation attentive. Par là, elle s'apparente à l'ensemble de dessins de paysage provenant de la collection Mariette, sur lesquels je reviendrai. Mais elle se différencie en revanche du grandiose *Paysage avec un petit temple à gauche et trois personnages assis sur la droite* (fig. 6; cat. 155; R-P, 1994, n° 294), qui est manifestement une étude de composition pour une peinture de paysage, aussi stylisée qu'une scène figurée. Ici, la perception de l'espace ne concorde plus avec celle de la *Vue de l'Aventin* ni des *Sacrements* Chantelou. Le classicisme majestueux du petit temple et la vaste étendue de terrain rappellent les paysages du début des années 1650, où l'agencement régi par un axe oblique cède à nouveau la place à des éléments bien particularisés qui servent à délimiter de plus grands espaces au centre de l'image. Le *Paysage au château*, dit *Le Temps calme*, de 1651 (cat. 201) fournit un exemple caractéristique à cet égard. Parmi les autres études très abouties, dans le style des dessins de scènes figurées, il faut citer le *Saint Zosime donnant la communion à sainte Marie l'Égyptienne dans un paysage* (fig. 7; cat. 84; R-P, 1994, n° 128), habituellement daté de la seconde moitié des années trente, mais dépourvu de la robuste armature de verticales et d'horizontales qui caractérise les œuvres graphiques de la période. Martin Clayton (Clayton, 1995, n° 32) propose d'ailleurs de le situer entre 1634 et 1636, la première date me paraissant plus près de la vérité. En tout cas, cette feuille ressortit encore à la phase de l'évolution stylistique précédant l'inscription du motif dans le plan et le recours à une ossature orthogonale, qui désignent les œuvres réalisées entre 1635-1636 et 1642-1643. La composition semble particulièrement proche du *Saint Jean baptisant le peuple* (cat. 53), que Pierre Rosenberg date de 1634-1635.

Prenons le principal dessin préparatoire pour une peinture des années 1620 comportant une proportion importante de paysage, le *Vénus et Mercure* (fig. 8) du Louvre (R-P, 1994, n° R 729; Oberhuber, 1988, p. 134) qui se rapporte au tableau de 1627 conservé à la Dulwich Picture Gallery. Si on le compare au *Saint Zosime*, on s'aperçoit que Poussin a continué à exécuter ce type de dessins de paysage très poussé et stylisé, en maniant de la même façon la plume et les lavis, mais dans un espace très différent. Bien entendu, Rosenberg et Prat considèrent l'esquisse de *Vénus et Mercure* comme une copie, parce qu'elle ne cadre pas avec leur vision du graphisme de jeunesse de Poussin, fondée sur les dessins de Windsor et leurs traits de plume épais. La comparaison met en évidence la construction en perspective du dessin plus tardif du *Saint Zosime*, construit comme une sorte de scène de théâtre qui s'enfonce vers le lointain, tandis que les formes se découpent nettement sous l'effet des contrastes d'ombre et de lumière. Le *Vénus et Mercure* présente au contraire un espace irrationnel construit autour d'un axe oblique qui domine la composition et provoque la fusion de tous les éléments au sein d'une forme globale dynamique, exactement de la même manière que dans les esquisses du *Martyre de saint Érasme* dont nous avons parlé. C'est précisément le genre d'espace que l'on observe dans les dessins de paysage de la collection Mariette, dont les célèbres *Cinq arbres dans un paysage* (fig. 9) du Louvre (R-P, 1994, n° R 746; Oberhuber, 1988, p. 142), qui présentent par rapport au *Vénus et Mercure* les mêmes différences que la *Vue de l'Aventin* par rapport au *Paysage avec un petit temple*. Les *Beaux arbres* comme la *Vue de l'Aventin* sont des études d'après nature dans la tradition des recueils de modèles, travaillées en traits et pointillés plus fins pour indiquer les détails et donc forcément plus précises que les autres dessins. L'exécution minutieuse est justement l'une des raisons qui incitent Rosenberg et Prat à rejeter les dessins Mariette. Là encore, ils ne tiennent pas compte de la fonction des œuvres graphiques en question quand ils les comparent à des esquisses de composition en rapport avec des tableaux. La plus importante, la plus grande et en même temps la plus complexe de ces esquisses de jeunesse est la *Vue du fort Saint-André, Villeneuve-lès-Avignon* (fig. 10) de Chantilly (R-P, 1994, n° R 259; Oberhuber, 1988, p. 61), que l'on croyait pouvoir dater du retour de Poussin à Rome en 1642. Or, on voit que ce n'est pas possible quand on considère son style. Il n'y a là aucune trace de la perspective clairement affirmée qui caractérise les dessins de maturité de Poussin, ni de la grille orthogonale utilisée pour inscrire la composition dans le plan de l'image. Dans mon livre[5], j'écrivais que Poussin avait donc dû exécuter cette feuille sur le chemin du départ pour l'Italie en 1623, proposition écartée par Rosenberg et Prat pour la simple raison que l'artiste n'aurait pu créer un dessin de cette qualité à l'époque de la série Marino. Pourtant, Jacques Callot avait déjà employé une technique analogue quelque temps auparavant, et Cornelis Van Poelenburgh, Bartholomeus Breenbergh et Filippo Napoletano l'utilisaient exactement à ce moment-là. On ne voit pas pourquoi Poussin, si sensible aux dernières tendances de l'art, n'aurait pas connu et adopté alors ce mode de dessin au pinceau, qu'il a continué à employer jusqu'à la fin de sa vie. En outre, la touche plus large du pinceau autorise un rapprochement avec des dessins manifestement contemporains de la série Marino, tels *Le Choix entre le vice et la vertu* de Budapest (cat. 5; R-P, 1994, n° 18) et la *Scène d'incantation* de Munich (R-P, 1994, n° 19), voire avec certaines feuilles de cette série, notamment *La Naissance d'Adonis* (fig. 11) et *Dryopé transformée en arbre* (R-P, 1994, n^os^ 9 et 4; Clayton, 1995, n^os^ 1 et 3).

Quant aux tout petits coups de pinceau ou traits de plume qui gênent Rosenberg et Prat, Poussin les a utilisés pour l'aquarelle très fouillée en rapport avec *La Mort de la Vierge* (fig. 12; R-P, 1994, n° 1) peinte pour Notre-Dame en 1623, soit juste avant le départ pour Rome et donc tout près de la date de la *Vue du fort Saint-André, Villeneuve-lès-Avignon*. Même s'il est difficile de comparer un groupe de personnages à un paysage, rien dans leur composition ni dans leur agencement spatial ne nous empêche de les situer dans la même période. Ces deux feuilles se structurent en grandes masses compactes scandées par des verticales et des horizontales, mais unifiées par une composante oblique qui conduit le regard dans la profondeur de l'image. Les éléments d'architecture dans les deux œuvres sont aussi minces que des décors de théâtre plantés en plein air. La lumière danse sur les corps ou sur les objets de telle sorte qu'elle les délimite sans leur donner tout leur volume.

La facture, l'agencement spatial et la conception générale de la *Vue du fort Saint-André* trouvent un prolongement dans les dessins de paysage qui proviennent des collections successives de Pierre Crozat et Pierre-Jean Mariette et sont aujourd'hui dispersés entre le Louvre, l'Albertina et le British Museum, principalement[6]. Toutes ces feuilles montrent des vues de Rome et ses environs en corrélation avec les sources d'inspiration de Poussin. Il semble improbable qu'un autre paysagiste français soit allé en Italie en passant par Avignon dans les années 1620, ait travaillé à Rome dans le même milieu que Poussin, et se soit appliqué à dessiner des paysages destinés à servir d'aide-mémoire en atelier, qui suivent exactement l'évolution du maître au début du séjour romain. Cet étrange artiste hypothétique aurait également copié (fig. 13 à 15) certaines peintures de jeunesse de Poussin, comme le *Céphale et Aurore* de la collection Sir Marcus Worsley (R-P, 1994, n° R 487), le *Vénus et Adonis* de Fort Worth (R-P, 1994, n° R 511) ou l'*Amor vincit omnia* de Cleveland (R-P, 1994, n° R 709), et il aurait subi lui aussi l'influence de Dominiquin et de Pierre de Cortone pour finir par entretenir un dialogue avec Claude Lorrain[7].

Cette hypothèse devient absurde quand on compare la *Vue de Rome prise du monte Mario* (fig. 16) de l'Albertina (R-P, 1994, n° R 1262) avec le dessin de l'*Amor vincit omnia* de l'Institut néerlandais et le tableau correspondant de Cleveland, qui traitent de la même façon les arbres, le feuillage, les reliefs du terrain et le sol. Ou encore si l'on compare la *Campagne romaine vue à travers les arbres* (fig. 17) de l'Albertina (R-P, 1994, n° R 1258) avec le *Vénus et Adonis* (voir fig. 1, p. 260) de Montpellier et le tableau Birch, aujourd'hui en dépôt au Metropolitan Museum de New York (fig. 18 et aussi fig. 1 p. 260 ; Oberhuber, 1988, pp. 124 et 125). La relation entre l'étude d'après nature et le tableau qu'elle prépare ne pourrait être plus étroite, sauf si l'artiste l'avait tout bonnement copiée, ce qu'il n'avait pas l'habitude de faire. On ne discerne guère de différence de facture entre *Un sous-bois* (fig. 19) du British Museum (R-P, 1994, n° R507), la *Vénus surprise par un satyre* (fig. 20) de Windsor (R-P, 1994, n° 50; Clayton, 1995, n° 27), ou encore entre les *Deux putti combattant, montés sur des boucs, devant deux nymphes* de l'École des beaux-arts (cat. 32; R-P, 1994, n° 45) et les *Arbres vus à travers une arche* (fig. 21) du Louvre (R-P, n° R 747), légèrement postérieurs mais très proches du *Mars et Vénus* (fig. 22) du Louvre (R-P, 1994, n° 35; cat. 23 b.). Notre paysagiste hypothétique progresse visiblement au même rythme que Poussin, dont le dessin acquiert plus de moelleux dans la touche, plus de densité, plus de mobilité dans les lumières à mesure qu'il s'imprègne de l'atmosphère romaine. On a du mal à croire que l'auteur du superbe *Écho et Narcisse* de 1629 environ (cat. 38) ne soit pas également l'artiste qui a dessiné un peuplier cassé d'où jaillit un nouveau feuillage printanier (R-P, n° R 1256). Ni Gian Domenico Desiderii, dont le nom a été invoqué et dont l'œuvre est bien connue, ni aucun autre élève de Claude Lorrain n'aurait pu revenir à la manière de jeunesse de Poussin et pénétrer les fondements de sa démarche. On a du mal à imaginer, aussi, que le peintre de la *Bacchanale* dite *Les Andriens* (cat. 16) ou du *Mars et Vénus* de Boston (cat. 23) ne se soit pas exercé au dessin de paysage avant l'arrivée de Claude Lorrain à Rome. Pour défendre ce point de vue, Pierre Rosenberg et Louis-Antoine Prat ont dû éliminer de l'œuvre graphique de Poussin une bonne partie de ses dessins de jeunesse conservés au Louvre, à Chantilly et dans des collections du monde entier. Quand on utilise leur *Catalogue raisonné des dessins*, il faut consulter le deuxième volume, contenant les œuvres rejetées par les auteurs, afin de restituer au jeune Poussin toute la dimension de son talent de dessinateur. Il me semble un peu hasardeux de donner des chefs-d'œuvre à un anonyme sans ouvrir d'autres pistes acceptables. Les paysages de la collection Mariette, qui ont probablement appartenu jadis à l'ami de Poussin Jacques Stella et dont on a toujours souligné la qualité, doivent garder leur place dans l'œuvre du maître, malgré le nouveau catalogue raisonné.

## Notes

* Les références mentionnées ainsi renvoient au catalogue de l'exposition du Grand Palais, Paris, 1994-1995.

1. Rosenberg et Prat, 1994, 2 vol. (abrégé dorénavant en R-P, 1994), I, p. XIX-XX, et II, n° R 1255. Ces dessins sont notablement absents du catalogue de l'exposition du Grand Palais (Paris, 1994-1995) rédigé par Pierre Rosenberg, avec Louis-Antoine Prat pour les dessins.

2. Oberhuber, 1998, pp. 29-34. Ce livre accompagnait l'exposition du Kimbell Art Museum à Fort Worth (1988).

3. Les éléments nouveaux sont présentés dans Clayton, 1995, pp. 12-13. M. Clayton avait publié son analyse des filigranes dans *The Burlington Magazine*, 1991, p. 245.

4. Oberhuber, 1988, pp. 208-214.

5. *Ibidem*, pp. 59-62.

6. R-P, 1994 : n[os] R 47, R 254-256, R 373, R 413, R 507-508, R 526, R 594, R 730-732, R 743-748, R 878, R 1166, R 1253, R 1255, R 1256, R 1258, R 1260-1262, R 1268-1269, R 1280.

7. Les dessins de paysage et leurs rapports avec l'art de l'époque sont examinés dans Oberhuber, 1988.

Fig. 1
Nicolas Poussin
*Orphée aux Enfers*
Plume, encre brune, lavis gris, 19,2 x 32,2 cm
Windsor Castle, Royal Library.

Fig. 2
Nicolas Poussin
*La Sainte Famille accompagnée par des anges*
Plume et lavis brun, pierre noire
16,2 x 19,7 cm
Stockholm, Nationalmuseum.

Fig. 3
Nicolas Poussin
*La Mort de Priam*
Plume, encre brune, lavis gris sur pierre noire
Mis au carreau à la pierre noire, 20 x 27,5 cm
Hambourg, Kunsthalle.

Fig. 4
Nicolas Poussin
*L'Empire de Flore*
Plume, encre brune, lavis brun sur esquisse à la sanguine, 21,3 x 29,3 cm
Windsor Castle, Royal Library.

Fig. 5
Nicolas Poussin
*Vue de l'Aventin*
Pinceau, lavis brun et quelques traces de pierre noire, 13,5 x 31 cm
Florence, musée des Offices, cabinet des Dessins.

Fig. 6
Nicolas Poussin
*Paysage avec un petit temple à gauche et trois personnages assis à droite*
Pinceau, lavis brun sur préparation à la pierre noire, 15 x 40,5 cm
Saint-Pétersbourg, musée de l'Ermitage.

Fig. 7. Nicolas Poussin
*Saint Zosime donnant la communion à sainte Marie l'Égyptienne dans un paysage*
Plume, encre brune, lavis brun, 22,5 x 31 cm
Windsor Castle, Royal Library.

Fig. 8
Nicolas Poussin
*Vénus et Mercure*
Plume, encre brune, lavis brun, traces de graphite, contours gravés (incisés),
29,7 x 40,4 cm
Paris, musée du Louvre, département des Arts graphiques.

Fig. 9
Nicolas Poussin
*Cinq arbres dans un paysage*
Plume, encre brune, lavis brun sur préparation à la pierre noire,
23,7 x 18 cm
Paris, musée du Louvre, département des Arts graphiques.

Fig. 10
Nicolas Poussin
*Vue du fort Saint-André, Villeneuve-lès-Avignon*
Pinceau, encre brune, plume sur préparation à la pierre noire, 21,8 x 27,7 cm
Chantilly, musée Condé.

Fig. 11
Nicolas Poussin
*La Naissance d'Adonis*
Plume, encre brune, lavis gris,
18,3 x 32,5 cm
Windsor Castle, Royal Library.

Fig. 12
Nicolas Poussin
*La Mort de la Vierge*
Plume, encre brune, aquarelle
Mis au carreau à la pierre blanche et noire, 39 x 31,4 cm
Sir Marcus Worsley, Hovingham Hall.

Fig. 13
Nicolas Poussin
*Céphale et Aurore*
Plume, encre brune, lavis brun
Mis au carreau à la pierre noire, 20,1 x 34,1 cm
Londres, British Museum.

Fig. 14
Nicolas Poussin
*Vénus et Adonis*
Pinceau et plume, encre brune sur préparation à la pierre noire
Mis au carreau à la pierre noire, 19,8 x 27,1 cm
Londres, British Museum.

Fig. 15
Nicolas Poussin
*Amor vincit Omnia*
Plume, encre brune, lavis brun sur préparation à la sanguine,
20 x 26,7 cm
Paris, fondation Custodia, Institut néerlandais.

Fig. 16
Nicolas Poussin
*Vue de Rome prise du Monte Mario*
Plume, encre brune, lavis gris sur préparation à la pierre noire, 18,1 x 25,7 cm
Vienne, Graphische Sammlung Albertina.

Fig. 17
Nicolas Poussin
*Campagne romaine vue à travers les arbres*
Plume, encre brune, lavis brun sur préparation à la pierre noire, 18,6 x 25,6 cm
Vienne, Graphische Sammlung Albertina.

Fig. 18
Nicolas Poussin
*Dieu-fleuve dans un paysage*
Toile, 0,77 x 0,88 m
Collection M. et Mme Everett Birch
New York, en dépôt au Metropolitan Museum.

Fig. 19
Nicolas Poussin
*Un sous-bois*
Plume, encre brune, lavis brun sur préparation à la pierre noire, 25,6 x 18,5 cm
Londres, British Museum.

Fig. 20
Nicolas Poussin
*Vénus surprise par un satyre*
Plume, encre brune, lavis brun
Papier coupé irrégulièrement et recollé,
12,3 x 26,2 cm
Windsor Castle, Royal Library.

Fig. 21
Nicolas Poussin
*Arbres vus à travers une arche*
Plume, encre brune, lavis brun sur esquisse à la sanguine,
18,5 x 25,4 cm
Paris, musée du Louvre, département des Arts graphiques.

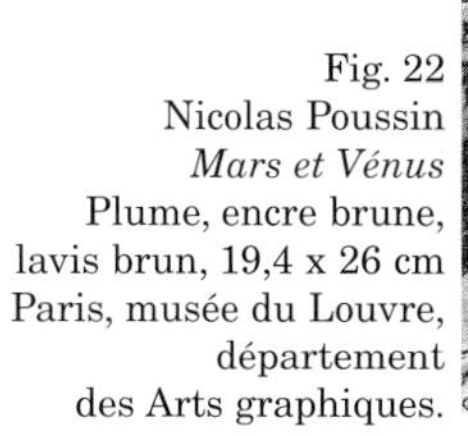

Fig. 22
Nicolas Poussin
*Mars et Vénus*
Plume, encre brune, lavis brun, 19,4 x 26 cm
Paris, musée du Louvre, département des Arts graphiques.

# Le *Saint Denis l'Aréopagite* du musée des Beaux-Arts de Rouen[1]

**Lorenzo Pericolo**
Ancien élève de l'École normale supérieure de Pise

*Wir fragen nach dem Platz wo sie geboren, nach den Bergen deren Luft sie als Kinder geathmet, und wollen neben ihrem Grabe stehn; wir erkundigen uns nach ihren Vorfahren, Lehrern und Kameraden*[2].

Avare de noms, de mémoires et de monuments : ainsi apparaissait, au début du XIX^e^ siècle, l'enceinte austère et dépouillée de Saint-Germain-l'Auxerrois aux yeux de Jacques-Maximilien de Saint-Victor[3]. Pourtant cette noble église, paroisse des rois et de hauts dignitaires, regorgeait de précieux ornements avant que la fureur iconoclaste de la Révolution ne s'y abattît. Saint-Victor évoque, non sans regret, les murs et les piliers ornés des épitaphes de « personnages illustres par leurs talents ou par leurs vertus », les fastueux monuments funéraires en marbre encastrés dans les chapelles, le banc d'œuvre exécuté d'après les dessins de Le Brun et de Perrault, qui compta parmi les plus beaux que l'on vît à Paris et, pour finir, les nombreux tableaux « des plus grands maîtres de l'ancienne école françoise ». C'étaient les témoins d'une magnifique histoire à jamais balayée et, à leur place, il ne restait qu'une « nudité presque absolue[4] ».

Des toiles placées autrefois sur les autels de la nef, les guides les plus accrédités de Paris aux XVII^e^ et XVIII^e^ siècles ne font qu'une mention timide, voire fugace. Piganiol de la Force situe dans la chapelle de la Paroisse – la dernière à main droite en entrant par la porte principale – une *Assomption de la Vierge*, un *Saint Vincent* et un *Saint Germain d'Auxerre*[5], œuvres de Philippe de Champaigne, et dans celle adjacente, un « tableau de *Saint Jacques* par le fameux Le Brun[6] ». Sauval[7] inclut dans cet inventaire deux compositions d'Eustache Le Sueur : un *Martyre de Saint Laurent*, qu'on pourrait replacer à l'aide de Guillet de Saint-Georges[8] dans la chapelle voisine de la précédente, et un *Jésus chez Marthe et Marie*, sur l'autel de la chapelle en face, à main gauche[9]. Cette dernière composition, selon le jugement averti de Caylus, exprimait plusieurs idées picturales qui « occupent, ravissent les sens et semblent acquérir une espèce de mouvement[10] ». Brice[11], enfin, se souvient d'un « *Ange Gardien* » par Sébastien Bourdon, peut-être un *Saint Michel*, dans la chapelle concédée à Nicolas Fardoil en 1637[12], la première en entrant sur la gauche.

On n'hésitera pas à ajouter à ce bref mais significatif catalogue de peintures du Grand Siècle un « *Évêque grec*[13] » mentionné dans un inventaire que l'on dressa le 21 vendémiaire an III : il s'agit sans aucun doute d'un *Saint Denis l'Aréopagite* (fig. 1), « copie d'après Poussin » ou « attribué à Poussin[14] ». Ce tableau, placé jadis sur l'autel de la chapelle dédiée à ce saint, fut réquisitionné et déposé aux Petits-Augustins en 1793, puis envoyé, aux alentours de 1803, au musée des Beaux-Arts de Rouen, où il est toujours conservé[15].

S'il nous est possible de reconstituer aisément l'arbre généalogique des familles auxquelles les marguilliers de Saint-Germain avaient donné, au fil du temps, la permission de fonder ou d'occuper à titre personnel les chapelles de la nef, nous avons, en revanche, peu de documents sur l'historique de la chapelle consacrée à saint Denis[16] : un registre[17] rédigé en 1674 par les marguilliers de l'œuvre où est transcrit un bon nombre de documents concernant la concession des chapelles à partir du dernier *affectataire* connu; un mémoire[18] daté du 27 avril 1750 qui rappelle succinctement les ornements conservés dans la petite chapelle.

Ainsi découvrons-nous, grâce au registre, que « le samedy sixiesme décembre mil six cent trente six » permission est accordée à « Denys Godefroy, marchand et bourgeois de Paris, demeurant rue Saint Denys, et honneste femme Charlotte Solly, son épouse » de jouir « leurs vie durant [...] d'un banc scitué au fond de la chapelle S[ain]t Denys » à condition que « chaque mutuation, qui se fera de leurs enfans, ils ausmoneront à ladite fabrique la somme de quinze livres et reconnoitront ladite fabrique par chacun an de seize sols au jour et feste de S[aint] Germain ». Et l'acte d'ajouter : « pourront ledit sieur Godefroy, sadite femme et leurs enfans faire orner et embellir ladite chapelle ainsy que messieurs les marguilliers treuveront à propos, et entretiendront la vitre qui est en ladite chapelle »; les nouveaux *locataires* « pourront », enfin, « faire refaire les armes qu'y sont cassées, advenant qu'elles vinssent à estre rompues[19] ».

Il est fort probable que Denis Godefroy[20] – dont nous ne connaissons guère plus que le nom – ou, en l'occurrence, sa veuve déboursèrent la somme convenue pour la concession de la chapelle jusqu'en 1665 : une annotation datée de 1675 rapporte, en effet, qu'un certain François Le Brest[21], « à cause de la mort dudit Godeffroy son beau-père comme ayant espousé Charlotte Godefroy, fille dudit deffunt » avait payé aux marguilliers de Saint-Germain-l'Auxerrois « huit livres pour dix années de redevance escheue le jour Saint Germain trente un juillet de la présente année[22] ». Il me paraît, en outre, plausible que les descendants de la famille Le Brest ne se soient plus occupés par la suite de la chapelle Saint-Denis, car – soit qu'ils aient changé d'adresse ou qu'ils n'aient pu assurer les charges de l'entretien – plus aucune trace ne nous est gardée de leur présence dans cette église royale[23].

Le mémoire de 1750 ne se révèle pas plus prodigue de renseignements : la chapelle était presque dépourvue de tout décor; la croix, les chandeliers et les parements appartenaient – ce qui est, remarquons-le au passage, plutôt rare – aux marguilliers de l'œuvre; ceux-ci y avaient fait faire récemment des travaux de restauration à leurs frais pour que le curé pût y célébrer des messes[24]. Rien n'est dit du tableau qui, pourtant, devait se trouver sur le petit autel de la chapelle, où il allait rester jusqu'aux bouleversements de la Révolution.

En effet, on a presque la certitude que le *Saint Denis l'Aréopagite* se trouvait en place au moins depuis 1636 : les armoiries peintes en bas de la toile, qu'un récent nettoyage a révélées à l'attention des chercheurs, correspondraient parfaitement à celles de la famille Godefroy-Solly. Le premier écu qui, figuré à gauche en entier, représente le mari, était celui que portaient les membres d'une famille Godefroy[25] (d'argent à trois bandes de gueule), tandis que l'écu de droite, mi-parti et par conséquent relatif à la femme, présente à dextre les armes des Godefroy et à senestre celles des Solly[26] (d'azur, à trois soles d'argent, dont celle du milieu contournée, accompagnées de trois étoiles d'or).

Cela dit, il nous reste à démêler bien d'autres questions au sujet de cette toile énigmatique. D'abord, est-ce Denis Godefroy qui commanda, courant 1636 ou environ, le *Saint Denis* de Rouen? Ou bien y apposa-t-il tout simplement ses armes au moment où il prit, pour ainsi dire, possession de la chapelle? Il convient de remarquer, avant d'asseoir tout jugement à ce propos, que le tableau, tel qu'il se présente, a très probablement été conçu exprès pour cette destination, car il a à peu près la même largeur que le *Saint Laurent* de Le Sueur qui, comme nous le savons, se trouvait dans la chapelle voisine, celle des Pontchartrain. Or, si l'on songe à l'étroitesse extrême des parois sur lesquelles les tableaux étaient accrochés – les documents font mention de trois pieds environ de largeur –, on ne saurait imaginer aucun endroit mieux adapté pour *l'Aréopagite* que la chapelle où il se trouvait aux alentours de 1636. À moins, bien entendu, qu'il n'ait été coupé pour être intégré dans un nouveau contexte. Mais nous ne pouvons croire à cette éventualité dans la mesure où la composition est parfaitement bien « équilibrée »; seuls deux carrés de toile manquent en haut qui ont dû être enlevés pour adapter le tableau à un nouveau cadre : le peintre, en effet, aurait difficilement accepté de mutiler la belle aile de l'angelot, qui manifestement étoufferait dans ce curieux encadrement un peu échancré.

Malheureusement ces observations, pour judicieuses qu'elles puissent être, ne résolvent aucun des problèmes que *l'Aréopagite* nous pose : la commande, l'attribution, la chronologie demeurent autant de questions auxquelles on souhaiterait pouvoir répondre avec précision. Avant de nous pencher plus longuement sur ces énigmes, il nous est pourtant possible de tirer une conclusion, capitale peut-être pour les conséquences qu'elle implique : si la toile a vraiment été commandée aux alentours de 1636 par Denis Godefroy, elle ne peut aucunement revenir à Poussin. Pour sévère et stoïcien qu'il soit, ce noble Apôtre des Gaules, premier essai d'un art néo-attique, refuse de se ranger – tout du moins au niveau du style – aux côtés, par exemple, de la *Sainte Marguerite* de Turin[27].

Pour déterminer l'auteur et la date d'une œuvre sans l'appui d'aucun document, on doit pouvoir la comparer à d'autres unanimement reconnues comme originales d'un seul artiste et appartenant à une même période de son activité. Or, si l'on peut exclure d'une façon péremptoire que *l'Aréopagite* de Rouen ait été exécuté par Poussin aux alentours des années 1636-1640, il n'y a aucun moyen de démontrer, faute de parallèles, qu'il est un tableau de sa jeunesse, comme Jacques Thuillier a essayé de le faire. Certes, ce savant a exposé, et d'une façon tout à fait brillante, un certain nombre d'indices sur lesquels force nous sera de revenir par la suite. Mais ces indices, quelque subtils qu'ils soient, ne peuvent pas suppléer les preuves et celles-ci, malheureusement, font défaut.

Il ne faut pas renoncer pour autant à poursuivre l'enquête sur cette toile : la singularité stylistique du *Saint Denis,* la peine qu'on éprouve, d'entrée de jeu du moins, à le replacer dans un contexte artistique et chronologique facilement identifiable, puis la qualité considérable de l'œuvre en dépit de ses quelques imperfections, tout cela ne peut que nous pousser à en approfondir la connaissance.

L'attribution hypothétique de ce tableau à Poussin fut proposée pour la première fois en 1793 par Alexandre Lenoir[28]. Nous ignorons d'où il pouvait tirer cette opinion. Mais il est vrai que si l'on observe la toile de près, on n'échappe pas à l'impression que le fier martyr de Rouen présente des traits qui font penser à Poussin.

Il s'agit, au début, d'une sensation vague, presque insaisissable, engendrée peut-être par la façon éminemment sculpturale de concevoir la figure, pas encore « à l'instar d'un haut-relief, spécialement d'époque hellénistique » – ce sera le cas, d'après Longhi, pour les années de la maturité[29] –, mais comme ces statues de saints qui, abrités sous les dais des cathédrales gothiques, relèvent d'un statut ambigu, proche de l'architecture. Car on ne saurait nier la fonction portante du saint, savamment centré sur le fût cannelé de la colonne comme sur un axe. Puis, on songe aux bords de la tunique, denses et munis de leur poids spécifique, retombant à angles aigus sur le bloc des pieds, qui semblent vouloir se libérer de l'emprise de l'aube[30]. Et encore à Poussin sembleraient revenir les belles silhouettes taillées à grands traits de l'arrière-plan, que le peintre n'aurait pas encore fabriquées en cire, mais entaillées dans le bois. De plus, on est amené à s'arrêter sur le profil perdu de la mère à gauche, la main levée et l'enfant effrayé sur les genoux, qui rappelle curieusement celui d'une des nymphes de l'*Apollon et Daphné* (fig. 2 et aussi fig. 2, p. 222) au Louvre (1665), si bien que leurs têtes pourraient se superposer, comme si le fil commun de l'invention les reliait par ses deux bouts chronologiques. Même la composition du tableau évoque les géométries chères à Poussin : le torse de l'ange en biais contrebalancé par l'oblique de la palme et les deux fragments de corniche qui forment en bas un angle parallèle et conséquent semblent répondre à l'inflexion du saint vers la gauche.

Face à ces arguments, que l'on pourrait dire intuitifs, demeurent d'autres éléments stylistiques, pour lesquels on ne trouve aucun parallèle dans la peinture de Poussin. Les visages de Denis et de l'ange, les mains de ce dernier, même les couleurs employées se révèlent des points faibles et troublants dans une éventuelle attribution de cette toile au peintre normand. À ce propos, toutefois, on ne saurait passer sous silence le rapprochement très opportun que Jacques Thuillier a fait, il y a presque quarante ans de cela, entre le tableau de Rouen et une gravure de Lenfant représentant *Saint Paul* (avec l'*invenit* de Poussin ; fig. 3).

En effet, la ressemblance des deux visages est sans aucun doute frappante : la forme générale de la tête, les sourcils longs, le nez fin aux narines pincées, les lèvres entrouvertes dans un souffle identique, même les moustaches torses qui confluent avec la barbe suggèrent un même auteur. On serait tenté d'acquiescer et d'apposer sur la toile le nom de Poussin, si le doute ne survenait : comment certifier, en effet, que le *Saint Paul* reproduit sur la gravure est une œuvre de Poussin ? Et, quand bien même on en aurait la certitude, ce ne serait pas une tâche facile que d'établir la chronologie de ces deux compositions si étrangères à tout ce que l'on connaît, au moins à partir de 1622, de Poussin. Il faudrait, en effet, pour en maintenir l'attribution au maître normand, qu'on les imagine exécutées à une période antérieure à cette date, exactement entre 1612, année où le peintre arrive à Paris et le début des années 1620. Est-ce possible ?

Poussin ne devait pas aimer le souvenir de son apprentissage à Paris. À Gian Pietro Bellori, son premier biographe, il ne confia que le nom d'un de ses maîtres, Ferdinand Elle, peintre de portraits et fort habile dans ce genre. D'un autre, qu'il disait « de peu de talent[31] », il semblait avoir tout oublié, même l'identité. Nous ne croyons pas qu'il s'agisse là de l'oubli d'un vieillard à la mémoire ternie, ni de la pudeur d'un artiste reconnu face à ses modestes origines dans le chemin de l'art. Il y a, plus vraisemblablement, une autre raison à ce silence : une espèce de censure volontaire. Car ce maître dédaigné, quels qu'en fussent les mérites, avait sans doute compté pour le jeune apprenti normand, si bien que l'artiste lui-même, au sommet de sa carrière, n'avait pu le radier entièrement de sa biographie. À contre-cœur, il fut forcé d'en avouer l'existence à Bellori. Mais il ne lui en avoua pas le nom. Cet honneur ne fut octroyé qu'à Quentin Varin et à Ferdinand Flamand.

Ce maître renié, d'après le témoignage de Roger de Piles[32], s'appelait Georges Lallemant. Talentueux, il ne l'était pas vraiment : dans la forêt d'œuvres qui lui sont attribuées, peu nombreuses sont celles qui retiennent le regard, qui proclament l'idée d'un peintre, et non le carton d'un atelier. Mais à Paris, il comptait. Par son atelier est passé ce qu'il y avait de meilleur en fait de jeunes apprentis dans la capitale : entre autres, Philippe de Champaigne et Laurent de la Hyre.

Une connaissance approfondie de cet atelier et de son fonctionnement pourrait donc se révéler très utile pour reconstituer les commencements de ces artistes, mais aussi de Poussin.

Arrêtons-nous à ce propos sur la gravure de Büsinck d'après Lallemant représentant un *Moïse* (fig. 4) : aucun doute que ce patriarche de l'Ancien Testament ne dérive de la même souche que *l'Aréopagite* de Rouen. Malgré l'orientation différente du visage, on peut facilement reconnaître les mêmes traits communs : la forme générale de la tête, les boucles des cheveux (un peu plus stylisés sur la gravure), les moustaches, les longues mèches de la barbe, le front sillonné par des rides parallèles, le nez long, droit, aux narines serrées. Mais ce qui frappe le plus est le rendu du drapé qui revêt les jambes du *Moïse*, la façon dont il retombe, en plis aigus et massifs, sur un pied au puissant galbe sculptural.

Si l'on veut retrouver la vue de trois-quarts du *Saint Denis*, on la découvre, comme par hasard, sur une autre estampe de Büsinck d'après Lallemant, un *Christ* qui tient dans sa main une sphère, symbole de son pouvoir (fig. 5). Remarquons, ici, le jeu d'ombres et de lumières qui caractérise le visage du Rédempteur et que le graveur a rendu habilement par des traits de différentes couleurs : c'est le même que dans *l'Aréopagite*. Sans parler du dessin des yeux, identique, des lèvres ramassées et charnues et de cette oreille qui saille entre une mèche de cheveux et la chevelure.

Quant aux mains du *Saint Denis*, il suffit de s'adresser à une autre gravure de la même série, au *Saint Judas Taddée* d'après Lallemant (fig. 6), pour en trouver de similaires : la forme, presque aplatie et sommairement articulée, des mains qui effleurent le livre au lieu de le soulever, les pouces élégamment et précieusement pliés témoignent, si l'on s'en tient à la morphologie, d'une même école.

D'une même école, est-ce à dire d'un même peintre? La question, ainsi posée, n'est pas formulée de la bonne façon. Car, s'agissant de Georges Lallemant, ce qui importe ce n'est pas de savoir s'il a exécuté la toile, mais s'il l'a conçue par de « petites esquisses[33] », laissant à ses aides la tâche ingrate de l'exécution. En ce qui concerne le *Saint Denis*, l'idée ne revient certainement pas à Lallemant. Il y a trop de rigueur dans la conception, trop de géométrie dans l'agencement des figures, trop peu de *pratique* et, si j'ose dire, d'improvisation dans cette toile. En tout cas, nous ne connaissons rien dans la peinture de l'artiste lorrain qui puisse être comparé, pour l'invention, à *l'Aréopagite* de Rouen. Le peintre de ce tableau s'est formé dans l'atelier de Lallemant, en a adopté les modèles, mais les a digérés à sa guise.

Alors la question s'impose : à quelle date remonte donc le *Saint Denis*? Toutes les gravures de Büsinck qui se sont prêtées à la comparaison ont été exécutées en 1625. Serait-ce par conséquent la période, sinon l'année où le tableau de Rouen a été exécuté? Nous n'en sommes pas certains. En effet, la typologie homogène des visages que l'on a décelée était déjà monnaie courante quelques années auparavant, aux alentours de 1618. Preuve en soient les deux évangélistes que Georges Lallemant peignit sur le plafond de la chapelle des Vic[34] dans l'église de Saint-Nicolas-des-Champs. Ce plafond (fig. 7), fort abîmé à cause de l'humidité, fut restauré en 1966[35] : restauration opportune, mais en partie abusive, si l'on songe aux trois compositions qui avaient presque entièrement disparu, et que le restaurateur a voulu gauchement recréer : l'*Annonciation de la Vierge*, *Saint Matthieu* et *Saint Luc*. Nous ne nous pencherons sur ce décor que pour examiner les deux autres évangélistes, *Saint Marc* et *Saint Jean*, qui étaient relativement en bon état au moment de la restauration, mais auxquels on se risqua peut-être à ajouter quelques touches, voire repeindre quelques détails, afin de mieux les apercevoir d'en bas.

Or, le *Saint Jean* (fig. 8) de Saint-Nicolas-des-Champs est du même modèle, ou peu s'en faut, que le *Saint Paul* attribué à Poussin sur la gravure de Lenfant : même orientation de la tête – le regard levé vers le ciel dans un élan mystique – même coupe du front, du nez, de la bouche. À ceci près que l'évangéliste représenté sur le plafond a été de toute évidence ébauché par un pinceau moins ferme, moins attentif à l'anatomie : à travers la gravure de Lenfant on peut encore deviner les os de *Saint Paul*; le *Saint Jean*, en revanche, n'est qu'un carton d'atelier, exécuté mécaniquement, de routine. Quant au *Saint Marc* (fig. 9), on remarquera d'emblée le dessin de la main droite, celle qui tient la plume, parce qu'elle est identique à celle du *Saint Paul*, jusqu'à l'auriculaire gracieusement soulevé.

Ce second évangéliste retient notre attention pour au moins deux autres raisons. La première, c'est qu'il s'inscrit à l'intérieur de son cadre d'une façon calculée : tandis que ses collègues remplissent l'espace de tous leur membres, accaparant toutes les diagonales à leur disposition, *Saint Marc* s'absorbe dans le silence et la concentration de sa niche. Son buste s'infléchit avec la voûte, tout en émergeant de la pénombre, comme si le peintre craignait la surface concave et voulait en corriger l'effet. Mais ce qui intrigue le plus est le fait que cet évangéliste pourrait apparaître comme la préfiguration de l'apôtre qui, dans le dessin préparatoire pour la *Mort de la Vierge* (1623) de Poussin, est représenté en premier plan, accablé par une profonde douleur (fig. 10) : qu'on s'arrête sur le crâne chauve de cette figure, exposé à la lumière, sur les rides parsemées sur le front froissé, sur les sourcils contractés et les pommettes saillantes, cernées par une ombre dense et, plus bas, par la barbe hirsute. Tout cela se retrouve dans la belle image du *Saint Marc* à Saint-Nicolas-des-Champs. Et, si on avait l'original du tableau de Poussin, ce qui nous semble un plausible rapport de parenté pourrait servir de trace pour suivre le cheminement stylistique du maître normand.

Revenons au *Saint Denis* de Rouen. Il est temps de plaquer quelques certitudes sur ce tableau qu'au début on a qualifié d'énigmatique. Il s'agit d'abord d'un tableau exécuté par un peintre qui gravitait, à l'époque, dans l'orbite de Lallemant, mais au caractère indépendant ; la toile a de fortes chances d'avoir été exécutée aux alentours de 1620 et peut-être quelques années auparavant, si elle revient véritablement à Nicolas Poussin, comme je le crois. En effet, les quelques influences de Varin, que Jacques Thuillier apercevait dans les figures de l'arrière-plan, une certaine rigidité dans la mise en scène amèneraient à repousser la date de l'exécution vers le milieu de la seconde décennie du siècle, vers 1615 environ. Cette date est suggérée, du reste, par une autre série d'indices.

Bien qu'accablé par les accès d'une « fascheuse fièvre », Jean de Saint-François ne pouvait se résigner, en cet hiver 1608, à publier sa traduction française des *Œuvres* de Denis l'Aréopagite sans une préface apologétique où il répondrait « aux doutes & difficultez dont certains estoyent prevenus touchant la vérité » des œuvres de ce noble martyr[36]. Le but explicite de cette apologie, rédigée à l'instigation de personnages de premier rang, consistait à établir aussi bien l'authenticité des écrits de l'Aréopagite que son identité. Car l'érudition malsaine et retorse d'un philologue hérétique, dernier rejeton des fort réputés Scaligeri[37], avait osé mettre en doute un dogme du culte royal français : la certitude que le martyr décapité à Montmartre, qui aurait transporté sa tête jusqu'à la plaine où allait surgir la basilique consacrée à son nom, était ce Denis l'Aréopagite converti à Athènes par saint Paul, et envoyé dans les Gaules pour prêcher l'Évangile.

J'ignore si la brûlante apologie de Jean de Saint-François atteignit vraiment son but. Toujours est-il que, quelques années plus tard, en 1614, un philologue aussi sérieux et consciencieux qu'Isaac Casaubon[38], tout en prônant l'élégance et l'antiquité des traités de saint Denis, mit son point d'honneur à réfuter, les preuves à la main, l'identification de l'auteur de la *Hiérarchie céleste* avec le martyr décapité à Paris. Tous ceux qui estiment plausible cette éventualité, ajoute-t-il en tranchant, sont à blâmer par leur manque de connaissance au sujet de la langue grecque et de l'histoire de l'Église primitive.

Le jugement de Casaubon dut sans aucun doute inquiéter nombre d'érudits[39]. L'enjeu, en effet, n'était pas des moindres. Il ne s'agissait pas que d'une simple question de philologie ; on attentait contre l'apôtre de la France, contre le symbole de la piété et de la dévotion royale, contre cette basilique où les rois allaient se faire sacrer, d'où ils puisaient à la fois leur pouvoir séculaire et leur halo religieux. Le menu peuple, lui aussi, en était indirectement atteint. Dans le courant des dernières années, on lui avait montré, par maint signe, que l'apôtre venu de Grèce avait vécu à Paris, avait été prisonnier à Paris, avait été enseveli à Paris (du moins son corps et ceux de ses compagnons de martyre).

En 1607, Marie de Beauvilliers, supérieure du couvent bénédictin de Montmartre, put distribuer comme précieuses reliques de saint Denis les ossements gardés dans son abbaye ; l'évêque de Paris, Henri de Gondi, ne tarda pas à les reconnaître officiellement comme vrais et originaux[40]. Le 10 mars 1612, le vicaire général de l'évêché de Paris, Monsieur de Pierre-Vive, ouvrait « *capsam ligneam retro maius altare Montis Martyrum ad instantiam Abbatissae, & eam invenit plenam ossibus*[41] » : Marie de Beauvilliers, toujours elle, ne douta pas un instant du contenu de cette urne funéraire ; à l'intérieur, c'étaient les restes des compagnons de saint Denis que l'on avait retrouvés.

Mais l'abbesse avait déjà eu l'occasion d'étaler tout son zèle et toute sa dévotion envers l'Aréopagite l'année précédente. Le 13 juillet 1611, pendant des travaux de ravalement dans la chapelle des Martyrs à Montmartre, on découvrit « une cave ou caverne prise dans un roc de plastre[42] » où se trouvaient un autel fort rudimentaire, les traces d'une croix gravée sur le plâtre et quelques caractères indéchiffrables, voire des hiéroglyphes (fig. 11). *Mar, Clemin, Dio*, c'est la version officielle, sans aucun doute fantaisiste, que l'on donna de ces signes[43]. Le mystère de cette crypte attira, c'est Marrier[44] qui le raconte, une foule de gens criant au miracle. Même le beau monde de la cour se pencha sur l'événement ; la reine mère, entre autres, en fut fort impressionnée.

Cette fièvre d'antiquités sacrées, cet engouement pour les reliques incontestées de saint Denis durent susciter les rires des beaux esprits libertins, le scepticisme des esprits forts érudits. Paris devenait de plus en plus soucieux de vérités terrestres, physiques ; aux miracles on peinait à croire. C'est peut-être à cause de cette attitude irréligieuse, dissimulée par les sources mais apparemment très répandue, que Henri de Gondi eut recours à un nouvel acte : le 18 juillet 1614, il certifia que « les reliques qui sont dans la châsse de l'église de Montmartre, ont été toujours reconnues et tenues par nos prédécesseurs évêques comme vraies et saintes reliques et vénérées par les fidèles catholiques comme telles[45] ».

Cela suffisait, certes, à apaiser le commun des esprits. Mais les argumentations de Casaubon, si bien tissées et savamment agencées, pesaient, engendrant plus qu'un soupçon. Il fallait, afin de conjurer tout scepticisme à ce sujet, abattre les preuves des philologues avec les armes de la philologie. À ces fins, on logea dans la capitale un jésuite belge, Pierre Lanssel, très érudit et surtout très obstinément convaincu que l'Aréopagite converti par saint Paul, l'auteur de la *Hiérarchie céleste* et l'évêque décapité à Paris n'étaient qu'une seule personne[46]. Dans son entreprise, il fut aidé par des savants de grande envergure, au prestige inébranlable[47]. Les moines de l'abbaye royale de Saint-Denis lui permirent de consulter le manuscrit sur parchemin contenant les œuvres de l'Aréopagite qu'Emmanuel Paléologue[48] avait commandé à Constantinople un siècle et demi auparavant et dont il avait fait cadeau au roi de France. Ce manuscrit avait d'autant plus de valeur qu'il portait en frontispice la vraie image de saint Denis, tel qu'il avait été, avec ses traits spécifiques. C'est cette illustration qui allait servir de modèle pour le frontispice des *Œuvres* de l'Aréopagite que Pierre Lanssel publia en 1615 (fig. 12).

C'est de cette image – ce n'est pas un hasard – que s'était déjà inspiré Gaultier dans le frontispice pour les *Œuvres* traduites par Jean de Saint-François en 1608 (fig. 13) : on y voit, à droite, l'Aréopagite figuré suivant le modèle de l'ancien manuscrit conservé à Saint-Denis, l'homophore grec parsemé de croix et la posture verticale, d'origine purement byzantine; à sa gauche est saint Paul, l'apôtre qui l'avait converti au christianisme; en haut, assis sur un trône, est placé Dagobert, gage des anciennes relations qui associaient la monarchie française à son saint patron et bouclier dans la défense des vérités reçues au sujet du martyr. On ne pouvait donc pas douter de saint Denis sans entacher par là même la tradition ancestrale des rois de France; c'était péché d'infidélité pour l'Église, crime de lèse majesté pour le souverain.

Le frontispice de 1615 se révèle beaucoup plus significatif par rapport au tableau de Rouen : il en est, pour ainsi dire, l'idée abrégée. Le graveur a représenté saint Denis habillé à la grecque ou plutôt à la byzantine, dans la même attitude que dans le manuscrit d'Emmanuel Paléologue : il a accentué la frontalité hiératique du saint, a négligé le salut byzantin, devenu peut-être incompréhensible, a ajouté en bas une inscription où l'on reproduit une ancienne description physique de l'Aréopagite afin de confirmer *texto* son existence et la conformité de l'image aux sources antiques. Il s'agit là d'une véritable apologie visuelle. Mais ce qui nous importe, ici, est surtout le paysage qui apparaît derrière l'austère apôtre : d'un côté les remparts qui renferment le Paris du XVII^e^ siècle ; de l'autre la colline de Montmartre, l'abbaye régie par Marie de Beauvilliers et, plus bas, la chapelle des Martyrs, sous laquelle on venait de mettre au jour la crypte où un ange, suivant la légende et le bruit populaire, avait soulagé les peines du saint. Ainsi l'évêque grec est-il déplacé de son contexte d'origine et intégré dans la réalité historique de Paris et de ses rois. Quel moyen plus convaincant pouvait-on trouver pour affirmer, à l'aide des images, l'identité des deux prétendus saint Denis ? À l'instar de l'apologie qui précède la traduction et le commentaire de Pierre Lanssel, cette image, à elle seule, transmet les prémisses essentielles qui tenaient à cœur au jésuite belge et au cercle d'érudits qui l'avaient soutenu dans ses recherches.

Le peintre du *Saint Denis* de Rouen a été pourtant beaucoup plus affirmatif. Puisqu'il fallait affirmer les origines grecques de l'Aréopagite, il le para de l'homophore, mais aussi lui mit en main le grand texte sur lequel on lit en caractères grecs : [ΕΥΑΓΓ]ΕΛΙΟΝ [ΧΡΙ]ΣΤΟΥ, *Évangile du Christ*, sans parler des deux fragments d'une corniche antique, allusion explicite aux origines grecques du saint. Puisqu'il était nécessaire de souligner l'apostolat, la mission divine accomplie par saint Denis, l'artiste ne se borna pas à représenter le livre des évangiles ; il peignit aussi une sphère armillaire afin de rappeler que, grâce à ses connaissances scientifiques et mathématiques, saint Denis avait compris le premier que l'éclipse survenue le jour de la mort du Christ, de par son caractère imprévisible, ne pouvait tenir qu'à une cause divine[49]. D'où la constance de sa foi, éveillée par saint Paul mais déjà préparée par l'observation de ce phénomène céleste. Mais par-dessus tout, il fallait proclamer à travers l'image que l'élève de saint Paul avait bien été martyrisé à Paris. La vue de la capitale, allusion peut-être trop générique à la légende de la décapitation, ne se prêtait plus à cette fin didactique. Le peintre représenta donc l'ange, la couronne et la palme du supplice. Il fit même revivre le miracle de la décollation, le buste de l'apôtre errant dans la plaine, sa tête à la main comme un nouveau bouclier de Méduse. Et peu lui importa si le dédoublement de la narration pouvait compromettre la vraisemblance du récit.

La nature même de l'iconologie ancre donc l'exécution et la conception de ce tableau dans les années autour de 1615, date à laquelle Pierre Lanssel, soutenu par la fleur de l'érudition parisienne, publie les *Œuvres* de l'Aréopagite. À ce propos, il est opportun de remarquer que le *Saint Denis* de Rouen n'a de signification qu'à l'intérieur du débat sur l'identité du martyr parisien avec l'apôtre grec. Et ce débat, s'il ne cesse pas d'exister après 1615, va s'estomper doucement, au fil du temps, jusqu'à ce que l'existence des deux saints ne devienne un fait accepté[50].

En 1624, par exemple, lorsque le jésuite Étienne Binet publia la *Vie apostolique de Saint Denis*, l'image de l'Aréopagite (fig. 14), placée toujours en frontispice, sera dépourvue de tout attribut symbolique. Bien qu'inspirée du prototype porté sur le manuscrit du Paléologue, elle ne représentera que la tête du saint, le sourire apaisant et dévot. Et s'il est encore question d'hérétiques qui s'opposent à reconnaître la seule et unique identité du martyr, l'image ne s'enlise pas dans la polémique. Binet se penche plutôt sur l'apostolat de saint Denis, sur son tempérament héroïque.

Il est temps de résumer les points fondamentaux de notre enquête. Nous avons trouvé un document et nous nous sommes aussitôt aperçus que ce Denis Godefroy auquel on avait concédé la chapelle en 1636 ne saurait être le commanditaire du *Saint Denis*. Le style de la toile d'abord, puis ses significations nous ont éloignés de l'année où la concession – notre seul point de repère documentaire – fut accordée et nous ont précipités à rebours, vers une période presque inconnue, où aucune certitude ne règne, où, désemparés, nous nous sommes fiés à quelques indices.

Cependant nous pouvons, ce chemin parcouru, établir d'autres certitudes au sujet de ce tableau. Il est, en effet, très probable que Denis Godefroy trouva *l'Aréopagite* sur l'autel de la chapelle et y fit ajouter ses armes; il avait, au demeurant, eu la permission de « faire refaire les armes qu'y sont cassées » et, par conséquent, de remplacer les vieux écus indiquant la famille ou la personne auxquels la chapelle avait été concédée auparavant. Cette famille pouvait, bien entendu, demeurer toujours la même – ce que semblerait suggérer d'ailleurs la formule même de l'acte –, mais il est presque certain que les Godefroy prirent possession de la chapelle pour la première fois en 1636. Et cela pour deux raisons. D'abord, il n'est pas fait mention, dans notre document, d'un acte précédent qui serait passé entre les marguilliers et la famille Godefroy. Puis, le registre de 1674 rapporte tous les documents relatifs à une même lignée : on y transcrivit ainsi, dans l'ordre, toutes les conventions passées entre les marguilliers et la famille Gomont ou Fardoil[51]. Or, les marguilliers ne crurent pas nécessaire de transcrire l'acte de concession qui avait précédé celui octroyé aux Godefroy. Et pourtant ils possédaient ce document, puisque dans le registre de 1674 on évoque un registre précédent, d'où les marguilliers n'avaient bien évidemment tiré que les renseignements utiles à leurs finances.

Il me paraît donc fort plausible que le personnage ou la famille, qui ont occupé la chapelle avant 1636, n'aient pas porté le nom de Godefroy. Il nous échappe, ainsi, la seule possibilité d'identifier, avec quelque certitude, le commanditaire de la toile. Que celui-ci ait été paroissien de Saint-Germain-l'Auxerrois[52], nous semble tout à fait possible. Il y a de fortes chances pour que ce personnage ait aussi appartenu au cercle des érudits qui, aux alentours de 1615, soutinrent les efforts de Pierre Lanssel dans sa tentative de démontrer, par force d'arguments, l'existence d'un seul saint Denis. L'iconologie de la toile, la cohérence de cette apologie visuelle en est une preuve irréfutable. Cela nous remet inévitablement à l'esprit ces « personnes sçavantes et curieuses des beaux-arts[53] », qui, suivant le témoignage de Félibien, aidèrent le jeune peintre normand lors de son arrivée à Paris. Parmi ceux-ci il y avait aussi, d'après Bellori, un mathématicien du roi[54] dont l'identité demeure inconnue, mais qui, peut-être, aurait pu sinon commander, du moins suggérer les attributs iconologiques du *Saint Denis* de Rouen, la sphère armillaire, surtout, symbole indiscutable des connaissances scientifiques[55] du martyr.

Il s'agit là, certes, d'hypothèses. Elles sont l'ultime ressource de l'historien de l'art lorsque toute preuve manque et qu'il ne reste que le témoignage du seul tableau. Nous aimerions bien connaître de près les maîtres, les amis et les protecteurs du peintre pendant son séjour à Paris. Nous n'en avons, malheureusement, que de faibles traces.

## Notes

1. Le contenu de cet article a été l'objet d'une conférence à l'École normale supérieure de Pise en décembre 1992. Je tiens à remercier Mme Paola Barocchi et MM. Enrico Castelnuovo, Bertrand Jestaz, Alain Mérot, Philippe Sénéchal et Salvatore Settis pour leurs remarques et leurs conseils. Je dédie cette étude à M. Nicola Wittum, pour le soutien qu'il m'a apporté pendant mes recherches.

2. C. Justi, *Diego Velázquez und sein Jahrhundert*, Bonn, 1888, I, p. 22 : « Nous nous interrogeons sur l'endroit où ils [les artistes] sont nés, sur les montagnes dont ils ont respiré l'air lors de leur enfance, et nous voulons veiller à côté de leur tombeau ; nous enquêtons sur leurs aïeux, leurs maîtres et leurs compagnons. »

3. J. M. de Saint-Victor, *Tableau historique et pittoresque de Paris depuis les Gaulois jusqu'à nos jours*, Paris, 1822, I, p. 2.

4. *Ibidem*, p. 756 *sqq*.

5. B. Dorival, *Philippe de Champaigne. 1602-1674. La Vie, l'œuvre et le catalogue raisonné de l'œuvre*, Paris, 1976, II, pp. 64 *sq*. et 75. Voir aussi A. Dezallier d'Argenville, *Voyage pittoresque de Paris ou Indication de tout ce qu'il y a de plus beau dans cette grande ville en Sculpture, Peinture et Architecture*, Paris, 1749, p. 27 : « La chapelle de la Paroisse est décorée par trois morceaux de Ph. de Champaigne, une Assomption de la Vierge, & aux deux côtés saint Vincent et saint Germain. »

6. M. Piganiol de La Force, *Description historique de la ville de Paris et de ses environs*, Paris, 1765, II, p. 192. De ce tableau il ne subsiste très vraisemblablement qu'une gravure. À ce propos, voir H. Jouin, *Charles Le Brun et les arts sous Louis XIV*, Paris, 1889, p. 490 et P. Marcel, *Charles Le Brun*, Paris, s.d., p. 15. La chapelle Saint-Jacques-le-Majeur fut concédée le 1er novembre 1648 à Nicolas Leclerc de Lisseville, « maistre des Comptes » (Archives nationales, LL 731, fol. 123 *sq*., et M. Baurit et J. Hillairet, *Saint-Germain-l'Auxerrois*, Paris, 1955, p. 42). Il est fort probable que le tableau de Le Brun fut commandé à cette date.

7. H. Sauval, *Histoire et recherches des Antiquitez de la ville de Paris*, Paris, 1724, I, p. 305 : « A toutes ces beautés de Sculpture, Peinture & d'Architecture doivent être ajoutés un tableau de Le Brun, deux de Le Sueur, & un autre de Bourdon, qui sont exposés sur quatre autels. »

8. G. Guillet de Saint-Georges, *Mémoires historique des ouvrages de M. Le Sueur peintre et l'un des douze anciens de l'Académie*, EBA, Mss. 101/3,4,5, p. 164 : « On voit aussi de sa main dans l'église Saint-Germain-l'Auxerrois [...] dans une autre chapelle de la nef [...] un autre tableau représentant le Sauveur qui, étant arrivé à Béthanie et reçu dans la maison de Marthe, écoute les plaintes qu'elle lui fait de ce que sa sœur Madeleine demeure assise et oisive aux pieds du Sauveur et la laisse servir toute seule sans lui aider. » La chapelle de la Madeleine fut concédée à Jean de Gomont, « advocat au Parlement » et Oudart de Gomont, « conseiller secrétaire du Roy » le 21 décembre 1664 (voir Archives nationales, LL 731, fol. 13 *sqq*., et M. Baurit et J. Hillairet, *op. cit.* n. 6, p. 44).

9. Sur les deux tableaux voir A. Mérot, *Eustache Le Sueur. 1616-1655*, Paris, 1987, pp. 289 *sqq*. et 296 *sqq*. Nous ignorons à quel moment le *Martyre de Saint Laurent* fut commandé, vraisemblablement par un des membres de la

famille des Phélipeaux. La chapelle des Trépassés ou de Saint Laurent avait été concédée à cette noble famille depuis le début du XVIIe siècle. Dans un acte du 17 novembre 1621 (Archives nationales, Minutier central, étude XXIV/283), les marguilliers de l'œuvre et fabrique de Saint-Germain-l'Auxerrois donnent la permission à Anne Beauharnois, veuve de Paul Phélipeaux, de « construire et bastir à ses frais et despens en la chapelle des Trépassez fondée en lad[ite] église une cave pour en icelle inhumer et enterrer le corps dud[it] deffunt Sieur de Pontchartrain et d'elle, leurs enfans et descendants desd[its] enfans ». C'est vraisemblablement à ce moment que la veuve fit placer dans la chapelle le buste de son mari reproduit dans un dessin de l'ancienne collection De Cotte (Paris, Bibliothèque nationale, Estampes, Va 223 a). En 1696, les marguilliers de l'église concédèrent à Louis Phélipeaux de Pontchartrain et à son frère Jean la permission de « faire mettre une balustrade de fer, en faire parqueter les planches et y faire telles autres décorations qu'il leur plaira, et mesme de faire faire au dehors de lad[ite] chapelle proche l'entrée d'icelle telle ouverture qui le conviendra pour descendre en lad[ite] cave avec l'escalier nécessaire et la couvrir par une tombe sur laquelle il leur sera mesme loisible de faire graver telle inscription qui bon leur semblera » (Archives nationales, Minutier central, étude XCVI/166, 15 septembre 1696). Peu de temps après le chancelier de Pontchartrain fit enlever de la chapelle le tableau de Le Sueur et le remplaça par une copie. Cette toile, en effet, est mentionnée aussi bien dans l'inventaire après décès de « Mme la Chancellière de Pontchartrain » du 24 avril 1714 (Archives nationales, Minutier central, étude XCVI/231, fol. 76 v°: « Dans le cabinet de Monseigneur le Chancelier sur la grande cour [...] un autre tableau peint sur toille représentant le Martir de Saint Laurent de Le Sueur dans sa bordure de bois doré et sculpté prisé quatre cent cinquante livres »), que dans l'inventaire dressé à la mort de Jérôme de Pontchartrain, fils du Chancelier (Archives nationales, Minutier central, étude XCVI/366, 14 février 1747 : « un tableau représentant le Martyr de Saint Laurent dans sa bordure de bois doré, prisé six cent livres »).

10. Voir A. Fontaine, *Conférences inédites de l'Académie de Peinture*, Paris, 1910, p. 179.

11. G. Brice, *Description de la ville de Paris et de tout ce qu'elle contient de plus remarquable*, Paris, 1770, I, p. 96 : « Les deux tableaux de la chapelle de la Paroisse, qui représentent les saints patrons de cette église, Saint Vincent & Saint Germain Évêque d'Auxerre, sont de Philippe de Champaigne, peintre fort estimé. Dans une chapelle de la nef on remarquera un Ange Gardien de Sébastien Bourdon, & proche de la chapelle de Paroisse un Saint Jacques de la première manière de Le Brun. »

12. À ce propos, voir Archives nationales, LL 731, fol. 10 *sqq*. Une liste détaillée de tous les actes concernant la concession de cette chapelle se trouve dans l'inventaire après décès de Nicolas Fardoil, rédigé à partir du 3 octobre 1658 (Archives nationales, Minutier central, étude CX/136, foll. 34 r° et v°).

13. Paris, Archives nationales, F 17/1036 a, n° 64. Ce document nous permet de replacer dans l'ordre les tableaux qui se trouvaient dans les chapelles de la nef : « Chapelle Saint Vincent : trois tableaux de Champagne qui se trouvent à enlever. De même huit colonnes de marbre dont 4 sont noires. Chapelles suivantes. Saint Jacques Majeur par Le Brun. Un tableau présumé de Le Sueur qui représente un Martyre de Saint Laurent. Ensuitte un tableau d'Évêque grec. De l'autre côté : Marthe et Marie

d'après Le Sueur. Chapelle de Caylus : un tableau de Vien et un sarcophage de porphyre antique, ouvrage égyptien d'un très bon goût connu sous le nom de Tombeau de Caylus. » Il est évident qu'à cette date le tableau de Bourdon ne se trouvait plus en place.

14. À ce sujet, voir Thuillier, 1960, p. 33.

15. *Ibidem.*

16. Sur l'historique de cette chapelle voir M. Baurit et J. Hillairet, *op. cit.*, p. 88 *sqq*. Ces deux savants rapportent les noms de Denis Godefroy et Charlotte Jolly (*sic*) comme « possesseurs » de la chapelle.

17. Archives nationales, LL 731, *Registre des titres des chapelles de l'Église et Parroisse royalle de Saint-Germain-l'Auxerrois.*

18. Archives nationales, L 646 n° 4 E, *Réponse aux mémoires présentés aux curés et marguilliers de Saint-Germain-l'Auxerrois par le S[ieu]r Hilaire Janson pour établir qu'il a le droit d'avoir une clef de la chapelle Saint Denis [...] comme chapelain titulaire de cette chapelle.*

19. Archives nationales, LL 731, fol. 133.

20. Il ne s'agit sans doute pas de ce Denis Godefroy (1615-1681) qui, fils de Théodore, fut conseiller et historiographe ordinaire du roi, comme son père.

21. Le seul document que j'aie pu trouver au sujet d'un François Le Brest, est conservé aux Archives de la Ville de Paris. Il s'agit d'un *Extrait des registres mortuaires de l'Église paroissiale Saint-Leu-Saint-Gilles à Paris pour l'année mille sept cent seize* (V 2 E 10365) : « Le vingtneuviesme aoust a été inhumé au cimetière des Saints Innocents François Le Brest, âgé de huit ans et demi, fils de deffunt François Le Brest, maître vinaigrier, et d'Elizabeth Jaquin, ses père et mère. » Si le maître vinaigrier de ce document est bien le François Le Brest qui nous intéresse, on pourrait établir : a) que celui-ci était toujours vivant en 1707-1708, et qu'il est mort quelques années après cette date; b) qu'il s'était marié en secondes noces. Il se peut que Charlotte, qui était apparemment la seule héritière de Denis Godefroy et de Charlotte Solly, soit morte plutôt jeune.

22. *Ibidem.*

23. Le mémoire de 1750 (Archives nationales, L 646 n° 4 E) déclare qu'en 1725 on devait quarante-huit années pour la redevance de la chapelle Saint-Denis. Cela voudrait dire que François Le Brest ne paya que deux années de redevance (entre 1675 et 1677).

24. *Ibidem* : « Il n'y a point d'ornemens attachés à cette chapelle. La croix, les chandeliers, tout est à la fabrique. La chapelle n'est donc point en titre de bénéfice, mais il a été fait deux fondations dont a formé deux titres de bénéfices. Les titulaires ne sont chargés d'aucun entretien des batimens, c'est la fabrique qui a fait touttes les réparations que la chapelle a exigé. La fabrique vient même de la faire décorer récemment pour la concéder à Mr le curé. Cette circonstance des réparations me paroit décisive. Si la chapelle n'appartenoit pas à la fabrique, la fabrique ne seroit pas tenu de l'entretenir, ce seroit les titulaires ou les fondateurs qui le devroient. Elle appartient donc à la Paroisse qui a donc droit d'en disposer comme de touttes les autres puisqu'elle en a la charge : *ubi est emolumentum, ibi est onus* ».

25. À ce propos, voir A.F.J. Borel d'Hauterive, *Annuaire de la noblesse de France*, Paris, 1859, XVI, p. 399, où l'on rappelle un Henri Godefroy, auditeur des Comptes et quartinier en 1542 et un Nicolas Godefroy, quartinier en

1552. H. Verlet, *Épitaphier du vieux Paris. Recueil général des inscriptions funéraires des églises, couvents, collèges...*, t. VI, « Les Saints Innocents », Paris, 1989, p. 268, mentionne une « épitaphe de quatre pieds et demi de haut sur deux pieds et demi de large, à la croix appelée communément des Godefroy, contre la chapelle d'Orgemont ». Sur cette épitaphe se trouvaient les mêmes armes que sur le tableau de Rouen. Le monument était consacré à Antoine Godefroy, seigneur de Beauvillier, « conseiller du Roy en ses conseils d'État et privé et intendant de la justice des Aides et des Finances és armées navales de Sa Majesté », décédé en 1628 à La Rochelle (sur ce personnage, voir J.-P. Charmeil, *Les trésoriers de France à l'époque de la Fronde. Contribution à l'histoire de l'administration financière sous l'Ancien Régime*, Paris, 1964, p. 138). Nous ignorons si le Denis Godefroy auquel on concéda la chapelle était un parent proche d'Antoine Godefroy. L'acte par lequel le chapitre de Saint-Germain-l'Auxerrois autorisa la veuve de ce dernier « à faire placer une épitaphe à la croix appelée des Godefroy [...], lieu de sépulture des prédécesseurs de son mari » se trouve aux Archives nationales (LL 411, fol. 295).

26. A.F.J. Borel d'Hauterive, *op. cit.* n. 25, p. 412.

27. Sur ce tableau, exécuté « vers la fin de la quatrième décennie du XVII^e siècle » par Poussin, voir R. Longhi, *« Me pinxit » ed altri quesiti caravaggeschi*, Florence, 1968, p. 173 *sqq*.

28. À ce propos, Thuillier, 1960.

29. R. Longhi, *op. cit.* n. 27, p. 174.

30. R. Longhi (*op. cit.* n. 27, p. 175) observe quelque chose de similaire au sujet de la *Sainte Marguerite* de Turin : « *il modo affatto sculturale di liberare quasi a stento il piede dal blocco delle pieghe di base decisamente scalpellate d'intorno* [la façon propre au sculpteur de dégager presque à grand-peine les pieds de dessous les bords de la robe, que l'on dirait taillés par un puissant ciseau]. »

31. Bellori, 1672 (1976, p. 422) : « *Mutò egli in breve due maestri : l'uno di poco talento, fu l'altro Ferdinando Fiammingo, pittore lodato ne' ritratti.* »

32. R. de Piles, *Abrégé de la vie des peintres...*, Paris, 1699, p. 469 *sqq.* : « Un seigneur de Poitou qui l'avoit pris en affection le mit chez Ferdinand, peintre de portraits, que le Poussin quitta au bout de trois mois pour entrer chez un nommé Lallemant, où il n'y fut qu'un mois. »

33. Félibien, 1679, 5^e partie, p. 164.

34. Le 16 septembre 1617, contrat est passé entre Dominique II de Vic, au nom de son père, Merry, et les marguilliers de l'église Saint-Nicolas-des-Champs, qui déclaraient lui concéder « la chapelle située entre celle de M. Charles Amelot [...] et de la demoiselle Jacquelin ». Les travaux d'embellissement de la chapelle devaient déjà aller bon train à cette date, puisque le contrat rappelle que « ledit sieur de Vic père a ja fait clore [la chapelle] de menuiserie à ballustre et y a fait mettre vitres et lambry qu'il entretiendra et l'ornera ainsi que bon lui semblera soit de peintures, tableaux et autres enrichissements et ornementations qu'il advisera bon être ». Ce contrat est rapporté par J. Wilhelm et B. de Montgolfier, « La Vierge de la famille De Vic et les peintures de François II Pourbus dans les églises de Paris », dans *La Revue des Arts*, 1958, p. 225 *sqq.* Il est donc fort probable que les fresques de Lallemant aient été exécutées à cette époque. Il faut rappeler, par ailleurs, que Georges Lallemant avait travaillé en 1620 pour cette même église, et précisément dans la chapelle de Notre-Dame-de-la-Miséricorde. À ce propos, voir G. Wildenstein,

« Georges Lallemant et l'église Saint-Nicolas-des-Champs », dans *Gazette des Beaux-Arts*, 1960, p. 317 *sqq.* et M. Dargaud, « Un tableau retrouvé de Georges Lallemant dans l'église de Saint-Nicolas-des-Champs », dans *Bulletin de la Société d'histoire de l'Art français,* 1974, pp. 17-20.

35. Les peintures de la voûte ne furent « découvertes » qu'à la fin du XIXe siècle. En 1920, L. Lambeau (*Procès verbaux de la Commission du Vieux Paris*, 1920, pp. 220-231) écrit à propos de la chapelle : « Les anciennes peintures murales de cette chapelle, badigeonnées d'un enduit à la chaux et remises partiellement au jour montrent, à la voûte, une Assomption de la Vierge au milieu des Anges... » Le 10 janvier 1966, le restaurateur J. Masselet envoya à la Préfecture de la Seine un devis pour la « remise en état du décor peint des voûtes de la Chapelle de Vic ». Ce décor, « peint à l'huile directement sur la pierre », était qualifié de « très vétuste » : 1/3 de la surface était à reconstituer, tandis que les 2/3 restant étaient « très écaillés avec des dégâts allant de 10 à 50 % de la surface ». Un rapport favorable à ce devis fut émis le 11 juin 1966.

36. Jean de Saint-François, *Les Œuvres du divin Saint Denis l'Aréopagite, évesque d'Athènes, & depuis apostre & premier évesque de Paris [...] avec une apologie pour les œuvres du mesme auteur*, Paris, 1608, p. 67 : « Ainsi qu'on vacquoit à l'impression de ce livre quelques personnes de merite m'ont remonstré qu'il estoit du tout necessaire de respondre par quelque Apologie aux doutes & difficultez dont plusieurs estoyent prevenus touchant la verité de ces œuvres : ce que i'ay entrepris selon le peu de capacité que Dieu m'a donné, nonobstant les rigueurs extraordinaires de l'Hyver de ceste année 1608 & pendant les intervalles d'une fascheuse fievre qui me travaille, de façon que ie crain qu'il ne s'i retourne beaucoup à manquemens. »

37. Il s'agit de Joseph Scaliger, *Elenchus Trihaeresii Nicolai Serarii. Eius in ipsum Scaligerum animadversiones confutatae. eius delirium fanaticum et impudentissimum mendacium, quo Essenos monachos christianos fuisse contendit, validissimis argumentis elusum*, Franequerae, 1605, spécialement p. 304 *sqq.*

38. I. Casaubon, *De rebus sacris et ecclesiasticis exercitationes XVI ad Cardinalis Baronii Prolegomena in Annales*, Londres, 1614, p. 565 : *« Omnino haec ratio est, cur nonnulli Patrum, eximie vero prae caeteris Dionysius quem Areopagitam vocant, (scriptor sane antiquissimus & elegantissimus; sed quem illum esse de quo habetur mentio in Actis, soli in hac luce literarum, imperiti, & cum linguae Graecae, tum Antiquitatis Ecclesiasticae penitus rudes, audent affirmare) de Sacramentis novo quodam & inusitato dicendi genere scripserint, quod a cothurno tragico vel dithyrambicis ampullis non multum videatur distare. »*

39. Preuve en soit le traité qu'un jésuite belge, Pierre Lanssel, publia dans son édition des *Œuvres* de l'Aréopagite (*Brevis omnium qua notarum qua calumniarum quae ab Isaaco Casaubono in Exercitationibus suis adversus Illustrissimum Cardinalem Baronium Iustino Martyri inuuntur*, Paris, p. 1) : *« Mirari subiit, Lector, Isaacum Casaubonum literis humanioribus ornandis locupletandis natum, ad abdita Theologiae mysteria, quibus adsequendis non unus annus, sed vix totius vitae cursus sufficit, intra unum aut alterum annum animum invito genio appulisse. [...] Unde factum est hodie, ut pro cuiuslibet Liberionis vel gramatici score scioli libidine omnia Patrum Antiquorum scripta per se suo splendore veneranda, non sine Veritatis detrimento mutilentur, confundantur, transmutentur. »*

40. À ce propos, voir Abbé Lebeuf, *Histoire de la banlieue ecclésias-*

*tique de Paris*, Paris, 1754, p. 107 : « L'abbesse Marie de Beauvillier en avoit donné quelque partie à Quentin Gesnault curé de Saint-Sauveur, qui obtint le 30 mai 1607 de l'Évêque de Paris [...] l'approbation de ces Reliques comme étant tirées des châsses de Montmartre ». Un épisode similaire est rapporté dans la Gallia Christiana, 1744, 1744, col. 619 : « *anno 1609 reliquias Sancti Dionysii Claudio Potier monacho benedictino indulsit* [Marie de Beauvilliers]. »

41. *Ibidem*, p. 104.

42. J. Dubreul, *Le Théâtre des Antiquitez de Paris*, Paris, 1612, p. 1160. Voir aussi Père Léon, *La France convertie. Octave à l'honneur de saint Denis l'Aréopagite, premier évêque de Paris, protecteur du royaume, patron des rois, avec un recueil des plus belles antiquités en la royale abbaye de Montmartre*, Paris, 1661, p. 57.

43. Voir E. Binet, *La vie apostolique de sainct Denis*, Paris, 1629[2], p. 293 : « L'an 1611 le 13. Jour de Juillet, on fit ouverture d'une espece de caverne qui s'estoit trouvé dans le roc en fouillant pour faire les fondements. On trouva par cy par là des croix & des lettres si usées & si vieilles qu » on ne les peust lire, une forme d'Autel, des demi mots Mar. Clemin. Dio. & autres demy-rongez, & qu'on ne sçavoit deviner. [...] Mais tout cela estoit remply de sang des Martyrs, des larmes des Saincts Confesseurs, & ce sont là les premiers fondements de l'Église de France. »

44. Le récit de la découverte de la crypte est fort intéressant. Voir M. Marrier, *Historia regalis monasteri Sancti Martini de Campis...*, Paris, 1636, p. 320 : « *At quod ut credulum me facilius praebeam, movent, incitant, impellunt, urgent quamplurima. Loci compositio, ad cuius partem dextera, quae solem orientem conspicit, ara quaedam seu altare, e lapide admodum rudi nec ferro aut altero instrumento dolato vel polito [...] in cuius superficie [...] plures stilo acuminato cruces celatae visuntur. Aiebant etiam qui primi antrum subierant, haec ad parietes diversis locis legisse. CLEMIN. DIO. MAR. At multitudinis eo confluentis imprudentia, vel potius Nebulonis vel Novatoris cuiusdam (nam eius generis dicebant unum ibi comprehensum, qui lapidem seu Altare praefatum subvertere & loco dimovere tentabat) accurata malitia erasa & expuncta fuisse.* »

45. Le texte est rapporté par l'abbé Lebeuf, *op. cit.* n. 40, p. 105.

46. P. Lanssel, *Opera omnia Dionysii Areopagitae quae extant*, Paris, 1615.

47. *Ibidem*, p. 85 : « *Quo foret cumulatior haec editio, variantes lectiones tum a notis, tum ab aliis ante notatas, libuit hic apponere. In iis autem studiose collegendis, subsidia nobis vetustissimorum codicum haud defuerunt, atque inprimis usi sumus exemplaribus duobus MMSS. e Christianissimi Regis Bibliotheca quae V.C. Nicolaus Rigaltius idemque longe doctissimus & humanissimus benigne concessit. Incidi etiam in Memmionum [c'est-à-dire, appartenant à Henri de Mesmes] codicem omnium antiquissimum, quippe qui doctorum quorumdam iudicia, ante annos mille ducentos exaratos fuerit : utendum eum dedit vir amplissimus D. de Roissy Consiliarius Regius, clari parentis illustris filius.* » Deux autres volumes, très précieux et anciens, furent mis à sa disposition par Jean de Salignac, théologue, « *literarum Hebraicarum, Graecarum ac Latinarum peritissimus* » (*ibidem*), un autre par Godefroy Tilmann, chartreux et érudit. Un parent de Guillaume Budé, Pierre de Saint-André, lui montra, pour finir, un très important manuscrit.

48. P. Lanssel, *op. cit.*, p. 85 : « *Denique amicorum quorundam*

*studiis & benevolentia, venit in manus meas Sandionysianus codex ille ipse, quem olim Imperator Manuel Palaeologus in Gallias, regium munus, Constantinopoli misit, exquisitis picturis nobilem, & praesertim eleganti S. Dionysii effigie, quem huius operis in fronte retinendae antiquitatis gratia & conciliandae pietatis, exprimi curavimus.* »

49. Voir J. Tigeon, *Histoire de la vie, mort et passion et miracles des saints desquels principalement l'Église catholique fait feste en mémoire par toute la Chrestienté*, Paris, 1607, fol. 404 : « Or sur l'heure mesme que nostre très bening & misericordieux Seigneur Jesus-Christ fut mis en croix, & qu'en icelle pendant il rendit l'ame & mourut pour le rachapt de nos fautes : lorsque ce grand obscurcissement voila la face universelle de la terre, saint Denis voyant ce defaut de la clarté du Soleil, cogneut par les reigles & demonstrations certaines de l'astronomie, que ceste éclipse estoit advenu contre le commun cours de nature. »

50. À ce propos, voir J. Delaunoy, *De Areopagiticis Hilduini iudicium*, Paris, 1641, p. 98 : « *Quae cum ita sunt, nostrum de Areopagiticis Hilduini Iudicium capita duo concludunt. In uno primis abhinc saeculis usque Carolum Magnum constantissima de duobus Dionysiis traditio servata est, & Hilduinianae opiniones post octingentos annos defixa novitas, quae numquam inde refigetur, nisi subdititiis & fictis in Monasterio Sancti Dionysii chartis & versibus veritas accomodetur. In altero cassus & inani evictus est labor Hilduini, & Sectatorum eius : Hilduini quidem, cum post ipsum ecclesia romana, Gallicana & maxime Parisiensis veterem in suis martyrologiis, & alibi traditionem retinuerit; Sectatorum vero, cum in citandis nescioquibus fabulosis otiosorum hominum historiis operam, & sinceritatem perdidere.* » Voir aussi Id., *Animadversiones in Palladium Galliae sive Dionysium Areopagitam Samblancati lectoribus perutiles*, Paris, 1641 ; Id., *Responsionis ad dissertationem de duobus Dionysiis discussio in qua probatum iam utriusque discrimen ex inveniendi asserendique veri legibus defenditur*, Paris, 1642 ; J. Samblancat, *Galliae Palladium sive Dionysius Areopagita*, Toulouse, 1641 ; J. Sirmond, *Dissertatio in qua Dionysii Parisiensis et Dionysii Areopagitae discrimen ostenditur*, Paris, 1641. Sur la question en général voir R. J. Loenertz, « La légende parisienne de saint Denis l'Aréopagite, sa genèse et son premier témoin », dans *Analecta Bollandiana*, LXIX, 1951, p. 217 *sqq.*

51. Archives nationales, LL 731, fol. 10 *sqq.* (actes du 29 novembre 1637, 28 décembre 1642 et 1er février 1644) et 13 *sqq.* (actes du 21 décembre 1664, 15 octobre 1671, 15 décembre 1675, puis 16 décembre 1702).

52. Tout récemment, M. Bimbenet-Privat et J. Thuillier (1994, p. 71 *sqq.*) ont publié deux documents capitaux pour la reconstitution de la jeunesse de Poussin à Paris. Ces actes livrent, entre autres choses, le nom d'un de premiers « mécènes » du peintre. Il s'agit de Jean Guillemin, marchand orfèvre demeurant rue et paroisse Saint-Germain-l'Auxerrois, où habitait aussi le jeune normand en 1618. Nous ne saurions exclure que la commande du tableau de Rouen puisse revenir à ce Guillemin. Il n'en reste pas moins que d'autres personnages, demeurant dans la même paroisse, ont pu commander le *Saint Denis*. Parmi ceux-ci on pourrait évoquer le nom d'Alexandre Courtois, valet de chambre de la Reine (voir à ce propos Bellori, p. 423 : « *e gli fu favorevole la sorte nella conoscenza del Cortese, matematico regio, il quale allora aveva luogo nella galeria del Lovro* ») ; H. Herluison, *Actes d'état civil d'artistes français, peintres, graveurs, architectes, etc., extraits*

*des registres de l'Hôtel de Ville de Paris détruits dans l'incendie du 24 mai 1871*, Orléans, 1873), que Gian Pietro Bellori nomme dans sa biographie de Nicolas Poussin comme un des premiers amis du peintre lors de son arrivée à Paris. Celui-ci habitait, comme le dit son contrat de mariage du 3 novembre 1613 (Archives nationales, Minutier central, étude XXIV/123), « aux galleries du Louvre paroisse Saint-Germain l'Auxerrois ». Ce qui me paraît intéressant, ce sont surtout les rapports étroits qu'Alexandre Courtois entretenait avec la famille de La Haye, dont les membres étaient presque tous des marchands orfèvres. Ce n'est pas par hasard si le jeune valet de la Reine s'était marié avec Marie de La Haye, « fille de Louis de La Haye, marchand orfèvre bourgeois de Paris demeurant sur le Pont au Change, paroisse S[ain]t Barthélemy ». C'est peut-être par le biais de cette famille que le peintre normand fut introduit chez Jean Guillemin. Il y a aussi des chances pour que le Courtois mentionné par Bellori soit le père d'Alexandre, Pierre Courtois, « peintre et esmailleur du Roy demeurant à Paris aux galleries du Louvre paroisse Sainct-Germain-l'Auxerrois » (voir la minute de cet acte passé le 19 mai 1615 : Archives nationales, Minutier central, étude XXIV/126). Cet émailleur du roi, décédé aux alentours de 1625 (un document du 25 août 1625 [Archives nationales, Minutier central, étude LVI/31] concernant son héritage parle de « deffunt » noble homme Pierre Courtois), aurait pu remarquer le talent du jeune Poussin et lui mettre à disposition les gravures de Raphaël si chères au peintre.

53. Félibien, 1705, IV, p. 7.

54. Je ne crois guère que le mathématicien du roi que Bellori identifie avec Alexandre ou Pierre Courtois (voir à ce propos la n. 51) puisse être l'un de ces deux personnages, car on ne les nomme nulle part avec ce titre prestigieux. Il me paraît donc plausible, si l'on exclut l'éventualité que le biographe italien ait inventé cette notice, que Bellori se soit tout simplement trompé. Si c'était le cas, on pourrait songer à David Rivault, sieur de Fleurance, comme un des premiers mécènes du peintre à Paris. Celui-ci devint en effet « lecteur aux mathématiques » du Roi le 28 avril 1611, puis, en 1612, son précepteur ordinaire. L'année suivante Louis XIII le fit son conseiller d'État et privé. Rivault, qui était d'ailleurs amant des beaux-arts (il composa et dédia en 1608 à Marie de Médicis un *Art d'embellir*), s'était consacré à toute sorte d'études scientifiques et littéraires. Il publia, en 1615, la traduction des traités d'Archimède du grec en français (*Archimedis opera quae extant, novis demonstrationibus et commentariis illustrata per Davidem Rivaltum a Flurencia*, Paris, 1615). À cette même année, une minute de notaire le déclare « demourant dans le Chasteau du Louvre » (Archives nationales, Minutier central, étude VI/179 ; 9 août 1615). Il mourut en 1616 à Tours : il accompagnait alors la reine mère à Madrid, où l'on devait célébrer les noces d'Elisabeth de France avec Philippe IV d'Espagne. Il n'y a, bien entendu, aucune preuve que ce soit lui le mathématicien du roi qui aida Poussin lors de son arrivée dans la capitale. Mais c'est bien un érudit de son envergure qui aurait pu concevoir l'iconologie du *Saint Denis*. Une lettre de François de Malherbe (*Œuvres*, M. L. Lalanne éd., Paris, 1863, III, p. 359 *sq.*) à Nicolas Peiresc, datée du 27 novembre 1613, atteste les compétences que le mathématicien avait en ce domaine : « La reine [...] a fait voir un bracelet qu'elle a fait faire pour envoyer à la petite reine : ce sont quatre grands chatons de diamants, et au milieu une ovale des diamants; dans cette ovale il y a une forme de losange; aux quattre coins de la losange sont quattre

grands diamants, et un encore plus grand au milieu; les chatons sont de grands diamants, et au milieu de chacun des quatre chatons un grand diamant. Sous l'ovale il y aura une devise que M. de Florence [sans aucun doute : Fleurance ou Flurance] a faite : *Titani lumine Vesper*. Il m'en dit une autre, mais je fus d'avis que l'on prît celle-ci : les deux n'ont qu'un même corps, qui est un phénix, et un soleil au côté d'occident, qui jette ses rayons sur lui. » Sur ce personnage voir surtout A. F. Anis, « David Rivault de Fleurance », dans *Bulletin historique de la Mayenne*, t. VI, VII, VIII, 1893. Sur le mathématicien du roi voir aussi G. B. Passeri, *Il libro delle vite de'pittori, scultori et architetti* (J. Hess éd.), Leipzig-Wien, 1934, p. 321. Je remercie M. le comte Vitton pour son extrême gentillesse : il m'a permis de consulter ses archives familiales, où j'ai pu trouver des documents concernant Rivault de Fleurence. Malheureusement, aucun de ces actes n'a livré des renseignements utiles pour cette recherche.

55. À ce propos, voir J. Doublet, *Histoire de l'abbaye de Saint-Denis en Frances, contenant les Antiquitez d'icelle, les fondations, prérogatives et privilèges*, Paris, 1625, p. 2 : « Quant à sa jeunesse elle fut eslevée parmy les bonnes lettres, & parmy les liberales disciplines & sciences, lesquelles il ne se contenta pas d'apprendre au lieu de naissance, mais les alla recherchant chez les peuples & nations estrangeres. Et à l'exemple de tous les grands Philosophes & Doctes naturalistes qui l'avoient précédé, il voulut converser parmy les Docteurs Égyptiens, & d'apprendre d'eux les Mathematiques & Astronomie, de sorte que à l'aage de vingt-cinq ans il estoit en la ville d'Heliopolis en Egypte, ayant pour compagnon de ses estudes le Philosophe Apollophanes de mesme aage que luy, avec lequel il fit ceste grande & insigne remarque de l'eclipse & obscurcissement du Soleil, lorsque nostre Seigneur Souverain autheur & fontaine de toute lumiere, voulut couvrir les yeux de son corps humain des nuages de la mort. »

Fig. 1
Nicolas Poussin (?)
*Saint Denis l'Aréopagite couronné par un ange*
Toile, 1,77 x 1,10 m
Rouen, musée des Beaux-Arts.

Fig. 2
Nicolas Poussin
*Apollon amoureux de Daphné* (détail)
Paris, musée du Louvre.

Fig. 3
François Lenfant d'après Nicolas Poussin
*Saint Paul*
Paris, Bibliothèque nationale de France,
Cabinet des Estampes.

Fig. 4
Ludwig Büsinck d'après Georges Lallemant
*Moïse*
Paris, Bibliothèque nationale de France,
Cabinet des Estampes.

Fig. 5
Ludwig Büsinck
d'après Georges Lallemant
*Christ à la sphère*
Paris, Bibliothèque nationale de France,
Cabinet des Estampes.

Fig. 6
Ludwig Büsinck
d'après Georges Lallemant
*Saint Judas Taddée*
Paris, Bibliothèque nationale de France,
Cabinet des Estampes.

Fig. 7
Georges Lallemant
*Plafond de la chapelle de Vic*
Paris, église de Saint-Nicolas-des-Champs.

Fig. 8
Georges Lallemant
*Saint Jean l'Évangéliste*
Paris, église Saint-Nicolas-des-Champs (détail du décor pour le plafond de la chapelle de Vic).

Fig. 9
Georges Lallemant
*Saint Marc*
Paris, église Saint-Nicolas-des-Champs (détail du décor pour le plafond de la chapelle de Vic).

Fig. 10
Nicolas Poussin
*La Mort de la Vierge*
Détail de la fig. 12 p. 115 du présent ouvrage.

Fig. 11
*La découverte de la crypte sous la chapelle des Martyrs à Montmartre*, gravure dans l'*Historia regalis monasterii Sancti Martini de Campis* de M. Marrier, Paris, 1636.

Fig. 12
*Saint Denis l'Aréopagite*
frontispice de l'*Opera omnia Dionysii Areopagitae quae extant* par Pierre Lanssel, Paris, 1615.

Fig. 13
Frontispice des *Œuvres du divin Denys Aréopagite*, par Jean de Saint-François, Paris, 1608.

Fig. 14
*Saint Denis l'Aréopagite*
frontispice de la *Vie apostolique de saint Denis* par Étienne Binet,Paris, 1629.

# *Le Mariage mystique de sainte Catherine* à Édimbourg

**Ann Sutherland Harris**
Professeur à l'université de Pittsburgh, Pennsylvanie

*Traduit de l'anglais par Jeanne Bouniort*

*Le Mariage mystique de sainte Catherine* conservé à la National Gallery of Scotland (fig. 1) n'a jamais beaucoup intéressé les spécialistes de Poussin. À l'heure actuelle, la majorité des auteurs admettent l'authenticité du tableau et comparent ses grands personnages à ceux du *Martyre de saint Érasme* de 1628. La plupart situent *Le Mariage de sainte Catherine* juste après ce retable[1]. Seule Doris Wild émet un avis divergent. Elle l'attribue à Charles Mellin, bien entendu, et Jacques Thuillier lui donne raison sous toutes réserves[2]. Je propose de confirmer l'attribution du *Mariage mystique* à Poussin, de le situer beaucoup plus tôt dans sa carrière, et d'avancer un nom de commanditaire pour étayer mon point de vue.

Le *Mariage mystique* est peint sur un panneau de chêne. Cette donnée, pourtant dûment signalée dans le catalogue de l'exposition Poussin : *Sacraments and Bacchanals* à Édimbourg, en 1981, n'a donné lieu à aucun commentaire quant aux conséquences logiques de cette découverte d'un Poussin (ou un Mellin) exécuté sur du chêne, que j'ai rapidement évoquées à une autre occasion[3]. Pour aller vite, disons que les artistes travaillant en Italie n'utilisaient jamais de chêne. Ils employaient du peuplier (comme Poussin pour sa *Sainte Rita protectrice de Spolète*, à la Dulwich Picture Gallery), du cyprès (son *Baptême* de 1648), du noyer (support probable de son *Ravissement de saint Paul* à Sarasota), ou encore du châtaignier, facilement confondu avec le chêne[4]. En revanche, les tableaux peints sur du chêne étaient monnaie courante en Flandre, en Hollande et dans le Nord de la France. En règle générale, pour un spécialiste de la peinture septentrionale, si Juste de Gand, Pierre-Paul Rubens, Jan

Both ou quelque autre artiste actif à la fois en Italie et aux Pays-Bas a utilisé un support de chêne, c'est la preuve que le tableau en question n'a pas été exécuté en Italie[5]. Peter Klein, à qui l'on doit les recherches scientifiques les plus approfondies dans ce domaine, a analysé mille cinq cents peintures sur bois sans découvrir un seul panneau de chêne provenant d'Italie d'une manière ou d'une autre[6]. Aucun des catalogues qui indiquent le type de bois employé ne contient le moindre exemple de peinture italienne sur chêne, sauf à considérer celles que des artistes ont pu exécuter dans le Nord[7]. Cela tient sans doute aux traditions régionales, mais aussi à la rareté des chênes en Italie après les déforestations du Moyen Âge. Encore aux XVI^e et XVII^e siècles, les meubles italiens étaient très souvent en noyer, jamais en chêne[8].

Une conclusion s'impose alors : Poussin a peint *Le Mariage mystique de saint Catherine* à Paris, avant son départ pour Rome en 1624. C'est donc la plus ancienne de ses peintures datables parvenues jusqu'à nous, car personne n'aurait l'idée de la rattacher au séjour parisien de Poussin en 1640-1642. Cela dit, deux faits viennent compliquer les choses. D'abord, le tableau d'Édimbourg est quasi certainement l'œuvre répertoriée dans les inventaires de la famille dal Pozzo, car les dates, matériaux, attributions et sujets, tout concorde[9]. Poussin a très rarement utilisé les supports de bois et n'a peint aucun autre *Mariage mystique de sainte Catherine*. Il y a donc de très fortes chances que cette œuvre ait appartenu à Cassiano dal Pozzo. Par conséquent, elle devait être à Rome avant 1657, année de sa mort. D'autre part, les radiographies révèlent la présence d'une autre composition, fragmentaire, sous la surface. Quand et comment le tableau a-t-il fait le voyage de Paris à Rome? Poussin l'aurait-il repeint à Rome? Le *Mariage mystique* serait-il l'œuvre d'un autre peintre? Je n'arrive pas à imaginer que ce ne soit pas un Poussin, et d'ailleurs, comme je l'ai déjà noté, la plupart des auteurs admettent aujourd'hui son authenticité. On a du mal à croire que Poussin, qui peignait presque toujours sur de la toile et n'avait pas beaucoup d'argent en 1623, ait pu expédier à sa propre adresse à Rome un grand panneau de chêne portant une œuvre inachevée, qu'il l'ait ensuite réutilisé pour une nouvelle composition et vendu en fin de compte à Cassiano dal Pozzo. En l'état actuel des choses, il me semble que les historiens se trouvent dans l'obligation d'envisager sérieusement la possibilité que Poussin ait peint son *Mariage mystique de sainte Catherine* à Paris avant 1624.

Le recours à un support en bois n'est pas seulement exceptionnel chez Poussin. À l'époque, ce type de matériau était déjà rare en Italie, même pour de petits tableaux, et assez peu courant en France et en Flandre. Les panneaux de bois coûtaient beaucoup plus cher que la toile. Ils restaient en faveur chez les peintres de natures mortes français et flamands, qui avaient besoin de surfaces très lisses pour leurs effets de trompe-l'œil. Mais ces artistes travaillaient rarement dans d'aussi grands formats (1,27 x 1,67 m). Le choix d'un support onéreux laisse supposer que Poussin voulait réaliser une œuvre à part, et il s'agissait sans doute d'une commande, étant donné ses faibles ressources financières. Compte tenu de l'historique du tableau, le commanditaire le plus probable serait le cavalier Marin, pour des raisons qui vont apparaître un peu plus loin. Là encore, on voit mal comment le cavalier Marin (ou quelqu'un d'autre) aurait pu payer une peinture inachevée et la faire expédier à Rome.

Avant d'examiner le tableau de plus près, il faut s'arrêter un instant sur les renseignements fournis par les radiographies et essayer de déterminer si Poussin a pu peindre une première composition sur le panneau pour la cacher ensuite sous une autre image élaborée après l'arrivée à Rome. Je reproduis ici une radiographie complète (fig. 2) accompagnée d'un tracé schématique qui souligne les contours de la composition antérieure (fig. 3). On distingue les cinq planches horizontales assemblées pour confectionner le panneau et aussi les applications de blanc de céruse dans les nuages, sur le voile de la Vierge et dans la robe de la sainte. Juste à gauche du centre, au-dessus du bord inférieur de la deuxième planche, on discerne un arc de cercle dessiné à la céruse, qui surmonte un vague profil. La couche de peinture antérieure est visible à l'œil nu sous l'Enfant Jésus, mais les autres traces mises en évidence par le schéma restent difficiles à déceler, y compris sur la radiographie[10]. En tout cas, les personnages étaient beaucoup plus petits dans la composition précédente et la surface du tableau définitif ne dissimule rien qui s'apparente à une œuvre achevée. On trouve des traces de peinture antérieure beaucoup plus importantes sous l'*Écho et Narcisse* du Louvre et *Le Triomphe de David* de la Dulwich[11]. Les formes perceptibles ici pourraient correspondre également à une représentation du mariage mystique, le profil voilé étant alors celui de la sainte agenouillée devant la Vierge à l'Enfant, ou devant le bourreau qui va la décapiter. Il y a d'autres traces sous l'ange debout à droite, sans doute des nuages masqués par son aile droite, et des taches indéchiffrables, à des endroits où la peinture semble avoir été grattée. Les radiographies du tableau d'Édimbourg semblent indiquer que l'artiste, après un faux départ, a décidé de tout recommencer en agrandissant considérablement les personnages. Il pourrait bien avoir exécuté cette peinture d'un seul jet. La facture relativement peu soignée par rapport à des œuvres de grand format présumées contemporaines, comme *Le Martyre de saint Érasme* ou *L'Inspiration du poète* (cat. 26 et 30*), est déjà remarquable en soi, surtout quand on sait que le support est en bois. Certaines parties semblent même inachevées, notamment le pied gauche de la Vierge. Le style un peu négligé témoigne d'une exécution rapide. Il va dans le sens d'une datation différente de toutes celles que l'on a proposées jusqu'ici pour *Le Mariage mystique de sainte Catherine*, datation forcément antérieure.

Un dessin conservé à Cleveland (fig. 4) présente la composition définitive dans son état actuel, à quelques divergences près, toutes mineures sauf dans la partie droite. Dans l'espace occupé à présent par un ange armé d'une grande épée, on a un paysage où la décapitation de sainte Catherine s'accomplit au second plan. La facture du dessin ressemble à celle des études de composition de Poussin datant des années 1620, mais les spécialistes s'accordent pour dire que cette feuille est tout au plus la copie d'un original perdu[12]. Il s'agit peut-être d'un projet soumis à un client, qui aurait demandé d'éliminer la scène de décollation de la sainte et de la remplacer par une simple allusion, sous la forme d'une épée. On ne reconnaît aucun élément de la version refusée sur la radiographie de la partie droite. Il n'y a pas non plus de traces du bras tendu de l'ange sur la droite de la tête de la sainte Catherine dont on ne voit pas la main droite sur sa poitrine. Le dessin de Cleveland ne se rapporte donc pas à une version précédente du tableau d'Édimbourg, cachée sous la surface, mais à une variante dont l'idée a été abandonnée[13].

Pour l'instant, les dates supposées du tableau d'Édimbourg varient entre 1627 et 1631. Les grandes dimensions des personnages et la présence des colonnes cannelées également visibles dans *Le Martyre de saint Érasme* de 1628 (fig. 5) ont offert aux différents auteurs des points de comparaison probants, mais aucun d'eux n'a fourni d'arguments détaillés à l'appui de sa thèse. Ainsi, Hugh Brigstocke relève « certaines faiblesses et quelques aspects peu caractéristiques de Poussin » sans autre précision, ce qui ne l'empêche pas de penser que « les figures au modelé ample et les effets de matière[14] » présentent d'assez grandes similitudes avec *Le Martyre de saint Érasme* et *La Vierge apparaissant à saint Jacques le Majeur*, dite *Vierge au pilier* (cat. 31), toujours datés de la même période sur la foi de Giovan Petro Bellori, pour inciter à situer aussi *Le Mariage mystique de sainte Catherine* dans ces années-là[15]. Or, si l'on compare les relations entre les personnages et leur environnement dans les trois tableaux, on voit bien que la composition d'Édimbourg est moins subtilement agencée. Sainte Catherine s'incline devant la Vierge assise, et pourtant sa tête descend à peine en dessous de celle de Marie. En regardant de plus près, on s'aperçoit qu'elle s'agenouille sur une marche dont la hauteur est indiquée par le pied gauche de la Vierge, sans quoi elle se remarquerait difficilement. On comprend alors que le genou gauche de la sainte repose un peu en avant de ce rebord de pierre, soutenu par un objet solide placé sous ses jupes amples. Ce que l'on avait pris pour une marche doit être en réalité l'attribut habituel de Catherine : un fragment de la roue de son supplice. Pour interpréter cette portion du tableau de Poussin, où le regard est attiré par le pigment d'un blanc éclatant, il faut examiner attentivement des détails qui paraissent négligeables de prime abord. Ce manque de limpidité dans l'organisation de l'espace et dans le maniement des symboles, que l'on ne retrouve pas dans *Le Martyre de saint Érasme* beaucoup plus ambitieux et complexe réalisé pour la basilique Saint-Pierre de Rome en 1628, donne à penser que *Le Mariage mystique de sainte Catherine* est une œuvre moins maîtrisée, et donc antérieure.

La robe blanche de sainte Catherine est l'une des draperies les plus ostentatoires dans toute l'œuvre de Poussin. Le manteau rouge de saint Érasme, au premier plan du *Martyre*, sert à accrocher le regard du spectateur tout en évoquant sur le mode métaphorique le sang versé au nom de la foi. Il occupe moins de place par rapport au reste du tableau et il est plus savamment modulé par les ombres et les effets de matière, de sorte qu'il conduit le regard du premier plan aux bras du saint et à son visage douloureux. Ici, la robe blanche du prêtre païen, bien plus finement modelée que celle de sainte Catherine, attire l'attention vers son bras gauche tendu, au-dessus duquel volent deux *putti* munis des palmes et couronnes du martyre. Ensuite, l'expression sévère de l'Hercule en pierre renvoie notre regard vers les bourreaux, en bas, tous penchés sur leur victime. Ainsi, nos yeux habilement guidés parcourent la totalité de la composition de manière à restituer la logique de la mise en scène et du récit.

Dans *Le Mariage mystique de sainte Catherine*, Marie, Jésus et Catherine, perdus dans leurs pensées, contemplent l'alliance que l'enfant passe à l'annulaire gauche de la sainte. Un angelot debout derrière eux lève les yeux au ciel, nous conviant à regarder au-delà des limites du tableau et, du coup, à risquer de ne pas voir son compagnon, placé dans l'ombre, qui observe la sainte. L'ange à l'épée oriente aussi notre regard vers l'extérieur sans le renvoyer sur le groupe central. Les yeux du spectateur errent à la surface du tableau, cherchent en vain un fil conducteur pictural ou narratif, suivent le regard d'un personnage puis celui d'un autre, glissent sur les zones d'ombre et reviennent, inexorablement attirés par la séduisante sainte Catherine, et singulièrement par sa robe blanche froissée, brillamment exécutée. Quand on a mis en évidence cette absence de centre d'intérêt dans la composition, on voit bien que *Le Martyre de saint Érasme* possède une structure beaucoup plus logique et limpide. Il en va de même pour *La Vierge apparaissant à saint Jacques le Majeur*, où le cercle des apôtres autour du pilier miraculeux est immédiatement compréhensible, et les regards qui convergent sur l'apparition nous invitent là encore à parcourir le tableau dans le sens des aiguilles d'une montre, sans laisser échapper un seul des éléments principaux. Il est à noter que tous les vêtements suggèrent les formes du corps avec beaucoup moins d'affectation que dans le tableau d'Édimbourg. Plus on analyse les éléments plastiques du *Mariage mystique de sainte Catherine*, plus on voit les imperfections relatives de cette peinture, et plus il devient évident qu'elle a dû précéder les chefs-d'œuvre monumentaux de 1628-1629 auxquels on l'a toujours rattachée.

On découvre dans le tableau d'Édimbourg un talent novice, ébloui par ses premiers contacts avec la grande peinture du XVIe siècle vénitien. Tout est un petit peu disproportionné : l'épée que tient l'ange, les personnages par rapport au format du tableau, les enfants par rapport aux adultes, les éléments architecturaux par rapport aux personnages. Les protagonistes de *L'Inspiration du poète* du Louvre, que toutes les autorités s'accordent à situer à une date postérieure, ont assez d'espace pour respirer. Ceux du *Mariage mystique de sainte Catherine* manquent d'espace. Les colonnes se dressent abruptement de part et d'autre de la tête de la Vierge, parallèlement au plan du tableau semble-t-il, encore que les cannelures légèrement plus minces de la colonne de droite indiquent qu'elle doit être légèrement en arrière de l'autre. Dans *Le Martyre de saint Érasme*, les colonnes sont repoussées sur la droite et leur disposition en biais apparaît au premier coup d'œil. Dans *L'Assomption de la Vierge* de Washington, un tableau où la virtuosité du peintre est étonnamment contenue, et qui mesure à peine quelques centimètres de moins que celui d'Édimbourg, les colonnes signalent plus clairement encore leur rôle de porte du ciel, sans encombrer l'espace pictural. L'oblique accentuée du linceul blanc, au premier plan, au lieu d'entraver le regard, le conduit sur le bord de la tombe, puis sur les chairs roses des petits enfants qui semblent s'envoler au ciel avec la Vierge. Étant donné la maîtrise dont témoigne le tableau de Washington en regard de celui d'Édimbourg, il doit y avoir entre ces deux œuvres une distance plus grande que ne le supposent actuellement les auteurs qui admettent leur attribution à Poussin[15].

La comparaison avec certaines œuvres indiscutablement antérieures à 1627-1628 pourrait-elle nous éclairer ? La *Vierge à l'Enfant* de Brighton (Preston Manor) date de la période où Daniel Seghers était à Rome, entre 1625 et 1627, car il a peint l'encadrement en forme de guirlande florale[16]. Poussin a exécuté les deux personnages avec une espèce de désinvolture pratiquement sans équivalent dans ses œuvres connues. Elle doit donc, à mon avis, se placer très tôt dans sa carrière. Le physique inhabituel de Jésus épais, avec une grosse tête, est le même que celui des trois petits enfants dans le tableau d'Édimbourg et ne se retrouve plus dans les œuvres ultérieures. Les nuages blancs indiqués par quelques touches rapides présentent aussi de grandes similitudes dans les deux peintures. Les ombres en dégradé de la robe rose de Marie, dans le tableau de Brighton, étoffent sa silhouette, pourtant plus menue, davantage que ne le fait le vêtement rouge tomate dans la composition d'Édimbourg. Le manteau gris bleu, qui s'enroule autour des hanches de la Vierge de Brighton, réussit mieux à créer une illusion de profondeur que les formes plus anguleuses de son manteau lapis dans le tableau d'Édimbourg. Même les voiles de Catherine et de Marie ont un dessin relativement maladroit à côté de celui qui coiffe la Vierge de Brighton.

La comparaison entre *Le Mariage mystique de sainte Catherine* et *La Mort de Germanicus* conservée à Minneapolis (cat. 18), qui date des derniers mois de 1627, est moins éloquente parce qu'il y a une trop grande différence dans l'échelle des personnages par rapport au reste du tableau. *La Mort de Germanicus* annonce les compositions caractéristiques des décennies suivantes, où Poussin dispose parallèlement au plan du tableau des groupes de personnages mesurant à peu près la moitié de la hauteur de la toile. Le décor plus spacieux et l'agencement heureux des plans successifs font de *La Mort de Germanicus* une œuvre mieux maîtrisée que *Le Mariage mystique de sainte Catherine*, et cette impression est confirmée par l'orchestration habile des émotions manifestées par les différents personnages qui entourent le lit de Germanicus. Seule l'étoffe posée sur les genoux de la femme du héros, dont la jambe gauche semble étrangement longue, nous rappelle que Poussin était encore relativement inexpérimenté à cette date.

Si mes arguments ont convaincu quelques lecteurs que Poussin pouvait avoir exécuté *Le Mariage mystique de sainte Catherine* plus tôt qu'on le pensait jusqu'à présent, d'autres en déduiront peut-être que le tableau d'Édimbourg n'est pas de lui. Pourtant, aucun autre peintre français dont l'activité est attestée à Paris dans les années 1620 n'aurait pu préfigurer à ce point le style de jeunesse de Poussin. En outre, cette hypothèse laisserait sans réponse l'énigme du support de chêne et de sa présence à Rome, sans parler de l'attribution à Poussin dans un inventaire de la collection dal Pozzo, encore que l'on puisse nier tout lien avec ce document. Les physionomies des personnages ne ressemblent pas assez à celles que peignait Charles Mellin pour m'inciter à croire que cet artiste ait pu exécuter *Le Mariage mystique de sainte Catherine*, et je ne vois vraiment pas quel autre peintre travaillant à Rome dans les années 1620 ou 1630 pourrait être l'auteur de ce tableau. Les légères maladresses et incohérences que l'on discerne en comparant *Le Mariage mystique* à d'autres œuvres de Poussin datant de la fin des années 1620 s'expliquent bien plus aisément par une immaturité relative que par l'intervention d'un imitateur adroit. Reste à préciser le degré d'immaturité.

Il faudrait aborder maintenant la question des sources d'inspiration de Poussin, car son tableau contient de nombreuses réminiscences du Cinquecento vénitien, et on pense d'ordinaire qu'il connaissait assez mal cet art jusqu'à son voyage en Italie en 1624. La vision de Catherine d'Alexandrie, à qui apparaît la scène de son mariage avec le Christ enfant, est devenue un sujet de tableau au XVe siècle, avant de connaître sa plus grande vogue à Venise et dans le Nord de l'Italie entre le XVIe siècle et le début du XVIIe, même si elle figure dans le répertoire de Fra Bartolomeo à Florence. Des images créées par Corrège, Parmesan, Titien, Tintoret ou Véronèse viennent tout de suite à l'esprit, ainsi que les interprétations ultérieures données par les trois Carrache, qui n'ignoraient rien des précédents vénitiens et lombards. En revanche, entre le XVIe siècle et le début du XVIIe, les œuvres sur le thème du mariage mystique de sainte Catherine sont rares dans l'art de l'Europe septentrionale[17]. Le sujet du tableau est donc italien, de même que le vocabulaire plastique. Les énormes colonnes cannelées coupées par le cadre seraient inconcevables sans l'exemple de Véronèse, le seul peintre, avant Annibal Carrache, à avoir préféré les fûts cannelés aux fûts lisses, et utilisé abondamment ce motif, surtout sous une forme tronquée[18]. Poussin aurait fort bien pu prendre connaissance de quelques prototypes sans quitter

Paris, en regardant simplement des reproductions. Le cavalier Marin avait sûrement dans sa riche collection d'estampes le burin d'Augustin Carrache, gravé en 1582, d'après *Les Noces mystiques de sainte Catherine* de Véronèse[19], et la xylographie de Niccolò Boldrini d'après la composition horizontale de Titien sur le même thème[20] (fig. 6). Véronèse a peut-être inspiré les colonnes cannelées qui débordent largement les limites de l'espace pictural derrière la Vierge, les jeunes gens qui regardent vers le haut et vers le bas derrière Catherine et, peut-être, le somptueux mouvement circulaire dans la partie droite de la robe de la sainte. Quant à l'estampe de Boldrini, elle présente plusieurs points communs avec la peinture de Poussin : la mise en page horizontale, les personnages surdimensionnés, la Vierge curieusement figurée de profil, le voile posé d'une façon bizarre sur ses cheveux, et même la pose de l'Enfant Jésus calmement assis.

Cependant, le choix du sujet, la palette et les personnages majestueux du *Mariage mystique de sainte Catherine* seraient impensables chez un artiste nourri seulement de la maigre moisson visuelle apportée par Georges Lallemant, Ambroise Dubois et Antoine Caron. Ces aspects du tableau dénotent une fréquentation de l'art vénitien qui va bien au-delà de la consultation rapide de quelques gravures et du *Portrait d'homme en armure* de Savoldo, alors conservé à Fontainebleau avec une attribution à Titien[21]. Aucune peinture de dévotion vénitienne du XVI^e^ siècle n'est attestée dans les collections parisiennes avant 1624. La conclusion s'impose d'elle-même : Poussin a dû aller à Venise avant de peindre *Le Mariage mystique de sainte Catherine*.

Poussin a sans doute vu et admiré profondément certains retables de Titien et de Véronèse exposés dans des lieux publics et privés. La liberté de la facture prouve également qu'il a pu côtoyer d'autres styles que la technique léchée des peintres de la *maniera* française tardive. Le jaune vert de la camisole de Catherine est une couleur que l'on rencontre fréquemment chez Véronèse et chez Francesco Bassano. Le blanc étincelant de la robe de la sainte, qui ruisselle en bas à droite du tableau, fait songer à des motifs tels que le pagne de saint Sébastien dans un des premiers retables de Titien, *Saint Marc et quatre saints* (Venise, Santa Maria della Salute), tandis que l'outremer foncé du manteau de la Vierge, le carmin de sa robe et le rose de l'étole de Catherine rappellent les tons saturés de l'art vénitien. Tous les spécialistes reconnus supposent que Poussin s'est rendu à Venise lorsqu'il a enfin réussi à faire le voyage de Rome après deux tentatives malheureuses, en 1624. Giulio Mancini dit en effet que l'artiste a passé *qualque tempo* à Venise avant de se rendre à

Rome. C'est Bellori qui parle des deux projets contrariés, sans donner leurs dates exactes. On sait que la première fois, Poussin a pu aller jusqu'à Florence. Pour une raison non précisée (*per alcuno incidente*), il est rentré à Paris au lieu de poursuivre sa route vers Rome. On a proposé de situer les deux voyages interrompus vers la fin des années 1610, mais Poussin aurait très bien pu partir en 1620, après avoir entendu parler des artistes du Nord qui travaillaient à Florence pour Côme II de Médicis[22]. Si Poussin était à Florence vers la fin de 1620, il a peut-être renoncé alors à aller à Rome, faute de relation influente dans cette ville où la concurrence était dure. Il serait donc retourné à Paris après la mort de Côme en 1621, lorsque les artistes attachés au service de la cour se sont dispersés, mais il ne serait pas parti avant d'avoir profité de l'occasion pour visiter Bologne, Parme, Mantoue et Venise. Poussin a attendu ensuite de bénéficier de la protection du cavalier Marin, qui pouvait l'introduire auprès de la très francophile famille Barberini, pour partir à nouveau vers le sud, à destination de Rome.

Il n'y a rien d'invraisemblable dans ce scénario qui ferait rentrer Poussin à Paris vers la fin de 1621, la tête pleine de peintures florentines, émiliennes et vénitiennes. Presque toutes ses œuvres réalisées après 1624, et jusqu'au début des années 1630, portent l'empreinte de l'art vénitien, où dominent les *Bacchanales* de Titien. De toute évidence, quand Poussin est arrivé à Rome, il avait déjà une préférence plus marquée pour l'art vénitien que pour toute autre école de peinture. Une fois à Rome, il a cherché à en voir d'autres exemples dans les collections de la capitale, et ce n'est qu'au bout de plusieurs années de séjour dans cette ville qu'il a commencé à répercuter dans son œuvre l'influence de Raphaël et de l'art antique.

J'ai remarqué plus haut qu'à moins d'avoir d'avance un acheteur, Poussin n'aurait sans doute pas exécuté une peinture sur bois de cette taille, *a fortiori* avec une telle quantité d'un pigment aussi cher que le lapis-lazuli. Une hypothèse évidente permet d'expliquer qu'un tableau important, réalisé à Paris, soit parvenu peu après à Rome et entré dans la collection de Cassiano dal Pozzo : Poussin a peint *Le Mariage mystique de sainte Catherine* pour le poète Giovanni Battista Marino, dit le cavalier Marin (1569-1625). Celui-ci a habité près de dix ans à Paris, mais après la publication de son *Adonis* en 1623, il s'apprêtait à rentrer à Rome en emportant son énorme bibliothèque, sa vaste collection d'estampes italiennes et ses nombreux tableaux. Bellori nous apprend que Marino a invité Poussin chez lui après avoir admiré les six toiles exécutées très rapidement à la demande des jésuites de Paris qui voulaient célébrer la canonisation des deux fondateurs de l'ordre, en 1622. Une mauvaise affection rénale a retardé le départ du poète, et Poussin lui aurait fait la lecture auprès de son lit[23]. Sachant que le cavalier Marin allait retourner à Rome, Poussin en a peut-être profité pour peindre un tableau susceptible d'impressionner ce collectionneur qui correspondait depuis des années avec des agents et des artistes en vue de créer un musée idéal. Par là, il espérait sans doute se faire connaître avant son arrivée dans la Ville éternelle. Marino a expédié par bateau une malle d'estampes et de peintures en 1623, tandis que son agent à Lyon se chargeait de faire transporter par voie de terre d'autres œuvres d'art et les livres. La malle s'est égarée et les lettres du poète révèlent son désespoir, puis son soulagement lorsqu'il la récupère enfin à Naples, au cours de l'été 1624[24]. Le cavalier Marin est mort moins d'un an après. Personne à ce jour n'a pu mettre la main sur un seul inventaire complet de sa collection, qui n'a d'ailleurs peut-être jamais existé[25]. Comme on le sait, les sujets mythologiques inspirés d'Ovide, que Poussin a dessinés à Paris pour Marino, ont appartenu ensuite à Cassiano dal Pozzo[26]. Il n'est pas absurde de supposer que quelques-unes de ses peintures de jeunesse ont suivi le même parcours.

Est-ce le commanditaire ou l'artiste qui a choisi le sujet du tableau ? Il est indéniable que Poussin éprouvait de l'attirance pour le motif du mariage mystique de Catherine et ses sources vénitiennes. Les motivations du cavalier Marin sont moins évidentes. Les scènes mythologiques occupaient une beaucoup plus grande place que les motifs religieux dans sa collection. Cependant, ses ennuis de santé continuels à l'époque ont dû l'obliger à envisager la mort et le pousser par là-même à acquérir des images destinées à l'assister dans ses prières[27]. La façon dont Poussin a représenté l'union mystique de Catherine avec le Christ enfant se singularise par une insistance exceptionnelle sur le martyre de la sainte. Comme on l'a vu, un autre projet, révélé par une copie d'un dessin disparu, prévoyait d'introduire la scène de la décapitation à l'arrière-plan, épisode évoqué sur le mode allusif par l'énorme épée que l'ange de droite tient à la main et contemple avec plus de tendresse que d'horreur. Si l'on en croit la *Légende dorée*, la sainte « leva les yeux au ciel et fit cette prière : “O vous qui êtes l'espérance et le salut des croyants ! l'honneur et la gloire des vierges ! ô Jésus, ô bon roi, je vous en conjure, que quiconque, en mémoire de mon martyre, m'invoquera à son heure dernière, ou bien en toute autre nécessité, vous trouve propice et obtienne ce qu'il demande !” Cette voix s'adressa alors à elle : “Viens, ma bien-aimée, mon épouse; voici la porte du ciel qui t'est ouverte. Tous ceux qui célébreront la mémoire de ton martyre avec dévotion, je leur promets les secours qu'ils réclameront[28]." » Dans toutes les images du mariage mystique, le rôle de la Vierge, qui intercède en faveur des pécheurs, est souligné par la présence d'une sainte investie de pouvoirs analogues. Il revêt une importance encore plus grande quand c'est le martyre de Catherine qui est représenté, de préférence aux difficultés rencontrées par ses persécuteurs dans leurs efforts pour la tuer, péripéties que résume son attribut le plus courant, la roue du supplice brisée. Ainsi, la dissimulation de la roue sous les jupes de la sainte doit participer du message bien particulier véhiculé par le tableau. Le passage de la *Légende dorée* qui encourage les malades et les mourants à prier sainte Catherine, et évoque la « porte du ciel », explique tous les éléments de la composition. La popularité de la sainte devait être liée à ces connotations, négligées dans les rares études sur son culte dans les arts plastiques.

Après son arrivée à Rome, Marino écrit à l'un de ses artistes préférés, Bernardo Castello, à Gênes, pour lui demander un petit tableau de la Vierge, qu'il compte placer au chevet de son lit[29]. La commande de cette peinture de dévotion n'est pas incompatible avec l'acquisition du *Mariage mystique* de Poussin, arrivé plus tard en Italie. Elle prouve au contraire que le poète, plus réputé pour la sensualité suggestive de ses écrits que pour sa piété, est revenu chercher du réconfort dans le giron de l'Église quand sa santé a décliné. En 1604, en revanche, il avait échangé toute une correspondance avec Bernardo Castello à propos d'un tableau de Vénus qu'il attendait *con quel desiderio che [...] puo immaginar maggiore*[30]. Pour avoir la preuve décisive du lien entre le cavalier Marin et la commande du *Mariage mystique de sainte Catherine*, il faudrait découvrir un inventaire complet de sa collection à la date de sa mort, à supposer que ce document ait jamais existé[31]. L'hypothèse d'une intervention de Marino en tant que commanditaire reste malgré tout celle qui permet d'expliquer de la manière la plus crédible comment cette saisissante œuvre de jeunesse de Poussin, exécutée sur un panneau de chêne, a pu se retrouver dans la collection de Cassiano dal Pozzo, à Rome.

Dans l'état actuel de nos connaissances, rien ne permet de parler de Poussin peintre avant 1625, date la plus ancienne que l'on puisse proposer pour la *Vierge à l'Enfant* de Brighton et la *Pietà* de Cherbourg ovales, avec leurs encadrements de Daniel Seghers[32]. Poussin avait alors trente et un ans. Cela faisait au moins quinze ans qu'il apprenait le métier de peintre. Pourtant, tous les auteurs, depuis le XVIIe siècle, supposent qu'il faisait un travail tout juste honorable en 1624 et n'a commencé à posséder véritablement sa technique qu'après son arrivée à Rome. Entre 1624 et 1627 ou 1628, on doit arriver à faire entrer, dans une chronologie qui tienne compte des progrès de l'artiste, des œuvres aussi diverses que le *Céphale et Aurore* d'Hovingham Hall, les trois tableaux de batailles inspirés de l'Ancien Testament, la *Pietà* de Cherbourg, *La Mort de Germanicus* et au moins quelques-unes de ses multiples scènes mythologiques doucement érotiques. Je pense que ce scénario ne tient pas, et que Poussin était en 1624 un artiste bien plus compétent qu'on ne veut bien l'admettre. Il faudrait écouter Konrad Oberhuber quand il dit que les deux tableaux de bataille de Moscou et Saint-Pétersbourg ont été exécutés à Paris[33]. Le *Céphale et Aurore* d'Hovingham Hall, que je serais tentée d'exclure totalement si Bellori ne l'avait pas aussi soigneusement décrit, est la peinture la moins aboutie parmi toutes les œuvres de jeunesse de Poussin généralement acceptées comme telles[34]. De plus, c'est la seule qui présente des particularités de style communes avec les « dessins Marino ». À mon avis, elle a également voyagé de Paris à Rome, ainsi que d'autres toiles achevées que l'artiste a emportées avec lui dans l'intention de les vendre sur place.

Si l'on suppose que Poussin a peint *Le Mariage mystique de sainte Catherine* à Paris, après son premier séjour attesté en Italie, on est bien plus à même de retracer l'évolution de son art. C'est le plus grand peintre français du XVIIe siècle. Peut-on décemment continuer à croire qu'il savait à peine tenir un pinceau en 1624 et que, soudain touché par la grâce, il a acquis en quatre ans la science nécessaire pour réaliser *Le Martyre de saint Érasme*, l'un des retables les plus prodigieux de la Rome du Seicento? Peut-on trouver vraisemblable ce profil de carrière qui ne ressemble à celui d'aucun autre artiste des XVIIe, XVIIIe ou XIXe siècles ayant reçu une formation académique? On croyait que *Le Jeune Pyrrhus sauvé* (cat. 51) datait de 1637 et l'on sait maintenant que Poussin a reçu le paiement de cette toile en 1634, soit un décalage de trois ans. Anthony Blunt situait en 1626-1627 l'*Apollon et les Muses* du Prado. Après un nettoyage de l'œuvre, tout le monde veut la replacer au début des années 1630, soit un décalage encore plus considérable. S'il n'y avait pas des documents pour attester que Poussin a achevé presque au même moment *La Peste d'Asdod* (cat. 43) et *L'Empire de Flore* (cat. 44), un seul d'entre nous se serait-il risqué à avancer cette datation au vu de leur style? Bref, l'expérience passée prouve que les plus grandes sommités peuvent se tromper quand elles essaient de résoudre ces problèmes. Je ne pense pas que l'on puisse être sûr de ce que Poussin était ou n'était pas capable de peindre à Paris en 1623, ou à Rome en 1626. Au milieu de toute ces interrogations, la découverte de filigranes français datés dans le papier des dessins Marino apparaît infiniment précieuse[35]. Non seulement parce qu'elle a permis de savoir si oui ou non ces dessins étaient des copies italiennes tardives, mais aussi parce qu'elle a donné la quasi-certitude que Poussin les a exécutés à Paris en 1622. Le support de chêne du *Mariage mystique de sainte Catherine* constitue un autre indice matériel qui fournit une datation solide dans la période de jeunesse de Poussin, où les informations nous manquent. Et il serait bien imprudent de l'écarter ou de le négliger.

Lorsque j'avais présenté ces arguments au colloque Poussin, il y avait eu apparemment un accord sur l'idée de situer le tableau d'Édimbourg plus tôt qu'on ne l'avait fait jusqu'ici, mais certains spécialistes semblaient répugner encore à admettre que Poussin ait pu exécuter cette œuvre à Paris dès 1623. Entre 1623 et 1625, la différence n'est pas grande en nombre d'années, mais elle est énorme par rapport aux théories actuelles sur le degré de maîtrise auquel l'artiste était parvenu en 1624. Quand on voit les tableaux de batailles conservés à Saint-Pétersbourg et à Moscou, on a du mal à imaginer que Poussin ait pu terminer en six jours les toiles commandées par les jésuites à Paris. Quand on voit le tableau d'Édimbourg, cela devient plus vraisemblable. *Le Mariage mystique de sainte Catherine* éclaire en outre certaine réflexion que le cavalier Marin aurait faite à Rome, à propos de Poussin : *Vedrà un uomo che ha una furia di diavolo*[36]. D'autres hypothèses sur les années de Poussin avant son arrivée à Rome ont été avancées à l'occasion de l'exposition qui s'est tenue à Londres au printemps de 1995[37]. De ces discussions pourrait surgir, finalement, un certain consensus sur les années de formation de Nicolas Poussin en France et à Rome.

## Notes

Je tiens à remercier Edward J. Pillsbury de m'avoir invitée au colloque qui s'est tenu à Forth Worth en 1988, en marge de l'exposition Poussin : *The Early Years in Rome*, car cela m'a fourni l'occasion de réfléchir aux nombreuses questions que soulevaient cette exposition et son catalogue rédigé par Konrad Oberhuber, et d'aboutir aux hypothèses avancées ici. Ma gratitude va tout particulièrement à Louise Rice, pour ses remarques judicieuses, et à Richard Spear, pour sa lecture attentive du manuscrit que je lui avais communiqué. Alvin J. Clark, John Chvostal et Ruth Morss m'ont aidée à retrouver des citations dans des ouvrages rares, impossibles à consulter à Pittsburgh. Merci enfin aux organisateurs du colloque Poussin à Paris, pour m'avoir permis de présenter ce texte et de le publier.

* Les références mentionnées ainsi renvoient au catalogue de l'exposition du Grand Palais, Paris, 1994-1995.

1. Konrad Oberhuber donne un résumé utile des points de vue exprimés par les différents auteurs. Voir cat. exp. Forth Worth, 1988, n° 69. Le tableau, rejeté par Grautoff en 1914, est accepté par Émile Magne et Anthony Blunt. Blunt le situe vers 1627-1629. Denis Mahon, qui admet également l'attribution à Poussin, place son exécution un peu plus tard, en 1630-1631. Christopher Wright propose une date aux environs de 1630 et Konrad Oberhuber donne la date de 1629.

2. Jacques Thuillier (cité par Oberhuber, dans Fort Worth, 1988, n° 69) décèle une « spiritualité superficielle » dans *Le Mariage mystique de sainte Catherine*, par comparaison avec les œuvres du début de la maturité de Poussin. Il remarque aussi que ce tableau n'a pas été gravé, mais on peut en dire autant de la plupart des peintures de Poussin antérieures à 1630. Christopher Wright pense que le recours à un support de bois a produit des effets de surface inhabituels pour l'artiste, et que c'est de là que viennent les doutes de ceux qui contestent l'attribution.

3. Sutherland Harris, 1990, p. 149. Voir également cat. exp. Édimbourg, 1981, n° 9.

4. Je remercie les personnes de la Dulwich Picture Gallery et du Sarasota Ringling Museum qui ont répondu à mes demandes de renseignements. Une seule étude systématique des peintures sur bois a été publiée à ce jour, celle de Jacqueline Marette, *Connaissance des primitifs par l'étude du bois*, Paris, 1961, mais les restaurateurs savent très bien que les peintres flamands et ceux du Nord de la France privilégiaient les supports de chêne. Aucun de ceux que j'ai interrogés n'a pu me citer un seul exemple incontestable de tableau italien exécuté sur du chêne. La découverte récente d'un petit *Repos pendant la fuite en Égypte* sur chêne (vente Monaco, Sotheby's, 2 juillet 1993, n° 104), qui est manifestement une œuvre de jeunesse de Poussin, ne change rien à cet état de choses. Étant donné le format réduit du panneau, Poussin a pu l'emporter en 1623-1624 et l'utiliser à Rome, si vraiment il n'a pas exécuté cette peinture à Paris avant son départ.

5. Juste de Gand a peint sur du peuplier ses allégories de la Musique et de la Rhétorique pour Federico da Montefeltro, à Urbino (voir Martin Davies, *National Gallery Catalogues : Early Netherlandish School,* Londres, 1955, p. 54), mais il a exécuté sur du chêne la *Crucifixion* de la cathédrale de Gand, qui est antérieure à son départ pour l'Italie. Voir René Sneyers, « Materiale Toeetand voor

de Behandling », *Bulletin de l'Institut royal du patrimoine artistique – Koninklijk Institut voor het Kunstpatrimonium Bulletin,* IV, 1961, p. 25. Rubens a utilisé du chêne pour toutes ses peintures sur bois (la National Gallery de Londres en possède un bon échantillonnage, méticuleusement catalogué par Gregory Martin, *National Gallery Catalogues : The Flemish School, circa 1600-circa 1900,* Londres, 1970, p. 105 *sqq.*). Rubens n'a réalisé aucune de ces œuvres en Italie, où il a peint sur de l'ardoise, du cuivre et de la toile. La seule peinture en chêne généralement située dans la période italienne de Rubens, *Le Jugement de Pâris* (National Gallery, inv. 6379), présente une composition inspirée d'estampes, et non de peintures, italiennes. Les analyses dendrochronologiques ont démontré récemment que le panneau provenait du Nord de l'Europe. Comme aucune des œuvres datables de la période italienne n'a un support de chêne, il semble logique d'en déduire que Rubens a peint *Le Jugement de Pâris* à Anvers juste avant son départ pour l'Italie, et non pas peu après son arrivée là-bas. Je dois les informations sur les analyses dendrochronologiques à Jo Kirby, bibliothécaire à la National Gallery.

6. Je remercie Peter Klein, de l'université de Hambourg, d'avoir bien voulu répondre à mes questions.

7. On ne trouve pas une seule exception à cette règle dans les catalogues de la National Gallery de Londres, qui précisent la nature de la plupart des panneaux de bois. Dans *The Pictures in the Collection of her Majesty the Queen : The Early Italian Pictures,* Cambridge, 1983, John Shearman répertorie environ soixante-dix peintures sur peuplier et six sur chêne. Ces dernières sont toutes des œuvres d'artistes de l'Europe septentrionale qui ont copié des compositions italiennes (n^os^ 285, 287, 289, 293 et 314), à une seule exception notable près, l'*Allégorie antipapale* de Girolamo da Treviso le Jeune (n° 115, p. 117 *sq.*). Girolamo a travaillé à la cour d'Henri VIII d'Angleterre de 1538 à 1544, et son tableau est attesté dès l'origine dans la collection du roi. Le thème et les circonstances de l'œuvre expliquent pourquoi, en l'occurrence, un peintre italien a effectivement utilisé un support de chêne. Richard Spear me rappelle que le contrat de Caravage pour les tableaux de la chapelle Cesari, à Santa Maria del Popolo, stipulait que leur support devait être du cyprès, bois également utilisé pour *La Conversion de saint Paul* de la collection Odescalchi, généralement considéré comme la première version exécutée pour la chapelle. Sachant que la commande venait du trésorier pontifical, assez riche pour s'offrir ce qu'il y avait de mieux, il n'est pas indifférent que son choix ne se soit pas arrêté, justement, sur le chêne. Les documents relatifs à cette commande ont été publiés par Denis Mahon dans *The Burlington Magazine,* XCIII, 1951, p. 227.

8. Costanze Doerr, chez Sotheby's, a aimablement répondu à mes questions sur les essences de bois utilisées pour le mobilier italien des XVI^e^ et XVII^e^ siècles, confirmant ce que je pressentais après avoir examiné de nombreux ouvrages et catalogues de vente spécialisés, où le bois utilisé pour les meubles était indiqué sans autre commentaire.

9. Standring, 1988, pp. 611-612 et 617, avec des renvois aux inventaires antérieurs publiés par Arnauld Brejon de Lavergnée.

10. Je remercie John Dick, responsable du laboratoire de restauration à la National Gallery of Scotland, d'avoir répondu à mes questions et de m'avoir fait parvenir une radiographie complète, assortie d'un calque reproduisant les contours des éléments qui ne correspondent

pas à la composition définitive. Dans cat. exp. Édimbourg, 1981, p. 26, Hugh Brigstocke estime que les radiographies font apparaître « soit des modifications importantes dans la partie centrale du tableau, soit une composition totalement différente ».

11. Blunt, 1966, pp. 177-180, reproduit des radiographies du *Triomphe de David* et d'autres œuvres. L'une d'elles est également une peinture sur bois, la *Sainte Rita protectrice de Spolète* de Dulwich. Voir la radiographie de l'*Écho et Narcisse* dans cat. exp. Paris, 1994-1995, fig. 38b.

12. Cat. exp. Édimbourg, 1981, n° 10. Michael Miller, conservateur adjoint des estampes et dessins au musée de Cleveland, me signale que ce dessin a été exécuté sur un papier italien. Son auteur est quelqu'un qui avait accès à l'atelier de Poussin à Rome.

13. Contrairement à ce qui est écrit dans le catalogue d'Édimbourg, le bras gauche de l'ange situé à droite n'est pas décelable sur les radiographies. Richard Spear remarque (communication écrite) que la représentation de deux épisodes de la vie du saint dans une même composition est un procédé narratif déjà désuet à l'époque en Italie, que l'on s'attendrait plutôt à trouver dans l'art de l'Europe septentrionale.

14. Cat. exp. Édimbourg, 1981, p. 26.

15. On rapproche souvent *Le Mariage mystique de sainte Catherine* de la *Sainte Cécile* du Prado (cat. exp. Fort Worth, 1988, n° 74). Il y a des similitudes très nettes entre les physionomies des deux saintes, mais les *putti* plus minces, les grands plis du vêtement de sainte Cécile et l'agencement savant des fuyantes incitent à placer ce second tableau à une date ultérieure. (L'orgue a ses tuyaux les plus courts à gauche, erreur d'autant plus étonnante que la partition est transcrite correctement, comme me le signale Amy Tait.)

16. Wright, 1985, n° 9 (Wright a été le premier à publier cette œuvre, en 1974). Dans cat. exp. Fort Worth, 1988, Oberhuber suppose que la *Vierge à l'Enfant* de Brighton et la *Pietà* de Cherbourg ovales correspondent à des commandes du cardinal Francesco Barberini livrées en 1627, mais on ne possède aucun document à ce sujet. La partie exécutée par Poussin est d'une facture bien trop sommaire pour des œuvres destinées à un mécène aussi prestigieux. Il s'agit plus vraisemblablement de peintures rapidement exécutées pour le circuit commercial. C'est une chance pour Poussin, que Cassiano dal Pozzo les ait trouvées à son goût. Je préfère les dater de 1625-1626.

17. Rubens n'a jamais peint aucun tableau sur ce thème. On connaît seulement deux peintures d'atelier figurant le mariage mystique. Le maître a toutefois introduit ce motif dans son immense *Sainte Famille* de 1628 pour l'église des Augustins à Anvers (H. Vlieghe, *Corpus Rubenianum Ludwig Burchard,* Londres, 1972, t. I : Saints, n[os] 76 et 77). Van Dyck n'a peint qu'un *Mariage mystique de sainte Catherine*, conservé actuellement au Prado et daté d'avant son séjour en Italie (*The Young Van Dyck*, catalogue d'exposition rédigé par Alan Nairn, Ottawa, National Gallery of Canada, 1980, n° 24)

18. G. Piovene et R. Marini, *L'opera completa del Veronese,* Milan, 1968, n[os] 7, 27, 51a et 63. Le n° 7, un *Mariage mystique de sainte Catherine, avec sainte Élisabeth et deux anges* (Saint-Pétersbourg, musée de l'Ermitage), présente un intérêt tout particulier du fait qu'il a appartenu à Nicolas Fouquet après 1650. Cependant, rien n'indique que ce tableau se soit trouvé en France en 1624.

19. Diane de Grazia Bohlin, *Prints and Related Drawings by the Carracci Family : A Catalogue Raisonné,* Washington, National Gallery of Art, 1979, n° 104. Augustin Carrache a gravé en 1585 une deuxième peinture de Véronèse sur ce thème, conservée actuellement à Detroit (*ibidem*, n° 133). Contrairement à la plupart des représentations du mariage mystique, ce deuxième tableau de Véronèse ne présente pas d'autres saintes ni aucun membre de la famille de la Vierge. Poussin les a éliminés lui aussi.

20. *Titian and the Venetian Woodcut,* catalogue d'exposition rédigé par David Rosand et Michelangelo Muraro, Washington, National Gallery of Art, 1976-1977, n^os^ 38A et 38B.

21. Janet Cox-Rearick, *La Collection de François I^er^*, Paris, Louvre (dossiers du département des peintures, n° 5), 1972, n° 51F. L'attribution à Giorgione consignée dans l'inventaire de Le Brun a persisté jusqu'au XIX^e^ siècle, alors même que la signature de Savoldo est bien lisible. Le petit catalogue de Janet Cox-Rearick rassemble de manière fort utile les peintures italiennes du XVI^e^ siècle que Poussin a pu voir sans aucun doute avant de partir pour l'Italie. Le seul tableau vénitien de la collection est une version d'atelier de la *Madeleine pénitente* à mi-corps de Titien (n° 52F), puisque *La Visitation* de Sebastiano del Piombo (n° 41) relève de la période romaine du peintre, placée sous le signe de Michel-Ange. Hormis ces deux œuvres, toutes les peintures italiennes de la collection du roi étaient soit florentines, soit ombriennes (Pérugin, Raphaël, Léonard de Vinci, Fra Bartolomeo, Andrea del Sarto, Rossi Fiorentino et Bronzino). Voir également Cécile Scaillierez, *François I^er^ et ses artistes dans les collections du Louvre,* Paris, 1992, n^os^ 47 et 48.

22. Jacques Callot a travaillé à la cour des Médicis de 1612 à 1621. Justus Sustermans a quitté Paris pour Florence en 1619, en compagnie du tapissier français Pierre Fevère invité par Côme II. Il est devenu portraitiste de cour des Médicis en 1620. Cornelis van Poelenburgh y était aussi vers 1620 (*Artisti alla corte granducale,* catalogue d'exposition rédigé par Marco Chiarini, Florence, Palazzo Pitti, 1969, pp. 2-3 et sous les noms des artistes).

23. Bellori, 1672, pp. 492-493. M. Bimbenet-Privat et J. Thuillier ont publié deux documents, découverts dans le minutier central des Archives nationales, qui prouvent que Poussin habitait à Paris entre septembre 1618 et le 10 juin 1619, chez le joaillier Jean Guillemin où il a contracté une dette de cent vingt livres pour le vivre et le couvert. L'artiste avait promis de rembourser dans les trois mois, mais il devait toujours la même somme en août 1622 (Bimbenet-Privat et Thuillier, 1994, pp. 71-73). Les auteurs supposent que le voyage à Florence doit se situer avant septembre 1618, et non pas après juin 1619. D'après eux, Poussin habitait à Lyon en 1622 quand il est revenu pour recevoir la commande des jésuites, qui lui a permis de démarrer dans sa carrière, de régler son créancier et de partir pour Rome. Le fait que Poussin n'a pu s'acquitter de sa dette entre 1619 et août 1622 s'expliquerait tout aussi bien par un voyage à Florence et dans le Nord de l'Italie durant cette période. Il avait peut-être gagné assez d'argent pour subvenir à ses besoins, mais pas pour rembourser en plus ses dettes. Il serait rentré ensuite à Paris fort de cette expérience, aurait démontré ses nouvelles compétences artistiques dans les toiles pour les jésuites, payé ses dettes, et obtenu des commandes du cavalier Marin et de l'évêque Gondi, qui lui a confié l'exécution de *La Mort de la Vierge* (perdue) pour Notre-Dame. Puis, encouragé par le cavalier Marin et par l'élection du pape Urbain VIII, connu pour ses

sentiments francophiles, il serait à nouveau parti pour Rome.

24. Giovanni Battista Marino, *Epistolario,* édition établie et présentée par A. Borzelli et F. Niccolini, Bari, 1912. Lettre CXCIV, 1623 : *Vi piego [...] non vogliate più [...] farmi attendere cotesti benedetti quadri, poichè ho già l'imbagilato e resto impedito di mandar le mie robbe in Italia per aspettarne la risoluzione.* Lettre CCXXII, 1624 : *Voi sapete ch'io già m'imbarcai, infin di Francia, a fare une galeria di pitture di diversi maestri eccellenti. Ritornato in Italia ebbe aviso che tutte le dette pitture si erano perdute, con essere tolte da' corsari.* Lettre CCXXIX, juin ou juillet 1624 : *Torno a replicarvi ch'io ritrovai qui in dogana delle mie pitture che si teneva perduta [...]. Fu preso errore nella balia.* Au cours de l'année 1623, une bonne partie de la correspondance du cavalier Marin porte sur les dispositions prises pour le transport de ses livres, peintures et estampes. Il a quitté Paris en avril 1623. Poussin aurait donc dû terminer son *Mariage mystique de sainte Catherine* au plus tard en mars pour avoir le temps de le laisser sécher avant de l'expédier.

25. L'ordre des théatins, à qui Marino avait légué sa bibliothèque, et Giovan Battista Manso, son principal héritier se sont disputé la succession. Le testament de Manso, rédigé en 1638, révèle qu'il avait hérité des *ritratti degli uomini illustri con dieci quadri di favola* (A. Borzelli, *Giovan Battista Manso, marchese di Villa,* Naples, 1916, p. 144). Dans une lettre de 1622, Marino avouait son ambition de constituer une collection d'environ quatre-vingts peintures *di mano di maestri famosi ed eccellenti [...] dei quadri n'ho già a quest'ora accumulata la maggior parte* (*Epistolario,* I, p. 310).

26. On trouvera un historique des dessins Marino dans A. Blunt, *The French Drawings in the Collection of his Majesty the King at Windsor Castle,* Londres, 1945, pp. 32-36.

27. Vers le début de 1623, le cavalier Marin écrit à Don Lorenzo Scoto, son agent à Gênes : « *Quando io era già in procinto di partire ed aveva apparecchiate tutte le bisogne necessarie al viaggio, ecco una nuova flussione che mi ha tenuto oggimai tre mesi in letto. Ed in tre mesi tre volte me son riavuto ed altretante son ritornato a ricadere. Ne mi riprendete della mia vita disordinata perchè vi giuro da vero amico che da un tempo in qua vivo con molta regola e senza far delle stravaganze.* » (*Epistolario,* II, p. 5.) (« Alors que j'étais sur le point de partir et avais effectué tous les préparatifs, une nouvelle attaque m'envoya au lit pour trois mois. Pendant ces trois mois, je me rétablis par trois fois mais dus m'aliter à nouveau. Ne me reprochez pas ma vie désordonnée parce que depuis quelque temps je vis avec la plus grande régularité et sans faire d'extravagance. ») Voir également la lettre CCI, envoyée de Paris au comte Fortuniano San Vitali, en avril 1623 : «... *io voglio in ogni modo rompere questa fatalità che mi ritiene in Francia, dove da un tempo in qua non ho avuto un'ora di salute, ma sono stato di continuo agitato da gravissimi mali.* » (« Je veux par tout moyen vaincre cette maladie qui me retient en France où je n'ai pas eu une heure de bonne santé, mais où je n'ai que les malaises que produisent ma pénible maladie. »)

28. Jacques de Voragine, *La Légende dorée,* traduction de J.-B. M. Roze, Paris, 1967, t. II, p. 392.

29. « *Quanto al quadretto, la misura la rimetto a V. S.; solo le dico ch'io penso di tenerlo vicino al letto per far le mie orazioni alla beatissima Vergine; onde le figurine credo che vorebbono essere un palmo e mezo incirca.* » (*Epistolario,* II, p. 32.) (« Quant à ce petit tableau, je vous laisse choisir ses dimensions. Je vous dis simplement que je tiens

à le suspendre près de mon lit où je dis mes prières à la Sainte Vierge, je suppose que vous donnerez à la figure les palmes et une demi-roue en guise d'attributs. ») Cette lettre date de l'automne 1623.

30. *Epistolario,* I, p. 39.

31. De nouveaux documents concernant la collection ont été publiés par Giorgio Fulco, « Sogno di una galeria, nuovi documenti sul Marino collezionista », *Antologia di belle arti,* II, n° 9-12, 1979, pp. 84-99. Je remercie Patrizia Costa, qui prépare une thèse sur le mécénat de Marino, de m'avoir signalé cet article.

32. Wright, 1985, n[os] 8 et 9.

33. Cat. exp. Fort Worth, 1988, n[os] 1 et 2. Oberhuber propose la date de 1625 pour le troisième tableau de la série, *La Bataille de Gédéon contre les Madianites* conservée au Vatican (cat. exp. Fort Worth, 1988, n° 11). Je suis d'avis de le placer aussi dans la période de jeunesse à Paris. Puisque cette œuvre a appartenu à Sacchetti, ce devait être l'une des toiles que Poussin a emportées avec lui à Rome. J'ai exposé mes raisons de situer les deux autres tableaux de bataille avant le séjour à Rome (1990, p. 149) et je n'y reviendrai pas. En revoyant ces deux toiles à Paris en octobre 1994 (cat. 6 et 7), j'ai pu constater à nouveau qu'elles étaient moins maîtrisées que toutes les autres peintures autographes de Poussin.

34. On remarquera que, depuis 1974, toutes les autorités placent cette œuvre au début de la carrière de Poussin, c'est-à-dire pendant le premier séjour romain (cat. exp. Fort Worth, 1988, n° 4).

35. Martin Clayton, que j'avais interrogé à ce sujet, a révélé que deux des dessins étaient exécutés sur du papier fabriqué en France vers 1621 (1991, p. 245).

36. La source est tardive, car il s'agit de Roger de Piles (1699).

37. Thuillier, cat. exp. Londres, 1995. L'exposition devait mettre en lumière le *Saint Denis couronné par un ange* de Rouen, que plusieurs auteurs rattachent à la période antérieure au premier séjour romain de Poussin. Voir sur ce tableau le texte de Lorenzo Pericolo dans le présent volume. Après avoir vu l'exposition, je ne crois pas que le tableau de Rouen soit de Poussin, et j'espère avoir l'occasion d'expliquer mon opinion.

Fig 1
Nicolas Poussin
*Le Mariage mystique de sainte Catherine*
1623
Bois, 1,27 x 1,67 m
Édimbourg, National Gallery of Scotland.

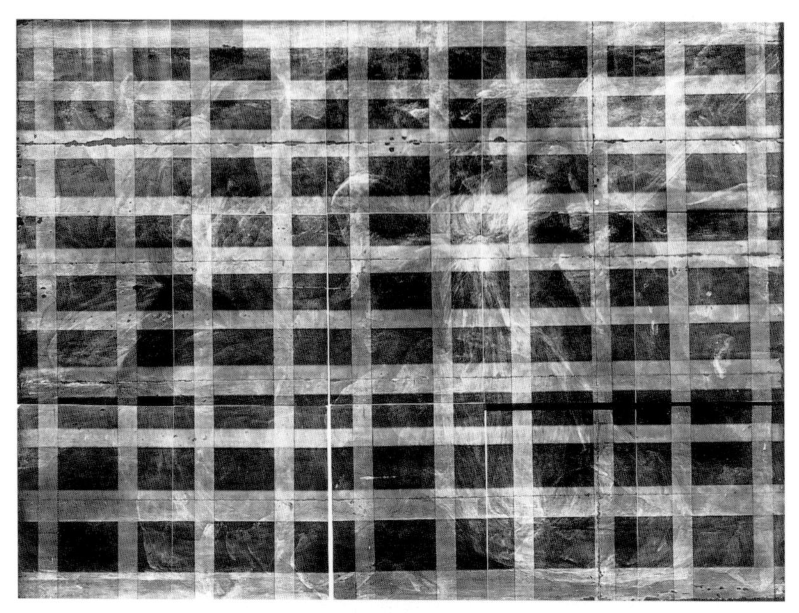

Fig 2
Radiographie du *Mariage mystique de sainte Catherine.*

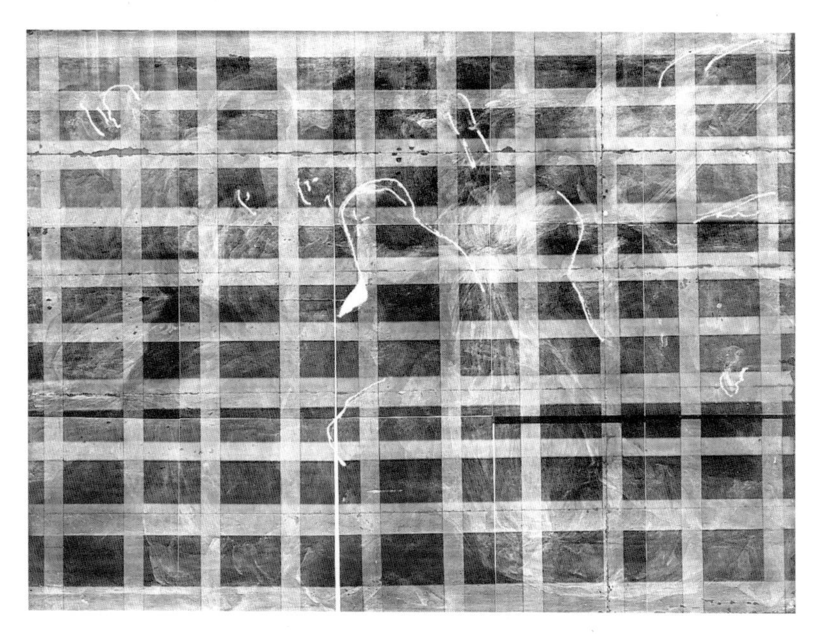

Fig. 3
Tracé schématique mettant en évidence les parties visibles d'une composition précédente sous la surface du *Mariage mystique de sainte Catherine*. Les lignes droites indiquent les bords des radiographies partielles. Les lignes ondulées indiquent les bords des planches assemblées pour former le support du tableau.

Fig. 4
Entourage de Nicolas Poussin
*Le Mariage mystique de sainte Catherine*
Plume et lavis brun et gris, 28,8 x 38,9 cm
Cleveland,
The Cleveland Museum of Art.

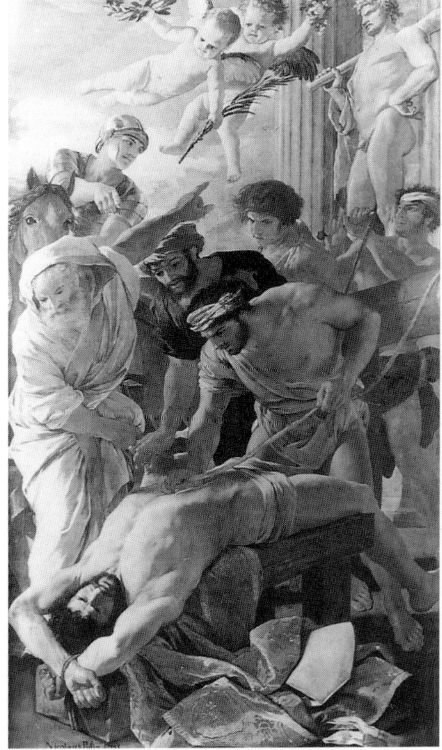

Fig. 5
Nicolas Poussin
*Le Martyre de saint Érasme*
1628-1629
Toile, 3,20 x 1,86 m
Vatican, Pinacothèque vaticane.

Fig. 6
Nicolò Boldrini d'après Titien
*Le Mariage mystique de sainte Catherine,* vers 1540
Gravure sur bois, 32,8 x 46,3 cm
New York, The New York Public Library.

# *L'Annonciation* de 1657

**Erick WILBERDING**
Université de New York

*Traduit de l'anglais par Jeanne Bouniort*

*À Iosella Tassone*

L'*Annonciation* de la National Gallery[1] (fig. 1; cat. 227*) soulève un problème d'iconographie intimement lié à des incertitudes quant à sa provenance. Après un examen du tableau lui-même, nous envisagerons ici les deux hypothèses avancées respectivement par Anthony Blunt[2] et par Jane Costello[3] concernant son symbolisme et son contexte original. Nous verrons ensuite comment certains documents découverts à Rome éclairent l'iconographie moyen-orientale tout à fait singulière de cette œuvre, et pourquoi le sujet choisi convenait tout particulièrement à un commanditaire bien précis, en l'occurrence le pape Alexandre VII Chigi.

L'*Annonciation* de Poussin suscite des réactions diverses. Pour tel auteur, c'est l'une de ses compositions les plus austères[4], tandis que tel autre perçoit sous cette sévérité une réponse à *L'Extase de sainte Thérèse* du Bernin[5], de peu antérieure. En fait, la beauté de cette toile tient pour une part à son curieux mélange de sensualité et d'austérité. La composition, inscrite dans un carré presque parfait, s'équilibre très simplement entre la Vierge assise à gauche et l'ange en tunique blanche, agenouillé à droite. Derrière, les plis de la tenture verte dessinent deux quasi-triangles vigoureusement affirmés. Une colombe plane à l'intérieur d'une boule de lumière, au-dessus de la tête de la Vierge, qui est assise en tailleur (et pieds nus) sur un coussin posé sur une estrade basse. Ce qui frappe le plus dans ce tableau, c'est justement la posture de la Vierge et son expression d'extase : loin de se renverser en arrière dans un geste indolent, comme la *Sainte Thérèse* du Bernin, elle garde le dos bien droit et lève légèrement la tête. À côté d'elle, il y a un livre ouvert dont les pages sont imprimées sur deux colonnes bien espacées. Le coloris est extraordinaire. Autant on a pu voir ailleurs d'autres anges aux ailes multicolores (ici, le rouge et le bleu font songer à un séraphin ou un chérubin, alors que Gabriel est un archange), autant les couleurs des vêtements de la Vierge semblent exceptionnels. L'innovation ne réside pas dans le rose de la tunique, mais bien dans le jaune soutenu du manteau dont le bord replié laisse voir la doublure bleue autour de la tête de Marie.

En dessous des personnages, un cartouche en trompe-l'œil porte une inscription en lettres capitales qui a tout l'air d'une formule commémorative, mais ne saurait guère servir d'épitaphe :

POVSSIN. FACIEBAT.
ANNO. SALVTIS. MDCLVII.
ALEX. SEPT. PONT. MAX. REGNANTE.
.ROMA.

Le nom de l'artiste occupe la première place, suivi par l'année, le nom du pape, la ville. Au-dessus de ce *cartellino*, les personnages semblent évoluer sur une scène.

La composition de cette *Annonciation* constitue une nouveauté dans la peinture baroque. Comme le rappelle Émile Mâle, les scènes d'Annonciation présentent d'ordinaire le ciel qui se déverse dans la pièce, emportant des nuages et des anges dans un tourbillon, tandis que Gabriel et la Vierge ont posé un genou en terre[6]. On en trouve un exemple dans le retable que Guido Reni a peint en 1610 pour la chapelle de l'Annonciade au palais du Quirinal[7]. Poussin, quant à lui, montre simplement Gabriel et la Vierge, sans nuages ni aucune cohorte d'anges[8].

Deux spécialistes se sont donc penchés sur l'énigme de ce tableau. En 1947, Anthony Blunt a publié un article dans le *Bulletin de la Société Poussin*, où il retraçait l'historique de *L'Annonciation*, qui remonte au tournant du XVIII^e^ siècle, et décrivait la composition singulière de cette œuvre, où l'on voit la Vierge assise « presque à la mode orientale[9] ». Il signalait une remarque dans un catalogue ancien, affirmant que la peinture se trouvait autrefois dans une chapelle pontificale, et cette éventualité jointe à la teneur de l'inscription l'incitait à supposer que cette œuvre était probablement une commande du pape Alexandre VII pour une chapelle de Castel Gandolfo, sa résidence préférée[10].

Près de vingt ans après la parution de l'article de Blunt, Jane Costello a proposé une autre interprétation du style et de l'iconographie de *L'Annonciation* dans un recueil publié en hommage à Walter Friedlaender[11]. Elle commence par une analyse stylistique prenant en compte le format carré, le point de vue bas et l'équilibre entre les deux personnages, d'où elle déduit que la composition devait être destinée à un environnement architectural bien déterminé, afin de commémorer quelque solennité de l'an 1657. Puis elle cite la lettre du 24 décembre de cette année-là, où Poussin annonce à Chantelou qu'il travaillait avec d'autres à la sépulture de Cassiano dal Pozzo, décédé dans le courant de l'automne. Le tombeau en question est resté mystérieux, car on a trouvé très peu de renseignements sur son aspect extérieur et sa situation géographique[12]. Jane Costello présume que Poussin parlait d'une peinture qu'il devait exécuter pour le tombeau, et, à partir de là, elle explique l'iconographie de *L'Annonciation* de Londres par rapport à la sépulture de Cassiano dal Pozzo. Elle se range à l'avis de Friedlaender, selon lequel l'inscription dans le tableau signifie simplement que Poussin l'a peint sous le pontificat d'Alexandre VII, et pas forcément pour ce pape[13].

D'après Jane Costello, le thème de l'Annonciation semble tout indiqué pour un tombeau. Ses représentations recèlent souvent des allusions voilées ou explicites à la mort du Christ, et elles font généralement pendant à une Crucifixion. Considérant que Marie est assise par terre, l'auteur pense qu'il s'agit d'une image de la Vierge d'humilité, motif cher aux dominicains, qui ont la charge de l'église Santa Maria sopra Minerva depuis des siècles. Elle remarque aussi que la fête de l'Annonciation était un moment privilégié dans la vie de cette église, le pape venant chaque année y célébrer une messe en grande pompe.

Pour expliquer la position de la Vierge assise en tailleur, Jane Costello déclare que Poussin a voulu « évoquer quelque souvenir de l'épisode antique, peut-être en représentant Marie dans la position assise des scribes égyptiens[14] ». Par là, il aurait également joué sur les analogies syncrétiques entre Marie, Minerve et Isis, analogies spécifiques à cette église construite à un emplacement occupé jadis par un temple d'Isis et un temple de Minerve. Jane Costello suppose que Marie est ici *sedes sapientiae*, suggérant par parenthèse qu'« il y a peut-être un indice dans l'estrade basse en bois, du même type que celles qui étaient placées sous les meubles[15] ». Elle estime que « Poussin ne donne pas du tout l'impression dans ses peintures d'avoir considéré Marie comme une femme appartenant à une société exotique, et son Annonciation ne se situe pas non plus en Égypte[16] ».

Cette lecture du tableau de Poussin repose sur l'idée que le sujet et la composition étaient bien adaptés à un monument mortuaire érigé dans l'église dominicaine de Santa Maria sopra Minerva. Or, l'auteur ne cite aucun tombeau du

Seicento qui ait un programme iconographique comparable. Elle n'a pas examiné les textes relatifs aux sépultures de Santa Maria sopra Minerva et ne peut donc préciser ni l'aspect du monument ni sa situation exacte. Quand Jacques Thuillier a écrit en 1974 qu'il acceptait les suggestions de Jane Costello, il a ajouté que la toile « semble provenir de la chapelle dal Pozzo[17] ». Il adoptait le même point de vue dans son livre de 1988[18]. En 1990, Alain Mérot, négligeant de souligner qu'il s'agit d'une simple hypothèse, déclare que Poussin a peint *L'Annonciation* pour le tombeau de Cassiano dal Pozzo et, à l'instar de Thuillier, affirme que ce tableau devait être placé au-dessus d'un autel[19]. Il n'est pas question d'un autel dans l'article de Jane Costello, mais Thuillier et Mérot ont tiré les conclusions logiques de son raisonnement : si une peinture à thème religieux (et non un portrait) est destinée à un monument funéraire, c'est, vraisemblablement, qu'elle doit aller sur un autel. Poussin dit qu'il travaille à la sépulture de Cassiano dal Pozzo, pas à un retable pour une chapelle funéraire.

Au Seicento, la famille dal Pozzo n'avait pas de chapelle à Santa Maria sopra Minerva[20]. Les registres de l'église nous apprennent qu'elle abritait en revanche la sépulture du cardinal Giacomo dal Pozzo et la tombe familiale des dal Pozzo[21]. Toutes deux se trouvaient devant le maître-autel. Il semblerait que Poussin soit intervenu dans la conception de la deuxième tombe, sans doute une dalle gravée selon la formule courante au XVII^e siècle, c'est-à-dire ornée d'une inscription et des armoiries familiales. En tout cas, on sait qu'il n'était pas totalement hostile à l'idée de travailler avec un sculpteur à cette époque. En 1656, il collaborait avec un sculpteur pour les termes destinés au surintendant Fouquet[22]. Il a dû participer de même à la tombe des dal Pozzo. Eu égard aux liens étroits qui unissaient les frères Cassiano et Carlo Antonio dal Pozzo, logés sous le même toit pendant plus de trente ans, ne peut-on imaginer qu'une sépulture a dû être fondée pour cette branche romaine de la famille, après la mort de Cassiano?

## Les sépultures des dal Pozzo à Santa Maria sopra Minerva

Quand on essaie de rassembler des informations sur les sépultures des dal Pozzo à l'intérieur de l'église de la Minerve, on se heurte à deux sortes de difficultés. D'abord, les archives de l'église ont été dispersées à la fin du XVIII^e siècle, après l'offensive de Napoléon contre Rome. À présent, ce qu'il en reste se répartit entre l'église Santa Maria sopra Minerva, Santa Sabina (maison mère des dominicains), la basilique Saint-Jean-de-Latran, l'Archivio segreto Vaticano, et la Bibliothèque nationale de France. On a du mal à retrouver les documents qui se rapportent à une tombe en particulier. Ensuite, l'édifice lui-même a subi des transformations. Lors de sa rénovation, entre 1848 et 1854, l'intérieur a été entièrement dépavé[23]. En guise d'informations détaillées, on ne connaît qu'un manuscrit rédigé par un sacristain vers 1822, qui est reproduit dans une ancienne monographie sur l'église de la Minerve, publiée par Berthier[24]. On peut aussi consulter le travail de Forcella sur les inscriptions dans les églises romaines[25], et il y a enfin les livres des morts conservés à l'Archivio vicariato de Saint-Jean-de-Latran.

Comme je l'ai dit, ces documents attestent la présence à Santa Maria sopra Minerva de deux tombeaux des dal Pozzo, la sépulture du cardinal Giacomo et la tombe familiale. Au XVI^e^ siècle, le membre le plus éminent de la branche romaine de la famille était le cardinal Giacomo, un magistrat des tribunaux ecclésiastiques qui, nous dit Ludwig von Pastor, avait acquis un pouvoir considérable sous les pontificats de Jules III et de Paul IV[26]. Titulaire de plusieurs offices importants, auteur de divers ouvrages de droit canon, il a été inhumé en 1563 au pied du maître-autel de l'église de la Minerve, et l'on a gravé sur sa tombe une épitaphe écrite par son neveu Antonio, qui lui a succédé à l'archevêché de Bari[27]. Cette épitaphe est reproduite dans un récapitulatif de l'histoire de la famille dal Pozzo rédigé vers 1652 et, aussi, dans le long exposé consacré par Bicci à la famille Boccapaduli au XVIII^e^ siècle, où elle fait suite à des considérations élogieuses sur le cardinal, preuve de l'estime où il était encore tenu à cette date[28]. Dans son livre sur Santa Maria sopra Minerva paru au début du siècle, Berthier parle de la sépulture de Paul IV et des nombreux amis du pape, dont le cardinal dal Pozzo, enterrés comme lui dans l'église[29]. Dans les dernières pages, il donne une nécrologie, reprise du manuscrit de 1822 environ, où l'on repère aisément le nom de Giacomo dal Pozzo dans la section des tombes située à la croisée du transept[30]. Inutile de préciser que cet emplacement était réservé aux dignitaires de très haut rang. Le cardinal avait pour voisins deux généraux de l'ordre dominicain.

Les archives de l'église nous apprennent que la tombe familiale des dal Pozzo se trouvait aussi à proximité du maître-autel. La famille dal Pozzo y attachait beaucoup d'importance. Ses membres décédés dans des paroisses avoisinantes étaient inhumés à la Minerve. Si la tombe est restée à l'abandon par la suite, c'est, me semble-t-il, pour la simple raison que la branche romaine des dal Pozzo a eu son dernier rameau du côté de Cosimo Antonio, mort en 1740, dont la fille unique a épousé Pietro Paolo Boccapaduli[31]. Les documents signalent trois générations de dal Pozzo enterrées dans cette tombe entre la seconde moitié du XVIIe siècle et la première moitié du XVIIIe. Laissons de côté pour l'instant la question de la sépulture de Cassiano. Nous avons donc, en 1689, Carlo Antonio, mort dans la paroisse de San Lorenzo in Damaso, enterré *ante altare maior* dans l'église de la Minerve[32]. Six ans plus tard, Gabriele dal Pozzo, deuxième fils de Carlo Antonio, décède lui aussi dans la paroisse de San Lorenzo. Alors qu'il a demandé par son testament de 1691 à être inhumé dans la tombe familiale de sa femme Anna Teresa Benzoni dal Pozzo, en l'église franciscaine de Santa Maria in Ara Coeli, il est enterré en 1695 à la Minerve, *in tumulo propriae familiae*[33]. En 1705, le fils aîné de Carlo Antonio, Ferdinando, qui a renoncé à ses privilèges de premier-né lorsqu'il est entré en religion en 1671, meurt dans la paroisse de San Eustachio, et il est enterré à la Minerve[34]. Pour ce qui concerne la troisième génération, laquelle se résume à Cosimo Antonio, descendant de Gabriele dal Pozzo, nous avons deux inscriptions dans les documents. D'abord, Maria Vittoria Guidi, épouse de Cosimo Antonio, est morte dans la paroisse de San Eustachio, mais elle a été enterrée *in tumulo nobilis familiae de Puteo sito ante altaro maior*[35]. À cette date, on a ajouté une dalle funéraire gravée d'une inscription devant le maître-autel[36]. En 1728, Cosimo Antonio dal Pozzo stipule dans un testament qu'il veut être inhumé *in Roma nella chiesa di Santa Maria sopra Minerva nella sepoltura della famiglia dal Pozzo fatto da miei antenati*[37]. En 1740, il meurt dans la paroisse de San Giovanni dei Fiorentini, et on l'enterre *in tumulo propriae familiae*[38].

Les dal Pozzo sont très attachés à l'église de la Minerva, parce qu'elle abrite la sépulture du cardinal Giacomo. C'est là que se trouve la tombe familiale, non pas en raison de quelque penchant de Cassiano pour une vision syncrétique de l'histoire de l'Église, comme le suggère Jane Costello[39], mais parce qu'un ancêtre illustre y est inhumé.

## La mort et l'enterrement de Cassiano dal Pozzo

Côme Ier de Médicis a fondé l'ordre des chevaliers de Saint-Étienne (*ordine dei cavalieri di San Stefano*) en 1561 avec la mission de patrouiller en mer afin de protéger les navires contre les pirates et les Turcs[40]. Quand un chevalier meurt, pour qu'un de ses héritiers puisse lui succéder au sein de l'ordre, il faut présenter une demande étayée par des certificats attestant la filiation légitime du postulant, sa santé mentale et physique, sa foi religieuse et sa bonne réputation. Peu après la mort de Cassiano dal Pozzo, le 22 octobre 1657, son frère Carlo Antonio sollicite son titre de chevalier. Il dépose sa demande le 24 novembre 1657[41]. On découvre parmi les documents un récit de ce qui s'est passé après le décès de Cassiano *ad docendum de obitu et soppoltura*, et c'est la version que reprend Giacomo Lumbroso dans sa biographie de Cassiano dal Pozzo[42]. Quant aux biographies antérieures, elles restent muettes sur la question de son enterrement[43]. Après avoir rassemblé les éléments apportés par des documents conservés à Rome et à Pise, on peut se faire une meilleure idée des circonstances de la mort de Cassiano et de son inhumation. Nous avons d'abord une transcription de la notice de Hyancinthus Pastorellus dans le livre des morts de Santa Maria sopra Minerva[44]. Dans le même document, nous trouvons ensuite une brève évocation de la journée du lendemain, où l'on a transporté le matin le corps de Cassiano pour l'exposer dans la nef de l'église de la Minerve[45]. Le soir, on a fermé les portes de l'église et fixé deux plaques sur le cercueil en bois. Elles portaient cette phrase, gravée en haut et en bas : « Cassianus a Puteo Taurinensis 1657. » Il y avait en outre un tube de plomb scellé à la cire d'Espagne où était enfermée une feuille de papier avec ces indications : *« Cassianus a Puteo Antonii filius Taurinensis Abbas Sti Angeli prope et extra muros civitatis Tropieri Eques et Commendatarius Militie Sti Stephani P.P. et Mart. Septuagenarius. Diem supremum obiit Roma 22 Octobris millesimo sexcentesimo quinquagesimo septimo hora quinta noctis die luna in pace depositus ad certam diem in conditorii Smi Rosarii in Eclae B. Mariae Virgiis supra Minervam 24 huius mensis anno 1657. »* Après ce passage du document, nous arrivons au récit que cite Lumbroso, relatant l'inhumation provisoire dans la tombe de l'archiconfrérie du Très-Saint-Rosaire, en attendant de pouvoir transférer le corps dans une autre partie de l'église choisie par les pères dominicains[46].

La mort de Cassiano dal Pozzo n'est pas passée inaperçue. Parmi les « avis » de la semaine, il y en a un, assez long, pour la mort de Cassiano le lundi et ses obsèques le mercredi, y compris la sépulture *appresso il gia cardinale del Pozzo*[47]. À une date ultérieure, on trouve l'annonce de la transmission du bénéfice de Tropea à Gabriele dal Pozzo[48]. Carlo Antonio entre dans l'ordre des chevaliers de San Stefano à l'église de San Marcello, en février 1658[49].

L'« avis » cité plus haut rend compte d'une situation sans doute conforme aux volontés de la famille dal Pozzo, qui a dû fonder un monument funéraire à Santa Maria sopra Minerva vers la fin de 1657[50]. Après avoir passé quelque temps dans la tombe de l'archiconfrérie du Très-Saint-Rosaire, le corps de Cassiano dal Pozzo a sans doute été inhumé devant le maître-autel, emplacement particulièrement prestigieux, dans la tombe familiale où d'autres dal Pozzo allaient être enterrés par la suite[51]. Quand Poussin écrit à Chantelou que « nostre bon ami M. le chevalier du Puis est décédé et nous travaillons à sa sépulture », il veut dire, probablement, qu'il collabore avec un sculpteur à une pierre tombale ornée d'une inscription, destinée à être installée devant le maître-autel. Une peinture n'aurait pas pu être associée à ce type de sépulture. Les documents concernant les tombes des dal Pozzo à l'intérieur de l'église de la Minerve rendent moins plausible l'hypothèse de Jane Costello selon laquelle *L'Annonciation* de Poussin était destinée à la sépulture de Cassiano.

## L'historique de *L'Annonciation* et la chapelle pontificale

L'historique de *L'Annonciation* nous conduit au pape Alexandre VII Chigi. Dans son article de 1947, Blunt reprenait la chronologie retracée par Martin Davies, qui semble comporter une grande lacune jusqu'à l'orée du XIX^e^ siècle, où le tableau figure apparemment dans une vente de la collection de Robert Heathcote en 1805[52]. Dans sa notice pour le catalogue de la National Gallery publié en 1957, Davies ajoute que *L'Annonciation* était sans doute dans la vente Robert Udny en 1804[53]. Deux ans avant cette vente, les administrateurs de la succession Robert Udny avaient fait rédiger un catalogue parce qu'ils voulaient faire une transaction globale pour l'intégralité de la collection, au lieu de la disperser aux enchères[54]. Ce catalogue donne les dimensions de chacune des peintures sans exception ou presque[55]. Étant donné le format très original de *L'Annonciation*, on n'a aucun mal à confirmer qu'elle se trouvait effectivement dans la collection de Robert Udny[56]. Cette confirmation nous oblige à accorder un peu d'attention à la remarque répétée dans les deux catalogues Udny, puis dans celui de la vente Heathcote en 1805, comme quoi le tableau « est resté constamment dans la chapelle du pape, jusqu'à une date très récente, où il est entré en Angleterre[57] ».

Une grande partie de la collection Udny a été rassemblée par le diplomate britannique John Udny, du temps où il était en poste en Italie[58]. Il achetait des peintures, le plus souvent à des collectionneurs vénitiens et florentins, et les expédiait à son frère en Angleterre. Il a également constitué une collection personnelle, dont une partie est passée en vente publique après sa mort en 1800[59]. Pour mettre au clair la provenance de *L'Annonciation* de Poussin, le plus simple serait d'examiner la correspondance entre les frères, peut-être conservée dans les archives Udny[60], car l'achat de ce tableau a dû soulever quelques difficultés dans la Rome de la fin du XVIII^e^ siècle[61].

Aucun des guides de Rome publiés aux XVII^e^ et XVIII^e^ siècles ne parle de cette *Annonciation*[62]. Cependant, ils ne donnent pas non plus d'informations sur la totalité des palais apostoliques de la ville, et il est tout à fait possible que la peinture ait figuré dans la collection pontificale et orné quelque chapelle, tout en restant inconnue. La liste des chapelles privées du pape dressée par Moroni a de quoi impressionner[63], mais comme beaucoup l'ont souligné, Alexandre VII avait deux résidences préférées, Castel Gandolfo et le palais du Quirinal[64]. On peut consulter les inventaires de ces palais à l'Archivio segreto Vaticano, mais ils restent très vagues en fin de compte[65]. Même si le nom de Poussin n'apparaît nulle part dans les carnets d'Alexandre VII, il est plausible que l'artiste ait exécuté *L'Annonciation* pour une chapelle pontificale, comme l'indiqueraient la petite phrase du catalogue Udny et la rédaction de l'inscription, qui met en valeur les deux noms du peintre et du pape[66]. Un tableau placé à cet endroit avait toutes les chances de rester relativement inconnu. Tandis qu'une peinture commandée par les dal Pozzo, pour un tombeau dont la réalisation n'aurait pu être menée à bien, serait sûrement entrée dans leur collection et figurerait forcément dans un des inventaires de la famille dressés dans les dernières années du XVII^e^ siècle[67]. À la fin du XVIII^e^ siècle, il ne devait pas être difficile d'acquérir une peinture provenant de Castel Gandolfo, à cause de l'invasion de Rome par les troupes napoléoniennes, et aussi parce que le pape du moment, Pie VI, ne se servait pas de cette résidence[68]. Thomas Jenkins, l'un des plus grands marchands de tableaux actifs à Rome dans la seconde moitié du XVIII^e^ siècle, a même pris un appartement dans la villa de Castel Gandolfo en 1775, appartement occupé auparavant par le général des jésuites, jusqu'à l'interdiction de la compagnie de Jésus en 1773[69].

L'iconographie de *L'Annonciation* semble convenir parfaitement à Alexandre VII. La position de la Vierge a fait couler pas mal d'encre, car elle surprend par son caractère exceptionnel et les historiens se sont interrogés sur ses origines et sa raison. D'après Blunt, « Poussin la représente assise par terre sur un coussin, jambes croisées au sol, presque à la mode orientale[70] ». Il lui semble que Poussin « a choisi cette attitude orientale dans l'intention délibérée de parvenir à plus d'exactitude dans le rendu de la scène[71] ». Rudrauf évoque aussi la façon dont la Vierge est figurée « assise à l'orientale[72] ». Jane Costello observe que, « en plaçant la Vierge sur un coussin par terre, Poussin a renouvelé la tradition historique de la Vierge d'humilité, et de l'Annonciade d'humilité[73] ». Cette pose « signifiait le deuil et la mort[74] » et, ici, « la Vierge de l'Annonciation est assise par terre pour commémorer la mort de Cassiano dal Pozzo[75] ». « Ses mains tendues et ses pieds nus rappellent la réception des stigmates et c'est peut-être voulu. Mais ils semblent aussi renvoyer à quelque chose d'"oriental". Elle est assise "à la turque", et elle lisait dans cette position[76]. » Doris Wild attire également l'attention sur cette attitude et remarque que *nach orientalischer Art sitz sie*[77].

Je pense qu'Anthony Blunt avait raison de supposer que l'artiste a choisi cette position pour donner une image plus vraie d'une Annonciation ancrée dans la culture moyen-orientale, tout comme il a utilisé des scènes empruntées à la mosaïque du temple de la Fortune à Palestrina pour son évocation de l'Égypte dans *Le Repos pendant la fuite en Égypte* conservé à Saint-Pétersbourg (cat. 223), d'ailleurs achevé la même année que *L'Annonciation*, en 1657[78]. Et je pense que Poussin s'est inspiré ici d'une miniature moyen-orientale sur le thème de l'Annonciation, peut-être une illustration d'un manuscrit islamique. Ce n'est certes pas un sujet courant dans l'enluminure islamique, mais il n'est pas difficile d'en trouver des exemples. La Vierge de Poussin n'est pas assise par terre. Elle est assise sur un coussin posé sur une petite estrade. Elle a les jambes croisées et les pieds nus. Tous ces détails concourent à désigner une source d'inspiration proche-orientale. Dans les copies manuscrites des *Souvenirs des temps révolus* d'Al-Birouni, l'Annonciation se présente souvent sous cette forme, comme en témoignent des exemplaires actuellement à Édimbourg et Paris[79]. La Vierge est assise en tailleur à gauche, tandis que l'ange, à droite, pointe son index vers elle.

Les collectionneurs du XVII^e^ siècle s'intéressaient-ils aux manuscrits du Moyen-Orient? En France et en Italie, certains les recherchaient ardemment[80]. À Rome, les Barberini en possédaient, ainsi que la Bibliothèque vaticane[81]. La bibliothèque de l'Accademia dei Lincei détenait dix-huit manuscrits arabes, turcs et persans, touchant à la médecine, l'astrologie, la religion et la poésie[82]. Si je n'ai pas réussi à découvrir un seul manuscrit d'Al-Birouni dans les collections italiennes de l'époque, il n'en est pas moins probable que Poussin ait vu une scène de l'Annonciation de source moyen-orientale[83], peut-être une miniature appartenant à un peintre du Proche-Orient résidant à Rome[84]. Il n'aurait guère pu subir l'influence d'un récit islamique à propos de la Vierge[85]. Il s'était peut-être informé sur les coutumes locales auprès de l'un des nombreux érudits et voyageurs de Rome qui connaissaient bien ces pays.

Une vive curiosité pour le Moyen-Orient se manifestait dans la Rome d'Alexandre VII vers le milieu du siècle. Pietro Della Valle s'y était rendu de 1614 à 1626, et les lettres où il décrivait ses impressions ont fait l'objet d'une publication posthume, avec une dédicace à Alexandre VII, en 1658[86]. Athanasius Kircher a publié son principal ouvrage sur l'Égypte, *Œdipus Aegyptiacus*, en trois volumes échelonnés entre 1652 et 1654[87]. Ce savant orientaliste était aussi un ami d'Alexandre VII[88]. Fabio Chigi a passé cinq ans à Malte, de 1634 à 1639, en qualité de nonce apostolique. En 1637, lorsque Kircher a accompagné là-bas un haut personnage allemand fraîchement converti, les deux hommes ont fait connaissance et se sont liés d'amitié[89]. Quand Chigi a pris un poste en Allemagne, il a continué à correspondre avec Kircher[90]. Une fois élu pape, il faisait appel à Kircher quand il voulait des explications sur certains objets. En 1657, année où Poussin a exécuté *L'Annonciation*, Alexandre VII a demandé à Kircher d'interpréter les hiéroglyphes d'un scarabée[91]. Le savant n'a pas manqué de dédier ses principales publications au pape, à commencer par son interprétation de l'obélisque mis au jour sur le site de Santa Maria sopra Minerva, *Obeliscus aegyptiacus*[92] (1666). On notera que c'est justement sous le pontificat d'Alexandre VII qu'un *scriptor arabicus et syriacus* attendu depuis longtemps a enfin été nommé à la Bibliothèque vaticane[93].

En somme, Alexandre VII était parfaitement à même d'apprécier une Annonciation moyen-orientale. Si l'on songe à l'attirance notoire du pape pour les pays du Levant, à l'inscription qui désigne nommément Alexandre VII dans le tableau, et enfin à la tradition qui veut que cette toile provienne d'une chapelle pontificale, on a du mal à imaginer que Poussin ait peint *L'Annonciation* de 1657 pour quelqu'un d'autre que le pape Alexandre VII. L'hypothèse de Jane Costello rattachant ce tableau à la sépulture de Cassiano dal Pozzo devient moins crédible à la lumière des documents qui révèlent que la tombe familiale des dal Pozzo se trouvait devant le maître-autel de Santa Maria sopra Minerva, donc à un emplacement où il était impossible d'installer une peinture. Selon toute vraisemblance, Cassiano dal Pozzo a été inhumé dans cette tombe familiale[94]. Poussin a sans doute exécuté son *Annonciation* discrètement exotique pour une chapelle d'Alexandre VII. Il a voulu lui donner une apparence assez authentiquement orientale et judaïque. Cela explique en outre le voile jaune, qui n'appartient pas à l'iconographie traditionnelle de la Vierge : à Rome, les femmes juives avaient obligation de le porter, et sa couleur évoquait par ailleurs l'espérance[95]. Le propos de Poussin était donc bien de présenter une Annonciation moyen-orientale.

## Notes

Je tiens à remercier pour leur soutien et leur aide Pierre Rosenberg, Donald Posner, Priscilla Soucek, ainsi qu'Alain Mérot.

* Les références mentionnées ainsi renvoient au catalogue de l'exposition du Grand Palais, Paris, 1994-1995.

1. Londres, National Gallery, inv. 5472. Voir M. Davies, *National Gallery Catalogues : The French School*, Londres, 2e édition, 1957, n° 5472. Voir également Magne, 1914, n° 181; Blunt, 1966, n° 39; Thuillier, 1974, n° 203; Wild, 1980, n° 192; Wright, 1985, n° 188; Mérot, 1990, n° 52.
La version de la Bayerisches Staatsgemäldesammlungen à Munich (fig. 2; cat. 216), que Blunt tenait pour une copie, est considérée comme une œuvre authentique par Wild (n° 187a), Thuillier (n° 218), Wright (n° 193), Mérot (n° 153) et Rosenberg (Rome–Düsseldorf), 1977-1978, n° 38.
Pietro del Po a gravé cette *Annonciation* de Munich. Voir D. Minonzio, « Pietro del Po », *The Illustrated Bartsch,* col. 45 (commentaire), New York, 1990, pp. 229-265, en particulier p. 231, n° 002 [B.2 (245)], et vol. 45 (reproductions), p. 194, n° 2 (245).
Le tableau de Munich, de facture large, serait plutôt, à mon sens, une esquisse pour l'œuvre de Londres. Il n'a pas grand rapport avec le sujet qui nous intéresse ici. Au XVIIIe siècle, il faisait pendant à *La Nativité* conservée actuellement dans le même musée de Munich (cat. 217). Voir Nicolas de Pigage, *Galerie de Düsseldorf ou Catalogue raisonné et figure de ses tableaux dans lesquels on donne...*, 1778, nos 96 et 97. Blunt écrit que l'*Annonciation* de Munich est probablement celle « dont N. Vleughels disait en 1735, dans sa préface, qu'elle avait appartenu à "monsieur Benoist peintre de l'Académie", sans doute Antoine Benoît (v. 1630-1707) ». Voir Ludovico Dolce, *Dialogue sur la peinture,* Paris, 1735, traduction de l'Arétin avec une préface de Nicolas Vleughels. Il me semble fort possible que *La Nativité* de Munich (de Pigage, n° 97) ait eu la même provenance, étant donné qu'elle faisait pendant à l'*Annonciation* dans la galerie princière de Düsseldorf (de Pigage, n° 196). Blunt, qui cite le guide de Paris publié par Brice en 1706, ajoute que Benoît avait d'autres peintures de Poussin (Blunt, 1966, p. 167, L. 129). Vleughels n'en parle pas parce que cette partie de son texte porte sur les images de l'Annonciation en général, et une quelconque allusion à *La Nativité* aurait constitué une digression superflue : « [...] il y a un petit tableau de Poussin à Paris de ce même sujet, que j'ai vu il y a longtemps entre les mains de monsieur Benoist peintre de l'Académie, où la Vierge est évanouie, il est beau, et peint sur un fond de bois fort épais, il a esté gravé en Italie par Pierre del Po, autant que je peux m'en ressouvenir, toujours je l'ai vu, et quoi que je n'en aie pas l'estampe, elle n'est pas rare » (p. 37 de la préface). Il semble extrêmement improbable qu'une deuxième peinture sur bois de format identique ait pu être achetée séparément. Les deux autres tableaux attribués à Poussin dans le catalogue de 1778 étaient accrochés dans des salles différentes. L'un d'eux, une *Continence de Scipion* en grisaille « imitant un bas-relief antique » (n° 310), n'est pas répertorié dans les catalogues raisonnés, tandis que l'autre, figurant *Saint Norbert* (n° 162), n'est plus considéré comme un Poussin. Blunt (1966, R53) l'attribue à Walter Damery.

2. Blunt, 1947, pp. 18-24.

3. Costello, 1965, pp. 16-22.

4. Wright, 1985, n° 188.

5. Voir, parmi les publications les plus récentes, Mérot, 1990, p. 220. Voir également Blunt, 1967, I, pp. 306-307.

6. É. Mâle, *L'Art religieux après le Concile de Trente,* Paris, 1932, pp. 239-241. La traduction italienne établie par M. Donvito (*L'arte religiosa nell '600,* Milan, 1984) est fort utile du fait de ses index et de sa bibliographie très complète.

7. S. Pepper, *Guido Reni,* Oxford, 1984, p. 224, n° 33.

8. L'*Annonciation* de Poussin conservée à Chantilly (Blunt, 1966, n° 38) reste plus près du schéma de composition traditionnel, avec quelques écarts fort intéressants. Wild et Thuiller l'ont attribuée à Charles Mellin. On trouvera un résumé des écrits antérieurs dans Oberhuber (1988, n° 65). Oberhuber attribue également un dessin du Louvre à Poussin, car il y voit une étude pour cette peinture (D106).

9. Blunt, 1947, p. 21.

10. *Ibidem,* p. 18. Le catalogue en question est celui de la vente Robert Heathcote en 1805. La remarque figurait déjà dans les catalogues de la collection et de la vente Udny, en 1802 et 1804 (voir la n. 57 *infra*). Blunt réitère son hypothèse dans le catalogue de l'exposition de Paris (1960, p. 272), puis dans son remarquable « catalogue critique » en 1966 (Blunt, 1966, n° 39).

11. Costello, 1965, pp. 16-22.

12. S. Costello puise ses informations sur Cassiano dal Pozzo dans l'article de O.M. Premoli, « Cassiano dal Pozzo », *L'Arcadia,* 2, 1917, p. 193. Premoli s'est lui-même servi de la biographie qui faisait référence à l'époque, celle de G. Lumbroso, « Notizie sulla vita del Cassiano dal Pozzo », *Miscellanea di storia italiana,* 15, 1874, pp. 131-388.

13. Costello, 1965, p. 16. Voir Friedlaender, 1939, p. 17.

14. Costello, 1965, p. 21.

15. *Ibidem,* p. 22.

16. *Ibidem,* p. 21.

17. Thuillier, 1974, n° 203.

18. *Idem,* 1988, p. 265.

19. Mérot, 1990, pp. 217-220 et 261. Il se fonde sur la correspondance de l'artiste pour écrire que la peinture était destinée à une sépulture, alors que le raisonnement de départ faisait entrer d'autres considérations en ligne de compte.

20. Archivio segreto Vaticano, Misc. Arm. VII, 29 : « *Stato temporale della chiesa e convento di S. Maria sopra Minerva data alla sacra Congregazione della Visita Apostolica* [...] *Dal f. Antonio Jacobucci Priore del soprad. Convento li 31 agostino 1662.* » Les donations affectées aux différentes chapelles sont énumérées sur les fol. 87 r°-89 v°.

21. La famille dal Pozzo avait une troisième tombe, fondée apparemment au XIX^e^ siècle, car elle porte la date de 1859 et elle ne figure pas sur la liste donnée par Berthier (voir la n. 24 *infra*). L'inscription est reproduite dans le livre de Forcella, *Iscrizione delle chiese e di altri edificii di Roma del secolo XI fino ai giorni nostri, raccolte e pubblicate,* Rome, 1869, I, p. 529, n° 2037. Dans cette église, la plupart des tombes sont désignées par un numéro qui renvoie à un plan dessiné au XIX^e^ siècle. Ce plan est conservé dans un bureau de la maison des dominicains, au 35, via Beato Angelico, où on peut le consulter mais pas le copier. La tombe dal Pozzo du XIX^e^ siècle porte le n° 73. Les tombes dal Pozzo des XVI^e^ et XVII^e^ siècles ne sont pas répertoriées.

22. Blunt, 1966, p. 148. Voir dans ce volume la communication de

S. Kerspern sur les termes de Vaux-le-Vicomte.

23. G. Palmiero et G. Villetti, *Storia edilizia di S. Maria sopra Minerva in Roma 1275-1870,* Rome, 1989.

24. J.-J. Berthier, *L'Église de la Minerve à Rome,* Rome, 1910, annexe IV : « Les tombeaux et tombes de la Minerve d'après un document antérieur à 1848 », pp. 424-436. Berthier pense que c'est sans doute un sacristain de l'église qui a rédigé ce document, vers 1820-1822.

25. Forcella, *op. cit.* n. 21. Dans sa préface, Forcella signale d'autres recherches sur les inscriptions, dont il s'est servi. Il signale aussi l'existence de manuscrits aux archives du Vatican, inaccessibles à l'époque. On peut les examiner désormais et je n'y ai trouvé aucune information sur la tombe des dal Pozzo.

26. L. von Pastor, *Histoire des papes depuis la fin du Moyen Age,* trad. Furcy-Raynaud et Poizat, 10 vol., Paris, 1888-1913, art. « Puteo, Giacomo », t. VII.

27. G. Moroni, *Dizionario di Erudizione storico-ecclesiastica,* vol. 56, 1852, p. 105, article « Puy (de), Jacopo, cardinal, dit dal Pozzo ou Puteo ». Moroni donne la biographie la plus complète, encore que Pastor ait rectifié certains détails. On trouve une courte biographie d'un ancêtre homonyme mort en 1464 dans le *Dizionario Biografico degli Italiani*. On y apprend que le cardinal a publié ses *Decisiones* en 1582 et en 1592. J'ai découvert que la Bibliothèque vaticane possédait une autre édition parue en 1612, année où Cassiano est arrivé à Rome. La demande du cardinal à propos de son inhumation dans l'église de la Minerve est consignée dans son testament en date du 22 mars 1561, conservé à l'Archivio di Stato à Biella (« Storia della famiglia dal Pozzo », Mazzo 23, notaio Adam de Individia Baionem). L'épitaphe du cardinal est reproduite dans Forcella, *op. cit.* n. 21, p. 458, n° 1784.

28. M.U. Bicci, *Notizie della famiglia Boccapaduli,* Rome, 1762, p. 504. Le récapitulatif de l'histoire des dal Pozzo se trouve à Rome, Archivio Capitolino, fonds Boccapaduli, suppl. III, Pozzo, arm. III, div. 3a et 4a, Mazzo XI, « Pozzo », n° 5, « Nobiltà della famiglia dal Pozzo ». L'épitaphe est reproduite sur la page 5. Page 19, il est dit que Cassiano habite à Rome. La date 1652 est notée à l'encre sur les deux plats de couverture.

29. J.-J. Berthier, *op. cit.* n. 24, p. 192.

30. *Ibidem,* p. 431.

31. Standring, 1985, p. 616. Standring explique que le dernier héritier des lignées dal Pozzo et Boccapaduli est Luigi Boccapaduli, mort au début du XIXe siècle.

32. Rome, Archivio vicariato, Santa Maria sopra Minerva, « Morti IV (1665-1692) », et San Lorenzo in Damaso, « Morti IV (1673-1705) ». Ce dernier document précise qu'il a reçu les sacrements de pénitence, d'eucharistie et d'extrême-onction avant sa mort le 12 août 1689. Stumpo (*Dizionario Biografico degli Italiani,* article « Carlo Antonio dal Pozzo ») note que Carlo Antonio a été enterré dans l'église de la Minerve, sans dire où exactement.

33. Une copie du testament de Gabriele dal Pozzo, rédigé le 25 juillet 1691 à Ancône, est conservée à Rome, Archivio Capitolino, fonds Boccapaduli, suppl. III, Pozzo, arm. III, div. 3a et 4a, liasse I, « Pozzo », n° 7. L'annonce de l'enterrement est à Rome, Archivio vicariato, Santa Maria sopra Minerva, « Moti V (1692-1741) », fol. 130 r°. Il est mort le 26 janvier 1695.

34. Rome, Archivio vicariato, Santa Maria sopra Minerva, « Morti V (1692-1741) », fol. 221 v°. Ferdinando est mort le 22 octobre 1705 (date restée longtemps inconnue). Son prénom, orthographié Pherdinandus, est classé à la lettre P.

35. *Ibidem,* fol. 186 v°. Elle est morte le 23 janvier 1715.

36. Dans son ouvrage, Forcella a relevé une inscription concernant Maria Vittoria Guidi, mais il s'est manifestement trompé en recopiant la date : « *D.O.M. / Sepulchrum / Iacobo a. Puteo S.R.E. Presbit. Card. / Kal. Maii an MDLXIII / per Antonium a Puteo episc. Bariensem extructum / Cosmus Antonius a Puteo / Mariae Victoriae Guidae Volterranae / coniugi carissimae / die XXIII. Ianuarii ann. MDCXV / aet. suae ann. XXX. mens. VIII / vita functae instaurandum curavit / sibi posterisque suis paravit* » (Forcella, *op. cit.* n. 21, p. 487, n° 1890.) L'erreur doit provenir d'un livre cité dans la biographie de Forcella, qu'il a sûrement utilisé parce qu'on y trouve la même faute de transcription : P. L. Galetti, *Inscriptiones pedemontanae infimi aevi Romae existantes,* Rome, 1756, p. 19, n° 10.

37. Rome, Archivio Capitolino, fonds Boccapaduli, suppl. III, Pozzo, arm. III, div. 3a et 4a, Mazzo I, « Pozzo », n° 7, testament de Cosimo Antonio dal Pozzo, 26 avril 1728, fol. 1.

38. Rome, Archivio vicariato, Santa Maria sopra Minerva, « Morti V (1692-1741) », fol. 60 r°. Il est mort le 24 février 1740.

39. Costello, 1965, p. 21.

40. G. F. Young, *The Medici,* 2 vol., Londres, 1909, II, pp. 278-279. L'ordre de Saint-Étienne a fait l'objet d'une publication récente : *L'ordine di San Stefano nella Toscana dei Lorena. Atti del convegno di studi. Pisa, 19-20 maggio 1989,* Rome, 1992. Voir en particulier la communication de R. Bernardini et L. Zampieri, « Bibliografia antica e moderna sull'ordine e sui cavalieri di San Stefano. Primo tentativo di catalogazione », pp. 194-241.

41. Rome, Archivio di Stato, Ufficio della curia del cardinale vicario di Roma [Ufficio 32], vol. 175, notaio val. Jo. Garzias, fol. 797 r° - 838 v°, 24 novembre 1657. J'ai trouvé ces documents à Rome, mais on peut aussi les consulter à Pise, Archivio di Stato, ordine di cavalieri di S. Stefano, « Provanze di nobiltà », vol. 733, n° 9. Les archives de Pise étant actuellement en pleine réorganisation, il peut être utile de donner aussi l'ancienne cote, indiquée dans G. Lumbroso, *op. cit.,* p. 142, n. 2 : filza 49, 1re partie des « Provanze di nobiltà », nos 1-14, années 1657-1661, n° 9. J'ai cherché dans d'autres documents relatifs aux dal Pozzo des informations sur la tombe, sans jamais rien trouver. Les documents consultés sont les suivants (je donne la cote actuelle, suivie de l'ancienne, dans les archives de Pise) : pour Ferdinando, fils aîné de Carlo Antonio, « Provanze di nobiltà », vol. 736, n° 68, ancienne filza 49, IVe partie des « Provanze di nobiltà », nos 46-71, années 1657-1661, n° 68; pour Gabriele, deuxième fils de Carlo Antonio, « Provanze di nobiltà », vol. 749, n° 19, ancienne filza 54, IIe partie des « Provanze di nobiltà », nos 15-28, années 1670-1672, n° 19; pour Cosimo Antonio, fils de Gabriele, « Provanze di nobiltà », vol. 798, n° 36; ancienne filza 70, IIIe partie des « Provanze di nobiltà », nos 20-37, années 1697-1698, n° 36.

42. G. Lumbroso, *op. cit.* n. 12, p. 145, n. 3. La biographie de Lumbroso et celle de Stumpo dans le *Dizionario Biografico degli Italiani* sont certes excellentes, mais il nous manque tout de même quelque chose de plus complet sur la vie de Cassiano dal Pozzo. Sa collection et

sa correspondance ont retenu toute l'attention des chercheurs, et l'on aimerait pouvoir disposer d'une synthèse des données, ainsi que d'une liste exhaustive des documents d'archives. Le texte le plus agréable à lire est celui de F. Haskell, *Patrons and Painters,* 2e édition, Princeton, 1980.

43. C. Dati, *Delle lodi del commendatore Cassiano dal Pozzo,* Florence, 1664; et Urbano d'Aviso, préface, dans Bonaventura Cavalieri, *Trattato della sfera,* 1682. Stumpo donne une liste des biographies anciennes dans son article pour le *Dizionario Biografico degli Italiani.*

44. Voici le texte de la notice : « *Anno domini 1657 die 22 octobris obiit Illmus et Rev. mus D. Cassianus filius Illmus q. D. Antonii a Puteo Taurinensis Abbat Sti Angeli Tropiero, eques et commendatarius equestris militie Sti Stephani P.P. et Mort. qui fuit vir sapientissimus atque prudentissimus plenus bonitate, prudentia, magni scientia et doctrina pater pauperus atque omni exceptione maior, cuius corpus sepulcrum est in hac nostra ecclesia solemnie pompa per modus depositi in tumulo Smi Rosarii, cuius anima requiescat in pace. ex Parrochia Sta Maria.* » Le même document est conservé à Rome, Archivio vicariato, S. Maria sopra Minerva, « Morti III (1638-1666) », fol. 20 v°. Le notaire qui l'a transcrit s'appelait Carolus Vipera.

45. J'ai trouvé un double du document à Rome, Archivio di Stato, 30 notari Capitolini, officio 25, vol. 284, quinta pars 1657, fol. 490 r° - 490 v°, notaio Carolus Vipera. Voir annexe II.

46. « *Cadaver autem in hac lignea capsa locatum fuit in seppulcro Societatis Smi Rosarii quod extat in pavimento ecclesiae inter cappellam Smo Rosarii familiae Capranicis et cappellam Omnium Sanctorum de Alteriis et regione seppulcri B. Albani Ferragalli et ad certum tempus in eodem seppulcro depositum donec ab illo extractum in alia ecclesiae parte a R.R. P.P. concedenda locetur.* » C'est encore le notaire Carolus Vipera qui a transcrit ce passage (30 notari Capitolini, officio 25, 1646-1676). Lumbroso l'a un peu coupé (G. Lumbroso, *op. cit.* n. 12, p. 145, n. 3).

47. Rome, Archivio segreto Vaticano, « Avvisi stampati », vol. 27, fol. 468 r° : [Rome, le 27 octobre 1657] « *Lunedi notte passo qui all'altra vita di lunga indisposizione il sign. Cassiano del Pozzo piemontese cavalier di San Stefano in eta di 70 anni soggetto di gran valore, e pietà, e mercoledi mattina gli furono celebrati i funerali nella chiesa della Minerva, ove fu sepolto appresso il gia cardinale del Pozzo.* »

48. Vatican, Biblioteca apostolica Vaticana, ms. Barb. Lat. 6367, fol. 779 r°, Rome, 10 novembre 1657.

49. Rome Archivio di Stato, ufficio della curia del cardinale vicario di Roma [Ufficio 32], vol. 176, notaio Val. Jo. Garzias, fol. 800 r° - 800 v°, 809 r° - 809 v°, 21 février 1658.

50. La chapelle du Très-Saint-Rosaire se trouve juste à droite du maître-autel. À mon avis, la famille n'avait pas dû faire mystère de son intention de réserver un emplacement devant le maître-autel pour une tombe.

51. Le testament de Cassiano nous éclairerait sans doute. Je l'ai cherché systématiquement, en vain pour l'instant, mais je me refuse encore à supposer qu'il n'existe pas.

52. Blunt, 1947, p. 18, n. 1.

53. Londres, National Gallery, n° 5472 (voir la n. 1 *supra*).

54. F. Lugt, *Les Marques de collections de dessins et d'estampes,*

Amsterdam, 1921, n° 2248. Les ayants cause ont d'abord offert la collection à la Royal Academy, qui n'a pas donné suite. Voir S. C. Hutchinson, *The History of the Royal Academy, 1768-1968,* Londres, 1968, p. 76. Voir également W. T. Whitley, *Art in England, 1800-1820,* Cambridge, 1928, p. 29.

55. *Catalogue of the Entire Collection of Pictures of Robert Udny, Deceased,* Londres, 1802. Un exemplaire est conservé à la Frick Art Reference Library, à New York.

56. Le catalogue de 1802 donne comme dimensions « 3 ft. 6 in. by 3 ft. 5 in. » (1,06 x 1,04 m), à comparer avec les « 41 1/4 x 40 1/2 » (1,04 x 1,02 m) du catalogue de la National Gallery.

57. Dans le catalogue de 1802, le tableau porte le n° 63 ; dans celui de 1804, il a le n° 96 dans la deuxième vacation. Voir Londres, Christie's, 18-19 mai 1804. Pour le catalogue de la vente Heathcote, voir n. 10 *supra.*

58. J'ai rassemblé beaucoup d'informations sur les Udny, et je souhaite leur consacrer un article. Le consul Smith a déjà fait l'objet de quelques études, notamment de F. Vivian, mais la famille aussi avait acquis des oeuvres importantes, et il est très intéressant de voir comment la collection a pris forme dans la seconde moitié du XVIIIe siècle.

59. W. Buchanan, *Memoirs of Painting with a Chronological History of the Importation of Pictures of the Great Masters into England since the French Revolution,* 2 vol. Londres, 1824, pp. 11-24.

60. Les archives Udny sont répertoriées dans le rapport 1163 du National Register of Archives, en Écosse (lettre de Colin A. McLaren, archiviste de l'université d'Aberdeen, King's College, en date du 7 janvier 1993). Je tiens à exprimer ma gratitude à M. McLaren, pour m'avoir communiqué cette information difficile à obtenir à Rome. D'autres documents de la famille ont été détruits lors des bombardements de Londres pendant la Seconde Guerre mondiale (lettre de Mme W.S. Ault, née Udny, datée du 3 janvier 1993). Aucun ne se trouve entre les mains de Lord Belhaven et Stenton, héritier du titre de Udny (lettre du 30 novembre 1992). Je remercie Lord Belhaven et Stenton de m'avoir orienté vers sa cousine, Mme Ault.

61. Cette peinture n'était pas très connue, mais il n'était pas commode de faire sortir des tableaux de Rome à la fin du XVIIIe siècle. Je renvoie au récit fort drôle de Whitley, qui raconte les péripéties de l'exportation des *Sept Sacrements* de Poussin, dans *Artists and their Friends in England, 1700-1799,* Londres, 1928, II, pp. 75-76. On peut se faire une idée des activités des collectionneurs anglais à Rome à la fin du XVIIIe siècle en lisant les articles de B. Ford, « Thomas Jenkins, Banker, Dealer and Unofficial English Agent », *Apollo,* 99, juin 1974, pp. 416-425 ; « Sir John Coxe Hippisley : An Unofficial English Envoy to the Vatican », *ibidem*, pp. 440-445 ; « James Byres, Principal Antiquarian for the English Visitors to Rome », *ibidem*, pp. 446-461. Voir également H. Brigstocke, *William Buchanan and the 19th Century Art Trade : 100 Letters to his Agents in London and Italy,* s.l. [Londres], 1982.

62. F. Martinelli, *Roma ricercata nel suo sito,* Rome, 1761 ; F. Titi, *Studio di pittura,* 1763 ; P. Rossini, *Il Mercurio errante,* 10e édition, Rome, 1776 ; A. Chiusole, *Le pitture... più rare di Roma,* 1682 ; F. Cancellieri, *Descrizione delle cappelle pontificie e cardinalizie di tutto l'anno...,* Rome, 1790 ; A. M. Taja, *Descrizione del Palazzo apostolico Vaticano,* Rome, 1750 ; G. P. Chattard, *Nuova descrizione del Vaticano o sia della sacrosanta*

*basilica di S. Pietro,* 3 vol., Rome, 1762-1767, en particulier vol. 2-3 : *O sia del pallazzo apostolico di San Pietro.*

63. G. Moroni, *op. cit.* n. 27, Indice, v. 2, article « Cappelle segrete del Papa ».

64. R. Krautheimer et R. S. B. Jones, « The Diary of Alexander VII : Notes on Art, Artists and Buildings », *Romisches Jahrbuch für Kunstgeschichte,* 15, 1975, p. 199. Poussin n'est pas cité dans ces carnets du pape. Pour ce qui concerne plus généralement Alexandre VII Chigi, voir l'article de M. Rosa, « Alessandro VII », dans *Dizionario Biografico degli Italiani* ; L. von Pastor, *op. cit.,* n. 26, art. « Alessandro VII », t. XIV ; R. Krautheimer, *The Rome of Alexander VII, 1655-1667,* Princeton, 1985.

65. Rome, Archivio segreto Vaticano, « Amministrazione VIII. Inventari », 1031 (palazzo pontificio a Castel Gandolfo, s.d.); 1047 (palazzo pontificio a Castel Gandolfo, 1790 et 1810); 1063 (Castel Gandolfo, 1742); 1064 (Castel Gandolfo, s.d.); 1072 (Castel Gandolfo, s.d.). En règle générale, ces inventaires ne précisent que les sujets et les dimensions, rarement les noms des artistes.

66. L'indication *Roma*, dans l'inscription, inciterait à penser que le tableau était destiné à une autre ville.

67. Brejon de Lavergnée, 1973, pp. 75-99. Voir également Sparti, 1990-1, pp. 551-570.

68. E. Bonomelli, *I papi in campagna,* 1953, p. 160 : « Pio VI, eletto il 15 febbrai 1775, no ando mai a Castel Gandolfo nel suo lungo pontificato, durato un quarto di secolo. »

69. B. Ford, *op. cit.* n. 61, p. 420.

70. Blunt, 1947, pp. 20-21.

71. *Ibidem,* p. 21.

72. Rudrauf, 1948, p. 10.

73. Costello, 1965, p. 18.

74. *Ibidem,* p. 19.

75. *Ibidem,* p. 20.

76. *Ibidem,* p. 21.

77. Wild, 1980, I, p. 156. Doris Wild ne s'attarde pas sur cette question, mais elle est la seule à accorder autant de crédit aux deux hypothèses de Jane Costello et d'Anthony Blunt.

78. Blunt, 1966, n° 65; Id., 1967, pp. 309-312. Voir l'article de Dempsey, 1963, pp. 109-119. La mosaïque est déposée au Museo archeologico nazionale de Palestrina.

79. Édimbourg, University Library. Le manuscrit est daté « C.E. 1307 ». La miniature est reproduite dans Sir Thomas Arnold, *The Old and New Testaments in Muslim Religious Art,* Londres, 1932, pl. IV. L'exemplaire parisien, qui date du XVIIe siècle, est à la Bibliothèque nationale de France, Ms. arabe 1495. La miniature est reproduite dans E. Blochet, *Les Enluminures des manuscrits orientaux, arabes, persans de la Bibliothèque nationale,* Paris, 1926, pl. 15.

80. Paris, Bibliothèque nationale de France, *Catalogue des manuscrits persans I : ancien fonds,* par F. Richard, 1989. Voir l'introduction, en particulier pp. 1-11.

81. J. Bignamier Odier, *La Bibliothèque vaticane de Sixte IV à Pie XI,* Cité du Vatican (« Studi e testi 272 »), 1973, p. 115.

82. Voir E. Schettini Piazza, *Bibliografia storica dell'Accademia nazionale dei Lincei,* Florence, 1980 ; G. Gabrieli, « I primi accademici Lincei e gli studi orientali », *Bibliofilia,* 28, 1926, pp. 99-115 ; A. Sta-

tuti, « Sopra N. 18 codici orientali che appartenevano alla antica biblioteca dei primitivi Lincei nel secolo XVII », *Atti della Pontificia Accademia romana dei nuovi Lincei,* LX, 1907, pp. 204-209. D'après Gabrieli, l'Accademia comptait publier des traductions des ouvrages sur les sciences arabes et accueillir des spécialistes des langues orientales. Il ajoute que plusieurs membres de cette assemblée, dont Federigo Cesi, étudiaient l'hébreu et l'arabe (p. 100).

83. Je n'ai pas encore réussi à localiser certains manuscrits de jésuites, et en particulier ceux d'Athanasius Kircher. Il me faudra poursuivre ces recherches.

84. I. Stchoukine, *Les Peintures des manuscrits du Shah Abbas Ier à la fin des Safavis,* Paris, 1964. L'auteur explique que le shah Abbas II a envoyé Mohammed (Paolo) Zaman à Rome pour s'initier à la peinture occidentale. Zaman est retourné dans son pays en 1646, mais je croirais volontiers qu'il y avait d'autres peintres moyen-orientaux à Rome à cette époque.

85. Les récits concernant la Vierge sont d'une tout autre nature dans la tradition islamique. Voir *L'Encyclopédie de l'islam,* Leyde et Paris, 1960 et *sq.*, article « Maryam ».

86. Pietro Della Valle, *Viaggi,* Rome, 1658-1663. Cette édition comporte une vie de Della Valle rédigée par Giovanni Pietro Bellori, qui connaissait Poussin et a également écrit sa biographie, comme on le sait.

87. La liste des publications sur Kircher s'allonge à un rythme soutenu. Pour une présentation rapide de ses travaux d'égyptologue, voir V. Rivosecchi, *Esotismo in Roma barocca. Studi sul padre Kircher,* Rome, 1982, en particulier pp. 47-76, « Kircher e l'Egitto ». On trouvera un bilan critique de son apport à l'égyptologie dans J. Janssen, « Athanase Kircher "égyptologue" », *Chronique d'Égypte,* 36, 1943, pp. 240-247.

88. A. Bartola, « Alessandro VIIe e Athanasius Kircher S.I. Ricerche ed appunti sulla loro corrispondenza erudita e sulla storia di alcuni codici chigiani », *Miscellanea Bibliothecae apostolicae vaticanae,* III, 1989, pp. 7-105.

89. Sur la légation de Chigi à Malte, voir V. Borg, *Fabio Chigi, Apostolic Delegate in Malta (1634-1639) : An Edition of his Official Correspondance,* Cité du Vatican (« Studi e testi 249 »), 1967.

90. Bartola, *op. cit.* n. 88, p. 27.

91. *Ibidem*, pp. 29-30, annexes 10 (p. 87) et 11 (p. 88). Le « Scarabeus hieroglyphicus expositus a P. Athanasio Kirchero » est conservé à la Bibliothèque vaticane, ms. Chigi F. IV.64 (Bartola, *op. cit.,* p. 30).

92. W. S. Heckscher, « Bernini's Elephant and Obelisk », *Art Bulletin,* 1947.

93. Bignamier Odier, *op. cit.* n. 31, p. 140. Le 21 mai 1660, Abraham Eschellensis a été nommé à ce poste.

94. J'ajouterai ici que j'ai également cherché des informations dans une partie de la correspondance de Barberini avec Hans Rhode, Pierre Michon Bourdelot, Carlo Dati et Lukas Holste. Pour Holste (Barb. lat. 6489), je n'ai trouvé que deux lettres de 1657, et rien après le 22 octobre. Pour Dati (Barb. lat. 6463), j'ai trouvé seulement une lettre de 1657, datée du 10 avril, et une lettre du 21 juin 1644 où il annonce que son discours en l'honneur de Cassiano sera imprimé dans la semaine et qu'il enverra un exemplaire (fol. 30). Pour Bourdelot (Barb. lat. 6524) et Hans Rhode (Barb. lat. 6501), je n'ai pas trouvé de lettre en 1657. La correspon-

dance atteste que les Barberini ont fait dire des messes pour le repos de l'âme de Cassiano. Voir l'Archivio Barberini, computisteria 72, giornale F, fol. 305 (ad. 26 bov. 1657).

95. A. Milano, *Gli Ebrei a Roma,* 1938, p. 198. « *Un decreto del 21 giugno 1629 aveva messo bene in chiaro che non solo gli uomini dovevano coprirsi sempre il capo con il lo ro berretto giallo e le donne con una acconciatura da testa dello stesso co lore, ma che ne uni ne le altre potevano nascondere questo segno con n astri, veli o fronzoli di altro colore.* » Sur les idées d'espérance connotées par le jaune, voir C.B. Piazza, *L'iride sagra,* Rome, 1682, ch. XVIII, pp. 253-254.

Fig. 1
Nicolas Poussin
*L'Annonciation*
Toile, 1,05 x 1,03 m
Londres, National Gallery.

Fig. 2
Nicolas Poussin
*L'Annonciation*
Bois, 0,47 x 0,38 m
Munich, Alte Pinakothek.

# Variantes, copies et imitations. Quelques réflexions sur les méthodes de travail de Poussin

Hugh **Brigstocke**

*Traduit de l'anglais par Jeanne Bouniort*

Les recherches sur Nicolas Poussin ont pris une nouvelle orientation au cours des trente dernières années. Auparavant, on s'intéressait surtout à Poussin peintre-philosophe et l'on s'attachait à cataloguer les tableaux et dessins selon des critères thématiques, toutes choses dont Anthony Blunt fut l'initiateur, avec son savoir immense et son affinité profonde avec l'artiste. Puis on s'est aperçu que, tout compte fait, Poussin était avant tout un artiste qui exprimait ses idées non seulement par le biais de la rigueur intellectuelle et de l'imagination déployées dans ses créations mentales, mais aussi en faisant appel à ses instincts de peintre, d'un peintre dont l'apport ne peut être pleinement apprécié sans une bonne appréhension de son style et de ses motivations artistiques, fondée au moins en partie sur une vision cohérente de la chronologie de son œuvre. Les efforts inlassables accomplis dans ce sens par Denis Mahon, depuis l'exposition de 1960 à Paris, ont préparé le terrain et permis à d'autres de signaler des œuvres inédites et, mieux encore, de les replacer dans la carrière de Poussin avec une certaine précision.

Deux aspects de l'activité de Poussin ont tout de même glissé à travers les mailles du filet. Le premier est la question des copies, répliques et variantes de ses tableaux. On croyait généralement que Poussin n'avait pas fait de copies de ses œuvres. Son refus de fournir à Chantelou des répliques des *Sacrements* dal Pozzo est solidement attesté. Durant toute sa carrière, il s'est plu à élaborer des interprétations fort différentes d'un même sujet. En témoignent le *Tancrède et Herminie*, dont la version de Saint-Pétersbourg (cat. 35*), exécutée vers 1630, éclipse celle de Birmingham (cat. 49), peut-être réalisée vers 1633-1634, qui est plus méditée et resserrée, mais finalement trop calculée; *Le Triomphe* *de David*, où le tableau monumental du Prado (cat. 36), peint vers 1630, est suivi par la composition de Dulwich, mouvementée, riche en éléments narratifs, sans doute achevée peu après 1632; *L'Enlèvement des Sabines*, où, là encore, à l'image monumentale de New York, datant de 1633 environ, succède la peinture plus théâtrale du Louvre (cat. 72), vers 1637; le *Moïse enfant foulant aux pieds la couronne de Pharaon*, où la mise en scène figée et les gestes éloquents de la version de Woburn Abbey (cat. 145), exécutée pour Pointel en 1642-1643 dans un style encore proche de la première série des *Sacrements*, font place à la réinterprétation plus concise, monumentale et vibrante conservée au Louvre (cat. 152), probablement contemporaine de la seconde série des *Sacrements*.

Cette considération a inspiré une grande réticence à introduire dans le catalogue des œuvres les répliques et même les variantes des tableaux dont l'attribution est incontestable. C'est justement là-dessus que je voudrais revenir. Mais pour le faire de manière convaincante, il faut d'abord envisager un autre domaine négligé des études poussiniennes : les méthodes de travail de l'artiste, la finalité de ses dessins et leurs rapports avec les peintures. J'ajouterai qu'à mon avis, une bonne analyse de n'importe quel dessin de Poussin doit s'appuyer sur une perception correcte de cette finalité. Pierre Rosenberg et Louis-Antoine Prat ne lui ont malheureusement pas accordé assez d'attention, ni dans les catalogues de l'exposition, à Paris, Bayonne et Chantilly, ni dans leur *Catalogue raisonné des dessins*, où ils rejettent une bonne partie des dessins présentés ici.

La plupart des artistes du XVII^e siècle travaillant à Rome dans le « grand goût » se disputaient âprement les commandes d'ensembles décoratifs à grande échelle et de retables prestigieux. Ceux qui réussissaient constituaient sans tarder une équipe d'assistants capables de les aider à exécuter leurs projets. Ils consacraient l'essentiel de leur énergie créatrice aux étapes préparatoires de la commande, qui débouchaient sur les études académiques d'après nature pour des personnages isolés, puis sur les cartons ou les esquisses à l'huile très fouillées. Étant donné le caractère méthodique de ce travail, un artiste et son atelier n'avaient aucun mal à confectionner des versions dérivées des œuvres qui avaient eu du succès. Poussin évitait au contraire les réalisations à grande échelle et, selon toute apparence, il ne laissait aucun assistant intervenir dans l'exécution de ses peintures à l'huile. Pour lui, la transposition d'une idée sur la toile relevait pleinement de la création et c'était à ce moment-là qu'il réglait beaucoup de détails de toute première importance, tels que l'expression des personnages et leurs gestes précis. Ces dessins remplissaient donc une tout autre fonction que ceux de ses contemporains à Rome. Jusqu'aux environs de 1631, on y trouve des croquis librement exécutés, le plus souvent à la plume, correspondant à des premières pensées, comme les dessins pour *Le Martyre de saint Érasme* (cat. 28 et 29) ou pour *Le Massacre des Innocents* (cat. 24), des études de composition schématiques, peut-être destinées à des clients potentiels, telles les feuilles préparatoires de Windsor (cat. 14) et la feuille du Getty (cat. 20) pour *L'Empire de Flore* de Dresde ou pour l'*Apollon et les Muses sur le mont Parnasse* du Prado, et enfin des esquisses plus poussées, au lavis, presque, mais jamais tout à fait, identiques au tableau définitif, dont je pense à présent que ce sont en fait des reproductions autographes exécutées à titre de souvenirs (*ricordi*), par exemple le *Céphale et Aurore* (Fort Worth, 1988, D31) qui se rattache à un tableau conservé dans une collection particulière anglaise, l'*Amor vincit omnia* (Fort Worth, 1988, D58) associé à un tableau de Cleveland, et le *Vénus et Adonis* (Fort Worth, 1988, D37) à rapprocher d'un tableau de Fort Worth. Bien sûr, il n'est pas toujours possible d'être sûr de la fonction exacte assignée à un dessin donné. Ainsi, il est difficile de dire si tel dessin de Chantilly (Chantilly, 1994-1995, 15), étroitement apparenté à *L'Adoration des Mages* de Dresde, daté de 1633, est un dessin préparatoire très abouti, ou un *ricordo*. Sachant que le tableau était sans doute le morceau de réception de Poussin à l'académie de Saint-Luc à Rome, on peut imaginer que l'artiste avait exécuté le dessin pour le soumettre officiellement à l'académie, avant de commencer la toile. Car il y a aussi les dessins de présentation très achevés, conçus comme des œuvres d'art en soi : les fameuses feuilles Marino réalisées à Paris avant le départ pour Rome (cat. 1-4), l'*Acis et Galatée* et le *Mars et Vénus* (Chantilly, 1994-1995, 11-12) de 1627-1628, ainsi que le superbe sujet mythologique dont j'ai admis l'authenticité quand on me l'a montré lors de la préparation du catalogue d'une vente Phillips, à Londres, en 1991 (fig. 1). C'est vraisemblablement une feuille de 1631 environ, contemporaine de *L'Empire de Flore* de Windsor (cat. 14), mais ce dernier est une étude d'ensemble relativement sèche et schématique, alors que le dessin auquel nous avons affaire, magnifiquement travaillé au lavis, pourrait être une œuvre d'art autonome. Je dois ici faire une brève parenthèse pour contester la proposition de Rosenberg et Prat, selon laquelle les dessins de *L'Empire de Flore* de Windsor et de l'*Apollon et les Muses* du Getty se situeraient vers 1627, à une date proche de celle des dessins Marino, et non pas dans la période 1630-1631 comme l'indiquent leurs relations avec les toiles conservées respectivement à Dresde et à Madrid. La similitude avec les dessins Marino tient à leur fonction, pas à leur date : il s'agit chaque fois d'études d'ensemble, qui présentent donc forcément des aspects stylistiques communs.

Dans les années 1630, la diversité des dessins de Poussin s'accroît encore. Cette évolution reflète l'importance des commandes qu'il recevait désormais, et aussi sa volonté grandissante d'orchestrer de multiples personnages au sein de compositions toujours plus complexes. Avec les études pour les *Bacchanales* Richelieu, Poussin a manifestement concentré son attention sur des motifs de surface foisonnants, déréalisés, sur des mouvements figés et une configuration de personnages très compliquée, digne du maniérisme du XVI^e siècle, comme l'attestent les dessins de Windsor pour *Le Triomphe de Bacchus* et *Le Triomphe de Pan* (cat. 55 r° et v°), ou l'esquisse plus poussée pour *Le Triomphe de Bacchus* conservée à Kansas City (cat. 57). On observe la même tendance dans un dessin préparatoire pour *Le Frappement du rocher* (cat. 50) et le tableau d'Édimbourg, qui date peut-être des alentours de 1633-1634, ou encore dans la feuille d'Édimbourg pour *La Danse de la vie humaine* (cat. 90) et la peinture de la Wallace Collection, qui, à mon sens, ne se situe pas plus tard que 1635-1636, comme je l'ai dit voilà longtemps sans avoir rencontré beaucoup d'écho depuis lors[1]. (Après le colloque, j'ai pu voir le tableau de la Wallace en petit comité dans le cadre de l'exposition « Poussin » à la Royal Academy de Londres, où il côtoyait *Saint Jean baptisant le peuple* [cat. 53] et d'autres œuvres de 1633-1636, dont *Le Jeune Pyrrhus sauvé* [cat. 51] et les *Bacchanales* Richelieu. Cela m'amène à modifier la datation de *La Danse de la vie humaine*, que je situerais plutôt en 1634-1635, opinion que partagent Denis Mahon et d'autres personnes présentes ce jour-là.)

Dans beaucoup de dessins relatifs aux peintures d'histoire et aux tableaux religieux de la période, Poussin a surtout recherché l'effet théâtral, la précision du récit et l'expressivité des gestes, en accord avec les situations humaines spectaculaires et émouvantes qu'il représentait. C'est sans doute quand il mettait au point ce type de chorégraphies qu'il faisait l'usage le plus fécond de son théâtre miniature composé de figurines en cire et mannequins articulés, dont il se servait pour examiner la composition, la perspective, l'éclairage et les mouvements. Avigdor Arikha a fort bien analysé, dans le catalogue de l'exposition du Grand Palais, ce dispositif dont on peut apprécier les fruits dans bon nombre des dessins liés à la première série de *Sacrements*. Que l'on songe, par exemple, au *Jeune Pyrrhus sauvé* de Windsor (cat. 52) et au tableau du Louvre auquel il se rapporte. Je rappellerai à cet égard ce que j'écrivais dans l'introduction du catalogue de l'exposition de dessins à l'Ashmolean, en 1990 : « Dans les tableaux définitifs, la pulsion proto-baroque de la conception originale, qui s'exprime dans les dessins, va s'estomper et se condenser sous l'action d'une autodiscipline rigoureuse et d'un effacement de soi, jusqu'à ce que la composition en arrive à revêtir un caractère plus monumental, intemporel et irréel. Cette tendance classique à la maîtrise raisonnée d'un récit dramatique, visant à plus de cohérence et d'homogénéité, ne peut s'affirmer qu'en étant d'abord contrariée dans des dessins marqués par une fougue passionnée et une insistance quasi expressionniste. » Jusque dans sa période de pleine maturité, Poussin laisse apparaître un conflit entre la pulsion proto-baroque de dessins comme les trois études extrêmement animées pour *Le Frappement du rocher* (cat. 186-188) et l'ordonnance classique des peintures définitives, en l'occurrence le tableau de l'Ermitage qui date de la période 1646-1648 (cat. 185).

Dans les années 1640 et après, Poussin surmonte plus nettement la dialectique interne entre langages baroque et classique, mais aussi entre l'affinité affective avec le sujet traité et la discipline intellectuelle de la création mentale. Bon nombre des dessins préparatoires pour la seconde série de *Sacrements* répondent à des besoins précis dans l'élaboration du projet : Poussin agence la chorégraphie des personnages dans l'esquisse pour *La Pénitence* (cat. 126), essaie un éclairage zénithal dans l'étude d'ensemble pour *La Confirmation* (cat. 118), ou fixe l'organisation de la surface dans son dessin émouvant pour *L'Extrême-Onction* (cat. 114). Pourtant, ces feuilles nous frappent aussi par leur force d'expression, et, en même temps, par la virtuosité technique de l'artiste, totalement indifférent aux impératifs du dessin académique à Rome. C'est seulement lorsqu'il aborde l'exécution du tableau qu'il parvient enfin à se concentrer sur des détails aussi essentiels que les visages des protagonistes, les mouvements des drapés et les effets de matière d'objets comme la table chargée de victuailles dans *La Pénitence* (cat. 110). Alors qu'il a méticuleusement préparé le *Moïse sauvé des eaux* peint pour Pointel (cat. 159), avec notamment une suite admirable de dessins au pinceau (cat. 160-162) et une étude d'ensemble exceptionnellement précise et concise, parfois injustement considérée comme une simple copie ou un pastiche (Oxford, 1990-1991, 55), Poussin n'a pu s'empêcher d'ajouter au dernier moment un palmier supplémentaire sur la gauche, avant de changer d'avis et de le camoufler sous une couche de peinture, comme le révèle la radiographie.

Arrivé ici, j'espère que l'on ne m'en voudra pas de citer les célèbres commentaires de Mariette sur la méthode de travail de Poussin : « L'on a un très petit nombre de desseins finis du Poussin. Quand il dessinoit, il ne songeoit qu'à fixer ses idées, qui partoient avec tant d'abondance, que le même sujet lui fournissoit sur le champ une infinité de pensées différentes. Un simple trait, quelquefois accompagné de quelques coups de lavis, lui suffisoit pour exprimer avec netteté ce que son imagination avait conçu. Il ne recherchoit alors ni la justesse du trait, ni la vérité des expressions, ni l'effet du clair-obscur. C'étoit le pinceau à la main qu'il étudioit sur la toile ces différentes parties de son tableau. Il étoit dans la persuasion que toute autre méthode n'étoit propre qu'à ralentir le génie, et à rendre l'ouvrage languissant. [...] Car le génie de M. Poussin étoit tout poétique[2]. »

C'est dans ce contexte qu'il faut envisager le dernier tableau de Poussin, resté inachevé, représentant *Apollon amoureux de Daphné* (fig. 2; cat. 242). L'artiste a mis en place tous les éléments de la composition et porté certains personnages à un haut degré d'achèvement, tant dans les visages que dans les draperies. Ailleurs, par exemple dans le paysage ou le personnage couché au milieu du premier plan, il n'est pas allé beaucoup plus loin que le tracé des contours, et l'on peut seulement deviner l'expression du visage de cette femme ainsi que la direction exacte de son regard. Pour un peintre qui travaillait de cette façon, l'idée de copier ses propres œuvres aurait entraîné une inversion complète du déroulement des opérations. En revanche, rien ne s'opposait du point de vue technique ou intellectuel à l'exécution en parallèle, dans un laps de temps assez court, de variantes de la composition initiale, éventuellement d'après les mêmes dessins préparatoires. Un peu comme les auteurs actuels qui écrivent plusieurs versions de leur roman ou leur pièce de théâtre, avec des fins différentes. C'est surtout pour ces raisons que je crois qu'il faut rester très prudent devant les copies d'œuvres de Poussin par trop conformes, et très ouvert à l'égard des variantes possibles. J'ajouterai au passage que l'ultime peinture de Poussin fournit en outre un excellent instrument de mesure pour évaluer la situation des tableaux inachevés sur lesquels planent encore des incertitudes, en particulier *La Reine Zénobie trouvée sur les bords de l'Araxe*, de Saint-Pétersbourg (fig. 3; cat. 79), dont la technique ne ressemble certes pas à celle de l'*Apollon amoureux de Daphné*. Je suis très sceptique quant à l'attribution de cette toile à Poussin. À mon avis, ce pourrait bien être une copie inachevée d'une œuvre perdue, qui daterait de la fin des années 1630 ou du début des années 1640.

C'est peut-être le moment de revenir au sujet qui m'occupe ici et d'examiner un tableau représentant *Le Triomphe de Silène* dans la série des *Bacchanales* Richelieu. Cette œuvre est presque invariablement répertoriée parmi les copies anciennes. Pourtant, elle a commencé à piquer ma curiosité quand on l'a exposée à Édimbourg en 1981, à côté du *Triomphe de Pan* et du *Triomphe de Bacchus*. Elle est beaucoup moins intéressante par sa composition et sa facture, mais elle présente des similitudes de style et de technique, et un coloris presque identique. À l'époque de l'exposition, aucune explication n'a été proposée, ni dans mon catalogue, ni dans les principaux comptes rendus, dont ceux de Blunt et de Rosenberg[3]. Je notai après l'exposition : « S'il était avéré que Poussin ait jamais employé des assistants, on serait peut-être fondé à voir dans ce tableau une honnête œuvre d'atelier[4]. » Or, il est devenu de plus en plus évident que Poussin n'a quasi certainement jamais eu un atelier comparable à celui d'artistes italiens comme Dominiquin. Ce serait en contradiction avec tout ce que j'ai suggéré ici à propos de ses méthodes de travail. C'est pourquoi je n'ai cessé de demander à la National Gallery qu'elle fasse une enquête sur ce tableau et, au bout d'un long moment, elle a livré une observation extrêmement intéressante. Après avoir analysé des micro-prélèvements, Ashok Roy a confirmé que la technique du *Triomphe de Silène* concordait parfaitement avec celle du *Triomphe de Pan* accroché dans la même salle, tant par l'utilisation d'associations de pigments inhabituelles que par l'application d'un fond en deux teintes superposées, avec une sous-couche ocre recouverte d'un gris doux afin d'obtenir des effets plus finement nuancés et une surface plus léchée. Comme ce procédé est peu courant, même chez Poussin, et procède peut-être de la volonté d'imiter la planéité des peintures de Mantegna qui faisaient partie du même ensemble au château de Richelieu, on voit mal comment ce pourrait être l'œuvre d'un artiste français qui aurait réalisé, après l'arrivée du tableau chez le cardinal, une reproduction analogue aux copies de la série des trois *Bacchanales*, actuellement à Tours[5]. S'agirait-il alors d'une peinture originale, quoique décevante, de Poussin ? J'ai à nouveau soulevé la question au colloque de Washington, en mai 1994, et évoqué l'idée que Poussin pourrait avoir dépassé les délais et avoir été contraint d'expédier son tableau avant d'avoir pu le terminer de manière satisfaisante. Certaines parties, notamment le personnage de Silène, la nature morte au premier plan et la femme à droite, semblent beaucoup plus minutieusement travaillées que certains éléments plus sommairement exécutés, tels l'homme debout tout à droite, ou l'arrière-plan de paysage très insuffisant et exagérément étiré. Évidemment, je sais bien que cette thèse se heurte à des difficultés. Poussin aurait-il accepté d'envoyer à Richelieu quelque chose d'imparfait, fût-ce pour éviter les graves conséquences d'un retard? Même si, à première vue, l'hypothèse peut sembler foncièrement invraisemblable, je crois qu'elle mérite un instant de réflexion. Les documents n'attestent la livraison en mai 1636 que de deux des *Bacchanales* commandées par le cardinal de Richelieu pour son château, que l'évêque d'Albi a rapportées en rentrant de Rome. Il semble logique de présumer que c'étaient *Le Triomphe de Pan* et *Le Triomphe de Bacchus*, ce qui semblerait indiquer que *Le Triomphe de Silène* n'était pas encore achevé. Apparemment, le cardinal avait passé la commande de la série avant d'avoir décidé des derniers détails de l'aménagement de la salle du château. À en juger par les copies anciennes conservées à Tours, après leur arrivée, *Le Triomphe de Pan* et *Le Triomphe de Bacchus* ont subi un allongement d'une trentaine de centimètres en tout, dans le haut et le bas. En revanche, *Le Triomphe de Silène* a été exécuté d'emblée sur une toile de format vertical, alors que la composition ferait bien meilleur effet si le tableau était réduit en haut et en bas de manière à s'ajuster sur l'axe horizontal des deux autres *Bacchanales*. Cela pourrait vouloir dire que l'exécution du *Silène* se situe à une date légèrement plus tardive, à un moment où les exigences de la décoration du château étaient mieux connues, encore que le *Silène* ait subi lui aussi un allongement à son arrivée, mais seulement de dix-neuf centimètres, d'après la copie de Tours. Est-il totalement extravagant de supposer que l'artiste a dû modifier au dernier moment la composition initialement élaborée pour le *Silène* afin de s'adapter aux nécessités de la décoration du château, et qu'il l'a peint ensuite en toute hâte en se faisant aider beaucoup plus que de coutume par ses assistants, alors que les deux tableaux méticuleusement conçus et exécutés du *Triomphe de Pan* et du *Triomphe de Bacchus* étaient déjà arrivés en France? Je remarque avec plaisir que, dans les publications qui accompagnent l'exposition du Grand Palais, Pierre Rosenberg défend lui aussi ce tableau, même si l'on regrette qu'il ne fournisse aucune explication quant à la façon dont il a formé cette opinion. Je le soupçonne de ne pas tenir en très haute estime les trois *Bacchanales* Richelieu, dont pas une seule n'était exposée au Grand Palais, alors même qu'il a été le premier à reconnaître l'authenticité du *Triomphe de Bacchus*, longtemps relégué au rang des copies, jusqu'à l'exposition de Rome en 1977.

La plus célèbre de toutes les nombreuses copies d'après Poussin est *La Sainte Famille à l'escalier* de la

National Gallery of Art, à Washington. Cette œuvre passait pour l'un des plus beaux chefs-d'œuvre de Poussin jusqu'à l'apparition à Cleveland, en 1981, d'un tableau provenant d'une collection particulière française, que la plupart des spécialistes, à l'exception remarquable de Jacques Thuillier, considéraient jusque-là comme une version secondaire. Un examen radiographique a démontré de manière indiscutable que la toile de Cleveland (cat. 173) était la première version de l'artiste. Comme le souligne Ann Lurie, qui a publié les radiographies en 1983, on voit nettement que Poussin a d'abord repris la composition au stade exact où il l'avait laissée dans l'esquisse soigneusement modulée conservée au Louvre (cat. 179) : « Quand Poussin a commencé à peindre, il ne se préoccupait plus de la disposition du groupe de personnages qui était alors clairement arrêtée, même s'il devait encore apporter quelques modifications notables. Il a concentré son attention sur certains problèmes de perspective, sur le rapport entre les personnages et le spectateur, et, plus encore, sur l'arrière-plan architectural. Après avoir placé la Sainte Famille au premier plan, Poussin a cherché un moyen d'accroître la distance entre les personnages et le spectateur sans atténuer la relation directe[6]. » Plus précisément, il avait prévu sur la gauche deux colonnes et une arcade. Cela mis à part, la différence la plus intéressante entre les deux images réside dans le souci du détail qui devient invariablement un aspect fondamental de la méthode de Poussin quand il passe des dessins au tableau proprement dit. Après un voyage rapide entre Cleveland et Washington, j'observais en 1982 que la version de Cleveland était « plus vigoureuse que celle de Washington, avec un coloris plus soutenu, un modelé des personnages plus marqué et un clair-obscur plus accentué. En outre, il y a plus de minutie et plus d'énergie tout à la fois dans le traitement de détails comme les fleurs et l'oranger à gauche, la corbeille de fruits au tout premier plan et les briques soulignées à la pointe de métal sur le mur, à l'extrême droite. *La Sainte Famille* de Washington a une surface beaucoup plus lisse et régulière, et, s'il est pratiquement certain que cette peinture a été exécutée du vivant de l'artiste, il est bien moins probable à présent que ce soit une œuvre de Poussin lui-même[7]. » Après quoi j'envisageais l'hypothèse d'une attribution à Jacques Stella, le plus inventif des disciples français de Poussin. Cependant, étant donné la réputation et la qualité du tableau de Washington, certains auteurs ont commencé à se demander, du moins en privé, si ce n'était pas une réplique autographe. En mai 1994, ce qui n'était pas trop tôt, mais qui représente un acte de générosité louable, surtout de la part de la National Gallery of Art de

Washington où cela s'est passé, un petit colloque a pu examiner à huis clos les deux tableaux enfin réunis. Il a fallu se rendre tout de suite à l'évidence : la toile de Cleveland devançait celle de Washington, non seulement sur le plan de l'antériorité chronologique, mais aussi par la qualité et la précision de sa facture, comme l'a confirmé l'analyse technique détaillée de Marcia Steele. Les comptes rendus de laboratoire ne permettent pas de dire si le tableau de Washington est d'origine italienne ou française, mais Ross Merrill, directeur des services de restauration à la National Gallery of Art, incline fortement à penser qu'il est dû à un peintre très proche de Poussin. Tous les éléments du tableau, depuis le type de toile jusqu'aux superpositions de couches, en passant par les empreintes digitales dans le fond, les incisions dans la couleur et l'architecture en saillie, tout rappelle les habitudes de Poussin à Rome. Ross Merrill verrait là une intervention d'un assistant de l'atelier, plutôt que celle d'un copiste indépendant travaillant en France, tel que Jacques Stella[8].

Ces considérations entrent forcément en ligne de compte quand on se penche sur d'autres exemples de versions identiques deux à deux, et elles incitent à une extrême prudence avant de formuler des jugements hâtifs sur les bonnes répliques d'époque. Le cas le plus litigieux en ce moment concerne sans nul doute *La Fuite en Égypte* et ses deux versions aujourd'hui en mains privées; on sait que cette composition a été exécutée pour Sérisier en 1658. Anthony Blunt a publié en 1982[9] la première version connue, actuellement dans la collection de Mme Barbara Plasecka Johnson, à Princeton (États-Unis). L'autre a été redécouverte quelques années après, et exposée à la galerie Pardo, à Paris, en 1989. Rosenberg et Thuillier la défendent. Ce tableau, que j'étais tenté d'accepter quand je l'ai vu à la galerie Pardo en 1989, est reproduit par Rosenberg avec une attribution à Poussin dans le catalogue de l'exposition de 1994, sans un mot d'explication[10], tandis que Jacques Thuillier admet son authenticité dans la nouvelle édition de son catalogue Poussin, et l'argumente avec beaucoup de pénétration dans la *Revue de l'art*[11]. Denis Mahon m'a appris qu'il tenait la version de Paris pour une copie, évoquant le style de Poussin dans les années 1640, et non pas sa manière plus tardive comme le voudrait une commande de 1658. Il se propose de justifier son point de vue dans une prochaine publication. Alors qu'il suffit de se servir de ses yeux pour voir que *La Sainte Famille à l'escalier* de Cleveland l'emporte sur la version de Washington indépendamment des questions d'attribution, quand il s'agit de *La Fuite en Égypte*, la question de la qualité relative est beaucoup plus difficile à trancher et je n'ai malheureusement jamais vu les deux versions côte à côte, ni même à un bref intervalle. Là encore, il faudra probablement nous en remettre aux scientifiques et attendre que l'analyse des pigments, l'examen des couches de peinture et les comptes rendus techniques nous sortent de l'impasse. (La version de Paris est restée hélas invisible pendant toute la durée de l'exposition.) Après le colloque, le tableau de Princeton a fait l'objet d'un examen de laboratoire à la National Gallery de Londres et on a pu le voir en séance privée à l'exposition de la Royal Academy, à côté d'œuvres tardives de Poussin dont l'authenticité est irréfutable, notamment *L'Annonciation* de 1657 à la National Gallery de Londres, l'*Achille parmi les filles de Lycomède* de 1656 à Richmond, *La Sainte Famille en Égypte* de 1655-1657 environ à Saint-Pétersbourg. L'examen scientifique réalisé par Ashok Roy révèle que *La Fuite en Égypte* de Princeton est peinte sur un fond en deux couches très inhabituel : un brun foncé charbonneux superposé à un ocre plus traditionnel, ce qui donne au tableau une tonalité exceptionnellement douce. Or, cette technique singulière trouve un équivalent exact dans l'*Annonciation* peinte à la même date que le tableau pour Sérisier. L'analyse scientifique de *La Fuite en Égypte* fournit aussi une explication pour l'effet d'auréole ou le repentir autour de la tête de Joseph : à l'origine, sa silhouette se découpait sur le ciel bleu, et l'architecture a été ajoutée après, mais il reste des traces du ciel initial. Après examen de la surface picturale, Jill Dunkerton, restaurateur à la National Gallery, note que les curieuses mouchetures rouges utilisées pour renforcer le modelé de l'âne dans *La Fuite en Égypte* apparaissent aussi sur l'âne de *La Sainte Famille en Égypte* de Saint-Pétersbourg. Enfin, il existe des ressemblances saisissantes entre la facture libre, presque tremblée, du feuillage dans *La Fuite en Égypte* et les arbres sur la droite de l'*Achille parmi les filles de Lycomède* de Richmond. Ces données prises ensemble accréditent fortement la thèse de Denis Mahon, convaincu que *La Fuite en Égypte* de Princeton est une œuvre originale, et non pas une copie, peinte par Poussin vers 1657-1658. Bien sûr, ces indications ne sauraient constituer des raisons suffisantes pour écarter la version de Paris, qui est de très grande qualité et recueille les suffrages de plusieurs spécialistes français éminents. Seule une analyse technique pourra peut-être résoudre l'épineuse question de son rapport exact avec la version de Princeton. Comme *La Sainte Famille* de Washington, elle est probablement d'une autre main.

L'exposition du Grand Palais proposait une confrontation intéressante entre la célèbre *Annonciation* de la National Gallery (cat. 227), que Rosenberg range « parmi les derniers chefs-d'œuvre de Poussin », et la petite *Annonciation* sur bois de Munich (cat. 216), qui reprend le motif central mais place les personnages au tout premier plan de manière déconcertante. La première était apparemment destinée à la sépulture de Cassiano dal Pozzo, mort en 1657, tandis que la seconde serait peut-être un *modello*, d'après Rosenberg. Étant donné ce que l'on sait des méthodes de travail de Poussin, j'ai du mal à admettre l'hypothèse du *modello*. On ne trouve pas dans le tableau de Munich la splendide austérité de la composition de Londres, ni l'assurance avec laquelle les personnages sont disposés dans l'espace architectural. Les drapés bien prononcés, presque sculpturaux du tableau de Londres, son atmosphère affective en demi-teintes, tout cela disparaît dans le tableau de Munich. Sans être dénuée de charme, d'élégance et de délicatesse, l'*Annonciation* de Munich ne laisse rien voir dans son exécution de la rigueur et l'intelligence que l'on attend de Poussin. Les effets d'ombre et de lumière, auxquels l'artiste attachait toujours une si grande importance, manquent de logique et de cohérence. Il est bien plus probable que ce soit là une reproduction du tableau de Londres exécutée à titre de souvenir. Dans ce cas, Poussin pourrait-il en être l'auteur? Les mêmes doutes s'appliquent automatiquement au pendant peu convaincant de cette peinture, la *Nativité* (cat. 217). Là, il nous faut attendre de plus amples informations techniques sur le tableau de Munich avant de pouvoir tirer des conclusions définitives.

Il est temps de laisser de côté le problème sensible des copies pour aborder la question plus fertile des variantes autographes. Ce qui suppose que l'on revienne au premier séjour romain de Poussin. Au début de sa carrière, il a sans doute peint quelques-unes de ses œuvres de plus petit format un peu comme des investissements, en espérant trouver plus tard des acquéreurs. Peut-être a-t-il même réalisé en même temps plusieurs versions d'œuvres décoratives mineures comme *Nymphe et satyre buvant* dont il existe des exemplaires à Madrid, Moscou et Dublin. On a toutefois un cas de figure beaucoup plus intéressant avec le *Midas se lavant dans le Pactole*, dont on connaît deux variantes, l'une au Metropolitan Museum of Art de New York (fig. 4; cat. 10), l'autre dans une collection particulière anglaise (fig. 5), qu'Anthony Blunt a été le premier à publier avec une attribution à Poussin[12]. Il semble probable que l'artiste ait eu les deux toiles dans son atelier au même moment. Il a sans doute achevé en premier le tableau de New York, plus léché. La version de la collection particulière est beaucoup plus sommaire, surtout dans la partie inférieure droite, où un *putto* tenant une corne d'abondance renversée a remplacé les deux *putti* couronnés de feuilles et leurs pots à eau. Cette portion de la toile est simplement ébauchée. Nous avons là le meilleur exemple de tableau laissé par Poussin à un stade guère plus avancé ou médité que celui d'une esquisse à l'huile, qui montre en outre comment l'artiste a pu revenir sur une composition dans un esprit d'exploration créatrice, sans adopter le moins du monde la distanciation scrupuleuse qu'exigerait une copie exacte. Mieux encore, comme le remarque Blunt, « aucune copie ne pourrait avoir la fraîcheur et la vivacité de facture que l'on perçoit immédiatement dans toutes les parties de cette peinture ». Outre le *putto*, il y a des différences considérables dans l'agencement de la végétation environnante, des arbres, des plantes et des rochers. De plus, comme le souligne Blunt, Midas a des oreilles humaines dans le tableau de New York, qui deviennent rouges et pointues dans la version en mains privées, peut-être par allusion aux oreilles d'âne qu'Apollon a données à Midas pour le punir d'avoir tranché en faveur de Marsyas dans le concours de musique qui l'opposait aux dieux. On en est réduit à se demander si Poussin a commencé le tableau de la collection particulière à la suite d'une commande bien précise et l'a abandonné en cours de route pour une raison ou une autre, ou s'il avait décidé de réaliser rapidement une copie destinée à son usage personnel, puis s'est laissé emporter par des idées de modifications, avant d'être interrompu par la vente de l'original. Après le colloque, on a pu examiner le tableau de la collection particulière en visite privée à l'exposition de la Royal Academy, où il était juxtaposé au *Midas se lavant dans le Pactole* de New York et aux *Bergers d'Arcadie* de Chatsworth (cat. 11). La confrontation faisait apparaître une évolution stylistique bien nette d'un tableau à l'autre. Le *Midas* de New York semble le premier en date. Les frottis importants dans le modelé du dieu-fleuve et les contours peu marqués des personnages semblent le situer à peu près à la même date que *La Mort de Germanicus*, vers 1627-1628. Dans *Les Bergers d'Arcadie* de Chatsworth, les personnages ont des contours plus francs et une musculature beaucoup plus structurée. Ce tableau pourrait bien être légèrement postérieur et dater de 1628-1629 environ. Malgré ses parties inachevées, telles que la robe rouge jetée sur l'arbre, le feuillage à l'arrière-plan et les couronnes de laurier des *putti*, le *Midas* de la collection anglaise reflète l'évolution stylistique signalée dans le tableau de Chatsworth, comme en témoignent les contours fermement soulignés du dieu-fleuve, au centre, et la musculature plus finement architecturée de Midas, sur la gauche. Cette œuvre est quasi certainement la troisième dans l'ordre chronologique. Elle est restée inachevée, non seulement dans les portions restées à l'état d'ébauche, mais aussi dans le modelé du dieu-fleuve et du tissu qui lui ceint les reins, relativement peu travaillé.

Une autre œuvre de la même période, que j'avais publiée il y a deux ans mais que je reproduis ici pour la première fois depuis son nettoyage, met également en évidence la liberté de facture remarquable qui caractérise les peintures de Poussin à cette date. Ce tableau de la collection de Bob Haboldt, à New York, figure *Le Repos pendant la fuite en Égypte* (fig. 6), et il est peint sur un panneau de chêne, support assez exceptionnel, choisi peut-être pour accentuer les effets de haute pâte. La radiographie (fig. 7) révèle une exécution des plus spontanées, pratiquement sans préparation préalable du panneau[13].

Le moment est venu maintenant de présenter une œuvre inédite de Poussin, magnifiquement conservée, un *Christ au jardin des Oliviers* (fig. 9) qui correspond très vraisemblablement à un tableau attesté dans la collection Barberini. C'est une peinture sur cuivre qui s'apparente étroitement à un autre *Christ au jardin des Oliviers* (fig. 8), également sur cuivre mais différent par sa composition, que Timothy Standring a publié en 1985[14] et que Denis Mahon a identifié de manière probante avec un tableau répertorié dans la collection de Cassiano dal Pozzo, sans doute peint en 1627[15]. À l'époque où l'on a découvert le tableau de la collection dal Pozzo, rien ne permettait de savoir si la peinture sur le même thème, signalée d'abord dans l'inventaire du prince Don Taddeo Barberini en 1648-1649, puis dans celui du prince Maffeo Barberini en 1655, était une répétition, éventuellement autographe, de ce tableau ou une composition bien distincte. La question se compliquait encore du fait que le nom de Poussin n'était pas associé à cette peinture avant le dernier inventaire du prince Maffeo, en 1686. Anthony Blunt a eu naguère en sa possession un *Christ au jardin des Oliviers* peint sur toile, présentant une composition fort différente du tableau de dal Pozzo, qu'il tenait pour une copie d'un Poussin perdu[16]. Malgré tout, Standring et Mahon supposaient tous deux que le tableau des Barberini qui avait disparu devait être une réplique autographe du *Christ au jardin des Oliviers* de dal Pozzo, hypothèse encore plausible à ce stade de la carrière de l'artiste. Mahon écrivait en 1985 : « [...] il est séduisant d'imaginer que, ayant vu *Le Christ au jardin des Oliviers*, le cardinal Francesco Barberini ait pu demander une réplique autographe, ou que cela ait pu contribuer à faire valoir à Poussin la commande de *La Mort de Germanicus.* » Barberini est rentré à Rome à l'automne 1626 et a sans doute commandé *Le Christ au jardin des Oliviers* dans le courant de l'année suivante.

En février 1986, une autre version du tableau de dal Pozzo a fait son apparition dans une vente Finarte à Milan. Konrad Oberhuber[17], suivi par Timothy Standring[18], a estimé peu après qu'il s'agissait du Poussin perdu de la collection Barberini. Or, cette copie ancienne, elle aussi sur cuivre, doit désormais céder la place au tableau présenté ici, qui est indéniablement autographe et a même servi de modèle pour la copie d'Anthony Blunt. On voit que, dès cette époque, Poussin avait trop d'exigence envers lui-même et trop d'inventivité pour laisser passer une occasion d'élaborer une composition nouvelle et, peut-être, plus convaincante. À en juger d'après les dessins en rapport avec cette œuvre, conservés aujourd'hui à l'Ermitage et à Windsor, les deux tableaux procèdent d'une même idée de départ, et Poussin les a exécutés immédiatement l'un après l'autre, voire en même temps. Tous deux baignent dans une atmosphère nocturne, chose rare dans n'importe quelle période de l'art de Poussin, et présentent la même tonalité rougeâtre, ainsi qu'un éclairage presque caravagesque. Les deux compositions comptent parmi les plus aérées et les plus baroques que Poussin ait jamais conçues. La feuille de l'Ermitage porte au recto et au verso deux études rapides d'un même sujet (fig. 10). Le recto, montrant le Christ agenouillé de profil, est très proche du tableau de dal Pozzo. Le verso se rapproche davantage du tableau des Barberini. Il montre deux variantes d'une pose du Christ vu de face, dont l'une rappelle le Moïse visible tout en haut de *La Bataille de Josué contre les Amalécites*, sans doute peinte vers 1625-1626 (cat. 7). Un troisième dessin, à Windsor (fig. 11; cat. 41), diffère totalement par son style et sa technique. Il est exécuté à la plume et au lavis brun sur du papier bleu clair. Le contraste entre le support bleu et les nuances argentées du lavis produisent une impression spectaculaire de lueur nocturne émanant du ciel, qui n'apparaît pas clairement sur la feuille de l'Ermitage mais fait autant d'effet que dans chacune des deux peintures sur cuivre. La composition ressemble plutôt à la version de dal Pozzo, tout en étant beaucoup plus simple, plus austère et classique. Le Christ est étendu face contre terre et non pas agenouillé. (Il y a un autre élément iconographique insolite : le personnage aux bras croisés qui accompagne l'ange et symbolise peut-être l'Église. On le retrouve dans les deux esquisses de l'Ermitage et dans les deux tableaux.) Le dessin de Windsor allie le clair-obscur naturaliste et théâtral à une composition qui tend vers l'abstraction, contrairement à celle des peintures sur cuivre. Il préfigure par là, à certains égards, bon nombre des particularités de style d'un *Saint Jean-Baptiste* de Georges de La Tour, peint au début des années 1640, redécouvert depuis peu et répertorié nulle part, que j'ai publié ailleurs[19]. Au moment de l'exposition à Oxford, alors que je connaissais déjà *Le Christ au jardin des Oliviers* provenant de la collection Barberini sans pouvoir le reproduire, j'exprimai quelques incertitudes sur la question de savoir si le dessin de Windsor correspondait à une étape intermédiaire entre les deux peintures sur cuivre, ou si, comme je le crois à présent, il était légèrement postérieur et représentait un dernier affinement des idées de l'artiste[20]. De toute façon, ce dessin magnifique était soit destiné à être montré à un client potentiel, telle une sorte de maquette préparant peut-être une troisième version, soit conçu comme une œuvre d'art en soi. J'ai la conviction que les dessins et les deux peintures s'inscrivent dans un seul et même cheminement créatif. C'est pourquoi je ne suis pas du tout d'accord avec Jacques Thuillier qui, dans une monographie récente, situe ces dessins dans les dernières années de la carrière de Poussin, vers 1650-1655[21].

Un mécanisme analogue semble être intervenu dans la genèse de deux tableaux étroitement apparentés figurant *Le Retour d'Égypte*, même si l'on ne connaît pas de dessin en rapport avec ces peintures, et s'il y a apparemment une trop grande distance entre les deux pour que l'on puisse les rattacher à un seul et unique projet. Le tableau plus romantique peint vers 1627, et conservé à Cleveland (fig. 12), n'a pas toujours fait l'unanimité[22]. Là, les anges et les *putti* qui volent dans le ciel teinté par un coucher de soleil rougeoyant rappellent fortement le style des anges et *putti* proto-baroques dans le ténébreux *Christ au jardin des Oliviers* de dal Pozzo. Tandis que dans le *Retour d'Égypte* de Dulwich (fig. 13), qui doit être postérieur d'environ un an (sans doute proche par sa date du *Renaud et Armide* de la même collection), les *putti* sont beaucoup plus calmes, le paysage plus structuré et schématique, la mise en page plus classique, le coloris plus clair et l'effet dramatique plus resserré. Ces ajustements stylistiques opérés à l'intérieur d'une composition donnée ne sont pas très éloignés de l'affinement progressif des idées que l'on a pu observer à propos du *Christ au jardin des Oliviers*. Après le colloque, les deux versions du *Retour d'Égypte* et la version du *Christ au jardin des Oliviers* provenant de la collection dal Pozzo ont été exposées ensemble à la Dulwich Picture Gallery, de janvier à avril 1995, sur une initiative de Sir Denis Mahon. On a eu alors la confirmation flagrante de l'hypothèse avancée ici quant à la datation du tableau de

Cleveland aux alentours de 1627, dans la même période que *Le Christ au jardin des Oliviers*.

Dans les années 1630 et 1640, Poussin était enclin à des révisions plus radicales de ses idées. Il nous offre pourtant un dernier exemple de variation mineure sur le même thème vers la fin des années 1650, date à laquelle il a sans doute peint le *Baptême du Christ* de Philadelphie (fig. 15; cat. 219). Grâce à une initiative de Simon Dickinson, un atelier de restauration londonien a pu examiner de près une variante de cette composition conservée dans la collection Wemyss (fig. 14; cat. 218), que Blunt a reléguée au rang de copie du tableau de Philadelphie dans son catalogue raisonné, sans la reproduire ni remarquer certaines divergences notables par rapport à l'autre version[23]. Je crois que presque tous ceux d'entre nous qui avons eu le privilège de la voir dans des conditions favorables étions déjà tentés de la considérer comme un Poussin authentique. Pourtant, c'est seulement après avoir pu regarder les deux tableaux côte à côte, dans le cadre de l'exposition du Grand Palais, que l'on mesure leur très grande parenté de style. Il n'est peut-être pas extravagant de supposer que Poussin a eu les deux toiles dans son atelier en même temps, ou l'une à la suite de l'autre, comme les deux versions du Midas. Cependant, nous avons affaire ici à deux tableaux pleinement aboutis. Toute la différence entre les deux tient à l'interprétation du sujet. L'un et l'autre se distinguent par le parti audacieux consistant à montrer tous les protagonistes de profil gauche, tournés vers l'acte du baptême proprement dit. Dans le tableau de Philadelphie, qui présente peut-être une plus grande unité de composition, on ne voit plus le personnage qui était debout à droite dans la version Wemyss, de sorte que l'attention du spectateur se concentre davantage sur le sacrement et sur la colombe introduite à gauche, absente de la version Wemyss, motif que Poussin a également utilisé dans *L'Annonciation* de Londres sans doute légèrement antérieure. Il semble inconcevable que la toile Wemyss soit l'œuvre d'un imitateur de Poussin. Le modelé délicat des têtes caractérisées par des nez un peu proéminents, le traitement du paysage, et surtout la conception harmonieuse de la composition, qui engendre un climat d'émerveillement contemplatif, tout cela concorde avec la thèse d'une peinture autographe. De fait, ce tableau se rapproche beaucoup, par son style, de *La Fuite en Égypte* peinte pour Sérisier en 1658, dont j'ai déjà parlé.

J'ai voulu attirer l'attention sur les méthodes de travail de Poussin, sur les rapports entre ses dessins et ses peintures, et sur sa faculté inépuisable de rectifier ses inventions personnelles en opérant des ajustements à tous les stades de la genèse d'un tableau. J'espère contribuer ainsi à réconcilier l'image du Poussin intellectuel, homme à idées, avec celle du Poussin peintre empirique et éminemment poétique, qui formulait et modifiait ses idées par des moyens plastiques, le pinceau à la main. Car, en dernière analyse, Poussin s'en remettait totalement à ses instincts picturaux pour exprimer pleinement ses idées et convictions les plus profondes, pour exprimer aussi sa sensibilité puissamment poétique et imaginative à la littérature, la philosophie et l'histoire antique. L'un des grands bonheurs de l'exposition Poussin aura été de pouvoir appréhender ce long cheminement créatif comme une seule et unique expérience.

## Notes

Ce texte est une version remaniée d'une communication donnée au colloque Poussin organisé sur invitation (CASVA) à la National Gallery of Art de Washington en mai 1994. Pour permettre d'identifier plus aisément les dessins évoqués ici, je renvoie à des catalogues d'exposition récents, plus accessibles que le catalogue raisonné de Friedlaender et Blunt : Fort Worth, 1988; Oxford, 1990-1991; Paris, Grand Palais, 1994-1995, et Chantilly, 1994-1995.

* Les références mentionnées ainsi renvoient au catalogue de l'exposition du Grand Palais, Paris, 1994-1995.

1. Brigstocke, 1982 (1), pl. 14, n. 6.

2. P. J. Mariette, *Description sommaire des desseins des grands maistres* [...] *du cabinet de feu M. Crozat*, Paris, 1741, p. 114.

3. Rosenberg, juin 1982, pp. 376-380; Blunt, 1982, p. 328.

4. Brigstocke, cat. exp. Édimbourg, 1981, n° 26. Voir également Brigstocke, 1982 (1), pp. 239-240.

5. Sur les copies conservées à Tours, voir Adelson, 1975, n° 1, pp. 237-241.

6. Lurie, 1982, pp. 664-671.

7. Brigstocke, 1982 (2), pp. 8-14.

8. Marcia Steele et Ross Merrill ont présenté au colloque de la Royal Academy à Londres, le 24 mars 1995, des versions augmentées de leurs interventions à Washington, et je les remercie tous deux de m'avoir communiqué ces textes.

9. Blunt, 1982 (1), pp. 208-213.

10. Rosenberg, cat. exp. Paris, Grand Palais, p. 27.

11. Thuillier, 1994 (2), pp. 33-42.

12. Blunt, 1981, pp. 226-228.

13. Brigstocke, 1993, pp. 10-11.

14. Standring, 1985, pp. 615-617.

15. Mahon, 1985, p. 900.

16. Reproduit dans Wild, 1980, vol. II, M13.

17. Oberhuber, cat. exp. Fort Worth, 1988, n° 40.

18. T. Standring, conférence inédite à la College Art Association, San Francisco, février 1988. Standring est revenu sur son opinion lors du colloque Poussin à Washington, en mai 1994.

19. Voir H. Brigstocke, « George de La Tour's St John the Baptist », *Sotheby's Preview,* décembre 1994, pp. 46-47. Voir également « George de La Tour's St John the Baptist », *Shop Talk Studies in Honor of Seymour Slive,* Harvard University Press, 1995, pp. 44-45.

20. Brigstocke, cat. exp. Oxford, 1990, n° 15, avec des reproductions de la feuille de l'Ermitage, fig. 4 et 5. Voir également Kamenskaja, 1969, pp. 424-425.

21. Thuillier, 1994 (1), n° 88.

22. Rosenberg le reproduit dans cat. exp. Paris, Grand Palais, 1994-1995, p. 23, avec une attribution à Nicolas Poussin.

23. Ian Kennedy et Simon Dickinson, 1994, pp. 612-616, proposent de situer vers 1655 la version Wemyss, soit à une date proche de celle du *Saint Pierre et saint Jean guérissant le boiteux* (cat. exp. Paris, Grand Palais, 1994-1995, n° 222).

Fig. 1
Nicolas Poussin
*Jupiter et Eurynome* (?)
Plume et lavis brun sur traces de pierre noire,
21,7 x 38,7 cm
Londres, collection particulière.

Fig. 2
Nicolas Poussin
*Apollon amoureux de Daphné*
Toile, 1,55 x 2,00 m
Paris, musée du Louvre.

Fig. 3
Copie d'après
Nicolas Poussin
*La Reine Zénobie trouvée sur les bords de l'Araxe*
Toile,
1,56 x 1,94 m
Saint-Pétersbourg,
musée de l'Ermitage.

Fig. 4
Nicolas Poussin
*Midas se lavant dans le Pactole*
Toile, 0,97 x 0,72 m
New York, The Metropolitan Museum of Art.

Fig. 5
Nicolas Poussin
*Midas se lavant dans le Pactole*
Toile, 0,93 x 0,74 cm.
Londres, collection particulière.

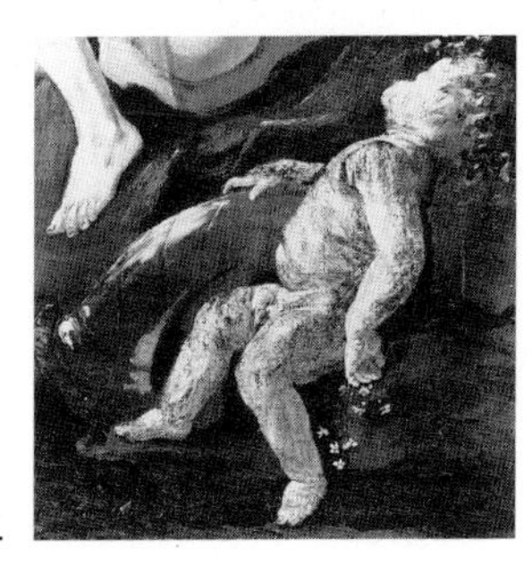

Détail de la fig. 5.

Fig. 6
Nicolas Poussin
*Le Repos pendant la fuite en Égypte*
Bois, 0,46 x 0,31 m
New York, collection particulière.

Fig. 7
Radiographie du *Repos pendant la fuite en Égypte* (fig. 6).

Fig. 8
Nicolas Poussin
*Le Christ au jardin des Oliviers*
Cuivre, 0,61 x 0,48 m
Inscription au dos : SALVATORIS IN HORTO GETSEMA / NI A NICOLAO POVSSIN COLORIBVS / EXPRESSA
Collection particulière.

Fig. 9
Nicolas Poussin
*Le Christ au jardin des Oliviers*
Cuivre, 0,60 x 0,47 m
Collection particulière.

Fig. 10
Nicolas Poussin
*Le Christ au jardin des Oliviers*
Plume, 12,2 x 14 cm, recto
Saint-Pétersbourg,
musée de l'Ermitage.

Fig. 10 bis
Nicolas Poussin
*Le Christ au jardin des Oliviers*
Plume, 12,2 x 14 cm, verso
Saint-Pétersbourg,
musée de l'Ermitage.

Fig. 11
Nicolas Poussin
*Le Christ au jardin des Oliviers*
Plume et lavis brun sur papier bleu clair,
partie supérieure 17,3 x 24,2 cm,
partie inférieure 10,3 x 23,5 cm.
Windsor Castle, Royal Library.
Reproduit avec l'aimable autorisation de Sa Majesté la reine d'Angleterre.

Fig. 12
Nicolas Poussin
*Le Retour d'Égypte*
Toile, 1,34 x 0,99 m
Cleveland,
The Cleveland Museum of Art.

Fig. 13
Nicolas Poussin
*Le Retour d'Égypte*
Toile, 1,12 x 0,94 m
Londres,
Dulwich Picture Gallery.

Fig. 14
Nicolas Poussin
*Le Baptême du Christ*
Toile, 0,78 x 1,04 m
Midlothian, Gosford House, comte de Wemyss et March.

Fig. 15
Nicolas Poussin
*Le Baptême du Christ*
Toile, 0,96 x 1,35 m
Philadelphie, Philadelphia Museum of Art, collection John G. Johnson.

# La *Nymphe endormie* de la National Gallery de Londres L'apport des radiographies

**Humphrey Wine**
Conservateur à la National Gallery, Londres

*Traduit de l'anglais par Jeanne Bouniort*

*Nymphe endormie et satyres* (fig. 1) compte parmi les premières acquisitions de la National Gallery de Londres. À cette date, 1831, le tableau est présenté comme un authentique Poussin. Il fait partie d'un lot de peintures léguées par William Holwell-Carr, qui lui avait donné le titre de *Jupiter et Antiope*[1]. Quand George Foggo rédige un commentaire sur la collection du musée en 1845, il voit dans cette œuvre « un mauvais sujet, pas très bien traité[2] ». C'est peut-être parce qu'elle ne correspond pas au goût du temps qu'elle est la seule de tout le legs de Holwell-Carr à ne pas être exposée au cours des quatre années qui suivent la mort du donateur. Quand elle est enfin publiée dans le catalogue des peintures du musée établi par Ottley en 1835, le titre de *Jupiter et Antiope* a cédé la place à celui de *Nymphe et satyres*[3]. Pendant toute une période, les catalogues de la National Gallery désignent la nymphe sous le nom de Vénus. Puis, en 1946, elle redevient une simple nymphe dans la première édition du catalogue des peintures françaises rédigé par Martin Davies[4].

Malgré les fluctuations du titre, l'attribution demeure immuable, du moins jusqu'en 1946, où Davies, conforté dans son opinion par les doutes que Friedlaender exprimait en 1933[5], déclare que ce tableau « n'a jamais été un original, mais une copie du XVIII^e siècle d'après une œuvre de jeunesse ». Quand Davies prépare une nouvelle édition du catalogue des peintures françaises de la National Gallery, en 1957, il maintient son appréciation, en se fondant sur ce qu'il appelle « la liberté de la technique par endroits, et en outre le style de la tête et de la main droite de la nymphe endormie ». Pourtant, il est bien obligé de reconnaître que le tableau « est assez bien peint[6] ». À la suite de Davies, Anthony Blunt et Jacques Thuillier pensent eux aussi qu'il s'agit d'une copie d'une composition du jeune Poussin[7]. Finalement, les exigences de la restauration et le regain d'intérêt pour Poussin manifesté en 1994 conjuguent leurs effets pour inciter à reconsidérer l'attribution du tableau.

On a aujourd'hui une vision plus globale qu'autrefois de la trajectoire de Poussin en général, et de son œuvre de jeunesse en particulier. Il n'existe aucune incompatibilité sur le plan de la facture (dans des détails comme le feuillage, les cheveux ou les drapés) entre la *Nymphe endormie* de la National Gallery et d'autres scènes mythologiques ou bachiques peintes par le jeune Poussin, telle *La Nourriture de Bacchus* conservée au Louvre (fig. 2) ou *Vénus et Mercure* de la Dulwich Picture Gallery de Londres. Dans le tableau de la National Gallery, le Cupidon (fig. 3) présente de grandes affinités avec le *putto* placé au premier plan du fragment de la composition de Dulwich qui est conservé au Louvre (fig. 4). De plus, on observe des ressemblances très nettes entre la *Nymphe endormie* de Londres (fig. 5) et l'*Amor vincit omnia* de Cleveland (fig. 6), en ce qui concerne le feuillage aussi bien que le modelé des satyres.

La tête de la nymphe de Londres ne fait pas plus songer au XVIII^e^ siècle que d'autres dans des tableaux du jeune Poussin, bien au contraire. Le dessin des mains de la nymphe, un peu superficiel il est vrai, pourrait sembler indiquer une copie, mais étant donné la qualité de la peinture à tous autres égards, on penche plutôt pour l'hypothèse d'un original exécuté rapidement. Rien qui puisse contredire cette impression n'est ressorti de l'examen scientifique préliminaire effectué par le laboratoire de la National Gallery. L'analyse des prélèvements révèle que la disposition des couches picturales et la nature des matériaux utilisés concordent parfaitement avec ce que l'on connaît des méthodes de Poussin[8].

La déduction assez logique qu'il s'agit bien d'une œuvre autographe de Poussin trouve une confirmation dans les renseignements apportés par la radiographie (fig. 7). Ce document, que Davies décrit dans son catalogue de 1957, a indéniablement contribué à lui faire nuancer son rejet du tableau, devenu probable et non plus catégorique. Cependant, la radiographie est restée inédite jusqu'à ce jour, et d'ailleurs elle n'a guère suscité d'intérêt, puisque la peinture était mise au rang des copies.

Le haut de la radiographie, telle qu'elle est reproduite ici, correspond au côté droit du tableau. Manifestement, la toile a servi pour plus d'une composition. On distingue nettement le buste (souligné sur la fig. 8) d'un homme qui tend le bras droit et lève les yeux au ciel. La position du bras gauche est difficile à deviner. Davies suppose qu'il était sans doute plié, la main venant se placer devant le corps. La physionomie rappelle celle des guerriers dans *La Bataille de Josué contre les Amalécites* de l'Ermitage (fig. 9), que l'on situe généralement en 1625, mais la pose du personnage sur la radiographie ne peut être rapprochée d'aucune peinture connue datant des premières années romaines.

Les autres figures discernables sur la radiographie n'ont aucun rapport apparent avec celui-ci. Dans l'angle supérieur gauche, on voit un visage de profil. Les traces claires au-dessus de l'œil et derrière semblent indiquer un casque. Dans ce cas, le lien le plus évident serait, là encore, avec l'une des scènes de bataille du début. La radiographie ne fournit pas suffisamment d'éléments pour établir des rapprochements précis entre ces personnages et telle ou telle peinture de Poussin. Tout ce que l'on peut dire, c'est qu'ils s'accordent avec ceux que Poussin a figurés dans les tableaux généralement situés vers le début du premier séjour romain.

Les autres formes mises au jour par la radiographie sont moins aisément déchiffrables. À droite du buste de l'homme qui lève les yeux au ciel, il y a une autre tête, peut-être celle d'un ange, à en juger par les ailes dont les contours sont ébauchés (fig. 10). Impossible de dire si l'ange en question fait partie de la même composition que le pied qui dépasse sous le buste de l'homme aux yeux levés. Sur la droite de la radiographie, on discerne une silhouette, apparemment féminine, assise sur une draperie, qui appartient de toute évidence à une composition, sans aucun rapport avec la précédente. Enfin, il faut ajouter pour être complet qu'une main, sans doute une main droite, est partiellement peinte au dos de la toile d'origine (fig. 11), comme le signale Davies dans son catalogue de 1957. Elle est deux fois plus grande que la main du personnage central sur la radiographie, mais c'est tout ce que l'on peut en dire, et elle devra rester métaphoriquement coupée de toute attache dans l'œuvre de Poussin.

On connaît relativement peu de radiographies de ses œuvres de jeunesse, mais d'autres révèlent qu'il a parfois exécuté des peintures par-dessus tout ou partie d'une composition complètement différente. C'est ce qui est arrivé, notamment, pour la *Sainte Rita de Cascia* de la Dulwich Picture Gallery, peinte sur bois vers le milieu des années 1630, et pour la *Bacchanale devant un terme* de la National Gallery, légèrement antérieure[9] (cat. 47). Toutefois, l'*Écho et Narcisse* du Louvre (cat. 38), peut-être exécuté aux alentours de 1630, présente beaucoup plus de ressemblance à cet égard avec la *Nymphe endormie* de la National Gallery. La radiographie (fig. 12) a mis au jour deux compositions sous-jacentes, qui n'ont aucune relation entre elles ni avec l'œuvre définitive : un buste de femme presque grandeur nature et, semble-t-il, une *Vierge à l'Enfant accompagnée de putti*[10].

Apparemment donc, Poussin a ainsi réutilisé des toiles ou des supports de bois par intermittence, durant une période de dix ans ou plus, et cela ne permet de tirer aucune conclusion quant à la date de la *Nymphe endormie* de Londres. En revanche, le personnage le plus clairement visible sur la radiographie de ce tableau et la peinture définitive elle-même incitent par leur style à proposer une date proche de 1626. À cette époque, Poussin, privé de la sécurité que peut offrir un mécène ou une clientèle régulière, devait être prêt à ajourner les projets plus nobles afin d'assurer le quotidien en confectionnant quelques scènes plus ou moins érotiques, faciles à écouler. La liberté de la technique, qui constitue pour Davies une raison de contester l'authenticité du tableau, le dessin sommaire des mains de la nymphe et même le choix du sujet, tout concourt à évoquer une œuvre exécutée rapidement par un jeune artiste soucieux de vendre.

On peut s'interroger à présent sur la relation chronologique entre la *Nymphe endormie* de Londres et une peinture apparentée, la *Vénus surprise par des satyres* de Zurich (fig. 13). Rien dans les documents n'indique un ordre plutôt que l'autre. Cependant, outre le format différent et la suppression des deux personnages de droite, le tableau de Londres se distingue par l'emplacement du *putto*, qui attire plus directement l'attention sur la nymphe. Il se pourrait qu'un amateur ait vu la *Vénus surprise par des satyres* dans l'atelier de Poussin et lui ait commandé la variante actuellement à Londres, lui donnant ainsi l'occasion d'affiner la composition. Ce qui nous amène à un épisode récent. En 1988, l'exposition *Poussin : The Early Years in Rome*, présentée à Fort Worth, a fait l'objet d'un compte rendu de Marcel Roethlisberger dans la *Neue Zürcher Zeitung*[11]. L'article était illustré d'un détail de la *Vénus surprise par des satyres*, comme on pouvait s'y attendre. Ce qui est intéressant à noter aujourd'hui, c'est l'étroite correspondance entre la *Nymphe endormie* de Londres et le détail du tableau de Zurich recadré par le journal (fig. 14). Il n'était pas difficile de deviner quelle partie de cette peinture serait la plus susceptible d'accrocher le regard du lecteur.

## Notes

Ma reconnaissance va à Sir Denis Mahon, qui m'a encouragé à réexaminer la peinture de Londres et a bien voulu relire une première version de mon texte.

1. Testament de William Holwell-Carr, en date du 28 août 1828, homologué le 9 mars 1831, Londres, archives de la National Gallery, NG5/15/1831. Le legs comprenait trente-deux peintures.

2. G. Foggo, *A Catalogue of the Pictures in the National Gallery with Critical Notes,* Londres, 1845, p. 31.

3. W. Y. Ottley, *A Descriptive Catalogue of the Pictures in the National Gallery*, Londres, 1835, p. 27. Le tableau n'est pas mentionné dans les éditions antérieures du catalogue, qui se bornaient en fait à répertorier les œuvres accrochées dans les salles. D'où la supposition que la *Nymphe endormie* était restée dans les réserves.

4. M. Davies, *National Gallery Catalogues : French School,* Londres, 1946, p. 79, où le tableau est présenté comme un *Enlèvement*, « d'après Nicolas Poussin ».

5. Friedlaender, 1933, p. 324.

6. M. Davies, *National Gallery Catalogues : French School,* Londres, 1957, pp. 183-185.

7. Blunt, 1966, p. 178. A. Blunt considérait la *Nymphe endormie* de Londres comme une version ultérieure de la *Vénus surprise par des satyres* de Zurich, qui aurait constitué elle-même une variante d'une œuvre d'un certain « maître de Heytesbury ». Thuillier, 1974, p. 114.

8. M. Davies, *op. cit.* n. 6, p. 184 a remarqué quelque ressemblance entre ce personnage dans la radiographie et celui de Midas dans le tableau de Munich, et (pour la tête) celui d'Endymion dans le tableau de Detroit. Cependant, des différences importantes existent ; c'est pourquoi on ne peut exclure que le personnage dans la radiographie soit une copie de l'un ou de l'autre.

9. Ashok Roy, du laboratoire de la National Gallery, signale que le fond brun de la peinture se compose essentiellement de carbonate de calcium mélangé à une terre brune ou orange couramment utilisée dans la période, dont la présence a pu être décelée notamment dans le *Céphale et Aurore* et *L'Enfance de Bacchus* de la National Gallery. Les pigments et les mélanges employés pour la *Nymphe endormie* contredisent la datation du XVIIIe siècle.

10. La radiographie de la *Sainte Rita de Cascia* est décrite dans P. Murray, *Dulwich Picture Gallery : A Catalogue,* Londres, 1980, pp. 95-96 ; et celle de la *Bacchanale devant un terme* dans M. Davies, *op. cit.* n. 6, pp. 172-177 (reproduction dans le catalogue de l'exposition Poussin, Paris, Grand Palais, 1994-1995, p. 211, fig. 47e).

11. Voir Hours, 1960, pp. 3-39 ; et Blunt, 1966, p. 110.

12. 28 octobre 1988.

Fig. 1
Nicolas Poussin
*Nymphe endormie et satyres*
vers 1626
Toile, 0,66 x 0,50 m
Londres, National Gallery
Reproduit avec l'autorisation des Trustees of the National Gallery.

Fig. 2
Nicolas Poussin, *La Nourriture de Bacchus*
vers 1626
Toile, 0,97 x 1,36 m, Paris, musée du Louvre.

Fig. 4
Nicolas Poussin
*Concert d'amours*
vers 1627
Toile, 0,57 x 0,51 m
(avec ajout sur la droite)
Paris, musée du Louvre.
Fragment d'un tableau dont la partie droite *Vénus et l'Amour* se trouve à la Dulwich Picture Gallery, Londres.

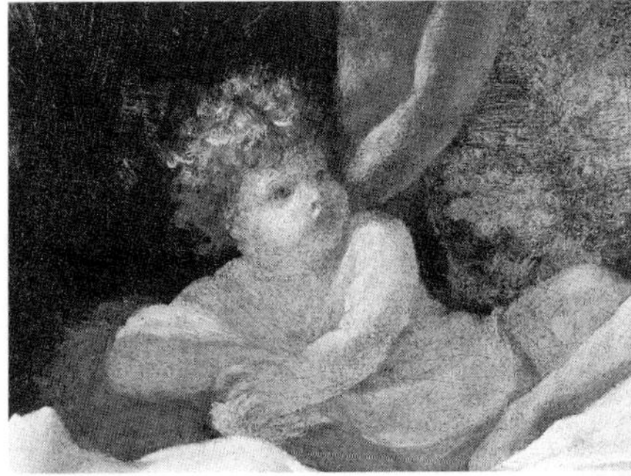

Fig. 3
Nicolas Poussin
*Nymphe endormie et satyres*
(détail).

Fig. 5
Nicolas Poussin
*Nymphe endormie et satyres* (détail).

Fig. 6
Nicolas Poussin
*Amor vincit omnia* (détail)
vers 1627
Toile, 0,97 x 1,27 m
Cleveland, The Cleveland Museum of Art.

Fig. 7
Radiographie de la *Nymphe endormie et satyres*
Le haut de la radiographie correspond au côté droit de la toile.

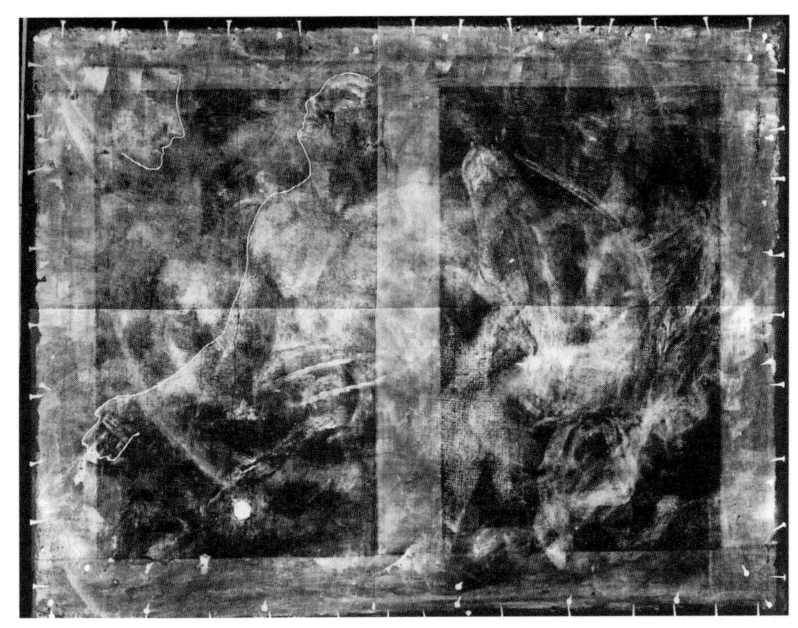

Fig. 8
Radiographie de la *Nymphe endormie et satyres* (fig. 1)
On a souligné les contours de certains des éléments principaux.

Fig. 9
Nicolas Poussin
*La Bataille de Josué contre les Amalécites* (détail)
Toile, 0,97 x 1,34 m
Saint-Pétersbourg, musée de l'Ermitage.

Fig. 10
Radiographie de la *Nymphe endormie et satyres* (fig. 1)
On a souligné les contours de certains des éléments principaux.

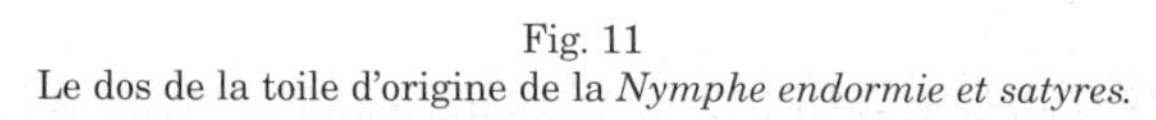

Fig. 11
Le dos de la toile d'origine de la *Nymphe endormie et satyres.*

Fig. 12
Nicolas Poussin
*Écho et Narcisse*
vers 1630
Toile, 0,74 x 1,00 m
Paris, musée du Louvre
Radiographie, Paris, Laboratoire de recherche des Musées de France.

Fig. 13
Nicolas Poussin
*Vénus surprise par des satyres*
1625-1626
Toile, 0,77 x 1,00 m
Zurich, Kunsthaus.

# Poussins frühe Jahre in Rom

***Ausstellung in Fort Worth, Texas***

Das *Kimbell Art Museum* in Fort Worth, Texas, berühmt wegen seines unvergleichlichen Baus von Louis Kahn und seiner reichen Dotierung, die es ihm erlaubt hat, innerhalb weniger Jahrzehnte eine der schönsten Kunstsammlungen der Welt zu bilden, setzt die Reihe seiner

*Poussin: Schlafende Venus von Satyr überrascht. Gemälde. Kunsthaus Zürich (Ausschnitt).*

wichtigen Ausstellungen fort, indem es bis zum 27. November eine nur dort gezeigte Schau, *«Poussin, die frühen Jahre in Rom»*, zeigt – ein Erstling für Amerika, dessen Museen etwa vierzig Gemälde des Meisters besitzen.

Das Interesse an Poussin gipfelte in Europa zunächst in der umfassenden Pariser Schau von 1960, verfasst von Anthony Blunt, dem damals führenden Spezialisten, mit kulturpolitischer Ambition inszeniert unter Präsident de Gaulle. Weitere Ausstellungen folgten 1978 in Rom und Düsseldorf, 1981 in Edinburg («Sakramente und Bacchanale»). Seit der Pariser Schau hält in der Fachliteratur eine intensive, oft polemische Diskussion über Zuschreibung, Datierung und Bildgehalt an, mit den Sprachführern Blunt, Denis Mahon, Pierre Rosenberg, Jacques Thuillier und anderen. Die jetzige Ausstellung ist die ausschliessliche Leistung von *Konrad Oberhuber*, dem Direktor der Albertina in Wien, der bisher nicht in die Poussin-Forschung eingegriffen hatte. Museumsdirektor *Ted Pillsbury* ermöglichte die praktische Verwirklichung des Projektes.

Die Ausstellung, um es gleich zu sagen, ist für die Kenntnis Poussins ein kapitales Ereignis. Bestens präsentiert, enthält sie 32 Gemälde und etwa 50 Zeichnungen von 1624 bis 1632 aus Museen und Privatsammlungen aller Welt. Sie ist begleitet von einem schön aufgemachten Buch, welches als bleibende Leistung weiterwirken wird und in welchem weit mehr Material jenes Jahrzehnts in einem lesbaren Text mit einem knappen Katalog ausgebreitet ist (K. Oberhuber: «Poussin. The Early Years in Rome. The Origins of French Classicism», New York 1988, 360 S. mit 522 Abb., wovon 50 farbig). Wie revolutionär das hier geschaffene Poussin-Profil ist, geht schon daraus hervor, dass ein Drittel der 85 im Buch besprochenen Gemälde und über zwei Drittel der 200 besprochenen Zeichnungen dem Künstler von der gängigen Literatur abgesprochen werden, von den feineren Fragen der Datierung zu schweigen.

Oberhuber, dessen Text von berückender Überzeugungskraft ist, verfährt bei dieser Neuorientierung mit rein stilkritischen Gesichtspunkten, mit Kennerschaft. Er sieht sich tiefer als je zuvor in die Werke hinein und vermag auf der Basis seiner eigenen, kohärenten Persönlichkeit entsprechend mehr aus ihnen herauszulesen. Darin liegt seine Stärke. Es gelingt ihm, Poussin in einer handgreiflichen Entwicklung buchstäblich von Bild zu Bild und von Jahr zu Jahr zu greifen und damit vor uns einen Meister erstehen zu lassen, dessen Entfaltung – wie es mir scheint – substanzhafter und glaubwürdiger ist als in allen bisherigen Rekonstruktionen.

Diese Neuordnung wird nicht ohne Widerspruch bleiben. Blunt und Nachfolger hatten Poussin Dutzende von Werken abgesprochen, die nicht zu der am Spätwerk geformten Vorstellung des Meisters zu passen schienen. Oberhuber gibt Poussin viele dieser ihm traditionell zugeschriebenen Werke zurück. Es entsteht ein Meister, der in den frühen römischen Jahren, ab 1624, rascher, ja frenetischer und sinnlicher experimentierte und arbeitete, als man es bisher sehen wollte, was teilweise auch den traurigen Erhaltungszustand gewisser Werke erklären mag.

Eine neue Sicht entsteht insbesondere auch in bezug auf seine frühe Landschaftskunst. Die erstaunlichen Naturzeichnungen um 1625, die, anscheinend als zu fortschrittlich, aus seinem Werk ausgeschieden und teils auf Dughet abgeschoben worden waren, sind hier reintegriert und überzeugend mit den Gemälden in Verbindung gebracht.

Es ist nicht möglich, an dieser Stelle in Einzelheiten zu gehen. Es besteht jedoch meines Erachtens kein Zweifel, dass Oberhuber mit seiner epochalen Neubewertung von Poussins erster Meisterzeit insgesamt auf dem richtigen Weg ist. Anlässlich der Eröffnung fand an Ort und Stelle ein internationales Kolloquium statt. Der Vorzug der Ausstellung war es auch, dass sich angesichts der Werke ein Konsensus über gewisse Einzelfragen bildete (so erwiesen sich für die meisten Beteiligten der Münchner «Midas und die Washingtoner «Himmelfahrt Mariens» als in der Tat echt, das «Goldene Kalb» aus San Francisco als Werk von Andrea di Lione, die «Pastorale» der Suida-Manning-Sammlung als Werk anderer Hand). Das Zürcher Kunsthaus gewinnt bei dieser Gelegenheit als einziges Schweizer Museum (und als willkommene Beigabe zur Koetser-Schenkung) einen Poussin zurück, die frühe erotische Satyr-Szene, 1940, aus London als echt angekauft und 1960 in Paris ausgestellt, seither jedoch abgewertet und infolgedessen verborgen gehalten. Die Wege der Kunstgeschichte sind oft verwickelt.

*Marcel Roethlisberger*

Neue Zürcher Zeitung

Freitag, 28. Oktober 1988 Nr. 252 **27**

Fig. 14
Nicolas Poussin
*Vénus surprise par des satyres*
(détail reproduit dans la *Neue Zürcher Zeitung* du 28 octobre 1988).

# À propos des paysages de Poussin

**Clovis Whitfield**
Historien de l'art, Londres

Après la publication de mon article[1] sur les paysages de jeunesse de Poussin, j'ai été fort critiqué par Anthony Blunt[2], qui, dans le *Burlington Magazine*, disait à juste titre, entre autres sévères remarques, que le *Paysage avec Vénus et Adonis* de Montpellier ne pouvait pas être le tableau figurant sous ce titre dans les inventaires Dal Pozzo à cause de ses dimensions différentes. Il se donnait ainsi une raison supplémentaire de rejeter le tableau de Montpellier ; il publiait également, sur une page suivante du *Burlington Magazine*, un paysage qu'il attribuait au cercle de Pietro Testa. Anthony Blunt, comme Loménie de Brienne[3] avant lui, n'aimait pas ces figures de fleuve chez Poussin. « Ces fleuves n'ajoutent rien, disait-il, je vois un fleuve de mes yeux et on me dit c'est un fleuve. A quoy bon cela ? » En voyant ces deux tableaux, j'ai eu soudain l'intuition qu'ils ne faisaient qu'un seul (fig. 1). J'ai couru acheter un second exemplaire du *Burlington* pour juxtaposer les deux images, et j'ai compris non seulement qu'il s'agissait d'un tableau de la main de Poussin, mais aussi que l'ensemble correspondait exactement à la description d'un dessus de porte cité dans l'inventaire dal Pozzo, avec ces étranges dimensions de 3 palmi sur 9[4].

Malheureusement, les découvertes comme celle-ci sont rares et les intuitions ne peuvent pas toujours être confirmées par des preuves tangibles. Le tableau de Montpellier et le tableau Birch sont très importants parce qu'ils datent d'une période encore mal connue des paysages de Poussin. Celui-ci aurait vraisemblablement réalisé cette peinture après son retour à Rome en 1625, à la demande de Cassiano dal Pozzo. Ce paysage témoigne de la facilité que l'artiste avait dans ce genre, avec des effets que l'on retrouve en particulier dans ses dessins. Il comporte aussi des traits qui ont pu contribuer au refus de certains de l'attribuer à Poussin, mais le peintre peut toujours nous surprendre. On n'a pas voulu mettre en rapport un simple dessus de porte avec les paysages solennels de la maturité. Ces deux tableaux sont d'autant plus précieux qu'ils datent des tout débuts de Poussin dans le genre du paysage, avant sa rencontre avec la famille Dughet et le jeune Gaspard.

Jusqu'ici, on a peu cherché à entrevoir Poussin à travers son élève le plus célèbre. Pour Félibien, les tableaux de Gaspard Dughet n'étaient que « les restes des festins du Poussin[5] », et la critique moderne a été encore plus sévère à leur égard. Je crois bien que les contemporains de Nicolas Poussin connaissaient un plus grand nombre de ses paysages. Il me semble qu'on a mal interprété son rôle dans l'évolution du paysage classique. On prétend le voir émerger maître accompli dans le genre, comme Vénus surgissant des ondes, quand il a déjà quarante ans. Gaspard Dughet a étudié chez Nicolas Poussin pendant plusieurs années, durant la décennie 1630-1640, mais on n'a guère considéré la nature des leçons qu'il a reçues, et encore moins l'influence qu'il a pu exercer en retour sur Poussin lui-même. L'exposition du Grand Palais nous a donné l'impression d'une abondance d'œuvres de maturité, qui ne trouve pas d'égale dans les premières années. Nous devrons étudier plus attentivement les origines de son art du paysage; il sera peut-être utile d'examiner la part qu'il a prise dans la création d'un genre qui s'accordait avec les talents de son jeune élève. On a du mal à reconnaître Poussin dans ces paysages des débuts car on se réfère toujours aux tableaux de sa maturité. Mais nous ne rendons pas justice à Claude Gellée ni à Poussin si nous ne cherchons pas à voir comment leurs paysages « classiques » sont nés d'une combinaison d'éléments très divers présents à Rome pendant la première moitié du XVIIe siècle. Il y a tout d'abord la tradition du paysage décoratif, que divers jeunes peintres (cette activité était réservée à des débutants) ont pratiqué dès l'école des Carrache. En second lieu, la peinture de cabinet était fortement représentée par les peintres du Nord et défendue par de nombreux amis de Poussin, comme Filippo Napoletano, Bril, Claude, Both et Swanevelt. Troisièmement il faut souligner le rôle d'un certain nombre de collectionneurs, à partir d'Agucchi et de Cassiano dal Pozzo, qui ont compris que les petites figures donnaient au genre du paysage de nouveaux moyens d'expression. Je voudrais ainsi considérer à nouveau les rapports de Poussin avec Gaspard Dughet et proposer la réattribution à Poussin d'un tableau ordinairement donné à Dughet. Poussin l'aurait en réalité peint dans les années 1640.

Nous savons grâce à une lettre de 1630, que Cassiano dal Pozzo considérait déjà Poussin comme un paysagiste important[6]. Dal Pozzo écrit : « Je suis de l'opinion de faire faire deux paysages à Monsieur Poussin, ceux-ci étant considérés supérieurs de manière à ceux de Filippo [Napoletano] et même Paul Bril ; ils coûteront de quinze à vingt écus la pièce » – un prix supérieur à celui des peintures de perspective que Cassiano possédait, œuvres de Jean Lemaire, avec parfois de petites figures dues à Poussin lui-même. Ainsi, dal Pozzo, qui cherchait en même temps à acheter tout le contenu de l'atelier de Filippo Napoletano à sa veuve (il était mort en 1629), rapprochait les paysages de Poussin de ceux de Filippo Napoletano et de Paul Bril.

Alors que Poussin était encore à Paris, Philippe de Champaigne[7] lui fit don d'un paysage, et quand il arriva à Rome c'était déjà un élément sûr de son répertoire. Son comportement nous rappelle celui du Dominiquin, qui aurait fait toutes ses études de paysages pour pouvoir compléter ses tableaux lui-même, au lieu d'employer un spécialiste. Outre les nombreux paysages mentionnés dans la collection dal Pozzo, dont les deux de la National Gallery à Londres[8] et les deux qu'a publiés Pierre Rosenberg dans le catalogue de l'exposition du Grand Palais (p. 16) il en existait d'autres qu'on ne connaît plus. Chez Sérisier à Paris, Bernin admirait trois petits paysages, aujourd'hui inconnus[9] ; Loménie de Brienne nous cite plus de trente petits paysages de Nicolas Poussin qu'il avait vus dans les seuls cabinets de Paris[10]. Le marchand lyonnais et ami de Sérisier, Jean Pointel, qui partageait son goût pour ce genre, en avait quatre en plus de ceux qu'on connaît aujourd'hui[11]. Carlo Maratta, qui savait bien faire la différence entre Gaspard Dughet et Nicolas Poussin, possédait deux paysages de ce dernier avec les figures peintes par Poussin lui-même[12]. Richard Symonds, en visitant le palais Giustiniani vers 1650, vit deux paysages de Poussin, des perspectives d'édifices en ruines avec des colonnes brisées[13]. Ces mentions, parmi bien d'autres, montrent la renommée de Poussin paysagiste en son temps ; beaucoup de ces paysages sont probablement des années 1620 et 1630, bien que l'on ait peu de dates fermes. Les inventaires parlent aussi d'une « première manière[14] ».

Ces petits tableaux s'apparenteraient aux œuvres des autres artistes du Nord vivant à Rome que fréquentait d'ailleurs Poussin, comme nous le rappelle Sandrart ; la production de Claude Gellée et de quelques autres, comme Breenbergh, Both ou Swanevelt, était souvent destinée à l'étranger. C'était aussi le cas de beaucoup de tableaux de Gaspard Dughet qui, comme les Hollandais, perfectionna un type de tableau facilement commercialisable, dans la mesure où il n'était pas destiné à un seul lieu ni à un seul client.

C'est vers 1630 que la carrière de Gaspard Dughet commence, et Baldinucci nous dit que « son génie le portait plus à peindre les paysages que les figures humaines ; ainsi voulut-il, sans en abandonner complètement l'étude, s'exercer d'ordinaire à peindre des vues de la nature. Il resta tellement convaincu de cette décision, qu'il se dédia entièrement à ceci[15] ». On lit que son apprentissage chez Poussin a duré presque quatre années. Par la suite, bien qu'il eût un tout autre caractère, car il était passionné par la chasse, on sait qu'il resta proche de son beau-frère. Gaspard habitait encore chez Nicolas Poussin en 1636[16] et était connu sous le nom de Poussin. Jean Dughet écrivit plus tard qu'il attachait beaucoup de prix aux conseils de Poussin. Le jugement de Félibien, quoique sévère, nous laisse entrevoir des liens très évidents entre les deux hommes. Nicolas, lui-même, ne méprisait pas les talents de ce jeune homme. Il disait de ses premiers tableaux que « si je ne l'avais pas vu les peindre, si je n'en étais pas absolument sûr, je n'aurai pas crû qu'ils étaient de sa main[17] ».

Jusqu'à une date récente, il nous manquait des indications précises sur le style de Gaspard Dughet à ses débuts : on a ainsi inclus dans son œuvre tout un ensemble de peintures connu depuis Blunt sous le nom du « Maître au Bouleau ». Bien que cet érudit ait commencé, dès les années 1950, à reconnaître que quelques-unes des œuvres qu'il avait écartées étaient vraiment de Poussin, on n'a jamais pu les réintégrer de façon plausible dans les catalogues de Poussin et de Dughet. Je dois reconnaître que j'ai cherché moi aussi, d'une façon trop hâtive, à attribuer à Nicolas la majorité des œuvres. Il faut en dégager très attentivement les caractères pour arriver à une interprétation vraisemblable[18].

Le professeur Alloisi a retrouvé dans les fonds Corsini cinq des douze panneaux, provenant du palazzo Costaguti, comportant des paysages de Gaspard Dughet avec des figures de Francesco Allegrini[19]. Ces tableaux, qui sont mentionnés dans la vie de Dughet par Nicola Pio, et aussi par Pascoli[20], furent probablement une des premières commandes passées au jeune artiste, peut-être avant 1635. C'est le point de départ qu'il nous fallait et qui démontre sans équivoque que le « Maître au Bouleau » est une invention moderne, et qu'il faut en partager l'œuvre supposé, principalement entre Gaspard Dughet et Nicolas Poussin.

Les tableaux de cette série dont je montre un exemplaire (fig. 2) sont vraiment plus intéressants qu'ils ne paraissent à première vue. Ils démontrent la facilité de

Dughet à peindre le feuillage et une certaine maîtrise dans la composition du paysage, éléments parfaitement en accord avec les décorations postérieures, comme les fresques de San Martino ai Monti du milieu du siècle. On retrouve souvent ces arbres trop minces soit dans les dessins, soit dans les tableaux de la première manière « sèche » de Gaspard, comme l'ont définie ses biographes. La part de l'influence bolonaise dans ces compositions est accentuée par les figures d'Allegrini, élève du Cavalier d'Arpin. Ces tableaux sont parfaitement en accord avec les fresques d'Allegrini au Palazzo Costaguti dont les arrière-plans sont de Dughet[21], de même qu'avec les grands paysages romantiques sur des thèmes de chasse qui sont ses premiers chefs-d'œuvre. La sensibilité de Gaspard le portait à s'intéresser à la nature comme sujet en soi, et Poussin le suivra dans cette voie lorsqu'il réalisera *L'Orage* et du *Temps Calme* pour Pointel.

En regardant les tableaux et les dessins de jeunesse de Dughet, on remarque des caractères qui rappellent de très près Poussin. Le paysage (fig. 3) du Victoria and Albert Museum[22] ressemble aux tableaux provenant du Palazzo Costaguti. On peut en rapprocher un dessin du musée de Bayonne[23] (fig. 4), dans cette manière spontanée propre à Dughet, dont on reconnut très tôt les dons dans le dessin d'après nature. Plusieurs des dessins de jeunesse de Dughet sont exécutés à la plume et au lavis. Plus tard il découvrira que les crayons et la pierre noire lui conviennent mieux. C'est le même style que l'on retrouve dans tous ses tableaux. On a souligné les rapports entre les dernières œuvres romaines de Filippo Napoletano, dont Baglione[24] nous dit qu'il dessinait d'après nature à Tivoli, et celles du jeune Claude Gellée, auquel le dessin de Bayonne était attribué jadis. Rappelons que le *Paysage au chevrier* du Lorrain à la National Gallery aurait été peint, selon la tradition, à la Vigna Madama[25]. Or, Poussin faisait ces expéditions, tout d'abord sans doute à Grottaferrata (rappelons l'inscription au dos du tableau de Montpellier) et ensuite à Tivoli en compagnie de Sandrart, de Claude et du jeune Dughet[26]. On a souvent observé une parenté entre les dessins de Nicolas et ceux de Claude[27], et l'influence de ce dernier est particulièrement évidente dans les dessins d'après nature de l'album de Nicolas, qui avait appartenu à Crozat et à Mariette. Je reproduis ici (fig. 5) l'un des dessins de cette série, une étude de sous-bois, qui fait partie aujourd'hui d'une collection privée anglaise : on retrouve les mêmes caractères dans les autres pages de l'album. Ces dessins[28] sont aujourd'hui dispersés, et Anthony Blunt, John Shearman, et plus récemment Pierre Rosenberg et Louis-Antoine Prat, les ont retirés de l'œuvre du maître, malgré l'attribution et l'admiration anciennes. Plusieurs érudits[29] les ont néanmoins reconnus comme étant de la main de Poussin; cependant leur style rappelle plutôt celui du prétendu « Maître au Bouleau ». Je pense que ce sont les dessins dont parle Félibien quand il écrit que Poussin « se dérobait à ses amis, pour se retirer seul dans les vignes et dans les lieux les plus écartés de Rome, où il pouvait avec liberté considérer quelques statues antiques, quelques veûës agreables, et observer les plus beaux effets de la nature. C'estait dans ces retraites et ces promenades solitaires qu'il faisoit de legères esquisses des choses qu'il rencontroit propres, soit pour le paisage, comme des terrasses, des arbres, ou quelques beaux accidens de lumières[30] ».

Pour en revenir à Gaspard, ce *Paysage avec figures*[31] (fig. 6), d'une collection particulière française, date de la même époque que le paysage du Victoria and Albert Museum (fig. 3). Dughet s'oblige pendant ces années à introduire des figures dans ses paysages, sans jamais raconter une histoire; elles habitent l'espace mais ne le dominent pas. Dans les exemples suivants, on voit Dughet employer avec une sensibilité croissante les formes qu'il étudie chez Poussin. Les effets de la nature y sont exprimés à merveille, mais sans l'organisation consciente de l'espace que Poussin maîtrisait. Le dessin ovale du Louvre[32] (fig. 7) à l'encre et au lavis est proche du beau tableau de la *Chasse*[33] (fig. 8), qui est typique d'un groupe de tableaux d'assez grande taille que Dughet a peints à ses débuts. Marco Chiarini a déjà noté[34] la parenté entre un dessin de la collection Beurdeley et le grand tableau de *Chasse* de Cambridge. On y reconnaît des traits propres à Poussin – le dessin lui fut longtemps attribué – mais Dughet a une facilité qui s'éloigne de l'ordonnance des œuvres qui l'ont inspiré. Les figures comptent peu et Gaspard n'a pas encore trouvé la meilleure formule pour représenter les habitants de ces lieux. On connaît divers grands paysages de cette époque, comme la *Chasse au canard* de Kenwood[35], qui a presque deux mètres de large. Plusieurs de ces œuvres de jeunesse de Dughet sont pleines d'un romantisme, d'une instabilité qui annonce Salvator Rosa et les paysagistes du XVIIIe siècle.

Il en va différemment avec quelques-unes des œuvres du « Maître au Bouleau ». Les feuilles du carnet Crozat-Mariette, dont le dessin reproduit (fig. 5) faisait partie[36], sont à mettre en rapport avec divers tableaux. Parmi ceux-ci, le *Paysage au bouvier* (fig. 9), petite toile qui a appartenu à Lucien Bonaparte[37], jaunie par le temps. On se rend facilement compte qu'il y a beaucoup de différences entre la qualité de celle-ci et les paysages du palazzo Costaguti ou les autres œuvres de jeunesse de Gaspard déjà citées. On peut y observer l'organisation spatiale propre à Poussin : les arbres forment une sorte de grillage, mais la troisième dimension est également définie. Même si les figures ne racontent pas une histoire, elles dominent ce petit tableau, qui rappelle le genre d'œuvres que Claude produisait pour le marché parisien. La comparaison avec des tableaux bien connus comme le *Pan et Syrinx* de Dresde[38], peint par Nicolas vers 1637, est éloquente. C'est assurément la même main : non seulement la composition, si l'on met à part les figures, est voisine, mais le tracé des troncs et des feuilles y est identique. Si l'on a encore un doute, il suffit de regarder l'arrière-plan de la *Nourriture de Jupiter*[39] (fig. 10). Je pense que le *Paysage au bouvier*, et quelques autres encore, ont été peints par Poussin au moment où le jeune Gaspard était à sa charge. Ces tableaux ressemblent beaucoup à ceux exécutés vers 1637, en particulier à l'arrière-plan de *L'Ordination*[40], peint pour dal Pozzo. C'est peu après que Poussin dut peindre ses paysages avec des anachorètes pour le palais du Buen Retiro à Madrid, dont on connaît surtout le *Paysage avec saint Jérôme*[41], et le dessin de Windsor pour le tableau disparu de *Sainte Marie l'Égyptienne et Saint Zosime*[42]. Mais ces deux exemples montrent de façon très claire que la conception de Poussin a inspiré Dughet. Il y en eut sans doute d'autres, car Poussin n'est pas passé tout de suite de la vision intime des paysages pour dal Pozzo, où la profondeur est définie par les accidents de la lumière sur le terrain, la fuite du sentier et l'échelle des personnages, à une composition plus grande où les sujets, bien que de petite taille, déterminent le tout.

Il est difficile de savoir quelle répercussion précise a eue dans le milieu artistique romain la commande de la série pour le roi d'Espagne. Il s'agissait plutôt de peinture décorative que de peinture d'histoire; les prix auxquels les paysages étaient adjugés n'étaient pas très élevés. Il est peut-être vrai que cet ensemble, commandé à des peintres qui n'avaient pas encore une grande renommée, a transformé le genre du paysage à Rome dans les années 1630. C'est à des peintres du Nord que l'agent du roi demanda ces décorations. On ne sait lequel d'entre eux a fait figure de chef, mais l'union des talents de Poussin, Claude Gellée, Jan Both, Swanevelt, Lemaire et Jacques d'Arthois a fait sans doute grande impression. Cet ensemble d'une quarantaine de tableaux de plus de deux mètres de large a eu un retentissement considérable, à Rome comme à Madrid. Le palais n'existe plus, beaucoup de ces tableaux ont disparu, et l'on ne connaît pas même leurs dates exactes. Mais ils pourraient permettre de comprendre comment le paysage, qui était jusqu'ici le domaine des petits tableaux de cabinet, devint soudain un genre de beaucoup plus grande ampleur. Bien que de telles œuvres décoratives semblent avoir convenu au jeune Gaspard, et qu'elles lui aient assuré un grand succès auprès des amateurs espagnols, on n'a pu jusqu'ici lui attribuer avec certitude une seule des toiles de la série du Buen Retiro. Un *Paysage avec saint Jean Baptiste et le Christ* mentionné dans les inventaires semble être le candidat le plus vraisemblable[43].

Vers la fin de la décennie, Poussin peignit les deux tableaux des *Évangélistes* : *Saint Jean*, aujourd'hui à Chicago, et *Saint Matthieu*, aujourd'hui à Berlin[44]. Ces toiles sont caractérisées par une ouverture de la composition, jusqu'ici dominée par des croisements rythmés d'éléments naturels. Ce sont toujours des paysages décoratifs (et l'on sait que Poussin reçut pour eux une somme bien inférieure à celle donnée par le même mécène pour des sujets d'histoire). Mais ils prennent, comme ceux de la série du Buen Retiro, la figure humaine comme clef d'une méditation. Ce n'était pas une direction dans laquelle Dughet pouvait suivre Poussin, bien qu'il ait dessiné une copie du tableau conservé à Berlin. Poussin continua après son retour de Paris, à répondre à des commandes de paysages, et son beau-frère le suivit encore à sa façon. L'amour de la campagne qu'avait Gaspard a frappé aussi Nicolas; étonné même par son talent, il s'efforça d'aller plus avant, recherchant, comme d'autres peintres de cette époque, de nouvelles solutions dans les œuvres de l'école des Carrache, du Dominiquin et de Pierre de Cortone.

Il existe cependant une différence essentielle entre les deux peintres. L'apprentissage de Gaspard n'est allé que jusqu'à un certain point; ses lacunes dans certains domaines étaient compensées par sa familiarité avec la campagne; pendant deux siècles, sa vision de la campagne romaine sera celle de la nature elle-même. Ses figures habitent la toile, sans être la clef du sujet; son architecture est à deux dimensions, et il ne connaît pas la fermeté du sol. Son goût est proche de celui de Poussin, mais sans l'équilibre qui caractérise tout ce que touche son beau-frère.

En m'appuyant sur la comparaison des deux styles, je voudrais à présent rendre à Poussin un tableau que je connais depuis trente-quatre ans, *Le Lac*, aujourd'hui au musée d'Édimbourg (fig. 11), qui a toujours été attribué à Dughet[45]. Cette réattribution est en partie une conséquence de la découverte des pendants Pointel peints vers 1650, l'*Orage* et le *Temps calme*[46]. Il n'existe aucun document historique, aucune mention d'inventaire pour nous conforter dans cette nouvelle attribution, mais tous les éléments stylistiques que l'on trouve dans *Le Lac* sont ceux des paysages du Poussin des années 1640 et ont pu inspirer Gaspard.

On peut, en premier lieu, observer l'équilibre de l'ensemble de la composition, l'élaboration de la perspective pour rendre l'éloignement, l'architecture, la lumière et les formes naturelles. Il ne s'agit pas d'une « histoire », mais nous savons que Poussin a peint des tableaux de cette sorte, que l'on a redécouverts de nos jours et qui furent évidemment à l'origine de toute une série d'œuvres de Dughet.

La confrontation d'un détail de l'architecture à gauche (fig. 12), avec d'autres, tirés de divers tableaux, est éloquente. Le détail (fig. 13) de la tour et de la grange se retrouve à l'arrière-plan du *Temps calme*. Dans ses toiles, Poussin emploie la lumière pour articuler l'espace ; il aura dû étudier ces effets dans la nature elle-même, mais ils lui ont été sans doute aussi suggérés par la lecture des préceptes du père Zaccolini sur les degrés de la distance. Nous sommes frappés par les *colori schietti* du premier plan, et l'effet de réfraction des couleurs de la colline à l'arrière-plan est également visible dans le *Paysage avec un homme effrayé par un serpent* (Montréal, musée des Beaux-Arts). On retrouve les mêmes effets du soleil sur les bâtiments dans plusieurs toiles de Poussin, les demi-ombres et les pleines-ombres ressemblent à celles du dessin de Turin[47], reconnu comme proche du *Temps calme*.

Plus à droite dans le tableau d'Édimbourg, les bateliers sont identiques à ceux de plusieurs autres tableaux de Poussin – en particulier ceux de l'arrière-plan du *Paysage à l'homme au serpent*[48] (National Gallery de Londres), ainsi que ceux de la *Sainte Famille*[49] (Getty Museum, Malibu, et Norton Simon Museum, Pasadena). On y remarque la même maîtrise des reflets dans l'eau. Ceux-ci, comme les incidences de la lumière sur les surfaces de cette paisible perspective, paraissent laissés au hasard, mais sont en fait tout à fait délibérés.

Les figures semblent tout d'abord de Dughet, mais lorsqu'on les compare avec le berger et les animaux du *Temps calme*, on note une ressemblance frappante. Le chien qu'affectionne Dughet est toujours d'une espèce plus errante et plus maigre. La mère et son enfant (fig. 14) formant un groupe qui évoque l'étude des sculptures antiques, est à comparer avec des figures comme la femme du *Paysage avec un homme se lavant les pieds* (dit aussi : *La Route sablonneuse*) de la National Gallery (fig. 15). La redécouverte du *Temps calme* et de son pendant, l'*Orage*, nous a considérablement aidés à comprendre cette décennie de la vie de Poussin – ces tableaux prouvent qu'il a continué à peindre des paysages « purs » à un moment où il s'était plutôt consacré à la peinture d'histoire. Mais l'on sait qu'il voulait aussi contenter ses clients qui l'appréciaient dans le genre du paysage. Cela répond aussi à ses études d'optique – les accidents de la lumière que remarquait Félibien sont rendus dans ces tableaux, comme dans les dessins de l'album Crozat-Mariette, selon les lois de la perspective atmosphérique. Poussin subordonne le dessin à la lumière, avec une technique toute particulière[50].

La toile d'Édimbourg ne se présente pas tout à fait sans historique. Elle est entrée au musée peu après l'exposition de Cardiff consacrée au paysage classique, en 1960[51], où elle figurait sans attribution ferme, mais à côté des Dughet. Marie-Nicole Boisclair a reconnu avec justesse sa description dans une exposition de la Royal Academy à Londres en 1883[52], où elle était accompagnée d'un pendant de mêmes dimensions[53]. On ne sait rien de celui-ci, qui était également attribué à Gaspard et prêté par Alfred Buckley, gendre du comte de Radnor et habitant Newhall, tout près de Longford Castle. Sa description est celle d'autres tableaux de Poussin ou de Dughet : « À droite un château et des bâtiments sur une colline; deux figures de paysans sur le devant; derrière eux, une rivière avec une chute d'eau ». Mais l'histoire du tableau s'arrête là, et on ne peut que conjecturer sur sa provenance.

Plusieurs mentions de tableaux de Poussin au XVII^e^ siècle pourraient correspondre à la toile d'Édimbourg. La plus importante est celle de Robert de Cotte[54], qui aurait vu au palais Barberini un « paisage de Poussin où il y a des pêcheurs », qu'il décrit vers 1689. Celui-ci pourrait être le tableau cité dans l'inventaire de Carlo Barberini, rédigé à la fin du Seicento : « Un paisage du Poussin avec divers figures haut palmi 3 e demi par 4 de large[55] », ou bien le paysage provenant de chez les Barberini vendu aux enchères à Londres vers la fin du XVII^e^ siècle[56]. Et, parmi les tableaux que Philippe de Champaigne a décrits chez Pointel il y avait un « paysage où il y a un pêcheur et d'autres figures[57] » (mais sans l'attribution à Poussin, comme quelques autres). Mais les notaires du XVII^e^ siècle trouvaient difficile de décrire les paysages en les différenciant.

On pourrait se demander comment des œuvres de Poussin ont été confondues avec celles de Dughet; mais aux XVIII^e^ et XIX^e^ siècles, on est frappé de constater que les prix auxquels elles étaient adjugées étaient souvent équivalentes. Des deux artistes, Dughet était considéré comme le paysagiste, et Nicolas comme peintre d'histoire. Ce fut après tout le cas avec l'*Orage* et le *Temps calme* de Jean Pointel, et ce fut sans doute aussi le destin des tableaux plus petits. Il y a eu également, à une époque plus récente une tendance à ne plus avoir foi dans les attributions anciennes ou traditionnelles.

On peut comprendre comment le tableau d'Édimbourg a pu longtemps rester attribué à Dughet. Mes deux dernières illustrations sont deux pendants (fig. 16 et 17) de ce dernier provenant d'une collection particulière anglaise[58]. Quoique typique de la manière de Dughet, ces tableaux dérivent de celle de Poussin. Les éléments de la composition y sont assemblés avec une grande facilité, la variété de la nature y est rendue avec une fantaisie admirable. Tout y communique une impression vive de ces lieux, sans être jamais esclave de la vérité; c'est une reconstitution intuitive d'un souvenir sensible de la campagne romaine. Les formules de construction sont reconnaissables, sans la rigueur que l'on attendrait de Poussin. Ces paysages comptent parmi les plus soignés de Gaspard. La nature qui, au commencement de sa carrière, était toute soumise à des forces élémentaires, devient plus paisible, plus contenue. Les personnages n'y sont point les protagonistes d'une histoire, mais ils sont entièrement en rapport avec leur milieu. L'attribution erronée du tableau d'Édimbourg à Dughet montre à quel point celui-ci fut influencé par Poussin; le style du jeune artiste est né d'une intimité avec le maître. Ces pendants montrent combien Dughet restait proche de son beau-frère en créant une formule de paysage plus serrée qu'auparavant. Le romantisme de ses grandes toiles de chasses y devient plus ferme, plus prévisible. Il aura fait des centaines de variations sur ce thème, et comme il portait lui-même le nom de Poussin, sa production pouvait aussi, à juste titre, jouir de cette appellation contrôlée. Je pense que l'on doit chercher encore davantage à comprendre l'évolution du paysage dans l'œuvre de Nicolas et reconnaître combien et comment il a élevé un genre décoratif à une fin héroïque.

## Notes

1. Whitfield, 1979, pp. 4-12.

2. Blunt, 1980, pp. 576-582.

3. Loménie de Brienne, dans Thuillier (1958), 1960, II, p. 213.

4. Whitfield, 1980, pp. 838-839.

5. Félibien, *Entretiens...*, V (1688), *IX*^e *Entretien*, p. 3. « On pourrait même dire de quelques-uns que c'estoit les restes des festins du Poussin, comme on a dit autrefois de Tragédies d'Euripide, que c'estoit les restes des festins d'Homère. »

6. Sh. Somers Rinehart, « Cassiano dal Pozzo, Some unknown Letters », *Italian Studies*, XVI, 1961, p. 57.

7. Félibien, 1688, *IX*^e *Entretien*, (Philippe de Champaigne), p. 165.

8. National Gallery of London, n^os 6390 & 6391, *Paysages de la campagne romaine.*

9. La visite du Bernin à Paris en 1665 est relatée dans son journal; voir Thuillier (1958), 1960, II, p. 127 : « Après le Sieur Sérisier a monstré les trois petits paysages, aussi de M. Poussin, il les a trouvés beaux... »

10. *Ibidem*, p. 215 : « [...] à plus de trente petits paisages que j'ai veus de sa main en divers cabinets de Paris ».

11. Thuillier et Mignot, 1978, pp. 39-58.

12. Voir D. L. Bershad, « The Newly discovered Testament and Inventories of Carlo Maratti and his wife Francesca », *Antologia di Belle Arti*, 25-26, 1985, p. 76 : *« Due Paesi di Nicolo Pusino con figurine del medio di palmi tre per traverso, alto palmi 2 e oncie 3. »* (« Deux paysages de Nicolas Poussin avec des figures au milieu de trois palmi de long par 2 palmi et 3 onces de haut. »)

13. Ms. inédit à la British Library, Londres, Ms Egerton, 1634, fol. 22 v° (The Palazzo del Principe Iustiniani/appresso la Rotonda) : *« There are 3 quadros of Monsr. Poussino's. One of a soldier killing a child, treading upon it, ye mother by and another woman well designed, but gay and light. 2 others have also prospects of old ruined buildings and broken pillars. »* (« Il y a 3 tableaux de Monsieur Poussin. Dans l'un on voit un soldat tuant un enfant, sa mère et une autre femme bien dessinées, mais gaies et légères. Les deux autres montrent aussi des vues d'édifices en ruines et de colonnes brisées. »)

14. Par exemple dans l'inventaire de Claudine Bouzonnet-Stella, « un tableau de 3 pieds en longueur un paysage, il y a un bois, première manière », « Testament et inventaire de biens, tableaux, dessins, planches de cuivre, bijoux, etc, de Claudine Bouzonnet-Stella... », J. Guiffrey (éd.), *Nouvelles Archives de l'Art français,* 1877, pp. 1-113.

15. F. Baldinucci, *Notizie dei professori del Disegno,* 1728, VI, p. 473-474, *« [...] lo portava più il genio al depinger paesi, che le umane figure : onde volle ch'egli, senza abbandonare affatto lo studi di queste, per poter con esse adornare i suoi paesi, si esercitasse per ordinario in disegnar vedute al naturale. Rimase il giovane si persuaso da tal consiglio, che per tre anni e più, che egli stette appresso al Poussin, non applicò mai ad altro... »;* Jacques Thuillier (communication orale) me dit que l'apprentissage du jeune Gaspard, né en 1615, aurait vraisemblablement commencé en 1632 quand Nicolas vint habiter dans la maison de la Via del Babuino.

16. Selon le témoignage des *Stati d'Anime*, cité par M-N. Boisclair, *Gaspard Dughet*, Paris, 1986, p. 138. Baldinucci, *op. cit.* n. 15, le fait partir de la maison de Nicolas à 18 ans, soit en 1633; la documentation des *Stati d'Anime* est plus vraisemblable.

17. Lione Pascoli, *Vite dei Pittori, Scultori ed Architetti moderni*, 1730, I, p. 58, « *gli fece fare alcuni paesetti. Furono questi ben condotti, che disse Niccolò ad alcuni suo amici in vedendoli : se io non glieli avessi veduti fare, e che non fossi piucchè sicuro, che di qui non son mai usciti, non crederei certo, che fossero stati fatti da lui* ».

18. Dans l'article que j'ai publié à propos de Poussin, voir n. 1.

19. S. Alloisi, dans le catalogue de l'exposition, *Quadri senza Casa, dai depositi della Galleria Corsini*, Rome, Palazzo Corsini, 1993-1994, pp. 38-42, n° 25.

20. N. Pio, *Le Vite di Pittori...*, éd. Catherine & Robert Enggass, Rome 1977, pp. 45-46; L. Pascoli, *op. cit.* n. 17.

21. M.N. Boisclair, *op. cit.* n. 16, pp. 329-330, n^os^ R147-149, fig. 489-492. Bien que Boisclair doute de la présence de Dughet au palais Costaguti, pensant que la mention la plus ancienne de sa présence est celle de Ramdohr (1787), elle ignore la description de ces œuvres et de leur répartition chez Nicola Pio, *op. cit.* n. 20, et chez Pascoli, *op. cit.* n. 17, I, p. 60. Les fresques de la salle de Carthagène au Palazzo Costaguti sont également à placer au commencement de l'activité de Gaspard, soit dans les années 1630.

22. Victoria and Albert Museum, Ionides Bequest, Italian Landscapes, C.M. Kauffmann, *Catalogue of Foreign Paintings*, I, *Before 1800*, Londres, 1973, n° 90, comme « Ascribed to Gaspard Dughet ».

23. Bayonne, musée Bonnat, inv. 1638; M.N. Boisclair, *op. cit.* (n. 16), fig. 75, coll. Bonnat, 17.1.30. Anciennement donné à Claude Lorrain.

24. G. Baglione, *Vite dei Pittori...*, Rome 1649, p. 335 : « *Andossene a Tivoli un'estate per suo disporto, e fecevi alcuni pezzi di paesi piccoli imitati dal naturale, e ritratti da quelle vedute con vaghissime cascate di acque (opere veramente a vedere degne di maraviglia, tanto erano bene, e diligentemente fatte) con buona maniera, con bellezza naturale, e con accompagnamento di figurine, che mirabilmente vi operavano.* » (« En se rendant à Tivoli un été, il fit quelques petits paysages d'après nature, et des portraits, de ces vues avec de très vagues cascades d'eau (œuvres véritablement à voir car dignes de merveilles, tant elles sont bien et rapidement faites) avec une bonne manière, une beauté naturelle et avec un accompagnement de figures qui œuvrent merveilleusement. »)

25. Londres, National Gallery, *Paysage au chevrier*, Inv. n° 58.

26. J. von Sandrart, *Deutsche Academie*, Nuremberg, 1675 et 1679, éd. A.R. Peltzer, (Munich, 1925) p. 257. Sandrart ne cite pas Gaspard par son nom, mais vu son âge, à l'époque, ce n'est pas étonnant.

27. Voir aussi Kitson, 1961, pp. 142-162. La parenté entre les dessins d'après nature de Claude et ceux de l'album Crozat-Mariette est frappante; voir particulièrement ceux dessinés séparément dans la *Vigna Madama* et datés par Roethlisberger vers 1635-1640 (M. Roethlisberger, *The Drawings of Claude Lorrain*, 1968, n^os^ 290-300).

28. Friedlaender et Blunt, IV, 1963, sur les paysages attribués à Gaspard Dughet, n^os^ G1-G16. Certains de ces dessins superbes furent enfin reconnus comme de Poussin par A. Blunt dans son article du *Burling-*

*ton Magazine* (voir n. 2) en 1980; presque tous étaient exposés à Fort Worth en 1988, et pour Oberhuber datent des années 1620, alors qu'en même temps il les rapproche de deux de Claude vers 1635-1640.

29. La majorité de ce groupe était présente à l'exposition de Fort Worth (1988). A. Blunt avait accepté l'attribution à Nicolas de plusieurs de ces feuilles en 1980 (voir article cité n. 2).

30. Félibien, IV (1685), 1785, p. 251.

31. M.N. Boisclair, *op. cit.* n. 16, p. 174, n° 19, fig. 28.

32. RF 763; repr. M.N. Boisclair, *op. cit.* n. 16, fig. 31.

33. Cleveland, Museum of Art, inv. 70.30; M.N. Boisclair, *op. cit.* n. 16, pp. 173-174, fig. 26.

34. M. Chiarini, *The Burlington Magazine,* 1969, vol. CXI, p. 753, n. 15. Le tableau de Cambridge, dont les figures ont été attribuées à Jan Miel, est un autre de ces grands paysages (1,26 x 1,64 m) de la jeunesse de Dughet; le dessin de la collection Beurdeley figurait encore comme étant de Nicolas dans le catalogue de Shearman et Blunt (n° 274, pl. 214).

35. Autrefois à l'université de à Keele, le tableau a été acheté pour Kenwood en 1986; huile sur toile, 1,22 x 1,79 m. M.N. Boisclair, *op. cit.* n. 16, pp. 189-190, n° 72, fig. 97.

36. Cat. exp. Fort Worth, 1988, n° D.70.

37. Inv. n° 2619. À part l'historique que donne Boisclair, *op. cit.* n. 16, pp. 170-171, n° 6, fig. 10, le tableau figure dans J. Smith, *A Catalogue Raisonné...,* VIII, 1837, p. 66, n° 329, dans son catalogue des œuvres de Nicolas Poussin, comme *Jupiter et Io* quand il appartenait à Lord Ashburton. Vraisemblablement la toile de la National Gallery était le pendant d'une autre, ce *Paysage au chevrier* que j'ai déjà eu l'occasion de citer (1977, *loc. cit.* fig. 9). Cette œuvre a presque les mêmes dimensions (0,55 x 0,435 m); et on pourrait ajouter que c'était bien probablement le tableau donné à Nicolas Poussin dans la vente William Comyns chez Christie's, Londres, 6 mai 1806, n° 25 « A Classical Landscape, a peasant with Goats in the front ground – cabinet size ». C'était l'époque où l'on trouvait beaucoup de tableaux provenant de la collection Morrison (d'où vient le *Paysage au chevrier);* mais jusqu'ici on ne peut que se demander de quelle collection commune viennent les deux tableaux.

38. Staatsgalerie, Dresde, n° 718, huile sur toile, 1,06 x 0,82 m. Peint vers 1637 pour le peintre Nicolas Guillaume La Fleur.

39. Cat. exp. Paris, Grand Palais, 1994, n° 59.

40. *Ibidem,* n° 67.

41. Madrid, Prado, n° 2304, huile sur toile, 1,55 x 2,34 m.

42. Friedlaender et Blunt, 1963, IV, n° 275 (Windsor, n° 11925); Rosenberg et Prat, 1994, n° 128; cat. exp. Paris, Grand Palais, 1994-1995, n° 84.

43. Cité dans un inventaire de La Granja par A.E. Perez Sanchez, *Pintura Italiana del siglo XVII en Espana,* Madrid, 1965, p. 276. Jacques Thuillier me fait remarquer que la commande de cette décoration au Buen Retiro remonte vraisemblablement à 1634, à une date où Gaspard était trop jeune.

44. Les deux tableaux (1,00 x 1,36 m env.) ont figuré à Paris, cat. exp. Grand Palais, 1994-1995, n^os^ 94 et 95.

45. M.N. Boisclair, *op. cit.* n. 16, cat. 274; Kenwood, Iveagh Bequest, *Gaspard Dughet,* 1980, n° 18.

46. Cat. exp. Paris, Grand Palais, 1994-1995, n[os] 200 et 201.

47. Biblioteca Reale, Turin, n° 16285 ; Friedlaender et Blunt, IV, 1963, n° 285 ; Rosenberg et Prat, 1994, n° 295.

48. National Gallery, Londres, n° 5763

49. Cat. exp. Paris, Grand Palais, n° 210.

50. Voir, par exemple, le même effet dans le célèbre dessin de la *Vue de l'Aventin* (Florence, Offices ; cat. exp. Paris, Grand Palais, 1994-1995, n° 98 ; Rosenberg et Prat, 1994, n° 116). Cette technique se retrouve aussi dans les dessins de figures de Poussin.

51. National Museum of Wales, Cardiff, 1960, *Ideal and Classical Landscape,* cat. exp. n° 36. Ce tableau a été présenté aussi à l'exposition *L'Ideale Classico e la pittura di paesaggio*, Bologna, 1962, n° 113.

52. Royal Academy, Londres, *Paintings by Old Masters,* 1883, n° 190.

53. *Ibidem,* n° 186

54. Robert de Cotte, voir Thuillier (1958) 1960, II, p. 205.

55. M. Aronberg Lavin, *The Barberini Inventories,* 1975, p. 438, n° 263.

56. Blunt, 1966, p. 166, n° L110.

57. Voir Thuillier et Mignot, 1978, p. 57.

58. Kenwood, *op. cit.* n. 45, n[os] 27, 28. Importés en Angleterre dès 1746 quand ils appartenaient à William Fanquier.

Fig. 1
*Dieu-fleuve dans un paysage*
Toile, 0,77 x 0,88 m
Collection M. et Mme Everett Birch
En dépôt à New York,
The Metropolitan Museum of Art.

*Vénus et Adonis*
Toile, 0,75 x 1,13 m
Montpellier, musée Fabre.

Fig. 2
Gaspard Dughet et Francesco Allegrini
*Paysage avec figures*
Rome, Palazzo Corsini.

Fig. 3
Gaspard Dughet
*Paysage avec un chemin*
Toile, 0,68 x 0,50 m
Londres, The Victoria and Albert Museum.

Fig. 4
Gaspard Dughet
*Étude d'arbres*
Plume et lavis, 25,7 x 18,7 cm
Bayonne, musée Bonnat.

Fig. 5
Nicolas Poussin
*Sous-bois*
Plume, encre brune, lavis brun, traces de pierre noire,
25,4 x 18,6 cm
Royaume-Uni, collection particulière.

Fig. 6
Gaspard Dughet
*Paysage avec figures*
Toile, 0,50 x 0,68 m
France, collection particulière.

Fig. 7
Gaspard Dughet
*Paysage*
Plume et lavis, 22,2 x 23,5 cm
Paris, musée du Louvre.

Fig. 8
Gaspard Dughet
*Paysage avec chasseurs*
Toile, 1,27 x 1,75 m
Cleveland, The Cleveland Museum of Art.

Fig. 9
Attribué à Nicolas Poussin
*Paysage au bouvier*
Toile, 0,54 x 0,45 m
Londres, National Gallery.

Fig. 10
Nicolas Poussin
*La Nourriture de Jupiter* (détail)
Londres, Dulwich
Picture Gallery.

Fig. 11
Attribué à Nicolas Poussin
*Le Lac*
Toile, 0,73 x 0,99 m
Édimbourg, National Gallery of Scotland.

Fig. 12
*Le Lac* (détail de la fig. 11).

Fig. 13
Nicolas Poussin
*Le Temps calme*
(détail)
Winchcombe,Sudeley
Castle Trustees.

Fig. 14
*Le Lac* (détail de la fig. 11).

Fig. 15
Nicolas Poussin
*Paysage avec un homme se lavant les pieds*
(détail) Londres, National Gallery.

Fig. 16
Gaspard Dughet
*Paysage au sentier*
Toile, 0,48 x 0,63 m
Royaume-Uni, collection particulière.

Fig. 17
Gaspard Dughet
*Paysage montagneux avec une chute d'eau*
Toile, 0,48 x 0,63 m
Royaume-Uni, collection particulière.

# De Vaux-le-Vicomte à Versailles : les termes de Poussin

**Sylvain Kerspern**
Historien de l'art, Paris

C'est en 1655-1656, au soir de sa vie, que Nicolas Poussin eut à répondre à la seule véritable commande de sculpture qui lui fut passée, des termes destinés au jardin de Vaux-le-Vicomte. Leur historique est assez bien connu, mais bien des points restent à éclaircir. Quelles places avaient-ils à Vaux? Quels en étaient les sujets? Surtout, lesquels parmi les termes aujourd'hui dans les quinconces du Midi et du Nord du parc de Versailles reviennent bien à Poussin? L'apport de nouveaux documents et l'examen des statues elles-mêmes devraient suggérer des réponses.

Rien, dans cette commande, n'est tout à fait ordinaire. On peut s'étonner que Poussin, déjà âgé, décide brusquement de faire œuvre de sculpteur. Certes, il s'y était déjà essayé autrefois en compagnie de son ami François Duquesnoy et façonnait, pour ses compositions peintes, des figurines dont il élaborait le drapé et qu'il disposait sur de petites scènes présageant de l'effet final recherché. Mais cette fois, il s'agit bien d'une commande de sculpture à laquelle il apporte les plus grands soins : il en fait lui-même les modèles en terre cuite et intervient, dit-on, dans les ateliers des sculpteurs à qui il a confié leur réalisation en marbre[1]. Tout porte à croire que Poussin en est lui-même l'initiateur. La lettre depuis Rome de l'abbé Fouquet à son frère le surintendant, du 27 décembre 1655, qui nous révèle l'entreprise au stade de la conception, témoigne d'un enthousiasme et d'une fièvre qui paraît caractériser toute l'élaboration de Vaux-le-Vicomte. Il est d'usage de faire coïncider les débuts des travaux du château du jardin de Vaux en les plaçant en août 1656, et il peut sembler étonnant de voir cet enthousiasme saisir l'abbé et l'artiste dès l'hiver qui précède. Sans en pouvoir développer l'argumentation ici, une date nettement plus haute, vers 1653, peut être affectée à la mise en chantier du projet d'ensemble : il suffira de noter que des ouvriers étrangers au pays travaillent à d'importants terrassements à Vaux dès 1654, au plus tard, selon les archives paroissiales de Moisenay, village voisin. Il est clair, d'autre part, que l'ouvrage concerné par les marchés d'août 1656 se limite à l'élévation du château à partir de la terrasse, les fondations étant déjà en place[2].

La contribution de Poussin dès 1655 en est d'ailleurs une sorte de confirmation : on n'imagine pas le maître normand âgé, surchargé de commandes, accepter de travailler en sculpture (quand bien même il pouvait en espérer le paiement de gages non versés depuis son départ de Paris et la confirmation de son titre de Premier peintre du roi) alors que tout à Vaux resterait à faire. En revanche, on peut s'interroger, à cette date, sur la mise au point d'un véritable programme pour le décor du jardin. Avant que Le Brun et Michel Anguier n'entrent en jeu (en 1657-1658), il est encore peu élaboré : on n'y trouve probablement que les termes de Poussin, peut-être complétés par d'autres conçus par Thibault Poissant. Durant l'été 1655 encore, l'abbé Fouquet demande à son frère de lui faire parvenir des plans de ses maisons et jardins de Saint-Mandé et Vaux pour les soumettre aux jugements des connaisseurs romains : signe que, si le projet d'ensemble est arrêté, bien des points de détail restent à préciser. Ceci suggère dans quelle mesure Poussin put, comme à son habitude, agir en liberté.

Les sources anciennes ne s'accordent pas sur le matériau ni sur la dimension des modèles réalisés par Poussin. L'inventaire de Pietro Paolo Avila en décembre 1657 permet au moins de trancher sur le premier point, puisqu'il répertorie quatre modèles de termes en terre cuite de sa main. On notera par ailleurs que leur entrée chez un collectionneur implique l'achèvement des statues qu'ils préparaient[3]. Le plus étonnant est l'absence de dessin préparatoire : Poussin aurait-il travaillé directement la terre, après une éventuelle préparation à la façon de son « petit théâtre »?

La source tant soit peut détaillée la plus précoce est le texte de Bellori publié en 1672, qui suggère le programme : « Il a représenté les divers génies des fleurs et des fruits de la terre par des figures d'hommes et de femmes avec tout le buste humain sur des termes ou hermès qui devaient être disposés dans les allées du jardin. » Il cite ensuite différents sujets (*Pan*, le *Faune*, *Pallas*, *Cérès* et *Bacchus*) « et autres nymphes et dieux ayant des fleurs, des fruits et une corne d'abondance en leur sein, comme marques de la fertile et délicieuse villa ».

Au moment du transfert de Vaux à Versailles, en 1683, il est question de onze termes, correspondant apparemment à la suite de dix plus un (encore encaissé) mentionnée par Jacques Houzeau en 1665 dans le grand parterre de Vaux[4]. Deux d'entre eux sont mentionnés dans les liasses de la justice de Vaux proche les petits canaux en 1667 et 1668, époque à laquelle ils sont l'objet d'actes de vandalisme attribués au fontainier Robillard et à ses domestiques[5] : un *Hercule* et un personnage « au bras duquel il paraissoit y avoir un caducée et dans l'autre main une grenade », difficile à identifier puisque ne correspondant à aucun de ceux conservés à Versailles. Cette dernière statue eut col et bras brisés et était localisée entre les Coulettes (allée d'eau au centre des parterres bas, entre le Rondeau et l'Arpent d'eau) et les parterres de broderies.

Or, les gravures dessinées, gravées et éditées par Israël Silvestre, réalisées entre 1655 et 1661 et qui apparaissent comme des témoignages de premier ordre pour le jardin[6], montrent à cet endroit, aux angles des prés des Coulettes, quatre termes. On peut les identifier avec les « quatre belles figures » situées là par mademoiselle de Scudéry dans sa description de Valterre[7]. Ces gravures dont Silvestre est entièrement responsable montrent peu de sculpture et témoignent surtout d'un « premier Vaux », celui de Le Nôtre, avant que Le Brun n'intervienne dans le décor. Hors une figure assise (probablement la *Géométrie* d'Anguier citée en 1665) et des statues rarement définies au point qu'elles peuvent changer d'une image à l'autre ou du dessin à la gravure, ce sont essentiellement des termes que l'on y voit. Dans le « grand parterre », outre les quatre au pied du Rondeau déjà évoqués, on en dénombre quatre autres ornant la palissade derrière la Couronne et deux décorant celle adossée à la terrasse du parterre des fleurs : soit l'équivalent des dix mentionnés par Houzeau en 1665 comme montrant tous un buste complet.

Ce n'est qu'après leur transfert à Versailles que l'on trouve un état détaillé de l'ensemble, dans le recueil de Thomassin de 1694 et la description de Versailles publiée par Piganiol en 1701[8]. Ici se pose un grave problème. En 1665 et 1683 ne sont mentionnés que onze termes. Or, le graveur en reproduit treize en sens inverse, auxquels l'écrivain ajoute une *Cérès*. On ne prête qu'aux riches. Que Thomassin, qui dans son introduction nous dit avoir fait ses relevés en 1689, ait « oublié » *Cérès* laisse à penser que celle-ci est un ajout postérieur à cette date, antérieur à 1701. Cependant, deux termes sont encore de trop.

À la vérité, les différences entre nos deux sources versaillaises ne se limitent pas à la *Cérès* surnuméraire : ainsi, rien chez le guide ne semble correspondre à l'image du *Moissonneur* (fig. 10); à l'inverse, le texte mentionne une *Jeunesse* que Thomassin paraît n'avoir pas relevée. Très tôt, à l'évidence, des confusions ont été faites et elles furent largement répétées au cours du XVIII^e^ siècle, ce qui rend toute identification délicate.

On peut tout de même être sûr de trois termes : *Pan* (fig. 1), le *Faune* (fig. 2) et *Pallas* (fig. 3), non seulement cités mais aussi décrits par Bellori. Or, il s'agit précisément des trois sculptures exécutées par Domenico Guidi. On peut donc avancer que Bellori a assisté à leur réalisation[9], et *a contrario*, être prudent quant aux autres sujets cités mais non décrits. De fait, les attributs qu'il donne à *Bacchus*, très conventionnels, ne correspondent pas à ce que tient le terme ainsi appelé à Versailles et gravé par Thomassin : au lieu de « l'uve » (le raisin), ce dernier porte une cruche et un bol.

S'agit-il bien d'un Bacchus (fig. 12)? Une description manuscrite vers 1700 des jardins de Versailles[10] lui donne un autre nom et justifie ainsi les véritables attributs : « *Podalyre*. Fils d'Esculape. Il fut appelé au siège de Troye pour secourir les Grecs par la grande expérience qu'il avoit en l'art de Médecine. Il se servoit beaucoup de l'eau du fleuve Athenus, ce qui est signifié par la cruche et la tasse qu'il tient. Le serpent est le symbole de la Prudence et de la Vigilance qu'on doit avoir auprès des malades. La peau de lion marque que les anciens rendoient aux médecins les mêmes honneurs qu'à Hercule parce qu'ils enseignoient l'art de combattre les maladies. » L'ensemble de cette description nous est très utile en précisant des iconographies parfois rares, qu'il faut confronter aux indications de nos deux autres témoins.

La description anonyme commence par le *Bosquet du Dauphin* (actuel quinconce du Nord). Son premier terme représente *Adrastée* (fig. 6), une des nymphes qui élevèrent Jupiter et qui reçut en récompense une corne d'abondance, celle des richesses, nous dit-on. On peut l'identifier avec la *Libéralité* de Thomassin (n° 186) : on y voit une corne renversée d'où s'échappent des pièces.

Viennent ensuite, sans description, un *Faune* (fig. 2), une *Abondance* et une *Flore* (fig. 7), le premier et la dernière correspondant aux n^os^ 189 et 190 du graveur et aux termes de même sujet cités par Piganiol. L'*Abondance* est le premier problème. Ce titre chez Piganiol doit correspondre à la *Libéralité* / *Adrastée* (fig. 6) des deux autres. Le même dans la description anonyme semble donc sans équivalent, du moins chez Thomassin. Ne pourrait-on y faire correspondre la *Cérès* (fig. 13) mentionnée en 1701, qui n'a pas été traduite par le graveur et qui présente justement une corne d'abondance?

L'ensemble des termes du bosquet du Dauphin est complété dans le texte de la Bibliothèque nationale par *Podalyre* (fig. 12) et un *Satyre* (fig. 1), soit *Bacchus* (n° 191) et *Pan/un Satyre*; à quoi s'ajoute une autre *Cérès* sculptée à Rome dans les années 1680 par Théodon, installée seulement au moment où Thomassin, qui la grave, fait ses relevés.

Vient ensuite le bosquet de la Girandole (actuel quinconce du Midi), dont le premier terme décrit est l'*Hercule entouré d'un serpent* (fig. 4; Thomassin n° 179 et l'*Hercule* de Piganiol). Puis, Hébé, déesse de la Jeunesse, est ainsi commentée : « les roses que l'on lui donne signifient que la jeunesse et la beauté se passent comme cette fleur. » Il s'agit donc de la *Flore* gravée par Thomassin sous le n° 184 et de la *Jeunesse* citée en 1701[11] (fig. 8).

Puis réapparaît *Hercule* mais avec les attributs liés à son combat contre Acheloüs (fig. 5) : la corne du taureau vaincu, remplie par les naïades et devenue corne d'abondance, et la guirlande de hêtre qui « marque la force qui est donnée à la terre par l'air modéré pour produire toute sorte de fruits ». Cette dernière orne le front du personnage gravé sous le nom de *Vertumne* (n° 181) et mentionné en 1701 comme un *Jeune homme qui tient une masse*. La *Pomone ménade* avec grappes et raisin qui lui succède est sans doute la *Bacchante* gravée sous le n° 188 et la *Femme qui tient du raisin* (fig. 14) de Piganiol.

Le terme suivant est d'une iconographie aussi rare que *Podalyre* : il représente *Archimole*, « sophiste d'Élide qui ne se nourrissoit que de figues et d'eau, & si néanmoins il estoit des plus robustes. Il en est couronné, et il en tient dans sa draperie ». Ces derniers mots permettent d'y reconnaître les pseudo-*Morphée* (fig. 9) des deux autres sources (gravure n° 183).

*Pallas* (fig. 3) correspond parfaitement à ce que l'on voit (gravure n° 180) et lit ailleurs. Avant de conclure sur l'autre terme de Théodon complétant l'ensemble (*L'Hiver*), la description anonyme évoque encore *Aruncus*, « dieu des jardins, qui détournoit les maux des fruits de la terre; on lui donne pour cela une serpette et il est couronné de fruits ». Ainsi est expliqué l'énigmatique *Moissonneur* (fig. 10) gravé sous le n° 185 et dont Piganiol ne dit mot.

Exceptée l'absence d'une gravure de *Cérès* ou l'*Abondance*, nos trois sources paraissent concorder pour le bosquet du Dauphin. Au Midi, les correspondances sont moins claires : *Aruncus/le Moissonneur* (fig. 10) n'est pas cité par Piganiol qui, à l'inverse, mentionne une *Pomone* (Thomassin n° 182) absente du texte anonyme et une seconde *Flore* que l'on ne retrouve plus ailleurs si l'on se souvient que celle de Thomassin a été identifiée à *Hébé / la Jeunesse* (fig. 8) dans l'autre bosquet. Cette dernière est peut-être le fruit d'une confusion chez le guide, deux titres (*Flore* et *Jeunesse*) désignant un même terme (*Hébé*). On s'explique moins bien les oublis de *Pomone* par la description anonyme et d'*Aruncus* par Piganiol.

Quoiqu'il en soit, nous voici encore avec quatorze termes, ou treize si l'on exclut la *Cérès* non gravée par Thomassin, au lieu de onze. On eût aimé que les *Jardins de Versailles expliqués* renseignent aussi sur les auteurs, mais ils ne donnent ce genre de précision que pour les ouvrages de Théodon.

L'examen matériel peut donner des indications. Jean Coural avait déjà noté des différences dans le format des gaines, à forme trapézoïdale plaquée contre un pilastre. La largeur de ce dernier oscille entre 30,5 et 33,5 cm pour tous, exceptée la *Flore* (à guirlande ; fig. 7) qui atteint 39 cm. Le format des gaines à leur base est moins homogène : la majorité est large de 17 à 20 cm, les cinq autres (*Podalyre / Bacchus,* fig. 12 ; *Cérès*, fig. 13 ; *Flore*, *Aruncus / le Moissonneur*, fig. 10 la *Bacchante / Pomone ménade,* fig. 14), entre 24 et 27 cm. Jean Coural en tirait une présomption favorable aux neuf autres, parmi lesquels figurent en effet ceux qui, depuis son article, ont été confirmés par les documents : les trois exécutés par Guidi et l'*Hercule* cité dans les pièces de justice de Vaux. La facture ne vient certes pas contredire un tel regroupement : on retrouve en chacun d'eux la vigueur plastique, les visages tendant au masque à l'antique aux pommettes saillantes et aux paupières ciselées, le drapé également à l'antique, multipliant les plis, toutes choses convenables pour Poussin.

Il reste à en retrancher trois. La *Cérès* (fig. 13) non gravée par Thomassin et le *Bacchus* (fig. 12) débaptisé et n'ayant pas le raisin que Bellori lui attribue, déjà rapprochés par Jean Coural, sont d'une facture commune et différente des autres, et pour tout dire, très étrangère à l'art de Poussin. Plutôt que d'y voir, en les acceptant, une exécution « par quelque praticien et à l'insu de Poussin », il est préférable de renoncer à les intégrer à la suite conçue par le Normand. Le style gracieux et sensuel est très loin de ses propres conceptions, malgré d'évidentes qualités.

Il reste à choisir entre *Aruncus / le Moissonneur* (fig. 10) et la *Bacchante* (fig. 14). Un détail distingue le premier des autres termes : une rupture est encore visible entre le trapèze de la gaine et les moulures de sa base, alors qu'ils sont pour tous les autres d'un seul tenant. Son apparence suggère une identification avec le terme encore encaissé en 1665 : peut-être accidenté lors du transport depuis Rome, il n'aurait pu être installé immédiatement. Les arguments les plus importants doivent cependant se trouver dans le style. La *Bacchante*, aux traits lourds, au torse épais, aux plis systématiques et peu fouillés, ne ressemble guère aux productions de Poussin, dont le *Moissonneur* est, lui, très proche. On peut ajouter que la *Bacchante* introduirait un ton pathétique absent du reste de la suite par son expression, peu en accord avec le programme évoqué par Bellori (« les marques de la fertile et délicieuse villa »).

Le groupe ainsi constitué peut étonner. Son nombre est impair. On remarquera que les orientations des têtes ne permettaient pas, de toute façon, de mise en pendant systématique : six se tournent vers leur droite, deux vers leur gauche (*Flore* et *Hercule au serpent*) et trois (*Pallas*, *Hercule à la corne d'Acheloüs* et *Aruncus*) regardent en face. Si l'on reprend les dispositions des gravures de Silvestre, trop imprécises pour permettre des identifications, et la mention de la *Clélie*, il faut isoler un groupe de quatre statues à voir depuis le Rondeau : on peut supposer une association de la *Flore* et d'*Hercule* regardant vers leur gauche, avec deux autres regardant vers la droite; ou bien *Pallas* et *Hercule* vus de face, encadrés par deux termes regardant vers eux. La première solution sera préférée ici, car elle permet de placer au pied du Rondeau l'*Hercule* le plus facilement identifiable; surtout, elle autorise une répartition séduisante : les deux termes de face seraient situés derrière le parterre de fleurs, renforçant une lecture transversale du jardin voulue par Le Nôtre, alors que les quatre restant, installés derrière les prés de la Couronne, porteraient leur regard vers le château.

Aussi curieux que cela paraisse de la part d'un vieil artiste et d'un commanditaire à la santé délicate, cette suite met l'accent sur la force et la vitalité de la Nature. Hercule apparaît deux fois, et Archimole est l'exemple de la robustesse que l'on peut tirer de la frugalité. Presque tous les personnages sont associés à une fleur, une essence d'arbre ou un fruit : Pan au pin, le Faune au lierre, Hercule à la pomme puis au hêtre : Archimole à la figue, Hébé à la rose et Pallas à l'olivier : les quatre restant portent fleurs ou fruits moins identifiables dans leurs bras, autour de leur tête, en guirlande ou en corne d'abondance.

Parallèlement pouvait se lire un discret éloge du maître des lieux, et notamment de la façon dont il remplit sa charge de surintendant des Finances. C'est elle qui lui permet sa libéralité, et le choix d'Adrastée, une des nymphes nourricières de Jupiter, qui reçut de lui, en récompense, la corne des richesses, pourrait évoquer Fouquet recevant cette charge comme le prix de sa loyauté. Mais il faut se garder d'appliquer à Poussin ce que mademoiselle de Scudéry nous révèle du génie de Le Brun[12]. Le serpent, ici symbole de prudence, et l'olivier, attributs de Minerve, concourent à une interprétation pacifique de la déesse, personnifiant la sagesse. Les vertus protectrices envers les fleurs et les fruits et les bienfaits que l'on peut en tirer peuvent être lus comme autant d'allusions à la politique du surintendant, source de tant d'abondance.

L'enthousiasme manifesté par l'abbé Fouquet au moment où Poussin entreprenait ses termes pour Vaux suffirait à suggérer leur importance. Leur présence à Versailles, qui demanderait plus d'attentions[13], nous permet d'abonder dans le sens de Bellori lorsqu'il les place au nombre des meilleures statues modernes. Un auteur cité par Jean Coural rendit involontairement hommage au maître en qualifiant d'antiques les bustes de l'*Hercule au serpent* et d'*Hébé* (les têtes étant dites modernes) : l'objectif avoué par l'abbé Fouquet fut donc bien atteint…

On aurait aimé pouvoir réattribuer les termes retranchés de l'œuvre de Poussin. Malgré les importants travaux de François Souchal sur la sculpture au temps de Louis XIV, l'histoire des termes pour Versailles reste à écrire. À lire les comptes des bâtiments royaux publiés par Jules Guiffrey, on constate que le moment de l'acquisition par Louis XIV de ceux de Poussin, en 1683, correspond aux débuts d'une campagne importante de commandes de termes, notamment des philosophes, dont beaucoup sont expressément désignés comme exécutés sur les dessins de Pierre Mignard. Il ne s'agit pas de présenter ici pareille hypothèse pour nos « rebuts », mais la coïncidence offrait au nouveau maître de la scène artistique française l'occasion de montrer la diversité de ses talents, qui le rendaient capable, à l'instar de son rival Le Brun, d'aborder la sculpture, et ce, en s'affirmant l'héritier de Nicolas Poussin, que l'Académie avait pris pour héros et qu'il avait lui-même admiré lorsqu'il était à Rome.

## Notes

1. Bellori (1672), 1976.

2. Archives départementales 77, 6E 313/1; Archives nationales, O[1] 1964. Le problème de la datation de Vaux fait partie des questions posées lors d'une étude sur les jardins, commandée dans le cadre d'un projet de restauration les concernant par le propriétaire, Patrice de Vogüe, et sous la responsabilité de Jacques Moulin, architecte en chef des Monuments historiques.

3. Voir en dernier lieu E. Fumagalli, cat. exp. Paris, Grand Palais, 1994-1995, pp. 56-57, n. 102. Je remercie Jean-Claude Boyer qui m'a signalé l'inventaire d'Avila publié par Lucie Galactéros de Boissier, *Thomas Blanchet,* Paris, 1991, p. 583. Par ailleurs, une lettre de l'abbé Fouquet du 7 mars 1656 précise que « les termes occuperont bien [Poussin] encore deux mois »; ce qui suggère un achèvement durant l'été 1656.

4. La vente fut faite par Mme Fouquet juste avant qu'elle ne laisse le domaine à Louis-Nicolas son fils, comme l'atteste un document cité dans l'inventaire après décès de ce dernier (Archives nationales, M.C., XIX, 580, 8 juin 1705). Voir *Comptes des bâtiments du roi sous le règne de Louis XIV,* publiés par J. Guiffrey, Paris, 1887, II, col. 328 et 463; Archives nationales, O1 1964. Voir aussi Coural, 1960, n° 2, p. 67-74.

5. Archives de Vaux-le-Vicomte.

6. C'est l'une des conclusions de l'étude citée en n. 2. Un article consacré à ce point devrait être publié prochainement.

7. *Clélie,* X, p. 127 *sqq*.

8. S. Thomassin, *Recueil des figures, groupes, thermes, fontaines, vases,* n[os] 179-191; J.-A. Piganiol de La Force, *Nouvelle description des chasteaux et parcs de Versailles et de Marly,* Paris, 1701, pp. 282-283, 314-315.

9. Les notes biographiques sur Domenico Guidi évoquées par Elena Fumagalli, bien postérieures à Bellori, sont sans doute moins fiables par leur désir de mettre en avant le sculpteur.

10. *Les Jardins de Versailles expliqués* (portant la mention : « apporté de Versailles et remis en dépôt des estampes par M. Le Fèvre le 10 avril [barré : 1647] 1746 »). Bibliothèque nationale, Cabinet des Estampes, Fb 27 fol. Le texte mentionne *L'Enlèvement de Proserpine* de Girardon, posé en 1699, et décrit la Galerie d'eau dans son premier état, modifié en 1704. La *Cérès* est également absente, ce qui devrait resserrer la fourchette entre 1699 et 1701, mais les identifications de l'un et de l'autre, qui sont abordées plus loin, se révèlent problématiques.

11. La gravure de Thomassin place dans la main le long du corps une sorte de rouleau, remplacé depuis par des roses semblables à celles de la main contre le ventre (voir Coural, 1960, repr.). Cette dernière manque aujourd'hui...

12. Le thème de la fidélité pendant la Fronde sera repris par Le Brun pour un plafond du château. Au demeurant, le décorateur ne faisait certainement que traduire les suggestions continues du cercle érudit de Fouquet, dont Pellisson et peut-être mademoiselle de Scudéry. Ont-ils également soufflé à l'oreille du vieux Poussin?

13. On peut souhaiter que le grand projet de rénovation des jardins les remettent en valeur, notamment par une restauration soignée.

Fig. 1
Nicolas Poussin et collaborateur
*Pan*
Versailles, parc du château,
quinconce du Nord.

Fig. 2
Nicolas Poussin et collaborateur
*Le Faune*
Versailles, parc du château,
quinconce du Nord

Fig. 3
Nicolas Poussin
et collaborateur
*Pallas*
Versailles, parc du château,
quinconce du Midi.

Fig. 4
Nicolas Poussin
et collaborateur
*Hercule au serpent*
Versailles, parc du château,
quinconce du Midi.

Fig. 5
Nicolas Poussin
et collaborateur
*Hercule à la corne*
(ou *Vertumne*)
Versailles, parc du château,
quinconce du Midi.

Fig. 6
Nicolas Poussin
et collaborateur
*Adrastée*
(ou *La Libéralité*)
Versailles,
parc du château,
quinconce du Nord.

Fig. 7
Nicolas Poussin et collaborateur
*Flore*
Versailles, parc du château,
quinconce du Nord.

Fig. 8
Nicolas Poussin et collaborateur
*Hébé* (ou *La Jeunesse*)
Versailles, parc du château,
quinconce du Midi.

Fig. 9
Nicolas Poussin et collaborateur
*Archimole* (ou *Morphée*)
Versailles, parc du château,
quinconce du Midi.

Fig. 10
Nicolas Poussin et collaborateur
*Aruncus* (ou *Le Moissonneur*)
Versailles, parc du château,
quinconce du Midi.

Fig. 11
France (?), XVIIe siècle
*Pomone*
Versailles, parc du château,
quinconce du Midi.

Fig. 12
France (?), XVIIe siècle
*Podalyre* (dit aussi *Bacchus*)
Versailles, parc du château,
quinconce du Nord.

Fig. 13
France (?), XVIIe siècle
*Cérès* (ou *L'Abondance*?)
Versailles, parc du château,
quinconce du Nord.

Fig. 14
France (?), XVIIe siècle
*Bacchante* (ou *Pomone ménade*)
Versailles, parc du château,
quinconce du Midi.

## 2e partie

# RENCONTRES : LES MÉCÈNES, LE MILIEU ROMAIN

# Poussin et Cassiano dal Pozzo.

# Notes et documents sur une collaboration amicale

**Francesco Solinas**
Maître de conférences associé au Collège de France,
Paris

*Traduit de l'italien par Lorenzo Pericolo
et Francis Moulinat*

Depuis le XVII^e siècle, les biographes, les critiques et les historiens ont considéré que l'amitié entre Poussin et le cavalier Cassiano dal Pozzo (1583?-1657) était l'un des cas les plus exemplaires et les plus forts d'une profonde amitié spirituelle et d'une collaboration entre un peintre et son mécène[1]. Malgré ce consensus et l'intérêt toujours porté à ces deux hommes, cette collaboration ininterrompue pendant plus de trente ans, demeure encore aujourd'hui un épisode à la fois célèbre et important dans leur vie mais aussi mystérieux et fort peu connu. De fait, que ce soit à cause du manque réel de documents de première main sur une relation qui n'a été que bien peu épistolaire, si ce n'est lors du voyage du peintre à Paris[2] (1640-1642), ou parce que les premiers biographes du mécène et de son peintre se virent imposer des censures ou qu'ils les ont voulues, ce qu'a été cette amitié, discrète et privée s'il en fut, est un chapitre de l'histoire de l'art qui reste encore à écrire. À l'occasion de cette intervention, nous n'évoquerons que quelques aspects de cette amitié sur laquelle nous avons le projet de revenir avec plus d'ampleur.

Même si Carlo Antonio dal Pozzo (1612-1689), le plus jeune frère de Cassiano et son héritier, n'a fourni, et encore avec réticence, que de rares informations à Carlo Roberto Dati (1619-1676) sur son aîné, ce lettré florentin publia cependant en 1664, sept années après la mort de Cassiano, une longue et élégante *Orazione delle Lodi del Cavalier Cassiano dal Pozzo*, qui fut considérée par les contemporains comme une des meilleures biographies du siècle, bien que l'amitié entre Poussin et Cassiano n'y fût pas du tout évoquée[3]. En 1672, ce fut au tour de Giovanni Pietro Bellori de faire paraître, dans ses *Vite dei Pittori, Scultori e Architetti Moderni*, sa propre biographie de Poussin. Il y minimisa le rôle de Cassiano, surtout en ce qui concerne le développement artistique du peintre français. Entre 1657 et 1658, sans doute à cause des dissensions survenues entre Carlo Antonio et Poussin, peu après la mort du septuagénaire Cassiano, et peut-être aussi en rapport avec la sépulture de ce dernier, le peintre ne fut même pas cité dans les lettres où le frère cadet donnait des renseignements à Dati[4]. Pourtant, en 1651-1652, quand Dati séjournait à Rome, Cassiano l'avait présenté à Poussin et les deux hommes, grâce au cavalier, s'étaient mis à correspondre abondamment au sujet d'un traité sur la peinture antique. Les résultats de cette correspondance furent publiés vingt ans plus tard, sous une forme abrégée et adaptée au genre biographique, par ce même Dati, dans ses *Vite dei Pittori Antichi*[5]. Les questions que Carlo Dati posa à Poussin par l'intermédiaire de Cassiano et les opinions inédites du peintre sur les monochromes des Anciens seront présentés ici en appendice ; ils sont la preuve flagrante non seulement de la profonde érudition de Poussin, mais aussi de sa constante collaboration aux recherches que Cassiano et son cercle de savants menaient.

On sait depuis peu que la vie de Poussin fut écrite à la hâte par Bellori[6] et dans un but essentiellement utilitaire. Il s'est surtout fondé sur ses souvenirs et sur les témoignages d'amis communs qui ont fréquenté plus assidûment que lui le maître français. Pourtant, le dessinateur et graveur Pietro Santi Bartoli (1635-1700), élève du peintre et collaborateur du biographe, ainsi que Camillo Massimi (1620-1677), cardinal seulement en 1671, et mécène des deux artistes, n'ont connu qu'un Poussin déjà parvenu à maturité et célèbre : ils en savaient peu sur les débuts romains du peintre[7], même si vers 1640 le jeune Massimi était l'élève de dessin du maître français. Bellori a donc retravaillé les quelques informations précises sur la jeunesse de l'artiste, qui allaient être à l'origine d'un mythe français qui se constituait déjà à l'époque de sa biographie. Bien qu'il ait été constellé de faits sûrs et d'informations de première main, le déroulement rhétorique en crescendo de la carrière du Premier peintre de Louis XIII, ne tint pas compte, par exemple, des premières années aventureuses et souvent désespérées du peintre à Rome[8]. Quand Bellori élabora l'image d'un Poussin indépendant, au-dessus des contingences et libre, rapidement reconnu par les plus grands mécènes romains grâce à la protection de Giovan Battista Marino (1579-1625), le plus grand poète du temps[9], il n'évoqua Cassiano qu'accessoirement. En ne le mentionnant que d'une façon générale et laudative, et en ne reconnaissant pas l'appui capital qu'il offrit au peintre dès 1624-1625 en échange de dessins d'après l'antique et de peintures, il décrit le cavalier comme un personnage de second plan, presque marginal dans la vie de Poussin. Le passage qu'il lui consacra est en effet, chronologiquement placé fort avant dans la carrière du peintre et n'est pas mis en relation avec les *aspri sentieri* (« sentes ardues ») parcourus par celui-ci dans le but de *dimostrarsi e render chiaro il suo nome*[10] (« s'illustrer et rendre son nom renommé »). Le rôle essentiel joué par Cassiano dans l'affirmation du jeune Poussin à Rome n'était pas, dans le dessein de Bellori, un épisode susceptible de passionner et d'entraîner Jean-Baptiste Colbert (1619-1683) dans sa coûteuse entreprise éditoriale. Les faveurs du secrétaire d'État de Louis XIV, le dédicataire des *Vite*, ont, en effet, déterminé l'achèvement rapide de la biographie de Poussin qui fut jointe, en l'espace de quelques mois, à un ensemble déjà complet[11].

Les recherches expérimentales de Cassiano, fondées sur une méthode comparative élaborée au sein de l'Académie des Lincei[12], son approche analytique appliquée à l'étude de l'histoire antique et des sciences naturelles, furent toujours éloignées des préoccupations de Francesco Angeloni (après 1559-1652), le maître et le protecteur de Bellori[13]. Les centres d'intérêt de dal Pozzo, tels qu'ils apparaissent dans sa correspondance, dans ses écrits, chez les érudits de son cercle et dans son *Museo cartaceo*, son immense collection de dessins et de gravures aux sujets scientifiques, archéologiques et, plus généralement, documentaires, étaient, en effet, à l'opposé de l'univers purement littéraire, théâtral et traditionnellement érudit d'Angeloni[14]. Quand Bellori acheva la biographie du grand protégé de Cassiano, il s'est certainement souvenu de tous les différends qui n'avaient certes pas adouci la vieillesse de son maître Angeloni[15]. Après une lecture approfondie de la vie de Poussin, on s'aperçoit que Bellori n'a pas donné l'importance requise à la rencontre de Cassiano et du peintre. Élève et champion du mouvement le plus esthétisant de la culture artistique et archéologique romaine, dont les chefs de file furent Giovan Battista Agucchi, Angeloni et, plus tard, Camillo Massimi jusqu'à Michel-Ange de la Chausse, Bellori décrivit Poussin comme un héros de son courant de pensée. Il est probable que, pour faire triompher, par revanche, les idées d'Angeloni, qu'il a partagées, avec Massimi, jusqu'à sa mort, Bellori a atténué et limité le rôle réel qu'a joué Cassiano dans l'éducation « philosophique » du peintre et qu'il ne lui a pas attribué l'introduction de l'artiste dans les hautes sphères de la cour romaine[16]. Mais en vérité, alors que Cassiano vivait toujours et que Mgr Massimi était relégué pour des années à la nonciature d'Espagne, Bellori, orphelin d'Angeloni, comme tant d'autres jeunes *intendenti* de peinture et d'antiquités, servait et révérait tant et plus le vieil et célèbre cavalier dal Pozzo. Le cavalier, par ailleurs, était en grande partie responsable de la formation de Pietro Santi Bartoli, l'ami et collaborateur du biographe, élève déclaré de Poussin[17].

Si on résume les principaux moments de l'amitié trentenaire entre Cassiano et Poussin, on s'aperçoit qu'entre l'arrivée du peintre à Rome au printemps de 1624 et le départ de Cassiano avec le jeune cardinal Francesco Barberini (1597-1679), envoyé en légation en France le 17 mars 1625[18], leur relation alla en se consolidant, pour finalement se muer, au début des années 1630, en une amitié dévouée. Cassiano reconnut le talent et les possibilités de Poussin au moment où il le rencontra, comme il est probable, dès l'été de 1624, dans une des nombreuses académies libres de la ville. La rencontre a pu se passer à l'académie des Crescenzi, amis du cavalier Marin et connaissances de Cassiano[19], ou, plus vraisemblablement, dans celle réunie autour du Dominiquin (1581-1641). L'ami et le protégé du cavalier accueillait et instruisait les jeunes artistes qui, de toute l'Europe, affluaient vers Rome, et, plus d'une fois, Cassiano leur demanda de collaborer à son *Museo cartaceo*[20]. On peut déjà discerner une étroite collaboration entre Poussin et Cassiano, au retour de la légation de France, à l'hiver 1625. À ce moment, les relations entre le peintre et son mécène semblent s'être bien affermies ; elles se poursuivent jusqu'au départ de la légation suivante, en Espagne, en février 1626[21]. Ces échanges se focalisèrent vite sur la conception iconographique non seulement des tableaux peints par Poussin pour le cavalier, mais encore des trois toiles exécutées pour la collection particulière de Francesco Barberini, le maître absolu de Rome pendant plus de vingt ans[22].

Les lettres écrites à Cassiano durant les années 1640 par les peintres Van den Hoecke et Retini[23], celles de Giovan Battista Ferrari rédigées à Sienne[24], ainsi qu'une série de preuves circonstancielles plus ou moins directes, démontrent et font apparaître clairement le rôle important joué par Cassiano dans la conception des *historie* (« tableaux d'histoire »), mais aussi des paysages allégoriques et des *favole* (« fables »), peints par Poussin pendant sa première période romaine[25]. Le bref billet, au ton désespéré, qui n'est pas daté, mais qui fut adressé à Cassiano de Rome durant l'hiver de 1625, lors d'un accès de la maladie du peintre, énonce clairement la réalité des rapports entre un artiste talentueux et d'une vaste culture, mais peu connu et encore pauvre, et son mécène, dont il dépendait largement. D'après ce que nous savons des relations que Cassiano avait avec les artistes, comme avec des dizaines d'autres correspondants, clients ou amis, nous pouvons dire que le cavalier savait élégamment proposer, mais avec une extrême détermination, ses règles dans la distribution de ses faveurs, et faire jouer ouvertement, et parfois impitoyablement, les lois du donner et du rendre[26]. S'il n'était pas certain de recevoir en échange une bonne contrepartie, Cassiano ne protégeait pas les artistes, ni ne leur donnait ses recommandations influentes, pas plus qu'il ne partageait facilement les résultats de ses recherches érudites ou scientifiques. Jusqu'en 1630, en échange d'une réelle participation à la réalisation de dessins d'après l'antique et pour sa collection naturaliste, et de tableaux destinés à sa *Quadreria*, comme le *Paysage au satyre endormi*[27] de Montpellier, exécuté en 1626 (fig. 1) et l'*Éliezer et Rébecca* de 1627 (fig. 2), Cassiano aida Poussin : il lui procura des médecines et des remèdes pour soigner sa maladie et lui permit d'obtenir des commandes avantageuses[28]. Le contenu du billet de 1625 est d'une grande force émotive, tout à fait déconcertante. Il est aussi explicite. Poussin, s'adressant à la *buona, nobile e pietosa natura* (« bonne, noble et charitable nature ») de Cassiano, annonce l'envoi d'un nombre non précisé de dessins, qui ne semblent avoir été ni les premiers ni les derniers exécutés pour le cavalier. Bien que le peintre ait déjà *ricevute tante cortesie di casa sua* (« reçu tant de marques de courtoisie de sa part ») et qu'il reconnaisse : *quasi ogni volta, che io le scrivo, devo dimandare qualche ricompensa* (« presque à chaque fois que j'écris, je doive demander quelque récompense »), Poussin réclame en échange une future aide : *d'ajutarmi in qualche cosa* (« de m'aider en quelque chose »). Il promet d'achever le dessin d'un tableau, représentant un éléphant *con un Annibale montato sù, armato all'antica*[29] (« avec Hannibal monté dessus, armé à l'antique ») (fig. 3). Ce tableau est cité dans les inventaires tardifs des collections dal Pozzo qui mentionnent, entre autres, en même temps que celui de Poussin, un autre *Éléphant*, un pendant peut-être, dû à Pietro Testa[30] (1612-1650). On peut identifier celui de Poussin avec l'*Hannibal traversant les Alpes*, autrefois en dépôt au Fogg Museum de Cambridge, Massachussets[31]. Parmi les premières œuvres exécutées pour le cavalier, ce tableau constitue un exemple typique du genre didactique et documentaire que, entre le milieu des années 1620 et toute la décennie suivante, Cassiano a aimé à inventer et à faire réaliser par les peintres attachés à sa maison. De même que le cadre élégiaque et naturel du *Paysage au satyre endormi*, qui est à peine postérieur à l'*Éléphant*, servait à faire revivre dans un contexte réaliste de poésie à l'antique les sculptures romaines depuis peu retrouvées dans les fossés du château Saint-Ange, de même la pompe presque ostentatoire des détails archéologiques qu'on trouve dans le portrait de l'*Éléphant* (casques, armes, armures), servait à justifier ou à orner, dans une perspective historique, la représentation d'un animal rare, bien étudié de face et de profil d'après un éléphant indien qu'on avait montré à Rome. Comme les dromadaires minutieusement représentés de face et de profil dans la *Rébecca* (fig. 4), comme les sculptures et les peintures antiques intégrées au *Paysage* de Montpellier, l'*Éléphant* fut lui aussi l'objet d'observations précises et de débats académiques de la part de Cassiano et de ses collègues naturalistes. Dans ces trois cas, peintre et mécène abordaient des genres nouveaux de la peinture d'histoire – documentaire et didactique, sacrée ou profane – et de la fable antique, où la documentation érudite – archéologique et naturaliste – s'unissait à l'invention picturale, pour parvenir à un degré d'illustration irréprochable, d'un point de vue philologique et lisible à divers niveaux. L'éléphant fit l'objet d'une fiche descriptive détaillée – qui indiquaient ses mesures, son poids et son aspect –, toujours conservée dans un mélange de notes consacrées aux sciences naturelles ayant appartenu à la bibliothèque dal Pozzo[32]. Par ailleurs, l'*Éléphant*, comme les dromadaires de la *Rébecca*, avait certainement été dessiné pour la collection de dessins zoologiques du cavalier; en 1630, sans doute d'après le modèle fourni par un des deux tableaux de la collection, l'animal fut reproduit à l'eau-forte par le même Pietro Testa[33].

La *Prise de Jérusalem*, aujourd'hui perdue, et la *Mort de Germanicus* (voir fig. 3, p. 407) furent peintes entre 1625 et 1628, pour le cardinal Barberini. Ce sont les premières commandes importantes passées au peintre, émanant du plus haut commanditaire privé romain. L'hypothèse selon laquelle, dans cette entreprise, Poussin aurait été guidé et soutenu par le cavalier, non seulement pour leur attribution, mais aussi pour la mise au point des inventions iconographiques innovatrices, est étayée par le rôle de surintendant des collections cardinalices tenu alors par Cassiano. S'étant attaché avec ardeur à la constitution de la galerie et du musée du jeune prélat, Cassiano, mieux que quiconque, était à cette date le maître des orientations philosophiques et esthétiques de celui-ci. En effet, souvent et non sans une certaine insistance, le cavalier orientait le cardinal vers ses propres domaines de recherches et ses intérêts artistiques[34]. Les deux premiers tableaux exécutés pour Barberini sont le fruit d'une étroite collaboration entre Poussin et Cassiano. Ils se fondent sur des textes antiques choisis avec soin, afin d'être à même de représenter sur un mode allusif, à l'aide de métaphores raffinées, les vicissitudes personnelles du prélat, et les circonstances de son principat. À cette date, et sans Cassiano, Poussin n'aurait pu obtenir avec un succès aussi soutenu les commandes Barberini, mais il n'aurait pas été non plus apte à conduire avec une telle maîtrise des chefs-d'œuvre tels que le *Germanicus*, ni à participer aux conversations familières du cercle du *Padrone*, qui lui permirent de concevoir et de peindre des œuvres aussi complexes et aussi fortement allusives aux vicissitudes du nouveau règne[35]. Ce fut dal Pozzo qui suggéra à Poussin les sujets à représenter, qui proposa les intérieurs et les paysages, qui fournit, grâce à des dessins, des gravures et des vestiges originaux, les détails exacts des visages, des armes et des cuirasses, les vêtements et les architectures qui permirent au peintre de faire des tableaux du cardinal des évocations réalistes et dramatiques des exemplaires « histoires » antiques[36] (fig. 5, 6). Naturellement, c'est Poussin qui a peint le *Germanicus*, mais le choix et l'exécution du tableau n'auraient pas été possibles sans Cassiano[37], le fidèle échanson du *Padrone*, car c'était là la fonction officielle du cavalier chez le cardinal Barberini. Durant l'été de 1625, lors des malheureuses entrevues avec Richelieu au sujet des négociations sur la guerre en Valteline, Cassiano avait assisté le jeune prélat, jour et nuit, et, comme lui-même le rappelle dans son *Journal de voyage*, il avait, le 19 août, présenté la coupe au repas du roi à Fontainebleau[38]. La mort du héros racontée par Tacite, la fin cruelle du jeune général romain empoisonné par Calpurnius Pison, consul d'Antioche, à la demande de Tibère, son père adoptif envieux, devaient sans aucun doute amener le destinataire et le commanditaire du tableau à réfléchir sur les fonctions capitales remplies par un échanson loyal, par un proche dévoué ; c'était ce genre d'homme qui avait manqué à Germanicus. Il est, par ailleurs, certain qu'à un niveau plus élevé, l'*exemplum* rapporté par Tacite et peint par Poussin, comportait aussi, une charge très précise de dévotion[39]. Dans le caractère juste et bon de Germanicus, on voyait, en effet, une préfiguration païenne des héros chrétiens, de ces martyrs des premiers temps, immolés par l'injustice romaine, qui avaient tant intéressé le jeune Francesco Barberini. Mais, si l'on se replace dans le contexte de la cour du prélat et si l'on a recours à une interprétation allégorique et politique, on peut supposer que le choix d'une agonie par empoisonnement n'était pas du tout fortuit. La charge d'échanson, dont les risques étaient connus de toutes les cours du temps, était remplie, à Rome comme à

Paris, par des personnes influentes et d'une totale loyauté. Ce fut à la quarantaine, en 1623, que Cassiano, homme d'expérience et de responsabilité, au fait de toutes les questions littéraires et artistiques romaines, fut nommé échanson du cardinal Barberini par Urbain VIII, son oncle[40]. Le sujet rare du *Germanicus*, jamais représenté jusqu'alors, les renvois historiques précis et les allusions aux rapports unissant un *Padrone* et son échanson, la métaphore presque semblable à celle qu'on rencontre dans la *Rébecca* de la même époque, de même que l'expression des passions et le répertoire des gestes d'une rhétorique élevée, tout cela nous conduit, sans aucun doute, à situer la conception de ce tableau au sein du cercle de Cassiano, auprès duquel Poussin avait nourri son esprit. Par ailleurs, Sir Denis Mahon a suggéré une interprétation à propos de la *Rébecca*, peinte par Poussin en 1627 pour le cavalier (fig. 2). D'après lui, face aux deux dromadaires réalistes et à une Rébecca/Rome, le puits (*pozzo* en italien) héraldique de la feuille de Cassiano se transforme métaphoriquement en une source de vie et de salut pour un jeune Éliézer/Poussin, assoiffé et épuisé dans ces premières années romaines. La dette et la gratitude du peintre envers le cavalier ne sont pas les seules choses à avoir été représentées de manière emblématique, car ce que ce tableau nous enseigne aussi, c'est la façon dont les peintures conçues par Poussin avec l'aide de Cassiano sont imprégnées, sur un mode allusif, de références même biographiques[41].

Que le jeune et inexpert cardinal ait lui-même commandé le *Germanicus*, semble improbable : dans sa galerie nouvellement constituée, à côté des chefs-d'œuvre achetés aux héritiers du cardinal Francesco Maria Del Monte (1549-1626), probablement sur le conseil de Cassiano[42], les deux tableaux de Poussin étaient, de fait, les seuls morceaux importants de la peinture moderne. Le cardinal s'était peu intéressé, en effet, à la peinture et à l'art en général, avant son retour de France et d'Espagne, où ses missions diplomatiques avaient été aussi, grâce à son échanson, de véritables voyages d'initiation artistique. Comme nous l'apprend un inventaire inédit de sa collection, rédigé le 28 janvier1626[43], trois ans après avoir reçu la pourpre, Francesco Barberini n'avait en sa possession que quelques tableaux de peu de valeur et n'avait pas encore développé ce goût et ces connaissances artistiques que, grâce aux leçons et aux efforts de Cassiano, il allait montrer dans les décennies suivantes[44]. D'autre part, ainsi que l'a reconnu Bellori, la commande du *Saint Érasme* pour l'église Saint-Pierre fut obtenue par le peintre grâce aux pressions exercées par le cavalier sur le *Padrone* et, à mon avis, cette œuvre fut exécutée après que

Poussin eut consulté le cavalier et les membres du cercle du cardinal sur des points de documentation érudite.

Si, dans son billet désespéré, écrit en 1625, Poussin décrivait les difficultés qu'il rencontrait dans ces premières années romaines, durant lesquelles il dépendit largement des faveurs du cavalier, en revanche, les lettres écrites de Paris quinze ans plus tard, où le Premier peintre du roi s'exprime d'un ton plus assuré, montrent la perpétuation de ce qui était désormais devenu une amitié profonde entre l'échanson du *Padrone* et le peintre. Conscient des aides reçues dans le passé, voulant maintenir vivace chez son puissant correspondant le souvenir d'un homme qui désirait revenir vite à Rome, Poussin, dans ses lettres parisiennes, exprimait affection, reconnaissance et déférence[45]. Écrites à peu d'intervalles les unes des autres, ces lettres témoignent d'une relation presque familière entre les deux hommes. À côté de celles-ci, et parmi une quantité imprécise de dessins de sa main ou de celles de ses assistants, en rapport avec ses grands projets français, Poussin lui envoya, durant l'été de 1642, le *Baptême*, dernier tableau à avoir été exécuté pour la série des *Sacrements*[46]. Comme Bellori et Baldinucci allaient le rapporter plus tard, en simplifiant, car ils ignoraient les détails de la question, Poussin considéra toujours son ancienne *servitù* par rapport au cavalier comme un enseignement fondamental pour la suite de sa carrière. Ceci étant, Poussin, à Paris et pour Cassiano, dut faire, non sans succès, des démarches diplomatiques et politiques, étrangères à sa profession de peintre, et plus appropriées à un dignitaire de haut rang ou à un haut représentant de la République des Lettres. De cette façon, il parvint pleinement à remercier Cassiano de son ancienne protection et à honorer l'amitié de celui-ci[47].

Depuis leur rencontre, le peintre s'était toujours montré sensible aux exigences demandées par la collection immense de dessins à sujets documentaires, archéologiques et naturalistes composant le célèbre *Museo cartaceo*, commencé par Cassiano, quand il arriva à Rome en 1612 et que Carlo Antonio, son frère, continua après sa mort. Depuis le début de leur relation, non seulement le peintre avait librement consulté les dessins et les gravures du *Museo cartaceo*, mais aussi il avait participé activement, lors de son premier séjour romain, à sa constitution, en dessinant des antiquités et des monuments pour le cavalier[48]. À partir du milieu des années 1630, le rôle joué par Poussin dans cette collection va aller en se modifiant. S'étant affirmé en tant que peintre, il était devenu une sorte d'érudit et de conseiller artistique du *Museo* : il désignait désormais quels marbres il fallait étudier et dessiner; il jugeait, en archéologue expert qu'il était devenu, du style d'une statue et de l'intérêt iconographique d'un bas-relief[49]. Une fois à Paris, et toujours pour le *Museo cartaceo*, Poussin se démena auprès des dignitaires du roi, afin d'exaucer un autre de ses désirs : la copie complète des manuscrits illustrés des *Antiquités* de l'architecte napolitain du XVI^e siècle, Pirro Ligorio, conservés dans la bibliothèque des ducs de Savoie à Turin[50]. Cette copie, interrompue en 1627, connut grâce à Poussin un nouvel essor, et des notes, ainsi que des dessins, parvinrent à nouveau à Rome[51].

Les lettres de Paris témoignent que Poussin s'affranchissait alors de ses obligations à l'égard de Cassiano; pourtant, le cavalier maintint, jusqu'en 1646-1647, son rôle d'expert iconographe et de commanditaire des tableaux du peintre[52] pour le milieu des amateurs d'art et la clientèle issue des Barberini. Les missives des peintres Van den Hoecke et Retini, comme plusieurs autres lettres adressées au cavalier, font apparaître clairement comment et à quel point Cassiano intervenait dans le travail des artistes qu'il protégeait[53]. En ce qui concerne Poussin, les interventions et le pouvoir du mécène étaient même connus des émissaires du cardinal de Richelieu, Sublet de Noyers (1578-1645) et Chantelou (1609-1694), puisqu'en 1639, pour convaincre le peintre de revenir à Paris, ils firent appel au cavalier, à cause de son fort ascendant sur l'artiste[54]. Et c'est pour honorer leur amitié que Poussin respecta toujours le désir de Cassiano, quand il déclara à Chantelou qu'il ne pouvait lui faire un double de la série des *Sacrements*, conçue avec le cavalier et exécutée pour lui[55].

À l'inverse des relations qu'il entretint avec les autres grands peintres de son temps, le Dominiquin, Valentin, Vouet, Artemisia Gentileschi et Pierre de Cortone, Cassiano associa Poussin à tous les domaines où il menait des recherches[56]. Poussin, à partir de 1625, peut-être pour sa culture classique et ses manières honnêtes, fut, plus que tout autre, au courant du résultat des études que Cassiano et son entourage avaient conduites sur les mœurs et les costumes des Anciens. Selon une méthode spécifique mise au point par le cavalier, découlant de la mnémotechnique qui avait tant influé sur le développement de l'érudition au XVI^e siècle[57], les vestiges antiques étaient reproduits, expliqués et datés grâce à un dépouillement systématique des écrivains grecs et latins. Qu'ils fussent imprimés ou manuscrits, les volumes de la bibliothèque dal Pozzo étaient toujours soigneusement annotés de signes divers au crayon, selon un système qui devait renvoyer aux genres de citations aussi bien qu'à leur emploi[58]. À partir de cela, on faisait des analyses et des hypothèses iconographiques, des évaluations chronologiques et stylistiques des statues et des reliefs; on émettait des considérations techniques d'après les originaux ou les dessins du *Museo cartaceo*[59]. Grâce à ce système qu'il avait vite appris, Poussin recueillait, en les ordonnant par le sujet, dans une sorte de journal, les citations littéraires, antiques et modernes, susceptibles de lui servir dans ses inventions picturales. Comme l'a remarqué Jacques Thuillier, un tel journal, composé de citations érudites et littéraires choisies par l'artiste, fut rédigé par Jean Dughet, d'après les indications précises de Poussin. Le journal, dont Poussin se servait pour des cas ou des problèmes comme celui que lui posa Dati au sujet des peintures monochromes de l'Antiquité (voir Annexe), comprenait des passages de différente nature et peut être regardé, en quelque sorte, comme un pendant littéraire des répertoires graphiques reproduisant des reliefs et des vestiges antiques qu'Anthony Blunt nomme *anthological drawings*[60]. En plus de sa participation plus ou moins directe aux recherches archéologiques du cavalier et de ses collègues, comme les philologues Girolamo Aleandro (1574-1629), Giovan Battista Doni (1593-1647), tels que l'archéologue français Claude Menestrier (1564-1634), le paléographe grec Leone Allacci (1586-1669) et le jeune prélat Joseph-Marie Suarès (1599-1677), Poussin, dans les années 1620-1630, était au courant des études d'histoire naturelle et des expérimentations menées par Cassiano et les membres de l'Académie des Lincei. Fondée en 1603 par le prince Federico Cesi (1585-1630), l'Académie s'occupait de recherches philologiques et érudites, mais on s'y appliquait principalement à conduire des enquêtes naturalistes et scientifiques[61]. Ce fut pour ses études ornithologiques, médicales et chimiques, mais aussi pour son honnêteté et sa droiture, conditions morales indispensables pour faire partie des Lincei, que Cassiano entra, en 1622, à l'Académie, en apportant avec lui, dans ce cénacle austère de scientifiques et de chercheurs, sa profonde connaissance des sciences naturelles et de la médecine ainsi que sa longue pratique des disciplines artistiques et antiquaires[62]. À l'instar des recherches archéologiques, les « expériences naturelles », elles aussi, étaient reproduites sur papier pour la section naturaliste du *Museo cartaceo*, ainsi que dans les archives d'iconographie scientifique des Lincei. Sous cette nouvelle impulsion, de telles illustrations, exécutées à partir de 1622-1623, avec l'aide de nouveaux instruments, tels que le microscope et le télescope, prenaient leurs sujets dans la botanique, la géologie, la zoologie, l'astronomie et l'anatomie[63]. Poussin, depuis son arrivée à Rome, s'était intéressé à l'anatomie et à l'optique, deux disciplines pratiquées chez dal Pozzo, et il y avait fait preuve de compétence[64]. Chez Cassiano, Poussin pouvait non seulement lire et commenter les lettres de Nicolas de Peiresc (1585-1637) sur ses expériences optiques, non seulement suivre les leçons d'anatomie animale données dans la maison de Cassiano par les médecins Jacques Thruillier, Pietro Castelli et Domenico Panaroli, mais aussi étudier librement les traités d'optique et de perspective du père théatin Matteo Zaccolini, que Cassiano avait fait copier pour sa bibliothèque, ainsi que certains textes de Léonard de Vinci, dont notamment le *Traité de la peinture*[65] (fig. 7 et 8). Dans les années 1620, quand Poussin entra en relation avec Cassiano, en plus du Valentin, de Vouet, de Pierre de Cortone, de Jean Lemaire, ou d'artistes moins connus, tels que Vincenzo Leonardi, Jean de Saillant, Giovan Battista Ruggeri, Giovanni Maria Antonazzi et Renaud Levieux, il rencontra aussi, chez dal Pozzo, les membres de l'Académie des Lincei[66]. De 1625 à 1629, le plus assidu de tous fut certainement l'herboriste papal Johann Faber, chancelier de l'Académie, botaniste et zoologue, antiquaire et amateur d'art, ami de Rubens, d'Elsheimer et de Filippo Napoletano. Si, à partir de 1622, Faber travailla avec Cesi à la constitution des archives d'iconographie scientifique des Lincei, au même moment, cet allemand, éditeur de Fulvio Orsini, collaborait avec Cassiano et ses artistes à la section naturaliste du *Museo cartaceo*[67]. Comme les objets archéologiques, les observations botaniques et zoologiques étaient reproduites sur papier chez dal Pozzo et souvent représentées en peinture. Il existe un chapitre inédit du genre naturaliste, constitué par les œuvres du florentin Antonio Cinatti, qui, comme Jean Lemaire, avait suivi les indications du cavalier pour élaborer un nouveau genre pictural précis. De même que Jean Lemaire a fait pour le cavalier des paysages avec des ruines peuplées de jeunes dessinateurs vêtus à l'antique[68], de même, Cinatti exécuta pour lui deux *Paysages ornithologiques* que j'ai eu la chance d'identifier dans une collection privée (fig. 9 et 10). Dessinés pour le *Museo cartaceo* par Vincenzo Leonardi et par M. Dupont, le miniaturiste de Nicolas de Peiresc[69], les oiseaux peints sur ces deux grandes toiles inédites ont dû être exécutés vers 1630-1633[70]. Bien décrits dans les inventaires tardifs de la collection, ces volatiles ont été situés dans des paysages lacustres, inspirés de leur habitat naturel; ils illustrent un des sujets de recherche ornithologique de Cassiano, Faber et Peiresc[71].

Si les *Oiseaux*, de même que l'*Éléphant*, le *Paysage au satyre endormi*, la *Rébecca*, et les *Ruines* de Lemaire sont des produits typiques des commandes picturales passées par Cassiano, on peut dire, en recourant à l'analogie mais sans pour cela vouloir porter un jugement de valeur, que la première série des *Sacrements*, marque le sommet de cette tendance illustrative, documentaire et didactique. Exécutés par Poussin sous la direction du cavalier, comme l'a démontré de façon convaincante Charles Dempsey, les *Sacrements* furent inventés et composés à l'aide d'une méticuleuse vérification des textes et des sources visuelles, faite à Rome d'après les antiquités romaines et chrétiennes, à partir des premières années du XVII^e^ siècle ; le *Museo cartaceo* illustre cela avec ampleur[72]. La documentation littéraire et visuelle, de même que les préceptes techniques tirés par Poussin des écrits de Léonard et de Zaccolini, qu'il a merveilleusement intégrés à la première série des *Sacrements*, n'étaient accessibles que chez dal Pozzo[73]. Les tableaux de la première série ne sont pas qu'une illustration extraordinairement érudite d'une chrétienté spirituelle et contemplative, ayant grandi à Rome dans les milieux oratoriens et développée par le cercle de Cassiano et des Lincei ; la lire comme le plus haut exemple de cette peinture philosophique prônée par Federico Cesi et demandée par l'Académie des Lincei à ses artistes[74], ne saurait suffire. L'idée de cette série peut aussi être rattachée aux écrits théologiques du lettré écossais George Conn (1588-1641), une des grandes figures de la cour des Barberini, ami intime de Cassiano, et profondément convaincu des théories de Galilée[75]. Conn avait publié à Rome, en 1629, l'*Assertorium Catholicarum Libri Tres*, dédié à Urbain VIII[76], où il mettait en avant l'actualité idéologique des anciens rites sacramentaux et en disait l'importance pour la dévotion, en rapport avec la difficile lutte contre le protestantisme. Il est certain que Cassiano avait connaissance des écrits de son « *amorevolissimo Signor Giorgio* » et il est tout aussi certain que Conn connaissait les orientations oratoriennes de son ami qui, à la suite du cardinal Baronio, avait fait de la religion des premiers chrétiens un de ses principaux sujets d'étude[77]. Comme on le sait d'après ses notes, on pouvait rencontrer Cassiano à la messe de Santa Maria in Vallicella, l'église mère des Oratoriens[78].

Les directions que, selon Cesi, devaient prendre la peinture philosophique condamnaient le *vanissimo abuso* (« abus très vain ») de la *dilettation semplice* (« simple délectation »), c'est-à-dire, la peinture pour la peinture, comme un pur exercice artistique et décoratif. En privilégiant la valeur exemplaire du sujet (*historia*) et l'utilité documentaire et didactique de la peinture, Cesi recommandait aux peintres l'étude des sources littéraires antiques, profanes et religieuses, qui permettaient de joindre aux qualités supérieures et spirituelles de la peinture le *giovamento di viva et efficace disciplina e a piacer di molta utilità*[79] (« jouissance d'une méthode vivante et efficace et pour un plaisir très utile »). Pour Cesi, comme pour Cassiano, l'intérêt principal de la représentation artistique résidait dans les facultés pédagogiques et explicatives qui lui étaient inhérentes. Ceci ne signifie pas que Cassiano n'était pas sensible à la qualité, au style et à la facture des œuvres des peintres qui lui étaient attachés. Il savait, en effet, reconnaître les qualités et les défauts des peintres et des sculpteurs depuis qu'il avait assisté, dans sa jeunesse, avec son oncle l'archevêque de Pise, à la réfection du Dôme et aux embellissements de cette ville[80]. Ensuite, à Sienne, il avait fréquenté l'atelier de Rutilio Manetti[81], et à Rome, il s'était promené avec le cardinal Del Monte dans l'extraordinaire galerie de chefs-d'œuvre rassemblés par le prélat[82].

La peinture philosophique, telle qu'elle était prônée par les Lincei, aide à clarifier une constante de Cassiano dans son approche des images peintes, qui inclut non seulement les dessins de Léonard, les « poèmes » antiques du jeune Poussin, les paysages archéologiques de Lemaire ou ceux ornithologiques de Cinatti, mais va aussi jusqu'aux cartons dessinés de Filippo Napoletano pour les tapisseries Barberini[83], aux tableaux commandés à Vouet et à ceux, tout aussi « philosophiques », du malheureux Valentin[84]. La portée profondément morale de la peinture philosophique, idée qu'ont partagée Cassiano et Poussin, nous aide donc à saisir quelque peu l'essence de leur collaboration, l'esprit de leur amitié ; elle nous fournit une nouvelle clef de lecture pour comprendre la conception et la réalisation des *Sacrements*, ce miracle de virtuosité artistique et d'érudition que Poussin a peint pour son ami.

## ANNEXE

### À PROPOS DE LA PEINTURE ANTIQUE

De retour à Florence, après un séjour romain de sept mois, Carlo Roberto Dati, secrétaire de l'Accademia della Crusca et professeur au Studio Fiorentino, faisait part, le 3 février 1652, à son ami Cassiano dal Pozzo, de son intention d'écrire un essai sur la peinture antique, projet dont les deux hommes avaient déjà parlé de vive voix dans la maison du cavalier. Dati ajoutait, en outre, dans son courrier : *...a suo tempo averò caro sentire il parere di V.S. Ill.ma, e di monsignor Poussin sopra alcune difficoltà che mi nascono nella difficilissa materia della pittura antica*[1] (« Le moment venu, j'aimerais beaucoup avoir l'avis de Votre Excellence, et celui de Monsieur Poussin, sur quelques questions épineuses que je rencontre sur ce sujet très difficile qu'est la peinture antique »).

Le 12 octobre de la même année, il écrivait : *E volentieri a suo tempo farò capitale delle notizie conservate dalla sua diligenza dei pochi avanzi di pitture antiche pervenute all'età nostra. E più del suo parere in molte difficoltà che mi si parano davanti in questo negozio veramente sproporzionato alle mie poche forze*[2] (« Je tirerai volontiers profit, au moment venu, des renseignements que vous avez rassemblés sur les rares vestiges de peinture ancienne parvenus jusqu'à nous. Et, encore plus, de vos conseils au sujet des nombreuses difficultés que je rencontre au cours de cette entreprise, véritablement disproportionnée par rapport à mes faibles forces »).

Dati, à la suite de son maître Giovan Battista Doni, savant passionné par la peinture romaine antique à partir des années 1620[3], avait dès 1647 commencé à faire des recherches pour un essai sur la peinture antique. Pour cela il demanda l'avis de son ami le peintre-philosophe Cesare Dandini (1590-1658) et de l'érudit néerlandais Nikolaus Heinsius (1620-1681). Mais ce fut seulement après son séjour romain (1651-1652) et à la suite de ses conversations avec Cassiano dal Pozzo et Nicolas Poussin que le projet commença à prendre tournure. Largement tributaire des notes et des dessins d'après les peintures romaines antiques, rassemblés par Cassiano pour son *Museo cartaceo*[4], cet essai projeté ne fut jamais achevé, mais, en 1667, Carlo Dati fit publier à Florence les *Vite dei Pittori Antichi*, sans mentionner ni son correspondant, ni les conseils que celui-ci lui avait donnés. Jusqu'à la mort de Cassiano (22 octobre 1657), Dati lui demanda à plusieurs reprises son avis ou celui de Poussin, qu'il avait pu rencontrer et fréquenter dans la maison du cavalier lors de son séjour. Le 28 juin 1653, venant de se remettre d'une légère indisposition, Dati écrivait à Cassiano : *Potrò adesso con qualche ardore ripigliare gli studi intermessi. Distenderò succintamente alcune difficoltà, che mi nascono nella pittura antica per sentirne il parere di V.S. Ill.ma e di Monsignor Pusino, perché meritano ponderazione e (,) tra gli artefici (,) rarissimi speculano sopra tali curiosità. Quanto prima le averò all'ordine le invierò*[5] (« Je pourrai, à présent, reprendre avec une certaine ardeur mes recherches interrompues. J'exposerai succinctement certaines difficultés que je rencontre face à la peinture antique afin d'avoir l'avis de Votre Excellence et de Monsieur Poussin, car ces questions demandent à être pensées et, chez les artistes, très rares sont ceux qui réfléchissent à de telles curiosités. Dès que je les aurai ordonnées, je vous les enverrai »).

Ces questions sur la peinture antique furent envoyées à Cassiano durant l'été de 1653 et furent aussitôt transmises à Poussin. Entre septembre et octobre, le peintre formula ses réponses, lesquelles furent recopiées et corrigées par le secrétaire de Cassiano. Elles parvinrent à Dati avant le 21 octobre de cette même année. À cette date, en effet, le Florentin avait déjà reçu les réponses de Poussin sur les peintures monochromes antiques et il pouvait dire à Cassiano : *I pareri di Monsignor Posin mi sono gratissimi tanto più che circa i Monocromati conferma la mia opinione*[6] (« Les réponses de Monsieur Poussin me sont d'autant plus précieuses que sur les monochromes, elles confirment mes opinions »).

Les *Dubbi concernenti alla pittura antica* sont divisés en deux points et leurs autographes sont aujourd'hui conservés dans le fonds dal Pozzo à Montpellier[7] (voir plus loin), avec la copie de la réponse de Poussin, qui fut transcrite par le secrétaire de Cassiano. Il faut noter, à propos des *Doutes*, l'importance que Dati a donnée aux réponses de Poussin. Il écrit, en effet, à la fin de son premier *Doute* : *Attendo la decisione di più perito, e erudito ingegno per quietarmi* (« J'attends l'avis d'un esprit plus expérimenté et érudit afin d'être en paix »). En conclusion au deuxième, il affirme : *Sapendo che i grandi artefici non affettano la sottigliezza, ma operano con franchezza e sprezzatura* (« Sachant que les grands artistes n'affectent pas la finesse [du contour linéaire] mais travaillent avec franchise et *sprezzatura* »).

D'ailleurs, on doit souligner avec quelles *franchezza e sprezzatura*, dignes d'un grand artiste, Poussin a répondu. On le voit presque ennuyé face aux maladresses que Dati montre dans ses conclusions artistiques et techniques tirées de ses lectures érudites. Le peintre a répondu dans un italien parfait aux doutes du Florentin, lesquels tenaient plus de la philologie textuelle que de la pratique picturale. Il lui conseille, avec assurance, de faire plus attention aux textes : *Leggete Fabio Quintiliano*, *Leggete la prefatione di Filostrato*, *Leggete li buoni autori, e Plutarco nella Vita di Timoleone* (« Lisez Fabius Quintilien », « Lisez la préface de Philostrate », « Lisez les bons auteurs, et la *Vie de Timoléon* par Plutarque »). Il lui propose des rapprochements techniques évidents (Raphaël et Jules Romain au Vatican) ou absolument inattendus, comme celui avec les peintures des Chinois. Poussin fait ainsi montre d'une extraordinaire compétence historique, littéraire, et naturellement technique dans un sujet, pour la compréhension duquel, à son avis, *importano poco li nomi* (« les noms importent peu »), ni même les stériles dissertations philologiques.

1. T. Cicconi, *Lettere inedite di alcuni illustri accademici della Crusca che fanno testo in lingua*, Rome, 1837, p. 47.

2. *Ibidem*, p. 30.

3. Giovan Battista Doni (1594-1647) appartint à l'entourage du cardinal Francesco Barberini à partir de 1623. Il s'appliqua, en même temps que Cassiano dal Pozzo et Girolamo Aleandro, à étudier la fresque romaine des *Noces Aldobrandines*, et en décrivit, dans une note, les couleurs originelles (voir A. Nicolò-F. Solinas, « Cassiano dal Pozzo : appunti per una cronologia di documenti e disegni », dans *Nouvelles de la République des Lettres*, 1987, II, p. 110).

4. Voir G.P. Bellori, « Delli Vestigi delle Pitture Antiche del buon secolo de' Romani », in *Nota delli Musei, Librerie, Galerie et ornamenti di Statue, e Pitture ne' Palazzi, nelle Case e ne' Giardini di Roma*, Rome, Deversin et Cesaretti, 1664, pp. 56-66; Bellori y mentionne brièvement les copies dessinées qu'on fit du *Paysage Barberini*, découvert en 1626, et que l'air ruina peu de temps après. Sur les copies dessinées d'après des peintures antiques qu'on retrouve dans le *Museo cartaceo*, voir le catalogue raisonné de H. Whitehouse, à paraître prochainement dans la série des catalogues de la Royal Library, Windsor Castle.

5. T. Cicconi, *op. cit.* n. 1, p. 36.

6. *Ibidem*, p. 44.

7. Pour le document ci-dessous, voir aussi Herklotz, dans Actes du colloque Poussin, Villa Médicis, Rome, 1994 (1996).

DUBBI CONCERNENTI ALLA PITTURA ANTICA

(Montpellier, bibliothèque de l'École de médecine,
Ms. H 267, ex dal Pozzo, fol. 29 r° v°, 32 r°)

Fol. 29 r°. 1. « *Plinio in più luoghi fa menzione dei monocromati e particolarmente L. 35 c. 3 dove parla de' principi della Pittura. Graeci autem alij Sycyone, alij apud Corinthios repertam, omnes umbra hominis lineis circumducta. Itaque talem primam talem fuisse, secundam singulis coloribus, et monochromaton dictaru, postquam operosior inventa erat, duratque talis etiam nunc. L. 35 c. 5 Monochromata et genera picturaque e cap. 8 ne riferisce gl'inventori.*

« *Si domanda che cosa fossero questi monochromati. Le parole di Plinio, e l'etimologia delle voci μονοζ uno, e χρωμα per colore dichiarano che erano pitture di un solo colore.*

« *Ludovico Demontioso nel suo trattatello della pittura stampato con la Dattiloteca del Gorleo mostra di creder che fossero pitture senza ombre, e senza chiari, ma d'un semplice colore sparso dentro a' limitati contorni della pittura lineare.*

« *Io sarei d'accordo con lui se monocromati fossero chiamate solamente le pitture di quei primi inventori. Ma io non posso già persuadermi, che tali fossero quelle che si facevano a' tempo di Plinio, avendo detto di sopra duratque talis etiam nunc, se però non patisce questo luogo dichiarazione diversa, che non pare avendo il medesimo detto L. 33. c. 7*[:] ["] *Cianabari veteres quae etiam nunc vocant monocromatum pingebant* ["]; *né meno quelle di Zeusi, il quale per testimonianza* // fol. 29 v° // *dello stesso Plinio L. 35. c. 9 [36] pinxit monochromata ex albo et anche i monocromati famosi di Apelle mentovati da Petronio [LXXXII].*

« *Non posso ne anche approvare l'opinione del medesimo Demontioso dove asserisce che i monocromati possono chiamarsi anche le pitture di più colori, ma puri, e non mescolati come nelle carte da giocare, e ne' mussoli turcheschi stampati.*

« *Il mio parere circa i monocromati perfetti di Zeusi[,] d'Apelle etc. è che fossero chiari scuri simili a quelli d'Alberto, del Sarto*[,] *etc. di un solo colore sì, ma con i rilievi di chiari, e d'ombre benché il Demontioso dica che questi sono di tre colori, cosa che io non capirò mai.*

« *Ne meno acconsentirò che tali monocromati fossero i disegni di gessi, e matita, come pare che voglia il Salmasio nelle Dissertationi Pliniane p. 5.*

« *Attendo la decisione di più perito, e erudito ingegno per quietarmi.* »

Fol. 32 v°. 2. « *E' nota la gara d'Apelle e di Protogene Plinio L. 35. c. 10. Mi nasce dubbio se veramente que' due grandi artefici gareggiassero della sottigliezza delle linee, parendomi una seccheria da miniatori. E pure dice Plinio che la tavola si conservò fino a' suoi tempi onde non pare che dovesse ingannarsi.*

*« Lodovico Demontioso nel libretto della Pittura si oppone, e crede che la contesa consistesse nel digradamento de' chiari, e degli scuri, e nel passare dolcemente da una tinta a un'altra.*

*« Contradice il Salmasio nelle Dissertationi Pliniane p. 5 ma non mi convince e per ora io persisto che la sottigliezza delle linee non fosse abile a fare conoscere Protogene, ed Apelle per grandi maestri.*

*« E voglio più tosto credere che Plinio andasse preso alle grida, che fare errare due professori nell'arte loro. Sapendo che i grandi artefici non affettano la sottigliezza, ma operano con franchezza e sprezzatura. »*

Fol. 30 r°. Pareri *de Poussin transcrits par le secrétaire de Cassiano Dal Pozzo*

*« Io non dubito punto, che li monocromati di Zeusi, e di Parrasio non fussero differenti, e di maggior perfettione che quelli di Polignoto, e d'Aglofone, li quali erano di semplice colore, cioè senz'ombra, perché Zeusi, e Parrasio molto più aggiunsero all'arte, imperoché il primo di questi si dice, che ritrovasse la ragione de' lumi, et ombre, e che il secondo esaminasse più sottilmente le linee, cioè il circoscrivere, che noi chiamiamo contorno, e noi potiamo dir con Plinio : questo genere di pittura dura fin'adesso perché con quello si può esprimere ogni cosa visibile. Leggete Fabio Quintiliano Lib. 12 del genere del dire cap. X. Leggete la prefatione di Filostrato e nella vita d'Apollonio Tianeo del medesimo.*

*« Che il Demontioso chiami come vuole le pitture di più colori semplici e senz'ombre (perché importano poco li nomi) come sono le pitture de' Chinesi, ma li monocromati di Zeusi, Parrasio, Apelle, et altri erano allumati, et ombrati, dimostrando il piano, et il rilevato, il remoto, e'l vicino, e d'un sol colore, o di cinabro, o di bianco, o di giallo, o d'altri, come noi vediamo nel Vaticano quelli dipinti di Raffaelle, e di Giulio, o come noi costumiamo di fare i nostri disegni ombrati con acquarella, et allumati col bianco per colorirli poi.*

*« Se il Demontioso intende, che quello, che è tra il maggior lume, e la maggior ombra che i Greci chiamavano Tonos (e noi mezzatinta) sia un terzo del colore, può ancora farne un quarto del riflesso, anzi farne un'infinità tra li due estremi.*

*« Che questi monocromati fussero di gesso, o di matita, non lo so, ma come sono d'un sol colore ombrato, o non ombrato si possono chiamare di quel //* fol. 30 v° *// nome, e che gl'antichi li facessero di qual materia si voglia, importa poco. E' cosa da giuditioso il non credere, che Apelle, e Protogene non mettessero l'eccellenza dell'arte loro nel tirar linee sottilissime diritte, et uguali, ma quello che succedé fra loro fu un caso, il quale chi volesse esaminare diligentemente, converrebbe dir molte cose, ma la conclusione sarebbe, che fu cosa di nulla stima, almeno fra gente intendente, ma la disputa, che fu tra loro fu quella della facilità, e della gratia. Leggete li buoni autori, e Plutarco nella vita di Timoleone, e vedrete dove gl'antichi mettevano l'ultima perfettione della pittura. »*

DOUTES À PROPOS DE LA PEINTURE ANTIQUE

(Traduction inédite, effectuée pour les besoins de la présente édition par L. Pericolo et F. Moulinat)

Fol. 29 r°. 1. « Pline, en plusieurs endroits, mentionne des monochromes et particulièrement dans le livre XXXV, chapitre 3, où il évoque l'origine de la peinture : *Graeci autem alij Sicione, alij apud Corinthios repertam, omnes umbra hominis lineis circumducta, itaque talem primam fuisse, secundam singulis coloribus, et monochromaton postquam operosior inventum est, duratque talis etiam nunc* (« Certains Grecs racontent qu'elle fut découverte à Sicyone, d'autres à Corinthe, mais tous s'accordent à dire que sa première expression fut une ligne suivant l'ombre d'un homme, la seconde des couleurs seules; après quoi, on inventa le monochrome, pratique plus difficile qui est demeurée jusqu'à nos jours »). Dans le livre XXXV, chapitre 5, il parle des *monochromata* et, et au chapitre 8 il en énumère les inventeurs.

« On se demande ce que pouvaient être ces peintures monochromes. Le texte de Pline et l'étymologie, μονοσ pour un et χρωμα pour couleur, disent que ces peintures étaient d'une seule couleur. Louis de Montjosieu, dans son petit traité sur la peinture antique, imprimé en même temps que la *Dattiloteca* de Gorleo, déclare croire que ces peintures étaient sans ombres et sans lumières, d'une seule couleur recouvrant entièrement l'intérieur des contours de l'image.

« Je serais d'accord avec lui, si les peintures monochromes avaient seulement désigné les œuvres de ces premiers inventeurs. Mais je ne peux me persuader qu'elles furent telles, puisqu'on en faisait encore du temps de Pline, lequel dit, plus haut : *duratque talis etiam nunc*, si tant est que ce passage ne souffre pas d'autres interprétations, d'autant plus que Pline lui-même déclare, au livre XXXIII, chapitre 7 : *Cianabari veteres quae etiam nunc vocant monocromatum pingebant* (« Les anciens Cianabares peignaient ce qu'ils appellent encore aujourd'hui des monochromes »). Qu'on pense encore à ceux de Zeuxis, dont ce même Pline témoignage au livre XXXV, chapitre 9 : *pinxit monochromata* (« Il peignit des peintures monochromes »), mais aussi aux peintures monochromes fameuses d'Apelle, mentionnées par Pline (livre LXXXII).

« Je ne peux pas non plus suivre l'opinion de ce même Montjosieu, quand il affirme que les peintures monochromes peuvent désigner aussi des peintures de plusieurs couleurs, mais pures, et non mélangées, comme dans les cartes à jouer, et dans les mousselines turques imprimées.

« Mon avis sur les monochromes parfaits de Zeuxis, d'Apelle, etc. est qu'ils utilisaient un clair-obscur comparable à celui d'Alberto, de Del Sarto etc., avec une seule couleur, bien sûr, mais avec des accents d'ombre et de lumière, bien que De Montjosieu dise que ce genre-là était composé de trois couleurs, idée que je ne comprendrai jamais.

« Je ne peux non plus consentir à ce que de tels monochromes aient été des dessins à la craie et au crayon, comme l'a avancé Salmasius dans ses *Dissertationes Plinianae*, p. 5.

« J'attends l'avis d'un esprit plus expérimenté et érudit afin d'être en paix. »

Fol. 32 v°. 2. « On connaît la querelle d'Apelle et de Protogène (Pline, livre XXXV, chapitre 10). J'ai du mal à croire que ces deux grands artistes soient véritablement entrés en lice pour la finesse des lignes, chose qui me paraît être une mesquinerie d'enlumineur. De plus, Pline dit que le tableau s'est conservé jusqu'à son époque, d'où il ressort qu'il n'a pas pu se tromper.

« Louis de Montjosieu, dans son petit livre sur la peinture, n'y croit pas, et pense que la querelle touchait au dégradé des ombres et des lumières et au passage moelleux d'une teinte à une autre.

« Salmasius l'a contredit dans ses *Dissertationes Plinianae* (p. 5), mais il ne m'a pas convaincu. Pour l'instant, je m'obstine à croire que la finesse des lignes n'était pas à même de faire connaître Protogène et Apelle comme deux grands maîtres.

« Je préfère croire que Pline s'est laissé prendre à des témoignages plutôt que de voir errer deux maîtres en leur art. Sachant que les grands artistes n'affectent pas la finesse, mais travaillent avec franchise et *sprezzatura*. »

Fol. 30 r°. Réponses de Poussin, transcrites par le secrétaire de Cassiano dal Pozzo

« Je ne doute pas du tout de ce que les peintures monochromes de Zeuxis et de Parrhasius n'étaient pas différentes et de meilleure qualité que celles de Polignote et d'Aglaophôn, ces dernières étant d'une seule couleur, c'est-à-dire sans ombres, car Zeuxis et Parrhasius ont beaucoup apporté à l'art. On dit, en effet, que le premier a retrouvé la science des lumières et des ombres et que le second a travaillé plus finement les lignes, c'est-à-dire l'art de circonscrire, que nous appelons contour. Nous pouvons donc dire avec Pline : cette sorte de peinture dure encore, puisqu'avec celle-ci, on peut traduire toute chose visible. Lisez Fabius Quintilien, livre XII de son traité de rhétorique, chapitre 10. Lisez la préface de Philostrate et la *Vie d'Apollonius de Tyanes* du même.

« Que De Montjosieu appelle comme il le désire les peintures de plusieurs couleurs et sans ombres (car peu importent les noms), telles que celles des Chinois ! Mais, les peintures monochromes de Zeuxis, Parrhasius, Apelle, etc., montraient la lumière et l'ombre, faisaient voir la surface et le relief, le proche et le lointain, avec une seule couleur, rouge, blanc, jaune, et d'autres encore, tout comme nous le voyons au Vatican dans les monochromes de Raphaël et de Jules Romain, ou à la façon dont nous avons l'habitude de faire un dessin, ombré au lavis et rehaussé de blanc, pour les traduire plus tard en couleurs.

« Si De Montjosieu pense qu'il existe une troisième couleur entre la plus grande lumière et l'ombre la plus obscure – les Grecs l'appellent tonos et nous, teinte moyenne –, il peut aussi en créer une quatrième avec le reflet, voire en trouver une infinité entre les deux extrêmes.

« Que ces monochromes aient été faits avec de la craie, ou du crayon, je ne le sais pas, mais, comme ils étaient constitués d'une seule couleur ou non, on peut les appeler ainsi, et il importe peu que les Anciens les aient faits dans n'importe quelle matière. Il est judicieux de ne pas croire que ni Apelle, ni Protogène n'ont placé l'excellence de leur art dans la façon de tracer de très fines lignes droites et égales, mais ce qui arriva entre eux ne fut qu'une péripétie, et celui qui voudrait l'examiner avec attention, pourrait dire bien des choses, mais sa conclusion serait que ce fut une chose sans importance, en tout cas pour des gens de cet art. La querelle qu'ils eurent touchait, en fait, à la facilité et à la grâce. Lisez les bons auteurs, la Vie de Timoléon de Plutarque, et vous verrez où les Anciens plaçaient l'absolue perfection de la peinture. »

## Notes

Je tiens à remercier Elizabeth Cropper, Charles Dempsey, Sir Denis Mahon et Jacques Thuillier pour leurs précieux conseils et éclaircissements ; Joseph Baillo, Robin Halways et Christopher Kingzet pour les informations, et les splendides photographies qu'ils m'ont communiquées. Je voudrais aussi exprimer ma sincère gratitude à mes collègues du Collège de France : Catherine Fabre, Marie-Ange Lavenir, Marianne Lion-Violet et Corinne Maisant. Enfin, je remercie pour les renseignements bibliographiques, les informations et les avis qu'ils m'ont donnés, mes amis Joelle Almagià, Isabella d'Autriche-Este, Stefano Canulli, Alvin Clark, Bona et Vittorio Frescobaldi, Giovanni Morello, Lorenzo Pericolo, Sebastian Schütze, Olimpia Theodoli, Marie-France Van de Verwe de Schilde, Louise Rice, et Caterina Volpi.

1. Voir F. Haskell, *Mécènes et Peintres. L'Art et la Société au temps du Baroque italien,* Paris, Gallimard, 1991, pp. 202-206 et voir, plus récemment, la monographie exhaustive de Jacques Thuillier, 1994, dont le riche appendice documentaire (pp. 154-209) publie toutes les preuves connues de leur amitié (pp. 155-158, 161-162, 164-166). C'est en me fondant sur les différentes contributions d'éminents spécialistes, tels que Anthony Blunt, Sir Denis Mahon, Sheila Rinehart, Jacques Thuillier, Charles Dempsey, Pierre Rosenberg, Timothy Standring et Alain Mérot que je suis parvenu aux conclusions exposées dans cet essai.

2. Voir Jouanny, 1911, pp. 40-178 ; Jacques Thuillier prépare actuellement une nouvelle édition critique des lettres de Poussin, considérablement accrue et plus sûre que celle que j'ai utilisée.

3. Sur les lettres de Carlo Antonio dal Pozzo à Carlo Roberto Dati, sur les renseignements qu'elles contiennent sur la vie de Poussin ainsi que sur les pôles d'intérêt de Cassiano, sur la rédaction et la réception de l'*Orazione delle Lodi di Cassiano dal Pozzo*, voir F. Solinas, « Cassiano dal Pozzo (1583-1657) : il ritratto di Jan Van den Hoecke e l'Orazione di Carlo Dati », *Bollettino d'Arte* (à paraître).

4. Les relations entre Poussin et Carlo Antonio furent bonnes, semble-t-il, jusqu'en mars 1658, date à laquelle elles s'interrompirent brusquement. Dans sa lettre à Chantelou, datée du 24 décembre 1657 (Jouanny, 1911, pp. 444-446), Poussin affirme : « Nostre bon ami Mr. le chevallier du Puis est décédé et nous travaillons à sa sépulture. Mr. son fraire vous baise les mains ». Sur la participation de Poussin à cette sépulture, aucune preuve certaine n'a encore été mise au jour, bien que J. Costello, 1965, pp. 16-22, ait proposé, à titre d'hypothèse, d'identifier l'*Annonciation* exécutée par Poussin en 1657 (cat. exp. Paris, Grand Palais, 1994, n° 227, pp. 496-497) avec le tableau qui surmontait peut-être une épitaphe, aujourd'hui disparue, à Santa Maria sopra Minerva. G. Lumbroso (« Notizie sulla vita di Cassiano dal Pozzo », in *Miscellanea di Storia Italiana*, t. XV, 1874, p. 10) a publié un document qui situe la tombe de Cassiano dans le sol, dans cette même église, entre la chapelle Capranica et la chapelle Altieri. Ce tableau qui, par son style, par l'intensité expressive et par le jeu subtil des significations eschatologiques des gestes et de la représentation à l'antique des deux personnages, évoque l'archaïsme de la première série des *Sacrements*, a pu être vendu et l'épitaphe enlevée à la suite d'une des nombreuses modifications des chapelles du chœur, à partir des années soixante-dix du XVII^e^ siècle ; la réfection de la chapelle Altieri, engagée et supervisée par Camillo Massimi, aurait bien pu

être une des occasions les plus vraisemblables à de tels changements. (Voir dans le présent ouvrage la contribution d'E. Wilberding qui présente une hypothèse différente.) La dernière lettre de Poussin à mentionner Carlo Antonio fut adressée à Chantelou le 15 mars 1658 : « J'ai témoigné le déplaisir que vous aviés eu de la mort du chevallier du Puis à son fraire qui en a pleuré de tendresse (;) il a succédé à l'ordre de Chevallier cela estant afecté à leur maison il vous remercie et vous baise un million de fois les mains. » Mort intestat, Cassiano avait pourtant, en 1627, légué tout son patrimoine à Carlo Antonio (Sparti, 1992, p. 30). Après la mort de son frère, Carlo Antonio commença à dépenser librement et largement la vaste fortune réunie de son vivant par le parcimonieux Cassiano (voir F. Solinas, *art. cit.* n. 3); celle-ci a été sous-évaluée par Donatella Sparti qui, dans ses comptes, n'a pas pris en considération les importants revenus des abbayes de Santa Maria di Cavour et de Sant'Angelo di Tropea, ainsi que les autres bénéfices papaux dont Cassiano avait la jouissance et dont Carlo Antonio hérita (voir G. Lumbroso, *op. cit.* n. 4, p. 147, qui rapporte qu'en 1661, les revenus annuels de Carlo Antonio se montaient bien à dix mille écus). D'autres documents inédits établissent, aux alentours de 1640-1642, sous le pontificat d'Urbain VIII, que le cumul des revenus de Cassiano atteignaient le chiffre considérable de deux mille écus par mois environ. Poussin n'est jamais cité dans les lettres de Carlo Antonio à Dati, pas plus qu'il n'est mentionné comme un des peintres préférés de Cassiano (voir les appendices documentaires dans Solinas, *op. cit.* n. 3). On peut par conséquent émettre l'hypothèse suivante : leur relation s'est probablement refroidie pour des raisons d'héritage ou d'argent.

5. C.R. Dati, *Vite de' Pittori Antichi*..., Florence, 1667; je me sers ici de la troisième édition établie et annotée par G. Pelli, publiée à Milan en 1806 par la « Società Tipografica de' Classici Italiani ». Sur une collaboration entre Poussin et Dati, voir l'Appendice. Dati aborde la question des monochromes antiques dans ses *Postille alla Vita di Zeusi* (*Vite*, pp. 66-72). Dati n'a pas rapporté les avis que lui avait donnés Poussin, pas plus que ceux des autres peintres, ses amis, comme Cesare Dandini, Salvator Rosa et Ciro Ferri. Sa note est centrée sur le problème posé par les différentes significations prises par le terme monochrome, et elle se réfère principalement au traité de Louis de Montjosieu (Demontiosus) : *De Veterum Sculptura, Caelatura Gemmarun, sculptura et pictura libri duo*, publié à Anvers en 1609.

6. G. Perini, dans *Poussin et Rome*, 1996, a brillamment analysé la rédaction de la *Vita* de Poussin par Giovan Pietro Bellori.

7. Sur le fait que Pietro Santi Bartoli ait été élève de Poussin et sur l'importante participation de celui-ci au *Museo cartaceo,* voir Solinas dans *Poussin et Rome*, 1996). Si les relations entre Cassiano et Massimi ne furent jamais bonnes ni cordiales (voir J. Ruysschaert, « Le dossier dal Pozzo et Massimo des illustrations virgiliennes antiques de 1632 à 1782 », in *Cassiano dal Pozzo. Atti del Seminario internazionale di studi*, éd. F. Solinas, Rome, 1989, pp. 176-185), et si, à cause, à mon avis, de leur culture différente, de leurs divergences aussi bien politiques qu'en ce qui concerne leurs intérêts de collectionneur, on ne peut absolument pas voir en Massimi l'héritier idéal de Cassiano, les rapports très étroits entre monseigneur Camillo Massimi et Bellori, qui fut son exécuteur testamentaire et rédigea l'inventaire de ses collections (voir l'essai de T. Standring, dans ce même volume), n'ont pas encore été véritablement étudiés. Ces rapports sont pourtant abondamment attestés par la correspondance du prélat.

Celle-ci est conservée dans les archives de la famille et j'ai pu y avoir accès, à partir de 1989, grâce à la gentillesse de Rosa Anna Barbiellini Amidei et à l'exquise disponibilité du prince Don Carlo Massimi et de la princesse Donna Isabella di Carpegna Falconieri. Comme il ressort des nombreuses lettres écrites au prélat alors en Espagne par son secrétaire Domenico Martini, à partir du début des années 1650 et durant toute la décennie suivante, Bellori s'occupait des biens immobiliers de Massimi. Martini et d'autres serviteurs, tels que Federico Troili et Giovanni Antonio Mariani, rendaient compte par lettre au prélat, depuis Rome et depuis des fiefs de la famille, des déplacements et des activités que Bellori accomplissait pour lui. Pour donner un exemple de cette amitié « dépendante », je vais rapporter un passage d'une lettre qu'écrivit Martini au cardinal, où il est question d'une fourniture de lampes et de crucifix en métal argenté, destinée à l'église de Roccasecca. Cet antique fief des Massimi, situé au sud de Rome, était particulièrement cher à Camillo; il avait ordonné qu'on y fît d'importants travaux de restauration et d'embellissement, et Bellori devait les surveiller bénévolement. Le premier mars 1659, Martini communiquait à Massimi l'impossibilité où se trouvait le lettré de se rendre à Roccasecca : « *Il Signor Bellori, al quale ho notificato il desiderio di V.S.Ill.ma, mi pare habbia poco animo di venire, dandoli fastidio il viaggio, la staggione, e le faccende della sua casa* » (« Monsieur Bellori, auquel j'ai notifié le désir de Votre Excellence illustrissime [d'aller contrôler les travaux], me paraît peu disposé à se déplacer, le voyage, la saison et les affaires de sa maison lui étant une gêne ») (Archives Massimo, Lettere del Cardinal Massimi, dall'anno 1639 al 1669, Armadio V, XXXII, fol. 551).

8. Voir Bellori (1672), pp. 421-481, et plus particulièrement pp. 424-433. Son heureuse arrivée à Rome à la suite du cavalier Marin et l'introduction rapide du peintre dans les hautes sphères de l'aristocratie papale, apparaissent d'autant plus exagérées et invraisemblables – ne serait-ce qu'à cause des difficultés que le poète rencontra à Rome à partir de l'élection d'Urbain VIII – qu'elles se révèlent un parfait instrument rhétorique dans le crescendo biographique ménagé par Bellori. Il faut mettre en relation avec le départ du cardinal Barberini, envoyé en France comme légat (17 mars 1625), et avec la présentation supposée du peintre par l'intermédiaire du marquis Marcello Sacchetti, qui échoua, l'unique passage dans lequel Bellori évoque, mais vaguement, les difficultés et les vicissitudes de Poussin au début de son premier séjour; dans celui-ci il atténue et minimise les embarras du peintre pour mieux souligner, d'ailleurs, la chance de ses mécènes qui, pour quelques écus, achetaient ses premiers chefs-d'œuvre. Parmi ceux-ci, d'une façon implicite mais non sans une pointe de critique, Bellori comptait Cassiano : « *Per questi aspri sentieri sono passati alla gloria li maggiori artefici; ma quelli che allora furono accorti di comperare le sue opere, riceverono ben l'utile e'l vantaggio delle sue fatiche. Si deve considerare la megliore disposizione dell'età di trent'anni, nella quale Niccolò venne a Roma, ignoto dalla sua patria, desideroso di farsi avanti; né fu breve la dimora, avendo aspettato qualche tempo a dimostrarsi e render chiaro il suo nome* » (« Les meilleurs artistes sont passés par ces âpres sentiers avant de parvenir à la gloire; mais ceux qui eurent alors la bonne idée d'acheter ses œuvres, reçurent tout le prix et l'avantage de ses fatigues. On doit considérer l'excellente disposition où le mettait son âge de trente ans, quand il vint à Rome, ignoré dans sa patrie, mais désireux de se faire connaître; son attente ne fut pas brève : il lui fallut quelque temps pour que son nom fût illustre et connu ») (p. 426).

9. Sur la relation, sans doute étroite, entre le cavalier Marin et Poussin, voir Cropper, 1992. Sur le possible portrait du poète exécuté par Poussin en 1624, et conservé aujourd'hui dans la galerie Corsini de Rome, voir le très intéressant mémoire de maîtrise de Pericolo, 1990.

10. Le mécénat de Cassiano a été retardé par rapport à la chronologie des œuvres telle que nous la connaissons : ce passage a pour but d'introduire la description du *Saint Érasme*, mais n'a pas été mis en relation avec les autres tableaux commandés précédemment par le cavalier. Pour célébrer sur un mode épique Poussin pratiquant l'exercice académique du dessin d'après l'antique et d'après nature, auquel les peintres italiens et étrangers à Rome s'adonnaient communément, Bellori décrivit un Poussin individualiste, austère, sévère, désireux d'apprendre, et qui, plus d'une fois, laissa ses compagnons se promener et s'amuser et s'en alla seul dessiner au Capitole et dans les jardins de Rome (voir Bellori, 1672, pp. 426-428).

11. Perini, dans *Poussin et Rome*, 1996.

12. Sur les rapports de Cassiano avec l'Académie des Lincei, voir. G. Lumbroso, *op. cit.* n. 4, pp. 142-144, et plus particulièrement F. Solinas, « Percorsi puteani : note naturalistiche ed inediti appunti antiquari », in *Atti*, *op. cit.* n. 7, pp. 48-94; voir aussi mes différentes contributions dans « Cassiano Naturalista », Quaderni Puteani I, ed. J. Roberts, Milan, 1989; voir encore mon introduction au *Catalogue raisonné of the Drawings of Fossil Woods in the Cesi-dal Pozzo Collection at Windsor Castle* (à paraître).

13. Sur Francesco Angeloni, voir F. Rangoni, « Per un ritratto di Francesco Angeloni », *Paragone*, 499, 1991, pp. 46-67. Sur ses rapports avec Cassiano, voir F. Solinas, dans *Poussin et Rome*, 1996. Ses autographes intitulés *Principi per fare la descrizione delle cose contenute nello studio dell'Angeloni in Roma*, encore inédits, dont le manuscrit original est conservé de nos jours dans le fonds Morelliano de la Biblioteca Nazionale Marciana de Venise (*Ms Italiano Cl. XI, n° 111, morelliano 7410*) démontrent clairement à quel point ses intérêts de collectionneur étaient à l'opposé de ceux du cavalier dal Pozzo.

14. L'appréciation esthétique des *artefacts* antique, des œuvres d'art modernes, ainsi que des objets de curiosité exotiques et naturels, leur évaluation d'après des critères formels et littéraires ressortent clairement de ses *Principij* (voir F. Solinas, dans *Poussin et Rome*, 1996).

15. Sur les rapports entre Angeloni et Bellori, voir l'article de L. Spezzaferro, dans *Poussin et Rome*, 1996; sur la formation d'Angeloni au sein du cercle de G. B. Agucchi, voir S. Ginzburg, dans ce même volume. Les anciennes déceptions de son maître transparaissent dans l'éloge écrit que Bellori fit de lui dans la présentation aux lecteurs de la seconde édition de l'*Historia Augusta* de F. Angeloni, dont il s'était occupé (Rome, 1685). L'élève et l'héritier y célébrait la renommée internationale de son maître et celle de ses collections, tout en mettant au second plan celle de Cassiano : « *Francesco Angeloni fù nell'età sua uno de' primi Segretarij della Corte Romana, nella qual carica impiegossi col servigio del Cardinal Ippolito Aldobrandino, pronipote di Clemente VIII. Fra le occupationi continue, nelle quali egli veniva adoperato da quel gran Cardinale, per suo geniale diporto, soleva riposarsi fra le Muse, havendo formato un splendidisimo Museo, ammirabile invero per l'apparato d'insigni pitture, e per l'aspetto vario di oggetti peregrini di arte, e di natura,*

*ma più molto per una inestimabile raccolta di antichi bronzi, e medaglie divisate in più serie e di ogni grandezza e metallo. Laonde si nobil Museo pel continuo visitato da Forestieri, meritò il nome di Museo Romano* » (« Francesco Angeloni fut en son temps un des premiers secrétaires de la cour romaine, où il était au service du cardinal Ippolito Aldobrandini, arrière-neveu de Clément VIII. Au milieu de ses occupations continuelles, dont le chargeait ce grand cardinal, il avait coutume, distraction ingénieuse, de se reposer parmi les Muses et avait constitué un splendide musée, admirable en vérité par l'éclat d'insignes peintures et par l'aspect varié de précieux objets d'art et d'origine naturelle, mais surtout par son inestimable collection de bronzes antiques, et de médailles divisées en plusieurs séries de toutes les grandeurs et de tous métaux. C'est de là qu'un si noble musée, sans cesse visité par les étrangers, tira son nom de Museo Romano »). Pour justifier une telle célébrité, ainsi que tous les efforts faits par Angeloni dans les années 1630 et 1640 afin que son musée devienne un des buts de visite des amateurs d'art du monde entier, comme l'était celui de Cassiano, Bellori cite l'éloge écrit par Giovan Battista Ferrari s.j. dans ses *Hespérides* de 1646. Nicolas de Peiresc et Poussin, comme Cassiano et Ferrari, s'étaient servis des collections d'Angeloni à des fins strictement documentaires. À l'inverse des collections dal Pozzo, celles d'Angeloni étaient issues d'une délectation esthétique et formelle plutôt que d'un intérêt expérimental et scientifique. En comparant implicitement la renommée d'Angeloni avec la célébrité européenne acquise par dal Pozzo, lequel était dans ses choix plus réservé et sélectif, Bellori soulignait l'hospitalité de son maître : « *L'Angeloni essendo dotato di gentilissimi et humanissimi costumi, apriva à ciascuno liberalissimamente la sua casa, e le ricchezze del suo Museo, onde ne conseguiva l'amore de' nostri, e di quelli che da lontane parti sogliono peregrinare à Roma* » (« Angeloni, qui était doté d'un naturel très courtois et très humain, ouvrait à chacun, de façon très libérale, sa maison et montrait les richesses de son musée ; cela lui valut notre amour et celui de tous ceux qui, de très loin, venaient en pélerinage à Rome »).

16. Bellori attribue à Marcello Sacchetti, banquier du pape, la présentation de Poussin au cardinal Francesco Barberini (Bellori, 1672, p. 425, ou 1994, p. 126). Le cavalier Marin aurait mis en contact le peintre avec Sacchetti, mais aucun document, à l'exception de la mention de G.B. Passeri (1772, p. 352), ne vient confirmer cette affirmation. Giulio Mancini fut en contact étroit avec Marcello Sacchetti ; médecin papal et intendant des arts, il souligne, dans son manuscrit intitulé *Considerazioni della pittura* (Rome, Accademia Nazionale dei Lincei, 1955-1957, 2 vol.), que les préférences picturales du banquier allaient à l'époque (entre 1626 et 1628) plutôt vers le jeune Pierre de Cortone, auteur de son célèbre portrait, que vers les inventions, plus intellectuelles et érudites, de Poussin. Il est vrai que, dans ses notes sur Poussin, Mancini ne cite pas Sacchetti, dont il célèbre, par ailleurs, le rôle de mécène vis-à-vis de Pierre de Cortone. Dans ces mêmes notes, générales mais importantes, son silence sur Cassiano, mentionné une seule fois dans ses considérations à propos d'un *Bacchus* à l'antique peint pour lui par Pierre de Cortone, a probablement des raisons politiques. Membre de la scientifique Académie des Lincei, ami et collaborateur du chancelier de celle-ci, l'herboriste papal Johann Faber, Cassiano était nettement opposé à Mancini. Même du point de vue du goût artistique, il n'existait pas d'affinités profondes entre les deux hommes et, à bien y regarder, Mancini révèle une tendance qui n'a rien à voir avec les

orientations documentaires et scientifiques de Cassiano, mais qui, en revanche, est certainement plus proche des goûts d'Angeloni. C'est donc à cet historien ombrien, et à Bellori, son héritier, et certainement pas à Cassiano ni à Carlo Antonio dal Pozzo, comme on l'a encore récemment avancé (Sparti, 1992, p. 103, n. 7 et 8) qu'a appartenu la copie manuscrite des *Considerazioni*, conservée aujourd'hui à la Bibliothèque Marciana de Venise (*Ms. Ital. Cl. IV, n. 47, morelliano 5571*), laquelle porte des annotations autographes de Francesco Angeloni lui-même.

17. Sur Pietro Santi Bartoli, voir A. Petrucci, in *Dizionario Biografico degli Italiani*, s.v.; sur sa participation au *Museo cartaceo*, voir Solinas, 1995. Deux épisodes, au moins, parmi tant d'autres, démontrent quelles furent les obligations du jeune Bellori vis-à-vis de Cassiano. On trouve trace du premier dans une lettre qu'écrivit Cassiano lui-même à Carlo Dati le 25 juillet 1654, dans laquelle il répondait à une demande précise concernant une inscription antique qui se trouvait au palazzo Astalli à l'Ara Coeli. Dans cette lettre, le cavalier présenta le jeune Bellori comme un de ses agents : « *Si procurò col mezzo del Signor Bellori di veder il palazzo de' Signori Astalli che eal maestro di casa gli fu mostrato mentre ne cercò la visita sotto colore, che vi fusse chi cercasse di torlo in affitto. Non si viddero marmi di consideratione...* » (« Grâce au Signor Bellori, on a pu voir le palazzo des Astalli; le majordome le lui a montré, car il avait prétexté vouloir le visiter sous couleur qu'on voulait le louer. On n'y a pas vu de marbres intéressants ») (Biblioteca Nazionale Centrale, Florence, fonds Baldovinetti, *Carte Dati, 258, V, n° 10* – dorénavant je mentionnerai ce fonds comme suit : *Carte Dati...*). On trouve le second témoignage dans une lettre inédite écrite par Bellori à Dati, où il lui rendait compte de la récente publication des *Vite dei Pittori Antichi* de ce dernier. Dans cet important document daté du 15 octobre 1667, Bellori évoque, avec respect, Cassiano, qui l'avait introduit auprès de Dati : « ... *Sono già molti anni che il Signor Commendator Cassiano dal Pozzo, Signore di eterna ricordanza con le commendationi delle virtù di Vostra Signoria mi rivolse alla fama et mi (introdusse?) all'ossequio della sua persona. Egli mi significò la gloriosa impresa da lei eseguita delle* Vite de' Pittori Antichi, *et io, che nel secolo moderno vado cercando l'orme de' passati, restai preso da ardentissimo desiderio di vedere rinnovate dalla penna di Vostra Signoria le memorie de' vecchi pittori da me più volte sospirate nella perdita degli scrittori greci* » (« Il y a plusieurs années déjà que le signor commendatore Cassiano dal Pozzo, d'éternelle mémoire, en louant les vertus de Votre Excellence, m'instruisit de votre renommée et m'apprit à respecter votre personne. Il me parla de votre glorieuse entreprise : les *Vies des Peintres Anciens*, et moi, qui, dans ce siècle moderne recherchais les traces des Anciens, je me sentis pris de l'ardent désir de voir Votre Excellence renouveler avec la plume le souvenir des peintres antiques dont j'ai pleuré plus d'une fois la perte, à cause de la disparition des sources grecques ») (*Carte Dati, 258, II, n° 14*).

18. Le *Journal du voyage en France* du cardinal Francesco Barberini fut rédigé par Cassiano dal Pozzo (conservé à la Biblioteca Apostolica Vaticana, que j'appellerai dorénavant BAV, *Ms. Barb. Lat. 5688*). Sa publication est en cours de réalisation par Giovanni Morello, Alessandra Anselmi et moi-même.

19. Sur l'Académie des Crescenzi, voir A. Grelle, « I Crescenzi e l'Accademia di via Sant'Eustachio », in *Commentari*, 1961, XII^e^ année, pp. 120-138. – Sur la fréquentation de l'Académie du Dominiquin par

Poussin, voir le récit très détaillé et certainement vraisemblable qu'en a donné Passeri (1772, p. 352), ainsi que mes développements dans Solinas, dans *Poussin et Rome*, 1996.

20. Ce texte se trouve à la BAV, *Ms. Barb. Lat. 5689*.

21. En 1626, Poussin peignit pour Francesco Barberini la *Destruction du Temple de Jérusalem*, tableau aujourd'hui perdu, dont une deuxième version (conservée de nos jours à Vienne), entra dans les collections du prélat en 1638 (cat. exp. Paris, 1994-1995, n° 77, pp. 260-261). Ces deux toiles furent offertes par Barberini à des ambassadeurs étrangers comme cadeaux diplomatiques et comme preuves de largesse (E. Fumagalli, 1994, p. 49). C'est en 1628 que le peintre livra à la garde-robe du cardinal *La Mort de Germanicus*, toile pour laquelle il reçut 60 écus (cat. exp. Paris, 1994-1995, n° 18, pp. 156-160). Dans l'état actuel des recherches, on n'a pas encore identifié d'autres commandes du cardinal à Poussin, même si des tableaux comme *Le Triomphe de David* (Prado) et *L'Inspiration du poète* (Louvre), exécutés tous deux au début des années 1630 pour des commanditaires non encore identifiés, peuvent provenir des collections Barberini, de la collection dal Pozzo ou encore être des commandes d'un des membres du cercle des Barberini; sur les orientations culturelles romaines aux commencements de la papauté d'Urbain VIII, voir Fumaroli, 1989.

22. Des lettres de Van den Hoecke (17 décembre 1646) et de Resini (9 septembre 1647), on ne connaît que des copies du XVIII$^{e}$ siècle; elles furent commandées par l'abbé Gaetano Marini et se trouvent dans une de ses miscellanées manuscrites, conservées aujourd'hui à la BAV, *Ms. Vaticano Latino 9117* (fol. 56-57 v°.; 59). La lettre de Van den Hoecke a été publiée par Orbaan, par Sparti et par Thuillier (1994, pp. 161-162); elle nous renseigne sur les rapports d'étroite collaboration qu'eurent Cassiano et Poussin (la transcription que j'en donne reproduit les fautes du peintre et celles du copiste) : « *Son ben per spiegare a V.S. Ill.ma le memorie che mi sarebbono più care, le quale tra le altre, me son restate più nella mente, e non è giorno, ch'io non ci pensi, e sono queste quelli belli quadri, che V.S. Ill.ma ha in casa sua, fatte per mano del Signor Possino...* » (« Je veux bien rappeler à Votre Excellence les souvenirs qui me sont les plus chers, ceux qui, entre tous, me sont le plus restés en mémoire, et il n'est pas de jour où je n'y songe. Ce sont ces beaux tableaux que Votre Excellence a chez Elle, ceux qui ont été faits par Monsieur Poussin... »). Tout en lui demandant la permission d'avoir des copies dessinées par quelque artiste de confiance – « *che si disegnassero per qualche giovane, che paresse a V.S. Ill.ma che disegnasse bene* » (« que quelque jeune, dont Votre Excellence pense qu'il dessine bien, les exécute ») –, il l'assure qu'il n'utilisera pas ces dessins pour la publication, « *né per fare comuni quelle opere, ma solo per mio studio particolare* » (« ni qu'il ne les divulguera, mais qu'il les gardera pour son étude personnelle »). Ce peintre flamand, formé dans l'atelier de Rubens à Anvers, avait longuement séjourné à Rome, de 1638 à 1646. Étroites et amicales furent ses relations avec Cassiano, dont il fit un portrait (voir Solinas, *op. cit.* n. 3). Il est probable que le cavalier lui ait fait la faveur de quelques copies d'après Poussin, exécutées par un des jeunes artistes de sa maison. Achevant sa missive, Van den Hoecke évoque à nouveau l'étroite collaboration qui unit Cassiano et Poussin : « *...che so, che sono fatte con particolare accuratezza, tanto per le recerche del Signor Possino, che con la sua diligentia e valore, quanto per le belle osservationi antiche che V.S Ill.ma ci ha inserite con il suo gran sapere* » (« Je sais

qu'elles [les œuvres de Poussin pour Cassiano] ont été faites avec un soin tout particulier [par rapport aux autres tableaux de l'artiste] et par les recherches, la diligence et la valeur qu'y a mises Monsieur Poussin, et par les beaux détails antiques que Votre Excellence y a insérés grâce à votre grand savoir »).

23. Voir Freedberg, 1994, pp. 67-68.

24. L'importance de Cassiano en tant que concepteur ou « souffleur » des sujets de Poussin est montrée aussi par une lettre que le peintre écrivit de Paris, le 4 avril 1642 (Jouanny, 1911, pp. 127-128) : « *Havrei gusto di poter attendere al suggetto che V.S. mi propone delle Nozze di Peleo perché non se ne può trovare uno che possi dare più sugetto di far cosa spiritosa che questo...* » (« J'aurais plaisir à me consacrer au sujet que Votre Excellence m'a proposé, les noces de Pélée, parce que on ne peut en trouver un qui soit plus à même d'être plaisant que celui-ci »).

25. Ce billet non daté fut publié pour la première fois par G.G. Bottari in *Raccolta di Lettere sulla Pittura, Scultura e Architettura*, Rome, Pagliarini, 1757, t. I, 2nde édition, pp. 273-274 (voir aussi Jouanny, 1911, pp. 1-2). Bottari qui, d'habitude, corrigeait, censurait et embellissait les documents retranscrits en vue d'une publication (à ce sujet, voir l'importante étude de G. Perini, *Gli scritti dei Carracci*, Bologne, 1990 et plus particulièrement pp. 85-98), marqua en bas du billet : « *Questa lettera sola è di pugno del Pussino, e pare un viglietto scritto di Roma. Per risposta ebbe scudi 40* » (« Seule cette lettre [parmi toutes celles écrites à Cassiano] est de la main de Poussin et semble avoir été écrite à Rome. Pour réponse il eut 40 écus ») (*Raccolta*, p. 274). La dernière remarque rapporte de toute évidence une note inscrite par Cassiano sur le billet au sujet du paiment de l'*Éléphant*. Sur les difficultés rencontrées par Poussin au début de son séjour romain et sur la maladie chronique contractée probablement avant son arrivée à Rome, voir l'admirable synthèse, entièrement fondée sur les documents, par Thuillier, 1994, pp. 111-113 ; 118.

26. À ce sujet, l'épisode de l'incarcération de Pietro Testa est exemplaire. Ce peintre se retrouva, en 1637, à la prison de Tor di Nona, pour ne pas avoir livré à Cassiano un travail promis, qu'il devait faire avant son retour à Lucques : voir E. Cropper, *The Ideal of Painting. Pietro Testa's Dusseldorf Notebook*, Princeton, 1984, p. 26, qui met en évidence la dépendance de Testa par rapport à Cassiano et qui souligne, à juste titre, le pouvoir politique de ce dernier.

27. Le *Paysage au satyre endormi*, commandé par le cavalier et conservé aujourd'hui au musée Fabre de Montpellier, est représentatif de la première collaboration de Poussin avec Cassiano. Il fut peint en 1626 et a été récemment exposé au Louvre (cat. exp. Paris, Louvre, 1994-1995, pp. 45-46). Cette toile est une combinaison d'éléments archéologiques chers à Cassiano, que le peintre, à cette époque, étudiait sous sa direction. Hautement élégiaque et inspiré par une action allégorique qui lie les quatre figures, le tableau représente le vol de la flûte enchanteresse d'un faune endormi par un petit garçon (*puer*, lit-on sur l'ancienne inscription portée au dos du tableau). L'action, certainement inspirée par un texte antique et suggérée au peintre par Cassiano lui-même, se déroule sous les regards impassibles d'une nymphe et d'un fleuve. La figure de la nymphe, empruntée aux *Noces Aldobrandines*, fresque romaine du Ier siècle après J.-C. (sur celle-ci, voir F. Cappelletti-C. Volpi, « New Documents concerning the Discovery and Early History of the Nozze

Aldobrandini », in *The Journal of the Courtauld and Warburg Institutes*, 1993, 56, pp. 274-280), s'inspire aussi d'une statue représentant la *Muse Polymnie*, conservée aujourd'hui au Louvre (cat. exp. Paris, Louvre, 1994-1995), laquelle a été plusieurs fois copiée par les dessinateurs de Cassiano pour le *Museo cartaceo*. Sur le satyre endormi et sur la figure du fleuve, Cassiano s'était exprimé à leur sujet dans une rapide description de leur découverte dans les fossés du château Saint-Ange. Voici ci-dessous ce qu'il écrivit dans son *Agenda del Museo* (sur celui-ci, voir G. Lumbroso, *op. cit.* n. 4 qui en compila de nombreux passages dans un *Memoriale*; à sa suite, T. Schreiber en cita de longs passages dans « Ueber unedierte römische Fundberichte », *Berichte über die Verhandlungen der Köiniglich Sachsischen Gesellschaft der Wissenschaften zu Leipzig. Philologisch-historische Classe*, XXXVII, 1885, pp. 93-118; sur le manuscrit original autographe, conservé à la Biblioteca Nazionale de Naples, *Ms. V. E. 10*, voir Solinas, *op. cit.* n. 12, pp. 119-127 et Id., *op. cit.* n. 7) : « *Ne' fossi di Castello furon trovate cavandosi due statue quali furon portate nel giardino del cardinal Barberino, una di un Fiume nella solita postura giacente, di bellissima maniera, l'altra un torso di fauno, non inferiore al torso di Belvedere...* » (« On a trouvé, en creusant dans les fossés du château, deux statues qu'on a portées dans le jardin du cardinal Barberini, l'une est un fleuve dans l'habituelle position couchée, d'un très beau travail, l'autre est un torse de faune, lequel n'est pas inférieur au torse du Belvédère ») (G. Lumbroso, *op. cit.* n. 4, p. 177). Ce tableau est donc, en même temps, une célébration des nouvelles et importantes découvertes archéologiques dont Cassiano, secrétaire du cardinal, était responsable, et un paysage à l'antique peint de manière didactique qui, en ressuscitant et en conceptualisant l'Antiquité, en exprime la valeur poétique et littéraire. Avec un luminisme qui n'est pas étranger aux préceptes du père Zaccolini (voir Cropper, 1983), qu'il avait pu étudier dans la bibliothèque de Cassiano et avec le Dominiquin, et à ceux de Léonard qu'on connaissait bien dans le cercle du cavalier (voir la n. 65), Poussin peignit son premier paysage « atmosphérique » : un émouvant crépuscule traité avec une science de la perspective et de la lumière, nouvelle pour l'artiste. Cette approche documentaire et allusive peut être rapprochée de certains développements des principes soutenus vers 1611-1614 par le fondateur de l'Académie des Lincei, Federico Cesi (1585-1630), au travers de sa définition de la « peinture philosophique » : une transposition visuelle et didactique des recherches érudites, naturalistes et archéologiques menées par son cercle (voir la n. 71).

28. Sur les intérêts pour la médecine et la pratique médicale de Cassiano, voir Lumbroso, *op. cit.* n. 4, p. 164 et Solinas, *op. cit.* n. 3. Dès sa jeunesse, Cassiano étudia et pratiqua la médecine. Il fut à Pise le disciple et l'ami du grand médecin portugais Esteban Roderigo de Castro, qui fut au service des grands-ducs de Toscane pendant plus de quarante ans. Il correspondit aussi avec les médecins européens les plus connus : Giovanni Nardi, successeur de Castro à la cour de Toscane, les deux Français résidents à Rome, Pietro Potieri (Pierre Potier), professeur à Bologne, Giovanni Trullio (Jacques Thruillier), chirurgien papal. Cassiano, en 1621-1622, soigna, à l'aide de potions et de remèdes, son ami et compagnon aux Lincei, le poète Virginio Cesarini, qui trépassa peu après. Bien qu'il ait fortement minimisé l'influence de Cassiano sur Poussin, dans le but de rendre, du point de vue du monde, plus nobles ses débuts romains, Bellori ne put pas ne pas

reconnaître l'importance de l'influence exercée en 1628 par le cavalier sur le cardinal Barberini dans l'obtention par Poussin de la commande du *Saint Érasme* (1672, p. 428). Au demeurant, Poussin lui-même reconnut le rôle joué par Cassiano dans les commandes artistiques des Barberini. C'est ainsi qu'il écrit de Paris au cavalier le 27 juin 1642 : « *Mi sento di nuovo soprammodo obligato a V.S. che mi dà l'occasione di servire l'Eminentissimo Signor Cardinal Barberino del disegno dell'istoria di Scipione* » (« Je sens à nouveau combien je suis redevable à Votre Excellence car Elle me donne l'occasion de servir le très éminent cardinal Barberini avec le dessin de l'histoire de Scipion »).

29. Jouanny, 1911, pp. 1-3. Pour une analyse du contenu du billet, voir Solinas, 1995. L'hypothèse avancée par Sir Denis Mahon, qui date le billet de l'hiver de 1625, est à mon avis tout à fait juste. Écrit par le peintre à un moment qui se situe entre le retour de Cassiano avec la légation française (17 décembre 1625) et son départ avec la légation espagnole (1er février 1626), ce billet traduit une telle familiarité entre les deux hommes que leur rencontre et le début de leur collaboration peut être aisément situé durant l'été 1624. L'indication au verso du billet cité par Bottari (voir ci-dessus, n. 25) indiquant la somme de 40 écus donnés à Poussin par le cavalier peut être mise en rapport avec le payement du tableau non encore achevé.

30. Voir E. Cropper, *op. cit.* n. 26, p. 14.

31. Je remercie Sir Denis Mahon et Thos. Agnews Ltd. de Londres qui ont facilité, de toutes les manières possibles, mon examen de l'important tableau commencé par Poussin avant le départ de Cassiano pour l'Espagne, entre décembre 1625 et février 1626.

32. La note contenant « la mesure de l'éléphant » est conservé dans le fonds dal Pozzo (*Ms. H 170*, Montpellier, bibliothèque de l'École de médecine; je l'appellerai désormais B.E.M., fol. 45-50), en appendice à une copie manuscrite de la *Narratio historica Elefantis*, écrite en 1529 par le Vénitien Baldassarre Bonifacio et dédié à Domenico Molino.

33. Voir E. Cropper, *op. cit.* n. 26, p. 14; ces tableaux sont mentionnés dans les inventaires de la collection dal Pozzo (voir Standring, 1988, pp. 606-686).

34. Sur les pressions exercées par Cassiano sur Francesco Barberini et sur les plaintes publiques qu'émit ce même prélat au sujet de l'ingérence de son secrétaire, voir la lettre que le cardinal Ascanio Piccolomini, archevêque de Sienne, écrivit en 1664 à Carlo Dati; celle-ci est publiée par Solinas, *op. cit.* n. 3. Les textes antiques que Cassiano communiqua à Poussin sont tirés pour le *Germanicus* des *Annales* de Tacite et pour *La Destruction du Temple de Jérusalem*, des *Antiquités judaïques* de Flavius Josèphe (cat. exp. Paris, Grand Palais, 1994-1995, pp. 157-159; 260); ces thèmes pouvaient s'adapter aux vicissitudes personnelles du jeune cardinal ou à celles inhérentes à sa position officielle dans le gouvernement de l'Église romaine.

35. Cassiano fut inscrit sur le livre des dépenses de la famille du cardinal Barberini et fut payé régulièrement de 1623 jusqu'à sa mort en 1657.

36. Cassiano s'était renseigné sur l'iconographie de Germanicus et de sa famille, grâce à des monnaies et des médailles inventoriées dans les notes et les fiches illustrées rassemblées par l'érudit bolonais Lelio Pasqualini, chanoine de Santa Maria Maggiore. Après la mort de celui-ci, Cassiano eut la chance d'acquérir les fiches, les notes et les

dessins relatifs à l'iconographie de pierres et de monnaies antiques ; il les fit relier en volumes pour sa bibliothèque. Signalons, parmi ceux-ci, dans le *Ms. Vaticano Latino 10486* (B.A.V. fol. 92-96 v°), des notes et des minutes de Pasqualini sur des points d'iconographie ; parmi celles-ci, se trouvent une minute adressée au jeune Peiresc (avec son titre de jeunesse « Monsieur de Callas ») et une lettre du collectionneur et numismate Claudio Ciccolini (fol. 97 r°), par laquelle celui-ci adressait à Pasqualini *la lista delli nomi delle medaglie che io possiedo* (« la liste des noms des médailles que je possède »), en lui demandant de la réorganiser « *ponerli al suo luogo* » (« les mettre à leurs places ») ; en bas de la lettre et dans une écriture différente et postérieure, on a catalogué les monnaies et les médailles représentant les membres de la famille de Germanicus. On a fait d'après les pierres Pasqualini des dessins à la plume, reproduits ici, qu'on peut attribuer à Jean de Saillant et qu'il exécuta après son retour en Avignon en juin 1632 (sur l'artiste, voir Solinas, « Sull'atelier di Cassiano dal Pozzo : metodi di ricerca e documenti inediti », in *Quaderni puteani, II : Cassiano dal Pozzo's Paper Museum*, vol. II (éd. J. Montagu), Milan, 1992, pp. 75-76, fig. 4, et Id., « Portare Roma a Parigi. Mecenati, artisti ed eruditi nella migrazione culturale », in *Documentary Culture : Florence and Rome, from Grand-Duke Ferdinand I to Pope Alexander VII,* Villa Spelmann, Colloquia III (éd. E. Cropper, G. Perini, F. Solinas), Bologne, 1992 pp. 259-261, fig. 1). Jean de Saillant était un frère augustinien d'origine provençale ; avant le début de son séjour romain (1622-1632), il était en relation avec Peiresc ; comme Claude Mellan, autre artiste envoyé à Rome par le même Peiresc (1624-1636), Jean de Saillant travailla pour Cassiano et pour le cercle Barberini dans le but d'éduquer son regard et de raffiner son style. Les deux dessins à la plume et à l'encre brune contenus dans le *Ms. Dupuy 667* de la Bibliothèque nationale de Paris et publiés ici (fig. 6 et 7), se trouvent insérés dans un mélange de notes archéologiques provenant de Peiresc et ensuite ayant appartenu aux frères Jacques et Pierre Dupuy sous le titre de *De Nummis, De Gemmis, Inscriptiones antiquae, Statuae, Criticae* (fol. 415 r°, 416 r°). Les trois dessins représentant des pierres à l'effigie de Germanicus, d'Agrippine et de leur fils sont comparables au dessin postérieur de l'AETION, que j'ai attribué, grâce à des documents, au même père Jean de Saillant (voir Solinas, *loc. cit.*, 1992), qui se trouve au feuillet 94 r° du même mélange Dupuy et qui a été exécuté sur le même type de papier français à vergeures serrées, ayant fait partie du même fascicule. Bien qu'ils aient été exécutés à la plume et à l'encre d'une façon plus rapide, les feuillets reproduits ici, sont semblables à l'œuvre du « bon père Saillant », auteur, plus tard, de l'AETION. Ce dernier, réalisé dans une technique différente et plus achevée, utilisant une plume plus subtile (plume, encre brune et gouache azurée), présente le même traitement plastique que dans la reproduction de la gemme, la même sensibilité pour le clair-obscur, réalisé grâce à un savant système de hachures, qu'on rencontre aussi dans les deux feuillets reproduits ici, même si le trait en est plus rapide. Les feuillets portent les inscriptions suivantes, de la main de Peiresc : *Germanicus in gemma* (fol. 95) et *Agrippina cum filio* (fol. 96), en bas à gauche (inscription répétée au centre dans une graphie différente et postérieure). Les originaux des fiches Pasqualini et, probablement, aussi celles relatives aux deux dessins reproduits ici, étaient à la disposition de Poussin dans la bibliothèque de Cassiano, comme l'était l'AETION ; la version de ce dernier à Chantilly, qu'on peut aussi attribuer à Jean de Saillant, pourrait provenir du *Museo carta-*

*ceo* (à ce sujet voir Solinas, 1995). Sur les rapports qu'a entretenus Pasqualini avec Peiresc et Cassiano, voir Solinas, *loc. cit.*, 1992, p. 64 et Solinas, *op. cit.* n. 7, ainsi que D. Jaffé, « Aspects of gem collecting in the early Seventeenth Century. Nicolas-Claude de Peiresc et Lelio Pasqualini », *The Burlington Magazine*, août 1992, pp. 103-120; sur la collection de peintures réunies par Pasqualini et sur ses contacts avec les cercles romains des Carrache et d'Agucchi, voir S. Ginzburg, *op. cit.* n. 15.

37. Voir la n. 35.

38. Sur les aspects politiques de la légation Barberini, voir A. Bazzoni, « Il Cardinal Francesco Barberini Legato in Francia ed in Spagna », in *Archivio Storico Italiano*, s. 5, XII, 1893, pp. 335-360 et L. von Pastor, *Storia dei Papi*, XIII, pp. 287-293 (ce dernier n'est pas toujours précis dans ses considérations sur le voyage). Le repas du roi à Fontainebleau est décrit par Cassiano dans son Journal de voyage (B.A.V., *Ms. Barb. Lat. 5688*, fol. 260-275). Pour éviter tout risque d'empoisonnement, la coupe du cardinal était munie d'un couvercle et « *era senza piede che fatto come dicono, a panieretto, et questo acciò corresse manco rischio nella folla* » (« était sans pied et fait, comme on le dit, en forme de petite corbeille et ce, afin qu'il courre moins de risques dans la foule ») (ibidem, fol. 264 v°); de la même manière, celle du roi avait été pourvue d'un petit couvercle, afin que « *non vi entri polvere o altro dentro* » (« n'y entrât pas de la poussière ou tout autre chose [du poison] »).

39. Pour une analyse de la commande du *Germanicus*, voir aussi Schütze, dans *Poussin et Rome*, 1996.

40. Entre août et décembre 1623, le pontife choisit les gentilshommes devant composer la cour de son neveu parmi les intellectuels qui, résidant à Rome ou à Florence, avaient été favorables à son élévation. On peut déduire d'après la date de la gravure célébrant cet événement que le graveur Francesco Villamena dédia, en novembre 1623, à Cassiano, que, malgré ses liens avec le cardinal Del Monte, ennemi déclaré du nouveau pape (voir S. Waszbinsky, *Il Cardinale Francesco Maria Del Monte (1545-1625)*, Florence, 1994), le cavalier fut appelé à remplir les offices les plus importants de la cour du cardinal entre octobre et novembre de cette même année.

41. Verdi, 1995, p. 156.

42. Sur Cassiano amateur d'art et conseiller artistique du jeune Barberini, voir Solinas, *op. cit.* n. 12, pp. 106-110; Id., *op. cit.* n. 3. Sur Cassiano et son amitié avec Del Monte, voir Id., *op. cit.* n. 12, pp. 116-117; Id., *op. cit.* n. 36, pp. 64-66 et Id., « Ferrante Carlo, Simon Vouet et Cassiano dal Pozzo... », in *Simon Vouet,* Actes du colloque international. Rencontres de l'École du Louvre, S. Loire (éd.), Paris, RMN, 1993, pp. 135-147. On doit rappeler que Cassiano, au début des années 1620, fréquentait déjà assidûment l'Académie artistique de Saint-Luc, dont l'activité était extrêmement importante sous la direction de Del Monte (voir S. Waszbinsky, *op. cit.* n. 40). Au sein de cette académie, les intérêts de Cassiano servirent de trait d'union entre la direction du cardinal Del Monte et la nouvelle politique des Barberini.

43. Cet inventaire inédit, daté du 28 janvier 1626, se trouve dans le cahier *pro memoria* que tenait Luciano Fabiani, premier responsable de la garde-robe du cardinal, qui l'accompagna dans ses deux légations (B.A.V., *Ms. Barb. Lat. 4766,* fol. 28-30 r°). Le catalogue des « *robbe che sono a Monte Cavallo sin questo dì 28 di gennaro 1626* » (« affaires qui sont à Monte Cavallo depuis ce jour 28 janvier 1626 »),

énumère des meubles, des tableaux, des objets, des livres, des manuscrits et d'autres affaires, laissés par le cardinal à Rome dans son appartement du Quirinal, entre ses deux voyages diplomatiques. Même si d'autres objets lui appartenant se trouvaient encore dans le vieux palais de la famille au Monte di Pietà (*le casone ai Coronari*) et si certains livres manuscrits et objets de dévotion avaient été déposés par Fabiani lui-même dans une armoire du cardinal au Vatican (le *credenzone* à Saint-Pierre), l'inventaire du fidèle Luciano cataloguait la plus grande partie des collections de son patron. Dans celui-ci, on trouvait trois bustes de marbre : « *una statua di marmo di papa Urbano VIII con il suo piede di noce / Una Madonna di marmo / una Statua di Scipion Affricano con la testa nera et il busto di alabastro* » (« une statue en marbre du pape Urbain VIII, avec son piédouche en noyer / une Madone en marbre / une statue de Scipion l'Africain à la tête noire et au buste en albâtre »), exposés dans le premier salon, et seulement trente-huit tableaux comprenant des œuvres de dévotion, des paysages, des toiles documentaires, des portraits de famille, des miniatures et des impressions sur soie (satin et taffetas). Dans son inventaire, Fabiani cite un seul artiste, le Flamand Francione, auteur de paysages documentaires tels que « *una colonna ritratta di quella di Santa Prassede fatta Dal Francione* » (« une colonne faite d'après celle de Sainte-Praxède par Francione »), aucun autre n'est mentionné, pas même Poussin, dont le nom n'est pas cité dans la description de la première version de *La Destruction de Jérusalem* : « *un quadro grande della disttruzione del Tempio con cornici d'orate* » (« un grand tableau représentant la destruction du Temple dans un cadre doré »). On sait peu de choses du flamand Francione, peintre de prédilection du jeune cardinal, qui avait fait, à cette date, vingt tableaux pour sa collection. Comme il apparaît d'après les acquisitions suivantes de la garde-robe inscrites par Fabiani à partir de 1627, Francione continua à peindre pour le cardinal jusqu'en 1630 environ (voir B.A.V., *Archivio Barberini, Computisteria*, 152 et M. Aronberg Lavin, *Seventeenth Century Barberini Document and Inventories of Art*, New York, 1974).

44. Sur les goûts artistiques de Francesco Barberini, tels qu'ils apparaissent dans les années suivantes, voir l'essai capital de J. Montagu, « Exhortatio ad Virtutem. A series of Paintings in the Barberini Palace », in *The Journal of the Warburg and Courtauld Institutes*, XXXIV, 1971, pp. 366-372.

45. Dans toutes ses lettres, l'artiste exprime des sentiments profonds et chaleureux à son égard ; par exemple, dans la missive du 7 janvier 1641, après avoir raconté l'issue heureuse de sa rencontre avec le roi, il promet de vite achever le tableau du *Baptême*, commencé à Rome pour son ami (cat. exp. Paris, Grand Palais, 1994-1995, p. 248) : « *Egli m'intrattenne di molte cose e particolarmente di Roma delle persone le più notabili ricordandosi il nome di V.S. Ill.ma Rev.ma, ne lodò sommamente la virtù e mostrò apertamente di havere a gloria particolare di servirla a ogni occasione... noi aspettiamo le nostre balle e subito arrivate non mancherò di metter mano al quadretto del suo Battesimo non havendo al mondo maggio gusto come d'havere l'occasione di rendergli qualche devoto servitio...* » (« Il [le roi] m'a entretenu de beaucoup de choses et, plus précisément, de Rome, des personnes les plus connues ; s'étant rappelé le nom de Votre Seigneurie, il en a loué beaucoup la vertu et a déclaré ouvertement que ce serait pour lui une gloire particulière que de la servir en toute occasion... nous attendons nos malles et, dès qu'elles seront arrivées, je ne manquerai pas de revenir au petit cadre

du *Baptême*, ne trouvant pas au monde plus beau plaisir que de trouver l'occasion de vous rendre un service que je vous dois ») (Jouanny, 1911, p. 47). Le 1er mars de cette même année, malgré les règles de la bienséance, il concède : « ...*confessando che in questo mondo non ho altro Padrone di lei...* » (« j'avoue que, dans ce monde, je n'ai pas d'autre maître que vous... ») (*Ibidem*, p. 50). Enfin, le 18 avril, se plaignant de la pression continue exercée sur lui par les dignitaires français *quali non mi lasciano un ora di tempo libero* (« qui ne me laissent pas une heure de temps libre »], pour terminer le *Baptême*, il se réclame de lui : « *Mi commandi, la prego, in tutte quelle cose che lei conosce che la posso servire come devo...* » (« Renseignez-moi, je vous en prie, sur toutes les choses pour lesquelles vous savez que je peux vous servir comme je le dois ») (*Ibidem*, p. 57).

46. Dans sa lettre du 25 juillet 1641, tout en s'excusant de ne pas avoir encore fini le *Baptême*, Poussin promet d'achever, en août, les « *cose di V.S. Ill.ma che portai meco* » (« choses de Votre Seigneurie que j'ai apportées avec moi ») (Jouanny, 1911, p. 84); le 6 septembre de la même année, le peintre n'a pas encore réussi, à cause du tableau d'autel pour le noviciat des Jésuites qu'on lui avait commandé, à ajouter la moindre petite touche au *Baptême* promis à son mécène romain; il déclare à cette occasion : « *le notti per l'avvenire saranno lunghe, e spero con quel mezzo poter fare almeno qualche disegno delle cose che depingerò per farne parte a V.S. Ill.ma, perché altrimenti crederei non haver fatto nulla* » (« à l'avenir, les nuits seront longues, et j'espère, par ce moyen, pouvoir au moins faire quelques dessins pour des œuvres que je peindrai, afin de les communiquer à Votre Seigneurie, car, autrement, je croirais n'avoir rien fait ») (*Ibidem*, p. 94). Le 27 mars de l'année suivante, il annonce à Cassiano qu'il a presque terminé un tableau qui, semble-t-il, n'est pas le *Baptême* (il lui reste à faire la figure du Christ avec deux angelots, lesquels n'apparaissent pas dans le tableau de Washington) et il déclare vouloir achever avant Pâques la *Sainte Famille*, destinée au marchand génois Stefano Roccatagliata, ami de Cassiano, chez qui ce dernier avait longtemps vécu (*Ibidem*, p. 124; voir aussi Sparti, 1992, pp. 60-61). Les deux tableaux pour Cassiano partirent de Paris en 1642; Poussin, dans sa lettre du 22 mai (Jouanny, 1911, p. 154), promit un certain nombre de ses dessins, mais aussi de ceux de ses amis, y compris Claude Mellan, qui, de 1624 à 1636, avait fréquenté à Rome le cercle de Cassiano. On ne connaît aucun inventaire ou liste de ces dessins, qui furent envoyés à Paris ou rapportés à Rome par le peintre. Il est pourtant certain qu'un grand nombre d'entre eux pourrait correspondre à ceux qui sont aujourd'hui conservés à la Royal Library de Windsor et à l'Ermitage de Saint-Pétersbourg – il s'agit de dessins de Poussin et de son entourage parisien, en relation avec les projets français du peintre. Sur ceux-ci, voir Friedlaender-Blunt, IV, 1963, pp. 11 *sqq.* et Blunt, « Supplements to the Catalogue of Italian and French Drawings » (*in* E. Schilling, *The German Drawings in the Collection of Her Majesty the Queen at Windsor Castle*, Londres, s.d., pp. 214-216).

47. À Paris, Poussin s'occupa de l'épineuse question des droits de Cassiano sur l'abbaye de Santa Maria di Cavour; le cavalier en avait été fait abbé par une bulle d'Urbain VIII (sur cette abbaye qui fut en partie détruite au XVIIIe siècle, voir F. Alessio, « Cavour e la sua Abbazia », in *Bollettino Storico Subalpino*, XIV, 1909, et A. Peyron, « Cavour. Abbazia benedettina », in *Bollettino della società piemontese d'Archeologia e Belle Arti*, XIII, 1929). À la suite de l'oc-

cupation des territoires de l'abbaye par les troupes de Louis XIII, le titre et les important revenus abbatiaux qui y étaient attachés avaient été contestés à Cassiano par l'abbé Mondin, son titulaire présomptif en France. Poussin commença à faire pression sur Chantelou dans sa longue lettre, datée du 11 juin 1641 (Jouanny, 1911, pp. 67-72); il y fit les louanges de Cassiano, décrivit ses droits et fit saisir au dignitaire de quelle importance pourrait être la résolution de ce problème; le 20 septembre de la même année, Poussin écrivit à Cassiano et lui envoya, en même temps, son titre d'abbé de Cavour en signe de victoire, tout cela grâce à l'intervention de Chantelou et de Sublet de Noyers. Sur les autres affaires accomplies par Poussin à Paris pour Cassiano voir aussi Solinas, « Portare Roma a Parigi », *op. cit.* n. 36, pp. 227-261.

48. Sur la participation certaine et attestée de Poussin au *Museo cartaceo*, voir Solinas, dans *Poussin et Rome*, 1996.

49. *Ibidem.*

50. Sur Cassiano et Ligorio, voir Solinas, *op. cit.* n. 12, p. 109, n. 52; au sujet du projet de Cassiano de publier l'immense collection ligorienne alors répartie entre la bibliothèque des ducs de Savoie à Turin et celle des Farnèse à Rome, voir les index des manuscrits ligoriens qui se trouvent dans le *Ms. H 103 « Di Tivoli »* (B.E.M.), où sont inscrits les titres des notices consacrées aux antiquités tiburtines copiés d'après les manuscrits de Turin. Voir aussi les index et les titres rédigés par l'Écossais David Colwill, lequel, étant au service du cardinal Barberini et sur l'ordre de Cassiano, avait, en 1627, commencé, à Turin, la copie des manuscrits de Ligorio. Ceux-ci se trouvent dans le fonds dal Pozzo, conservé aujourd'hui à la B.A.V. (*Ms. Vat. Lat. 10486,* fol. 78-81 v° : volumes de Turin, et fol. 82-87 v° : « *Nota de' libri di Pirro Ligorio e di quanto in essi separatamente si contiene* »). En avril 1632, Cassiano avait réussi à obtenir des informations supplémentaires sur les manuscrits appartenant aux ducs de Savoie grâce à son ami et correspondant, le comte Ludovico d'Agliè, ambassadeur de Savoie à Rome (fol. 81). Sur l'énergie déployée par Cassiano pour leur recouvrement, auquel s'associa plus tard directement Poussin, voir le récit inédit de l'histoire des manuscrits ligoriens de Turin et des cinq mille dessins environ qui les accompagnaient dans ce même manuscrit du Vatican (fol. 81 r° et v°). En synthèse, le document raconte comment au début du siècle, un antiquaire ferrarais, Giorgio Raimondi, « brocanteur de tableaux aux Coronari », vendit séparément cinq mille dessins « *tra grandi e piccoli d'ogni sorte, e tra quali erano moltissime cose cavate dall'antico, et altre fatte a imitation dell'antico tanto di favole che historie, e cose d'architettura* » (« de toutes sortes, grands et petits, parmi lesquels de très nombreux avaient été faits d'après l'antique, et d'autres à son imitation, représentant aussi bien la fable que l'histoire ou des détails d'architectures »), tous de Pirro Ligorio à M. d'Autreville, gentilhomme français alors de passage à Rome, qui les emporta à Paris. À la mort de Raimondi, le célèbre antiquaire Pietro Stefanoni, obtint de sa veuve d'examiner un autre coffre rempli de manuscrits ligoriens qui passèrent ensuite à Turin. En 1632, s'apprêtant à retourner en France, Claude Menestrier (1564-1634), chanoine de Besançon et antiquaire du cardinal Barberini, « *si mosse da Roma nel mese di maggio ... con mira di ritrovar i sudetti Disegni et recuperarli e procurar in occasion di detto viaggio di riportar a Roma quel di buono che trovasse di cosa a proposito per studio d'antichità o di Storia Naturale* » (« partit de Rome au mois de mai ... avec l'intention de retrouver les susdits dessins, de les récupérer et, à l'occasion de ce

voyage, de pouvoir rapporter à Rome tout ce qu'il trouverait d'utile à l'étude de l'antiquité ou de l'histoire naturelle »). Poussin, durant son séjour à Paris en 1640-1642, était non seulement au courant du projet éditorial de Cassiano, la publication de toute l'encyclopédie ligorienne, mais il avait aussi étudié et les manuscrits originaux conservés à Rome et les copies alors disponibles chez dal Pozzo; sur celles-ci, voir le récent et important article de G. Vagenheim, « Des inscriptions ligoriennes dans le *Museo cartaceo*; pour une étude de la tradition du dessin d'après l'antique », in *Quaderni puteani II, Cassiano dal Pozzo's Paper Museum, I* (éd. I. Jenkins), Milan, 1992, pp. 79-109.

51. Le projet de publication que Cassiano espérait mener à bien grâce aux subventions du cardinal Barberini (les lettres et les notes de David Colwill indiquent souvent : pour le service de son Éminence le cardinal Barberini), fut, selon toute vraisemblance, abandonné définitivement à la mort d'Urbain VIII, durant l'été de 1643. Volontairement séparées des textes, les copies des dessins avaient été placées sans légendes dans les volumes du *Museo cartaceo*, tandis que les copies manuscrites des index et des notes de Ligorio se trouvaient dans des volumes indépendants; citons comme exemple le *Ms. H 103* de Montpellier ou le *Vaticano latino 10486*; la majeure partie de ceux-ci, cependant, a été perdue ou n'a pas encore été retrouvée.

52. Ceci est par ailleurs prouvé par une lettre de Francesco « Resini », ou « Retini », la signature du peintre a certainement été mal lue par le copiste employé par l'abbé Gaetano Marini. Pour la clientèle italienne, Cassiano était celui qui suggérait ses sujets à Poussin et ce, jusqu'à la fin des années 1640. Écrivant à Cassiano le 12 septembre 1647, « Resini », qui alors était occupé à réaliser un décor pour le comte Cesare Leopardi à Osimo, dans les Marches, demandait au cavalier pour son commanditaire quatre octogones de Poussin. En passant par Cassiano, « Resini » et Leopardi étaient sûrs de pouvoir obtenir non seulement des toiles de Poussin d'une bonne qualité, mais aussi un prix intéressant.

53. Voir, par exemple, la lettre écrite à Cassiano par Giovan Battista Giusti Ammiani, dans laquelle il lui présente le graveur siennois Bernardino Capitelli (Bottari, *op. cit.* n. 25, p. 249 et Solinas, *op. cit.* n. 36, p. 74). Voir aussi celles du miniaturiste Jean de Saillant (Bottari, *op. cit.* n. 25, pp. 265-272 et Solinas, *op. cit.* n. 36, p. 74), celles de Testa (Bottari, *op. cit.* n. 25, pp. 262-265), mais aussi celles de Giovanna Garzoni, d'Artemisia Gentileschi (*ibidem*) et du Dominiquin. Ce dernier, dans une lettre d'excuse écrite à Cassiano de Naples le 23 janvier 1632, derrière l'abondance de formules de courtoisie typiques de l'époque, affirmait : « *l'Autorità, che V.S. tiene sopra la persona mia, l'opinione che sopra i meriti ha mostrato aver sempre delle mie opere, e l'efficacia de' suoi commendamenti, mi somministrano materia di grandissima confusione...* » (« l'autorité que Votre Excellence a sur ma personne, l'estime, qu'Elle a toujours montrée par rapport aux mérites de mes œuvres, et la force de vos ordres, me mettent dans le plus grand embarras... ») (*Ibidem*, pp. 260-261). Sur le Dominiquin et Cassiano, voir Solinas, dans *Poussin et Rome*, 1996.

54. Durant l'été 1640, Chantelou écrivait de Rome à Sublet de Noyers; il lui décrivait les honneurs dont Cassiano le comblait; en plus du traité sur la peinture de Léonard, le cavalier lui avait donné une série de moulages en plâtre pris sur la colonne Trajane (les mêmes que Poussin avait étudiés des années auparavant; voir Solinas, 1995). Les liens étroits qui unissaient Poussin à Cassiano faisaient

espérer à Chantelou que le cavalier arriverait à convaincre Poussin de revenir en France avec lui. Pourtant, Sublet, en écrivant à Chantelou le 13 août 1640, minimisait l'influence du cavalier sur le peintre et freinait l'enthousiasme de Chantelou pour son nouvel ami : « Vous avès faict une grande acquisition dans l'amitié de Monseigneur le cavallier del Potzo qui est icy en un' estime singulière et tient lieu de chef des vertueux. J'estime ce trésor par luymesme non par les assistances que vous esperès tirer de luy pour vaincre la dureté de Monsieur le Poussin » (Jouanny, 1911, p. 34).

55. Dans sa lettre du 12 janvier 1644, Poussin amoindrissait la valeur d'une copie, tout en mettant en évidence ses nombreux inconvénients; il louvoyait ainsi face aux demandes de Chantelou qui désirait posséder une copie de la série des *Sacrements*, que l'artiste avait exécutés pour Cassiano et lui proposait une nouvelle série à la place. Afin de tenir sa promesse d'exclusivité, faite à Cassiano et de ne pas perdre, en même temps, la commande de son ami français, Poussin concluait sur ces mots : « Je vous assure qu'il vaudront mieux que des coppies, ne cousteront guere plus, et ne tarderont pas plus à estre fets. Et si n'eust esté que depuis vostre départ jay esté dans une perpétuelle irrésolution, j'aurois desià commensé » (Jouanny, 1911, p. 245).

56. Sur la participation de Poussin aux recherches de Cassiano et au *Museo cartaceo*, voir Solinas, dans *Poussin et Rome*, 1996.

57. Sur l'art de la mémoire, voir le récent volume de L. Bolzoni, *La stanza della memoria. Modelli letterari e iconografici nell'età della stampa,* Turin, 1995.

58. Pour le système mnémonique adopté par Cassiano et sur son rapport avec le dessin, voir Solinas, dans *Poussin et Rome*, 1996.

59. *Ibidem.*

60. Au sujet d'un carnet constitué de considérations techniques et érudites de Poussin, rédigé par Jean Dughet, Thuillier, 1994, p. 179, publie à nouveau la lettre de Dughet à Chantelou, datée du 23 janvier 1666, dans laquelle il révélait l'existence d'un manuscrit anthologique d'écrits sur l'ombre et la lumière ainsi que sur la perspective, recopiés par Dughet sur les indications de Poussin avant son voyage en France. Pour une définition et une analyse des *anthological drawings*, voir Blunt, 1979; pour une mise en perspective d'une liasse de feuillets ayant appartenu au *Museo cartaceo* et recueillis dans un volume de « dessins originaux de Poussin », voir Solinas, dans *Poussin et Rome*, 1996.

61. Sur les intérêts philosophiques de l'Académie des Lincei, voir le récent essai de S. Ricci, « Secolo antico molto più pubblico. Secol d'hoggi molto più privato. Federico Cesi e la scienza come "bonum publicum" », in *Federico Cesi e la fondazione dell'Accademia dei Lincei*, Naples, 1988, pp. 31-42. Sur les rapports entre l'expérimentation naturaliste, la formation des collections et les genres de l'illustration documentaire, voir la pénétrante étude de G. Olmi, *L'inventario del Mondo. Catalogazione della Natura. Luoghi del sapere nella prima età moderna,* Bologne, 1992, et, aussi, mon introduction au *Catalogue of the Drawings of Fossil Woods, op. cit.* n. 12.

62. Sur l'expérience de Cassiano dans le genre de l'illustration scientifique et sur son application pour la constitution des archives d'iconographie scientifique de l'Académie, voir Solinas, *op. cit.* n. 12 et 61; et pour un aperçu plus général, Id., « Neue Meisterschaft einer neuen Kultur-Forschung und Sammeltätigkeit im Rom der Barberini », *Macrocosmos in microcosmo : die Welt in der Stube. Zur Geschichte des Sammelns*

*1450 bis 1800*, Opladen, 1994, pp. 501-533.

63. *Ibidem.*

64. *Ibidem.*

65. Voir J. Bell, « Cassiano dal Pozzo's Copy of the Zaccolini Manuscript », in *Journal of the Warburg and Courtauld Institutes*, 51, 1988, pp. 103-125 et Cropper, 1983. Sur la genèse du *Traité de la peinture* de Léonard et sur la participation de Cassiano, voir Solinas, *op. cit.* n. 36 et 47, où, dans le *Ms. Barb. Lat. 4304* (B.A.V. ; fig. 8-9), j'ai identifié une des versions préparatoires, parmi les plus avancées, du texte définitif du *Traité de la peinture*, qui fut donné à Chantelou en 1639-1640. Ce manuscrit est dû à un copiste du cavalier; Cassiano y a porté de nombreuses annotations au crayon et, dans la marge, sur de nombreux feuillets, il y a des ébauches exécutées par un artiste lié à Cassiano et proche de Poussin. On peut, donc, considérer le *Ms. Barb. Lat. 4304* comme la copie utilisée par le cavalier afin d'établir le texte définitif que Poussin, au début des années 1630, étudia attentivement en vue de l'illustrer. Il faut noter que dans ces ébauches en marge certaines postures et compositions avec figures offrent des similitudes avec les illustrations suivantes du peintre, mais aussi avec de nombreux personnages et groupes peints par Poussin.

66. Voir Solinas, *op. cit.* n. 3.

67. Sur l'étroite collaboration entre Faber et Cassiano, de 1622 environ jusqu'à la mort du médecin allemand en 1629, voir Solinas, *op. cit.* n. 12 et Id., *Catalogue of the Drawings…, op. cit.* note 12, où figurent des documents inédits.

68. Voir les essais historiques d'Anthony Blunt et M. Fagiolo Dell'Arco, *Jean Lemaire pittore antiquario* (à paraître). Sur la collaboration de Lemaire au *Museo cartaceo*, voir Solinas, dans *Poussin et Rome*, 1996.

69. Ces deux toiles mesurant 1,53 x 1,91 m ont été identifiées dans une collection privée. Elles reproduisent fidèlement et dans les mêmes positions les oiseaux que Vincenzo Leonardi dessina pour le *Museo cartaceo* (sur ceux-ci, voir H. Mc. Burney, *Catalogue of the Drawings of Birds in Cassiano dal Pozzo's Museo Cartaceo*, à paraître prochainement dans le cadre des publications de la Royal Library, Windsor Castle). Dans les deux cas, ces oiseaux, copiés des dessins exécutés par Leonardi d'après nature, sont replacés dans des paysages lacustres, représentés avec soin à l'aube et au coucher de soleil. Les flamants ont été copiés par Cinatti d'après les deux feuilles de parchemin qui représentent des flamants capturés en Provence, exécutés dans la seconde décennie du XVIIe siècle par Monsieur Dupont, dessinateur de Peiresc; ils furent envoyés à Léonard de Trapes, archevêque d'Auch, qui les donna à Cassiano quand celui-ci séjourna à Paris en 1625 (voir Solinas, *op. cit.* n. 12, pp. 101-106, fig. 6-7). D'autres flamants empaillés furent envoyés plus tard par Peiresc à Cassiano. M. Dupont, dessinateur documentaire au service de Peiresc, est l'auteur d'autres dessins ornithologiques qu'il a signés.

70. On a peu étudié l'activité de Antonio Cinatti, peintre florentin et membre de l'Académie de Saint-Luc à Rome. F. Baldinucci (*Notizie dei Professori del disegno da Cimabue in qua*, Florence, Batelli, 1846, III, p. 295), en décrivant la réfection de la chapelle Pucci dans l'église de l'Annunziata par Caccini dans les premières années du XVIIe siècle, rapporte que le plafond incrusté de marbres et de pierres dures était l'œuvre de Mariotto Tosini et d'Antonio Cinatti « doreur et peintre ». Celui-ci, qui résidait encore à Florence, aurait exécuté la dorure de la

structure portante du plafond. Donatella Sparti (1992, pp. 129-130) a évoqué son activité romaine pour les Aldobrandini. Dès 1609-1610, l'artiste peignait à la *roccha* de Frascati (non dans la villa, mais dans un édifice de jardin plus propre à recevoir des décorations naturalistes) en compagnie d'un autre peintre, Valerio Orsini, auquel Cinatti est encore apparié en 1612, dans les minutes du procès pour viol intenté par Artemisia Gentileschi à l'encontre d'Agostino Tassi. On ne peut donc pas exclure une collaboration plus large de Cinatti avec Tassi, et ce d'autant moins si l'on songe aux délicieux morceaux naturalistes (oiseaux et animaux) qui sont toujours présents dans les grands cycles décoratifs à fresque exécutés par Tassi et son atelier dans de nombreuses demeures romaines, comme, par exemple, dans les fresques au rez-de-chaussée du palais Lancellotti aux Coronari. De Rome à Florence, Cinatti semble avoir été un spécialiste de premier plan pour le genre naturaliste. On trouve dans les archives Pamphili (*Getty Provenance Index*) la mention suivante, datée de 1648 : « *un quadro in tela d'imperatore con diversi animali di mano del Cinatti* » (« un tableau en *tela d'imperatore* avec différents animaux de la main de Cinatti »); quatre autres toiles représentant des oiseaux appartiennent à l'ancienne collection Frescobaldi, très voisines de celles exécutées pour Cassiano. Je les publierai dans une note que je voudrais consacrer à cet artiste.

71. Ces tableaux, déjà présents dans l'inventaire rédigé à la mort de Carlo Antonio (1689), furent tous deux décrits avec grand soin dans un inventaire plus tardif de la collection dal Pozzo (1740) que m'a aimablement signalé Timothy Standring en 1987. Pour le texte de la description, voir Solinas, *op. cit.* n. 12, pp. 111-112; j'y ai supposé, de façon erronée, qu'il pouvait s'agir de projets pour la série de tapisseries à sujets naturalistes, telle qu'elle est décrite dans une lettre que Cassiano envoya à Peiresc de 1634 (*Ibidem*, p. 107 *sq.*). On peut dater ces toiles entre 1628 et 1632, par la présence de certains oiseaux et par l'absence de certains autres. Ceux-ci, entre 1633 et 1636, furent, en effet, parmi les centres d'intérêt de Cassiano; ils furent dessinés par Vincenzo Leonardi pour le *Museo cartaceo*, et, comme une de leurs caractéristiques était d'appartenir au même genre d'habitat, ils auraient été certainement placés à l'intérieur des deux paysages lacustres déjà fort surpeuplés.

72. Voir Dempsey, 1989, pp. 246-261.

73. Voir Bell, *op. cit.* n. 65, et Cropper, 1983.

74. La définition de la peinture philosophique se trouve dans le *Zibaldone* [« Journal »] de Federico Cesi (Biblioteca Nazionale de Naples, *Ms. XII.E.4*; Cassiano l'a réordonné et fait relier). Pour les orientations philosophiques de Cesi, voir G. Gabrieli, *L'orizzonte intellettuale e morale di Federico Cesi illustrato in un suo zibaldone inedito* (1938). Ce journal fut publié par G. Gabrieli, *Contributi alla Storia dell'Accademia dei Lincei*, Rome, 1989, I, pp. 27-77; voir aussi le *Discorso del Naturale desiderio del sapere*, publié à nouveau par Ricci, *op. cit.* n. 61, pp. 107-142.

75. Sur ce personnage, voir Solinas, *op. cit.* n. 47, pp. 257-260.

76. Destinée à convertir les protestants, cette œuvre démontre, avec une véritable connaissance des saintes Écritures et de la littérature sacrée, l'importance historique des sacrements pour les premiers chrétiens.

77. À partir des années 1626-1627, Cassiano aida, avec Francesco Barberini, à la publication de la *Roma Sotterranea* de Giacomo

Bosio (Rome, 1632). Connaissant les goûts du prélat, ses dons consistèrent surtout en parchemins, sculptures ou peintures du Trecento et plus anciennes; il y avait, dans le *Museo cartaceo*, des sections entières consacrées aux antiquités chrétiennes; voir Dempsey, 1989.

78. Lié à la tradition des Oratoriens, Cassiano mentionna, en 1649, la mort de deux savants appartenant à cet ordre, le père Oderico et le père Baccelli (Lumbroso, *op. cit.* n. 4, p. 191). On trouve dans ses lettres et dans ses notes de nombreuses allusions à l'œuvre de Baronio et à l'ordre des Oratoriens, où il avait beaucoup d'amis.

79. Voir la n. 74, *Ms. XII.E.4*, fol. 24 v°; on y lit : « *Pittura Filosofica / Indirizzo della pittura, e suo studio, non solo a dilettation semplice, il che è vanissimo abuso, ma a giovamento di vita ed efficace disciplina e piacer di molta utilità* » (« Peinture philosophique / Branche de la peinture, et son étude, pas seulement pour une simple délectation, qui en est un abus très vain, mais pour la jouissance d'une méthode vivante et efficace et pour un plaisir très utile »).

80. Sur les commandes artistiques, les travaux d'embellissement et de restauration ordonnés à Pise par l'archevêque Carlo Antonio dal Pozzo (1547-1607), voir R. P. Ciardi, « "Una Galleria Regia" : arte e politica nella Tribuna del Duomo di Pisa », in *La Tribuna del Duomo di Pisa, capolavori di due secoli*, catalogue de l'exposition, Milan, 1995.

81. Les liens unissant Cassiano et Rutilio Manetti (1571-1639) sont prouvés par une rare et splendide eau-forte représentant le blason du cavalier flanqué de deux figures allégoriques; exécutée à partir du dessin de Manetti, elle fut publiée à Rome en 1610 comme frontispice des *Conclusiones Theologicae de Sacrosancto Adoratissimae Trinitatis Mysterio* de Bartolomeo Turriano (voir Solinas-Nicolò, « Cassiano dal Pozzo and Pietro Testa. New Documents concerning the Museo Cartaceo », in E. Cropper, *Pietro Testa (1612-1650). Prints and Drawings*, Philadelphie, 1988, pp. LXVI-LXXXI, plus particulièrement p. LXVII). À l'époque où Cassiano séjournait à Sienne (1608-1611), l'atelier du peintre était un des plus importants de la ville; Giovan Battista Giusti Ammiani, de même que Pandolfo Savini, amis et correspondants de Cassiano, le fréquentaient avec assiduité; la série de dessins représentant les scènes de la vie de saint Bernardin, exécutées par Manetti, fut rassemblée en un petit volume monographique dans le *Museo cartaceo*; elle passa dans les collections du château de Windsor avec le reste des volumes dal Pozzo. Bernardino Capitelli a tiré de ces dessins, toujours conservés à la Royal Library, une série d'eaux-fortes dédiée à Ferdinando dal Pozzo, le fils de Carlo Antonio. On ne trouve pas, dans les inventaires tardifs de la collection dal Pozzo, des mentions concernant des tableaux de Rutilio; on doit pourtant tenir compte que, dans des documents aussi approximatifs, les erreurs d'attribution, les bévues et les lacunes sont innombrables.

82. Les relations entre le cardinal Del Monte et Cassiano commencèrent probablement à Florence, dès la première décennie du XVIIe siècle; elles eurent pour origine la réciproque dépendance des deux hommes vis-à-vis de Ferdinand Ier de Toscane. Aux alentours des années 1610, Francesco dal Pozzo, le frère de Cassiano, était au service du cardinal à Rome; il lui écrivit alors pour l'inciter à répondre à une lettre du prélat (voir Solinas, *op. cit.* n. 12, p. 116). Après être arrivé à Rome en 1612, Cassiano fréquenta le même milieu artistique et intellectuel que le prélat; ce fut probablement ce dernier qui lui présenta Vouet (Solinas, *op. cit.* n. 42), le Valentin. Les rapports qu'entretint Cassiano avec la colonie florentine demeurè-

rent, par ailleurs, forts; à la mort du cardinal, en 1626, ce fut Cassiano qui eut la charge, de la part des neveux d'Urbain VIII, de signaler et choisir les œuvres et objets d'art ayant appartenu à Del Monte.

83. Sur la série des tapisseries, dite des Castelli, voir U. Barberini, « Pietro da Cortona e l'arazzeria Barberini », in *Bollettino d'Arte*, XXXVI, 1950, pp. 43-51 et 145-152.

84. Valentin lui aussi (1591-1632), comme Vouet et Poussin, fut protégé par Cassiano. Le Valentin fut très tôt apprécié par le cardinal Del Monte et, comme Poussin, il obtint la commande d'un des tableaux d'autel pour Saint-Pierre de Rome.

Fig. 1
Nicolas Poussin
*Paysage au satyre endormi*
1626
Toile, 0,75 x 0,90 m
Montpellier, musée Fabre.

Fig. 2
Nicolas Poussin
*Eliézer et Rébecca* (1627)
Toile, 0,93 x 1,17 m
Collection privée.

Fig. 3
Nicolas Poussin
*Hannibal traversant les Alpes*
1625-1626
Toile, 1,00 x 1,33 m
Collection privée.

Fig. 4
Nicolas Poussin
*Eliézer et Rébecca*
Détail d'un dromadaire.

Fig. 5
Jean de Saillant (actif vers 1620-vers 1636) (?)
Camée représentant *Germanicus*
Plume et encre brune
Paris, Bibliothèque nationale de France,
Ms. Dupuy 667, fol. 96 r°.

Fig. 6
Jean de Saillant (?)
Camée représentant *Agrippine et son fils*
Plume et encre brune
Paris, Bibliothèque nationale de France, Ms. Dupuy 667, fol. 97 r°.

Fig. 7
Anonyme (dessin et texte) du cercle de Cassiano dal Pozzo
Feuille du manuscrit préparatoire pour la version définitive du *Traité de la peinture* de Léonard de Vinci illustré par Poussin, 1632-1638
Plume et encre
Cité du Vatican, Bibliothèque apostolique vaticane, Ms. Barberiniano Latino 4304, fol. 126 r°, 132 r°.

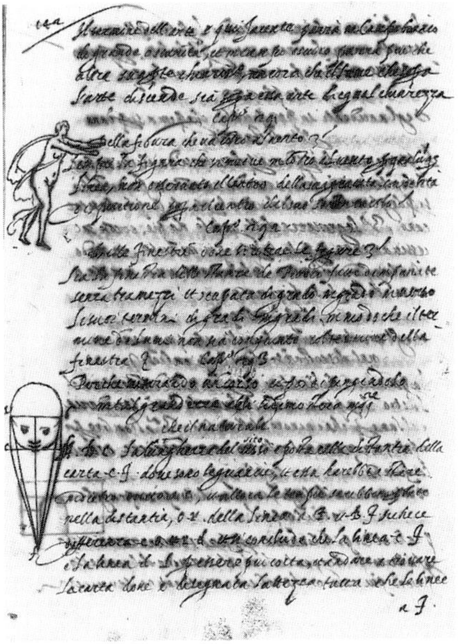

Fig. 8
Anonyme (dessin et texte) du cercle de Cassiano dal Pozzo
Feuille du manuscrit préparatoire pour la version définitive du *Traité de la peinture* de Léonard de Vinci illustré par Poussin, 1632-1638
Plume et encre
Cité du Vatican, Bibliothèque apostolique vaticane, Ms. Barberiniano Latino 4304, fol. 126 r°, 132 r°.

Fig. 9
Antonio Cinatti
*Paysage lacustre aux flamants mâles et femelles et autres oiseaux exotiques* (1628-1632)
(copie d'après les dessins originaux exécutés par Vincenzo Leonardi pour le *Museo cartaceo*)
Toile, 1,53 x 1,91 m
Collection privée.

Fig. 10
Antonio Cinatti
*Paysage lacustre aux oiseaux exotiques* (1628-1632)
(copie d'après les dessins originaux exécutés par Vincenzo Leonardi pour le *Museo cartaceo*)
Toile, 1,53 x 1,91 m
Collection privée.

# Poussin, Ferrari, Cortone et l'« Aetas Florea »

**David Freedberg**
Professeur à la Columbia University, New York

*Traduit de l'anglais par Jeanne Bouniort*

La plupart des auteurs s'accordent désormais pour dire que Poussin a peint dans la seconde moitié des années 1620, ou au plus tard vers la fin de 1630, ses deux tableaux figurant les métamorphoses des fleurs au royaume de la déesse Flore (fig. 1 et 2; cat. 44 et 13*). Personne ne conteste que la toile de Dresde (fig. 1) soit le fameux « *giardino di Fiori* » que l'artiste a déclaré avoir peint récemment pour Fabrizio Valguarnera lorsqu'il a témoigné, le 28 juillet 1631, au procès du gentilhomme escroc sicilien[1].

Pour le tableau du Louvre (fig. 2), les choses sont beaucoup moins simples. Si la majorité des spécialistes le situaient autrefois vers le début des années 1630, la théorie dominante aujourd'hui est que la toile du Louvre a précédé celle de Dresde de plusieurs années. Anthony Blunt et Denis Mahon la dataient de 1627 en se fondant sur des critères de styles, tandis que Jacques Thuillier lui attribue maintenant une date « proche de 1627[2] ». On n'a pas plus de certitudes quant au premier propriétaire. Bellori écrit que Poussin a peint ce tableau pour le cardinal Aluigi Omodei[3], mais celui-ci étant né en 1608, il aurait donc commandé une œuvre aussi imposante alors qu'il avait tout juste dix-neuf ou vingt ans. De toute façon, Omodei n'est arrivé à Rome qu'en 1628. L'autre nom généralement avancé par les auteurs modernes est celui de Marcello Sacchetti, non pas au vu d'indices concrets, mais pour des raisons plus ou moins recevables en apparence, comme nous allons le voir.

Outre les problèmes de chronologie et la question du premier propriétaire du tableau du Louvre, l'iconographie des deux peintures a retenu l'attention des spécialistes, à juste titre. Celles-ci présentent en effet un sujet très inhabituel. On connaît certes la fresque de Taddeo Zuccaro dans la villa Giulia et la gravure d'Antonio Tempesta illustrant *Le Triomphe du printemps*, mais ces deux compositions s'inscrivent dans des suites d'œuvres et leur iconographie est très différente de celle qu'a adoptée Poussin[4]. Si on cherche un tableau isolé portant sur ce type de sujet, on songe aussitôt à Botticelli, et il ne faut peut-être pas s'étonner si Valguarnera lui-même parlait du « *quadro grande della Primavera*[5] » à propos de sa toile. Plusieurs articles importants ont fourni une masse d'informations, pas toujours concluantes, sur les sources littéraires éventuelles de ces tableaux[6]. Or, personne ne semble s'être vraiment demandé pourquoi Poussin a peint ce sujet. D'où est venue l'inspiration? Quelles préoccupations des propriétaires, ou de leurs amis, ont bien pu motiver la représentation de ce que Bellori appelle « *la trasformazione de' fiori* » (figurée dans un jardin, comme il le souligne) et « *il trionfo dei fiori*[7] »?

S'il y a une légère divergence d'opinions sur le titre le plus adéquat, et de grandes discordances sur les sources exactes, l'accord se fait en revanche sur l'identification de bon nombre des personnages. Dans la peinture de Dresde, Ajax, à gauche, se suicide en s'empalant sur son épée. Alors que la fleur tombée par terre à côté de lui devrait être la jacinthe associée à sa mort (à cause des lettres « ai ai » que l'on peut discerner dessus, rappelant le cri qu'il a lâché en mourant), c'est en réalité un œillet blanc, comme l'avait remarqué Richard Spear[8]. Nous avons ensuite Clytie, fascinée par Apollon qui traverse le ciel dans son char. Derrière elle, les tournesols appropriés poussent dans un pot. Au centre, Flore, entourée de *putti* couronnés de fleurs, exécute sa danse joyeuse et jette une pluie de fleurs sur son royaume. Un peu plus à droite, Hyacinthe, le héros attique, regarde dans sa main les fleurs bleues auxquelles il a donné son nom. Puis vient Adonis, penché sur sa blessure d'où jaillissent des anémones. Il y a aussi deux couples d'amoureux. Smilax, avec son liseron, se blottit sur les jambes de Crocus, couronné des fleurs homonymes. Enfin, au premier plan, Narcisse contemple son reflet dans une vasque que tient amoureusement une Écho visiblement envoûtée. À côté du récipient pousse un bouquet de narcisses blancs[9].

On retrouve pratiquement les mêmes personnages dans le tableau antérieur, encore que leur identité soit quelquefois un peu moins assurée. Par exemple, si l'on pense généralement que l'homme casqué sur la droite est Ajax portant une corbeille de jacinthes, certains commentateurs supposent que ce héros guerrier pourrait être Mars[10]. Le jeune homme nu, derrière le char, qui s'avance avec une autre corbeille de fleurs est certainement Narcisse offrant les fleurs qui portent son nom, comme le suggère Bellori. La jeune femme qui se baisse pour cueillir une fleur au premier plan à droite, habituellement identifiée avec Clytie, ne lève pourtant pas les yeux vers son cher Apollon, et sa fleur ne ressemble pas non plus à un tournesol. De l'autre côté du char, Smilax offre des liserons à la déesse bienfaitrice. Derrière Vénus[11], qui dirige le cortège, on reconnaît Adonis tel que le décrit Bellori, offrant des anémones à Hyacinthe. Quant aux autres personnages, nous sommes moins bien renseignés. Seul le couple allongé au premier plan à gauche peut être identifié sans grand risque d'erreur. Il s'agit vraisemblablement d'Acis, couronné de roseau, et Galatée, à la chevelure cerclée de perles[12]. Ces deux divinités semblent occuper la place d'honneur dans la scène florale.

Parmi les sources d'inspiration proposées jusqu'ici, on relève les nombreuses allusions éparses à ces héros de la mythologie dans les *Métamorphoses*[13] (hypothèse simple et, de loin, la plus plausible de prime abord), le cinquième et peut-être le quatrième livre des *Fastes*[14], le célèbre commentaire des *Métamorphoses* rédigé au XVIe siècle par Giuseppe dell'Anguillara[15], et divers poèmes de Giambattista Marino, dont la *Chanson de la rose*, la *Sampogna* [*La Musette*], l'*Adonis*, l'*Europe* et, bien entendu, la *Galerie*. Malgré les liens apparents, car il y en a chaque fois, on ne peut faire correspondre aucun de ces écrits avec l'ensemble des éléments de l'une ou l'autre des peintures de Poussin, et peut-être ne faut-il pas essayer. En fait, il serait sans doute plus judicieux de conclure avec Robert Simon que « les nombreuses disparités, subtiles mais non négligeables, entre le texte et l'image, indiquent peut-être que l'on ne trouvera pas une source littéraire unique. [...] Plus on examine les diverses sources potentielles de l'iconographie du tableau, plus il devient évident qu'aucun des exemples cités, anciens ou modernes, ne peut fournir un programme complet ». En somme, « la recherche d'une source littéraire précise de cette peinture est inopportune et elle empêche à maints égards d'appréhender correctement la faculté de création et d'interprétation de Poussin[16] ».

Personne ne semble avoir posé la question la plus immédiate de toutes : pourquoi donc Poussin a-t-il peint ces tableaux et retenu justement ces sujets ? Ne serait-il pas possible d'avoir des données plus précises sur les circonstances qui ont présidé à la réalisation de ces images de Flore ? Pas un seul auteur, à ma connaissance, n'a replacé ces œuvres importantes dans le contexte de la passion pour les jardins partagée par bien des Romains dans la seconde moitié des années 1620. N'oublions pas que Poussin lui-même parlait d'un *giardino di fiori* à propos du tableau de Dresde. Personne n'a songé non plus au seul contemporain de Poussin capable d'écrire sur les jardins et les fleurs des textes aussi bien pratiques qu'allégoriques, un homme qui a même élaboré sur ce thème des métaphores plus neuves, plus créatives que celles de tous les écrivains de l'époque dont les noms ont pu être rapprochés de l'une ou l'autre des deux peintures.

À partir du début des années 1620, plus encore après la publication en 1625 du traité superbement illustré consacré aux jardins Farnèse, *Exactissima descriptio rariorum quarundam plantarum, quae continentur Romae in horto Farnesiano*[17], les familles romaines nobles ont fait assaut de raffinement dans leurs jardins respectifs. Dans la mesure du possible, elles importaient de nouvelles variétés de l'étranger et créaient des hybrides. Elles embauchaient des jardiniers qui se rendaient célèbres en réussissant à faire pousser des espèces inconnues jusque-là à Rome, en aménageant les parterres de manière particulièrement attrayante, en imaginant des massifs, des plates-bandes et des bordures toujours plus extraordinaires. Les noms de beaucoup de ces jardiniers, souvent cités dans les livres et les documents de l'époque, sont quasiment tombés dans l'oubli à présent. Mais on a suffisamment d'indices, publiés ou inédits, pour attester leur rôle dans la grande vogue des jardins qui s'est emparée des familles aristocratiques de Rome entre 1625 et, disons, 1630.

Des personnes de moindre rang possédaient également des jardins et servaient d'intermédiaires pour la fourniture de semences et boutures de variétés provenant des Indes ou d'Afrique et acclimatées depuis peu, ou bien, ils donnaient des conseils touchant aux techniques d'horticulture et à la conception des jardins. Si ces jardins contenaient, selon l'usage, toutes sortes de plantes potagères et médicinales, ils ne s'en distinguaient pas moins par une affectation quasi exclusive à la culture des fleurs. Si l'on avait des fleurs, ce n'était plus essentiellement pour leurs vertus curatives, mais pour des raisons plus purement esthétiques, leurs qualités décoratives, leurs couleurs, leur aspect exotique, leur parfum suave, et aussi parce que des passe-temps tels que l'art des bouquets et autres formes de décoration florale devenaient des activités de bon ton tant pour les hommes que pour les femmes. Et surtout pour les hommes, à ce qu'il semblerait.

En août 1623, Maffeo Barberini accède au trône pontifical sous le nom d'Urbain VIII. Vers le mois de mars de l'année suivante, Poussin arrive à Rome. Très vite, il est introduit dans l'entourage de Francesco Barberini et de Cassiano dal Pozzo, sans doute par l'entremise de Marcello Sacchetti[18]. De mars 1625 à octobre 1626, Cassiano dal Pozzo suit Francesco Barberini dans ses légations en France et en Espagne. En janvier 1628, Poussin a déjà achevé *La Mort de Germanicus* pour Francesco Barberini. Le mois suivant, il reçoit la commande d'un *Martyre de saint Érasme* pour Saint-Pierre de Rome. Dans cette période, Francesco Barberini consacre beaucoup de temps aux projets de jardins pour le nouveau palais Barberini construit sur le Quirinal, à l'emplacement même de l'ancien temple de Flore.

Giuseppina Magnanimi a peut-être raison de faire remonter à 1627 le manuscrit conservé au Vatican où Cassiano dal Pozzo évoque le futur jardin du palais[19]. Il recommande expressément de prévoir un « jardin privé fleuri[20] ». Après quoi, toute une série de manuscrits le décrivent ainsi que son adorable *« giardino segreto[21] »*. Dès cette année-là, Tobia Aldini, qui s'occupait des jardins Farnèse sur le Palatin, se laisse persuader d'entrer au service des Barberini. La famille fait également appel à Francesco Mingucci et à Nicolas de La Fleur, un ami et compatriote de Poussin. Tous deux exécutent de magnifiques dessins en couleurs d'après les plantes les plus communes de leurs jardins[22].

Même si l'on n'avait pu attribuer le délicieux manuscrit illustré de croquis des parterres et plates-bandes du *giardino segreto* d'Antonio Barberini dans l'enceinte du palais[23], on connaîtrait par le comte Teti et son *Aedes Barberinae* le nom de l'homme qu'il convient d'associer, plus que nul autre sans doute, aux jardins Barberini. Après avoir vanté les parterres et plates-bandes de l'étage supérieur, à côté desquels les jardins d'Alcinoüs, d'Adonis et même des Hespérides ne sont que bagatelles, il déclare : « Je voudrais tant que Ferrari – savant sur toutes les espèces végétales et surtout les fleurs –, soit là, lui qui, naguère, entretenait habilement les jardins Barberini avec sa sarclette d'or afin de donner l'éternité aux fleurs, d'ordinaire très périssables. Avec quelle aisance et quelle science il nous aurait expliqué le nom, la nature et les propriétés des fleurs ! » Il ajoute, en des termes qui semblent renvoyer directement aux deux tableaux de Flore : « Avec quelle douce éloquence il nous aurait parlé de l'anémone, née du sang d'Adonis, de Narcisse, perdu à cause de son image dans l'eau, de Hyacinthe, que la terre, rougie par son sang, a transformé en une fleur pourpre issue du gazon vert[24]. »

Le jardinier savant n'est autre que Giovanni Battista Ferrari, professeur d'hébreu et de rhétorique au Collegio Romano, qui a publié en 1633 son premier livre notable, *De florum cultura*[25]. Mais nous reviendrons sur cet ouvrage capital pour la question des peintures de Flore. Auparavant, un autre écrit, antérieur, de Ferrari, mérite notre attention. Il n'a jamais été cité, ni à propos des tableaux de Poussin, ni dans les abondantes publications consacrées entre-temps aux jardins. En 1625, Ferrari a composé un discours qui brosse un panorama chatoyant de la situation de l'horticulture à Rome à ce moment-là. On le retrouve dans tous ses recueils de discours, qui ont connu de multiples rééditions au cours du XVII<sup>e</sup> siècle, de Lyon à Rome et même à Londres[26]. Ces textes oubliés depuis jettent pourtant une lumière considérable sur bien des aspects de la vie culturelle à Rome dans les années 1620, depuis les études hébraïques jusqu'au jardinage. L'*Aetas Florea, sive de toto anno cultis floribus vernante* ne fait pas exception. Avec un titre pareil, qui évoque l'âge de Flore et accorde la primauté aux fleurs cultivées, comment le contenu pourrait-il n'avoir aucun rapport avec les deux tableaux de Poussin sur ce thème?

L'auteur commence par invoquer les fleurs de jardin, qui couronnent d'un printemps perpétuel la suite des changements annuels. C'est la principale métaphore de l'introduction. On se rappelle alors que Valguarnera désignait son tableau sous le titre de *Primavera*, alors même que les fleurs représentées ne poussent pas au printemps. Ferrari poursuit : « Ce fut une heureuse invention que cette intelligence des fleurs, car une époque dégénérée par ses mœurs brutales a pu refleurir grâce à la culture des fleurs. » Cette époque nouvelle est, bien entendu, celle qu'ont inaugurée les royales abeilles Barberini, dont le miel est l'urbanité, précise Ferrari, en continuant à jouer sur les mots. « Or donc, un langage plus hardi naît dans ce royaume des fleurs et lui fait un juste ornement[27]. »

Il serait excessif d'espérer trouver dans le discours de Ferrari le programme iconographique de l'un ou l'autre des deux tableaux de Poussin. Ce que l'on trouve en revanche, c'est un système de références littéraires et horticoles qui s'accorde beaucoup mieux avec les peintures de Poussin que les autres sources suggérées jusqu'à présent, surtout si on lui joint le *De florum cultura* du même Ferrari, publié à peine quelques années plus tard et rédigé dans la période où Poussin a exécuté ses deux tableaux figurant le triomphe et l'empire de Flore.

Pendant toute la première partie du discours, l'auteur insiste sur l'éclat coloré d'une Rome désormais vouée aux jardins. « Peignez de vos couleurs printanières le bonheur neuf d'un printemps perpétuel[28] », écrit-il. Au royaume de Flore, l'année vieillissante connaît une nouvelle jeunesse. La beauté précoce de Hyacinthe remplace l'hiver par le printemps. Narcisse, fidèle compagnon des froidures hivernales, se réchauffe sous l'effet trompeur de sa beauté redoutable. Le voilà qui pâlit à point nommé et se transforme en fleur.

Suit une ode aux vents qui insufflent la vie à l'anémone surgie de la terrible blessure d'Adonis. Avec quelle grâce, souligne Ferrari, cette fleur éclôt en se riant de la funèbre légende de ses origines[29] !

S'il est un texte où se rejoignent les trois titres que la peinture de Dresde a pu recevoir, c'est bien celui-ci. D'un bout à l'autre, il est question du printemps, de la façon dont le printemps remplace l'hiver sénescent, pour finir par se fondre dans la chaleur de l'été[30]. Ferrari fournit une précieuse liste des principaux jardins de Rome, objets d'une rivalité farouche et finalement vaincus par les innovations dédaléennes du nouveau palais Barberini sur le Quirinal. Nous avons les anémones aux couleurs somptueuses de Federigo Cornelio (Thomas Hanmer estimera en 1659 que Rome surpasse Paris pour la splendeur des anémones[31]), et les réalisations incomparables de Tranquillo Romauli, le grand jardinier de l'époque dont les traces se sont presque complètement effacées. Le nom de Romauli et ses jardins près du Colisée reviennent souvent sous la plume de Ferrari, mais aussi dans d'autres ouvrages d'horticulture et dans de nombreux documents manuscrits. Pourtant, on ignore tout de cet homme. Pour le présenter, Ferrari commence par poser une question : « Mais pourquoi énumérer les fleurs du printemps ? Qui pourrait énumérer les fleurs innombrables et singulières que tu as, Tranquillo Romauli, cultivées dans tes jardins très fertiles près de l'amphithéâtre de Vespasien, qui sont, par un prodige depuis longtemps inouï, le théâtre d'un printemps perpétuel, où ce qui se joue n'est pas la mort cruelle des hommes, mais la vie aimable des fleurs, où le regard attentif n'est pas souillé par les blessures mortelles des gladiateurs, mais embrasé par la pourpre agréable des roses naissantes[32] », etc. Le jardinier Romauli ferait un commanditaire beaucoup plus vraisemblable que cet escroc de Valguarnera pour le tableau de Dresde. Mais l'histoire de l'art est pleine de paradoxes du même genre.

Après avoir évoqué diverses plantes plus exotiques, tels le jasmin indien, la passiflore mexicaine et le crocus d'automne, Ferrari recense les autres grands jardins de Rome, dont ceux des Farnèse, des Médicis, des Borghèse, des Scipioni, des Ludovisi, des Cesi, des Caetani, des Peretti et des Mattei. Il glisse un bref éloge des jolis espaces verts du triumvirat de l'Esquilin, Domenico Fedini, Pompeo Pasqualini et Pompeo de Angelis. Pour finir, il dévoile les charmes de son petit jardin personnel, qui a orné l'*Aetas Florea* de quelques plantes moins connues, notamment l'*hibiscus rosa sinensis* qu'il a été le premier à cultiver à Rome, annonce-t-il fièrement. Ce qui explique, très simplement, comment un professeur d'hébreu a pu devenir conseiller en horticulture et jardinier principal des Barberini. Ils ont dû l'engager très peu de temps après la rédaction de ce discours. Ou alors, ils ont appris qu'il cultivait des plantes exotiques dans son modeste jardinet à un moment où chacun s'efforçait d'avoir les variétés les plus rares. On se demande tout de même comment un jésuite pouvait bien posséder un jardin à titre personnel, et où, à moins que ce ne soit le carré de verdure au centre du Collegio Romano, qui était effectivement confié à Ferrari. En tout cas, nous avons là une indication supplémentaire d'un phénomène de société dont procèdent les deux tableaux de Poussin.

Toujours est-il que Ferrari n'a pas perdu de temps. Son *De florum cultura* paraît en 1633. C'est, comme il s'en rend bien compte, le premier livre illustré que l'on ait jamais consacré entièrement à la culture des plantes d'ornement. Les usages thérapeutiques des fleurs ne sont évoqués qu'accessoirement, de temps à autre. L'auteur accorde une attention extrême aux noms des espèces et variétés, tandis que des gravures reproduisent méticuleusement l'aspect des fleurs avec une rigueur et une exactitude inégalées jusque-là dans les ouvrages italiens. Les planches botaniques gravées par Cornelis Bloemaert ne sont pas la seule particularité notable de cette publication. Celle-ci comporte aussi plusieurs gravures montrant des outils de jardinage, la confection et le transport des bouquets, la disposition des parterres et, surtout, elle s'agrémente d'une suite de scènes allégoriques sur des thèmes floraux ou horticoles, dues à Pierre de Cortone, Giovanni Lanfranco, Andrea Sacchi et Guido Reni (fig. 3 et 9). Il y a là une alliance exemplaire de l'*utilis* avec le *dulcis*, dans cette façon d'associer des planches botaniques, exceptionnelles par leur qualité et par le souci du détail, à des allégories dessinées par les jeunes artistes romains les plus en vue, qui illustrent des textes composés par le jardinier jésuite lui-même. L'aspect le plus remarquable peut-être des récits de Ferrari, c'est qu'au lieu de s'inspirer des *Métamorphoses*, des *Fastes* ou de quelque autre source prévisible, il les a inventés. Il n'existe rien de comparable au *De florum cultura* dans l'histoire de l'illustration botanique, sauf la publication suivante de Ferrari, encore plus splendide, *Hesperides, sive de malorum aureorum cultu*, paru en 1646[33].

La correspondance de Ferrari et les paiements effectués par Francesco Barberini aux graveurs des planches[34] révèlent que la préparation du *De florum cultura* a duré au moins cinq ans avant la parution en 1633. Ce livre témoigne également des ardentes rivalités horticoles du moment. On retrouve le brillant Tranquillo Romauli, ainsi que les jardins des Corneli, des Pii, des Mattei, des Farnèse, des Médicis, des Borghèse, des Ludovisi, des Aldobrandini et des Bentivogli, sans oublier bien entendu les Barberini. L'auteur exalte aussi les beautés des parterres aménagés hors la ville par les Este à Tivoli, par les Farnèse à Caprarola et, surtout, par les Caetani à Cisterna. Le livre contient çà et là des allusions à d'autres lieux d'agrément, tel celui de Polidoro Nerrucci au Trastevere, qui sont tous décrits en des termes susceptibles de faire songer aux peintures de Poussin. C'est un document inappréciable. Ferrari atteste la concurrence des propriétaires dans l'importation et la culture des variétés exotiques (commémorées par la superbe planche de Guido Reni montrant les Indes qui envoient des semences aux jardins Barberini). À propos des bons résultats obtenus avec le *Gelsominum indicum flavum* (*Bignonia radicans*), Ferrari parle de Cassiano dal Pozzo et de Nicolas Claude Fabri de Peiresc, qui lui a expédié à Rome une bouture prélevée dans ses jardins près d'Aix[35].

Dans le livre II, où Ferrari s'intéresse avant tout aux problèmes de nomenclature, il fournit à ses lecteurs un exposé complet des métamorphoses de quasiment toutes les fleurs représentées dans les tableaux de Poussin. On a donc toutes les raisons d'établir un rapprochement entre le *De florum cultura* et les tableaux de Poussin figurant les métamorphoses des fleurs sous l'égide de la déesse Flore. Ferrari est en relation avec Cassiano dal Pozzo dès le milieu des années 1620 et lui et Poussin doivent se connaître, au moins de nom. En 1646, Poussin réalise une scène allégorique pour les *Hespérides*[36]. Quatre ans après, lorsque Ferrari doit se réfugier à Sienne, il sert d'intermédiaire entre un Siennois dénommé Pandolfo Savini et Poussin, à qui ce gentilhomme souhaite commander une peinture[37].

Il existe une preuve encore plus tangible des liens entre Poussin et le *De florum cultura*, qui est contenue dans l'ouvrage lui-même. Cette donnée éclaire en outre un domaine fondamental des recherches sur Poussin, à savoir ses rapports avec Pierre de Cortone[38]. La situation sera différente lorsque Poussin aura affirmé son style classique personnel. Il sera alors en pleine possession de ses moyens et Cortone n'aura plus grand-chose à lui apporter. Mais dans les années 1620, les choses ne se présentent pas ainsi.

On a souvent suggéré que le *Triomphe de Flore* du Louvre était un pendant du *Triomphe de Bacchus* peint par Pierre de Cortone pour Marcello et Giulio Sacchetti[39]. Toutefois, personne n'a encore relevé la parenté entre le tableau de Dresde et une autre composition exécutée par Cortone environ un an après. Il existe en fait des similitudes remarquables entre la charmante Flore (si c'est bien elle) du tableau de Dresde et l'une des cinq illustrations de Cortone pour le *De florum cultura*. Le sixième chapitre du livre IV, intitulé « *Art maius naturae miraculum* » ou, en traduction, « *Miracolo della natura maggior di quelli dell'arte* », s'orne d'une scène allégorique dans le jardin du palais Barberini[40] (fig. 3). En présence de Flore, de la Nature et de l'Art, Vertumne danse joyeusement sur la musique de son sistre, entouré de *putti* figurant l'Aube, Midi et le Crépuscule. Ses gestes sont pratiquement identiques à ceux de la *Flore* de Dresde (fig. 1). Les deux danses auraient pu être chorégraphiées par la même personne. Même la pointe du pied droit de Flore et le léger écartement du pied gauche semblent empruntés à Vertumne, surtout si l'on considère les deux dessins préparatoires de Cortone pour son illustration[41] (fig. 4 et 5), tandis que les quatre ravissants *putti* qui dansent autour de Flore rappellent les personnages un peu plus âgés qui agitent des fleurs autour de Vertumne. Chaque fois, la tête légèrement tournée contrebalance le mouvement du genou vers l'avant. En levant un pan de sa robe, Flore se rééquilibre et semble dévoiler toute la longueur de la jambe qu'elle tient en l'air de la manière la plus harmonieuse et la plus pondérée qui se puisse imaginer. Ce geste plein de grâce, qui préfigure certains des personnages dansants si élégants que Poussin allait peindre au début et au milieu des années 1630 (dans les *Bacchanales*, *L'Adoration du Veau d'or*, etc.), fait également songer à la façon dont Vertumne défroisse un peu plus nerveusement sa tunique. Ainsi, Poussin transforme une simple réminiscence visuelle de la *Flore Farnèse* en une figure plus dynamique que n'importe quelle statue classique de la déesse.

Ce n'est pas un hasard si Poussin, en préparant sa représentation de Flore, a choisi justement cette illustration de l'ouvrage de Ferrari pour des raisons d'iconographie et d'actualité. Vertumne n'est que le premier des serviteurs de la Nature dans le récit de Ferrari. C'est aussi le plus protéen des demi-dieux, l'*artefice d'ogni mutatione*, pour reprendre la jolie formule de Ludovico Aureli, le traducteur de Ferrari[42]. Vertumne, plus que tout autre, incarne la faculté de métamorphose qui est glorifiée de manière différente dans les deux tableaux de Poussin. À première vue, le sujet du chapitre (la supériorité de la nature sur l'art représenté par la transformation des fleurs) semble singulièrement en phase avec les thèmes abordés par Poussin dans ses peintures. Le chapitre commence par cette invitation : « Lisez maintenant, mortels passionnés de fleurs, une fable florale, née au milieu de ces fleurs artificiellement colorées afin d'embellir la vérité[43]. » Cependant, il pourrait y avoir là une allusion plus directe à l'actualité.

Le chapitre de Ferrari fait valoir l'une des réussites dont il est le plus fier, à savoir l'acclimatation à Rome de l'hibiscus, appelé alors rose de Chine. C'est l'arbuste que l'on reconnaît à l'arrière-plan de l'illustration de Cortone (fig. 3). Pour Ferrari, l'une des particularités les plus marquantes de la fleur d'hibiscus, c'est précisément son caractère changeant, d'ailleurs reflété par le nom d'*Hibiscus mutabilis* dans la classification de Linné. Le même aspect est bien mis en évidence par l'illustration de Cortone où des personnifications de l'Aube, de Midi et du Crépuscule dansent autour de Vertumne en tenant à la main la fleur à différents stades de son épanouissement. Ferrari s'enthousiasme non seulement sur sa capacité de changer de forme au fil d'une même journée, mais aussi sur ses variations de couleur, depuis le blanc jusqu'au rouge feu et au pourpre. Voilà qui, selon moi, devait séduire Poussin à ce moment de son évolution.

Compte tenu de tous ces éléments, je me demande s'il ne faudrait pas creuser un peu l'hypothèse, avancée par Richard Spear[44] et d'autres, selon laquelle le tableau de Poussin devrait une part de son inspiration à la *Chanson de la rose* de Marino. Même si le poète célébrait une tout autre espèce de rose, moins exotique, son texte aurait au moins fourni un substrat littéraire dont Poussin pouvait ressentir la nécessité pour un hommage à une nouvelle plante aux métamorphoses encore plus multiples que celles des fleurs relativement courantes dont il a si tendrement évoqué la genèse dans ses deux tableaux.

Dans son article sur les emprunts de Poussin à la *Chanson de la rose*, Richard Spear souligne la ressemblance entre la figure de Flore et celle de Vénus dans le tableau du Louvre[45] (fig. 2). Il note également que la déesse la plus étroitement associée à la rose est justement Vénus, qui a donné à la fleur sa couleur. Ce personnage devrait-il aussi quelque chose à l'illustration de Cortone pour l'ouvrage de Ferrari ? En tout cas, la façon dont Vénus tient sa robe rappelle encore plus le geste de Vertumne dont j'ai déjà parlé. Une chose est claire. Aucun des deux dessins préparatoires pour le tableau de Dresde conservés à Windsor (fig. 6 et 7) n'indique le pas de danse merveilleusement enlevé que la déesse exécute dans la version définitive. Tous les autres personnages, en revanche, sont très proches de ce qu'ils seront dans la peinture. Il est évident que, même si Poussin a vu le projet d'illustration de Cortone avant de peindre le *Triomphe de Flore* actuellement au Louvre, il a dû le regarder à nouveau, et bien plus attentivement, à un moment ou à un autre entre l'exécution des dessins préparatoires pour le tableau de Dresde et la peinture définitive.

Ce n'est pas tout. Si Blunt et d'autres pensent, avec Ivins, que l'estampe de LD d'après Primatice (fig. 8) pourrait avoir inspiré le décor du tableau de Dresde, en particulier la pergola et l'hermès[46], il existe en fait une source encore plus ressemblante par bien des aspects décisifs, dont l'hermès. C'est encore une composition de Pierre de Cortone, et cette fois il s'agit du frontispice du *De florum cultura* (fig. 9). Certes, on n'y trouve pas la pergola, qui vient peut-être d'une estampe anonyme du XVI^e^ siècle figurant le mois de mai, reproduite par Kauffmann[47]. Mais au centre même de la composition, debout sous un pavillon du jardin des Barberini, Flore tend le bras vers un Janus en hermès qui a servi de point de départ évident pour la statue peinte par Poussin. De fait, Poussin s'est peut-être souvenu de la gravure de LD, mais dans son tableau, l'hermès, sans représenter Janus, est tout de même vu de profil comme dans l'illustration de Cortone et non pas de face sur un mode priapique. La question est tranchée par les deux pots de fleurs, qui encadrent l'hermès aussi bien dans le frontispice que dans le tableau, et par la couronne de fleurs croisée en écharpe qui passe de l'hermès dans la gravure à l'arbre adjacent dans la peinture. L'inscription *redimitur floribus annus* correspond exactement à ce que suggèrent les couronnes plus grandes dans le tableau. Une fois que l'on a repéré ces emprunts, on peut se demander si la position des bras de Flore dans le tableau de Dresde, seul aspect de sa pose qui ne se rattache pas directement à l'image de Vertumne, ne s'inspire pas de la Flore, beaucoup moins joyeuse mais tout aussi aimable et couronnée de fleurs, figurée dans le frontispice de l'ouvrage de Ferrari[48].

De tout ce qui précède, il ressort plusieurs conclusions. D'abord, il est évident que nous avons désormais un contexte différent, et bien plus adéquat, où replacer les sujets floraux peints par Poussin à partir de la seconde moitié des années 1620. Mais les questions d'iconographie ne sont absolument pas les seules que permettent d'élucider le discours de Ferrari et son important ouvrage d'horticulture. Les emprunts aux deux dessins de Cortone remettent les tableaux en situation, et, en outre, ils éclairent plusieurs points de chronologie tout en restituant un chaînon manquant dans les rapports d'émulation complexes qui existaient entre les deux artistes dans la période précise où Ferrari préparait la publication de son livre.

D'abord, les similitudes entre la gravure de Cortone et les deux peintures de Poussin donnent encore plus de poids au réexamen de la date du tableau du Louvre, fort pertinemment proposée par Jörg Merz[49]. Pendant tout un temps, il était de bon ton de le situer aux environs de 1627-1628. Cela soulevait certaines difficultés pour ceux qui accordaient un certain crédit à la déclaration de Bellori selon laquelle Poussin avait peint le tableau du Louvre pour Aluigi Omodei, alors âgé de moins de vingt ans. C'est pourquoi plusieurs auteurs ont supposé que l'artiste avait exécuté cette œuvre pour les Sacchetti, et que c'était un pendant du *Triomphe de Bacchus* de Pierre de Cortone[50]. Mais, comme on l'a souvent remarqué, cette hypothèse résiste mal à l'examen, car le tableau du Louvre est beaucoup plus grand que le tableau peint par Cortone pour les Sacchetti (qui ont toutefois commandé une copie plus petite de la peinture de Poussin, aujourd'hui à la Galleria nazionale, sûrement utilisée comme pendant du *Bacchus*[51]). Si l'on revenait à l'ancienne datation du début des années 1630, l'idée d'un tableau peint pour Omodei deviendrait plus plausible. Elle donnerait une vision un peu plus convaincante du long dialogue de Poussin avec la composition de Cortone[52]. Le *Triomphe de Flore* est assurément une toile ambitieuse. Du point de vue du style, elle reste tout de même difficile à situer si tard.

Malgré les doutes jetés sur l'éventualité que les Sacchetti aient effectivement commandé *Le Triomphe de Flore*, ces collectionneurs n'en ont pas moins joué un rôle capital dans la carrière du jeune Poussin. Ils l'ont présenté à Francesco Barberini[53] et sans doute aussi à Cassiano dal Pozzo. En protégeant Pierre de Cortone, ils ont favorisé la rivalité entre les deux artistes et exercé par là même une influence profonde, quoique indirecte, sur le style et l'iconographie du jeune peintre venu de France. Giambattista Marino était un grand ami de Marcello Sacchetti. C'est très probablement lui qui a donné à Cortone et à Poussin l'idée des sujets tirés de la *Jérusalem délivrée*. On sait que les Barberini ont commandé à Poussin le retable pour Saint-Pierre de Rome du *Martyre de saint Érasme* confié dans un premier temps à Cortone, et comment il a utilisé en la modifiant la composition élaborée par Cortone[54]. Mais ce sont les Sacchetti qui ont commandé la *Polyxène sacrifiée par Pyrrhus*[55], qui me semble beaucoup plus proche qu'on n'a bien voulu le reconnaître jusqu'ici de *La Mort de Germanicus* peinte par Poussin pour Francesco Barberini. Quelques années après, les Sacchetti ont encore commandé à Cortone un *Enlèvement des Sabines* conçu comme un pendant de la *Polyxène*, et devenu ensuite un exemple fondamental pour les versions peintes par Poussin vers le milieu des années 1630, surtout celle qui était destinée à un Aluigi Omodei déjà un peu plus âgé. Des personnages comme le bourreau (Néoptolème?) dans la *Polyxène* ont peut-être inspiré les soldats armés d'une épée et d'un poignard dans les tableaux de Poussin figurant *Le Massacre des Innocents*, et aussi dans *L'Enlèvement des Sabines* peint pour Omodei, encore que le dessin du *Massacre* exécuté par Cortone, redécouvert depuis peu[56], ait eu une influence déterminante sur toutes ces compositions. Le sujet est, bien entendu, celui du poème de Marino, *Lo strage degli innocenti*, rédigé vers 1620 et publié à titre posthume en 1632. Surtout, il y a le prodigieux *Triomphe de Bacchus* de Cortone, œuvre de jeunesse très compliquée (ainsi que la petite fresque au plafond de la villa Sachetti à Castel Fusano). Que lc tableau du Louvre ait constitué ou non un pendant au *Triomphe de Bacchus*, il est évident que cette œuvre très ambitieuse a marqué durablement Poussin. Ses dessins du début des années 1630 sur le même thème seraient inconcevables sans elle, de même que son grand tableau conservé à Kansas City. C'est précisément dans la période où il a collaboré à l'ouvrage de Ferrari que Poussin a jeté les bases de son premier style de maturité. Car aucune de ses *Bacchanales* n'aurait pu voir le jour s'il n'avait pas effectué d'abord tout le travail sur les personnages dansants accompli pour les peintures de Flore. La dernière phase du dialogue se déroule dans la lointaine Turin, sur un terrain iconographique complètement différent. Comme on le sait, Poussin a exécuté *Le Passage de la mer Rouge* et *L'Adoration du Veau d'or* avant 1634, pour Amadeo dal Pozzo, cousin de Cassiano, et ces tableaux faisaient pendant à deux scènes de l'histoire de Moïse peintes par Cortone[57]. Poussin va bientôt continuer seul sur sa voie. Après avoir quitté le domaine de la mythologie et des métamorphoses, il aborde les thèmes plus graves de sa maturité, avec une manière de traiter les personnages, les motifs et les modes qui ne doivent rien à personne, sauf bien sûr en matière d'archéologie classique en général, et d'archéologie chrétienne en particulier. Il passe des jardins aux grands antiquariums de Rome. C'est seulement vers la fin de sa carrière qu'il renouera avec la mythologie, mais plus dans des jardins impeccables et attrayants comme ceux que cultivaient les Barberini, que décrivait Ferrari et qu'il représentait dans *L'Empire de Flore*. Désormais, on le sait, il prendra pour décor les champs mêmes de la Nature, où les dieux les plus puissants se jouent de l'homme et des revirements du destin.

## Notes

* Les références mentionnées ainsi renvoient au catalogue d'exposition du Grand Palais, Paris, 1994-1995.

1. Voir J. Costello, « The Twelve Pictures Odered by Velasquez and the Trial of Valguarnera », *Journal of the Warburg and Courtauld Institutes,* XIII, 1950, pp. 237-284, où sont donnés les documents et une bibliographie antérieure. Concernant la déposition de Poussin, voir p. 275.

2. Thuillier, 1994, p. 248, n° 56.

3. Bellori (1672), 1976, p. 457.

4. Voir Worthen, 1979, pp. 576-578, utilement illustré par des reproductions p. 577.

5. J. Costello, *op. cit.* n. 1, p. 273.

6. Outre les bonnes analyses fournies par Blunt, 1966, pp. 78, 117-120, et Friedlaender, 1966, pp. 98, 126, on retiendra surtout les articles suivants : Panofsky, 1949, pp. 112-120; Kauffmann, 1965, pp. 92-100; Spear, 1965, pp. 563-567; Simon, 1978, pp. 56-67; Worthen, 1979, pp. 575-588; et Thomas, 1986, pp. 225-236.

7. Bellori (1672), 1976, pp. 441-442. Il renvoie de toute évidence respectivement aux tableaux de Dresde et du Louvre. Il convient peut-être de signaler que l'allusion de Sandrart à une Flore « *im Triumph tanzende* » se rapporte manifestement au tableau actuellement à Dresde. Voir J. Sandrart, *Academie der Bau-, Bild- und Malerei-Künste* (1675), édition présentée par A.R. Peltzer, Munich, 1925, p. 258.

8. Spear, 1965, p. 565. Il note que Panofsky parle par erreur d'une fleur « rouge » (Panofsky, 1936, p. 224).

9. Sur la possibilité que la nymphe qui tient la vasque ne soit pas Écho, voir Friedlaender, 1966, p. 126, et la communication de M. Winner dans le présent ouvrage. Celle-ci fournit également l'analyse iconographique la plus convaincante que l'on ait proposée jusqu'ici pour l'ensemble du tableau.

10. Par exemple Worthen, 1979, p. 578.

11. Pour Worthen (1979, p. 579), ce personnage n'est autre que le Printemps.

12. Ces deux personnages ont pu être identifiés également avec Crocus et Smilax (*Métamorphoses*, IV, 283) : voir Friedlaender, 1966, p. 98.

13. Voir Worthen, 1979, pp. 579-583.

14. Ici, la principale référence doit être la description de la fête de Flore dans les *Fastes*, V, 183 *sq*. Voir également, comme le signale Kauffmann, la description de Proserpine errant sur une prairie sicilienne dans les *Fastes*, IV, 425 *sq*.

15. Voir les arguments en faveur de l'hypothèse Anguillara dans Worthen, 1979, et Thomas, 1986.

16. Simon, 1978, p. 63. Blunt écrit, à propos du *Triomphe de Flore* du Louvre, que « sans nul doute, les autres personnages sont censés représenter des héros bien précis du poème d'Ovide, mais ils sont trop vaguement indiqués pour être identifiables » (Blunt, 1966, p. 78). Ou, comme le remarque R. Spear, « si la véracité de Poussin est correcte quand il s'agit de fleurs bien déterminées, l'ambiguïté perceptible dans d'autres cas semble dénoter une équivoque volontaire. Ainsi, l'identification de Flore avec la rose est incertaine, car ces fleurs n'ont

rien de spécifique » (Spear, 1965, p. 566). Thomas, 1986, p. 227, résume ainsi les problèmes soulevés par des identifications précises avec des allusions de Marino : « De toute façon, Poussin aurait dû consulter les *Métamorphoses*, parce que les poèmes de Marino ne citent pas toutes les fleurs d'Ovide. Son *Europe* oublie Ajax, Adonis et Smilax; son *Adonis* laisse de côté Adonis et Smilax; la *Chanson de la rose* exclut Smilax. L'*Adonis* et la *Chanson de la rose* se bornent à énumérer les fleurs. L'*Europe* évoque quelques-unes des émotions et actions humaines des fleurs. C'est le contexte des fleurs qui démontre leur absence de rapport avec *L'Empire de Flore* de Poussin. [...] La présence, dans la peinture de Poussin, de Flore "mère des fleurs" et reine du jardin peut s'expliquer par les *Fastes* d'Ovide [V, 183 *sq*.]. »

17. Sur cet ouvrage, publié chez Jacopo Mascardi avec pour nom d'auteur Tobia Aldini, alors que Pietro Castelli en a rédigé la majeure partie, voir Paolo B. Nocchi et Ezio Pellegrini, « La collezione botanica del cardinale Odoardo », dans *Gli Orti Farnesiani sul Palatino*, sous la direction de G. Morganti, Rome, 1990, pp. 413-429.

18. Bellori (1672), 1976, p. 425; Passeri (1772), 1934, p. 324 (voir A. Blunt, 1966, p. 54); et Félibien, 1725, IV, Entretien VIII, p. 10.

19. Biblioteca apostolica Vaticana, Barb. lat. 4360, fol. 22-24; G. Magnanimi, *Palazzo Barberini*, Rome, 1983, pp. 59-60 et 222.

20. G. Magnanimi, *op. cit.* n. 19, p. 60. Biblioteca apostolica Vaticana, Barb. lat. 4360, fol. 55-56; et Barb. lat. 4360, fol. 22. Cité aussi dans G. B. Ferrari, *Flora, ovvero cultura di fiori,* Rome, 1638, pp. 136, 195, 389 *et passim*.

21. Par exemple Biblioteca apostolica Vaticana, Barb. lat. 1950, 4265, 4278 et 4283.

22. Voir L. Tongiorgi Tomasi, « Francesco Mingucci "giardiniere" e pittore naturalista. Un aspetto della committenza barberiniana nella Roma seicentesca », dans *Convegno celebrativo del IV centenario della nascita di Federico Cesi,* Acquasparta 1985, Rome, Accademia nazionale dei Lincei, 1986, pp. 277-306; et Biblioteca apostolica Vaticana, Barb. lat. 4278, 4283, 4326 et 4434, entre autres, au sujet de Mingucci. Concernant Nicolas de La Fleur, voir les paiements relatifs à des dessins de fleurs sur parchemin, notés dans J. M. Merz, « Pietro Cortona. Der Aufstieg zum führenden Maler im barocken Rom », *Tübinger Studien zur Archäologie und Kunstgeschichte* 8, Tübingen, Wasmuth, 1991, p. 327.

23. Biblioteca apostolica Vaticana, Barb. lat. 4265.

24. « *Quam averem Ferrarius ille omne eruditionis genere florentissimus atque adeo sapientiae flos hic adesset! qui nuper aureo sarculo Barberinos hortos tam ingeniose coluit, ut flores ipsos, rem alioqui caducissimam, eternitate donaverit : quam facile is nobis, quam docte singula florum nomina, naturas, viresque explicaret! quam suaviter, quam diserte disseret de Anemone, Adonidis ex sanguine nato, de Narcisso, ab aquea sui imagine jugulato, de Hyacintho, quem tellus sanguine rubefacta, "purpureum viridi genuit de cespite florem!"*» [Ovide, *Met.* III] (*Aedes Barberinae ad Quirinalem, a comite Hieronymo Tetio Perusino descriptae*, Rome, 1642, p. 38).

25. G. B. Ferrari, *De florum cultura,* Rome, 1633; *Flora ovvero cultura di fiori,* Rome, 1638. Sur Ferrari et le *De florum cultura*, voir D. Freedberg, « From Hebrew and Gardens to Oranges and Lemons : Giovanni Battista Ferrari and Cassiano dal Pozzo », *Cassiano dal Pozzo, atti del seminario internazionale di studi,* sous la direction de

Francesco Solinas, Rome, 1989, pp. 37-72.

26. Par exemple Johannes Baptista Ferrarius, *Orationes,* Lyon, Rouille, 1625; Rome, Corbelletti, 1627; Rome, Facciotti, 1635; Venise, Bagioni, 1644; Cologne, Egmont, 1650; Londres, Roger Daniel, 1657; Londres, Redmaye, 1668. Je cite d'après l'édition londonienne de 1657.

27. « *Vos quoque, communis amor, & cura gratissima, hortenses flores, dum totius anni vices perpetuo vere coronatis, ferrei temporis detersa rubigine, novum seculum forei nitore nominis coloratis. Inter flores nimirum regnare decuit regias apes Barberinas quarum mel urbanitas est. Age igitur, in hoc florum regno exornandis debita floribus audacior efflorescat oratio. Florentis hoc ingenii felix inventum fuit, ut ferreis moribus aetas decolor florum cultu reflorescere* » (Ferrari, *op. cit.* n. 26, pp. 181-182).

28. « *Vernis vestris coloribus perpetui veris novam felicitatem expingite* » (*ibidem*, p. 184).

29. *Ibidem,* pp. 184-186.

30. Plus Ferrari s'étend sur les doux zéphyrs du printemps, plus on songe à la peinture de Flore et Zéphyr évoquée par Félibien (1725, IV, p. 20), dont témoigne peut-être un dessin conservé au Louvre (Friedlaender-Blunt, p. 36, A60; Rosenberg et Prat, n° 43), mais que l'on peut être tenté d'identifier ici avec la *Flore* de Dresde, comme certains auteurs l'ont proposé.

31. T. Hanmer, *The Garden Book of Sir Thomas Hanmer*, Londres, 1933, p. 61.

32. « *Sed quid ego veris flores enumero? Enumerare qui possit innumerabiles ac singulares, tuos, Tranquille Romauli, florentissimos adeat hortos, qui proximo Vespasiani amphitheatri feliciores, inusitato antiquitus miraculo perpetui veris theatrum sunt : ubi ludus non saeva hominum mors sed amabilis florum vita est : ubi curiosos oculos non morientium gladiatorum plaga funestre, sed nascentium rosarum purpura jucunde cruentat* » (Ferrari, *op. cit.* n. 26, p. 187).

33. Ioannes Baptista Ferrarius, *Hesperides sive de malorum aureorum cultura et usu libri quatuor,* Rome, Herman Scheus, 1646. Sur cet ouvrage, voir D. Freedberg, *op. cit.* n. 25, et « Ferrari on the Classification of Oranges and Lemons », *Documentary Culture : Florence and Rome from Grand-Duke Ferdinand I to Pope Alexander VII. Papers from a Colloquium held at the Villa Spelman,* Florence, 1990, sous la direction d'E. Cropper, G. Perini et F. Solinas, Bologne, 1992, pp. 287-306.

34. Les lettres, dont je prépare une édition, se trouvent dans les archives dal Pozzo à la bibliothèque de l'Accademia nazionale dei Lincei. Des extraits des comptes des Barberini relatifs au *De florum cultura* sont utilement reproduits dans Merz, *op. cit.* n. 22, pp. 326-328.

35. Ferrari, *op. cit.* n. 20, p. 389.

36. Ferrari, *op. cit.* n. 33, p. 97. Sur cette illustration voir également D. Freedberg, *op. cit.* n. 25, pp. 55-60, et *op. cit.* n. 33, et le texte cité à la n. 37 *infra*.

37. Freedberg, cat. exp. Paris, Grand Palais, 1994-1995, pp. 62-68.

38. Même si l'attribution à Cortone des dessins des Offices et de Windsor censés se rapporter au *Saint Érasme* n'est plus soutenable, l'article que lui a consacré Giuliano Briganti reste très intéressant pour ce qui touche aux rapports entre Poussin et Cortone dans les années 1620 : Briganti, 1960, pp. 16-20. Voir également Blunt, 1966, pp. 85-88.

Sur le rejet de l'attribution à Cortone des deux dessins de *Saint Érasme* traditionnellement rattachés à la commande du Vatican (reproduits dans Blunt, 1966, p. 87), voir L. Rice, *The Altars and Altarpieces of New St. Peters,* thèse, New York, Columbia University, 1992, p. 502, n. 22, avec un résumé des publications sur la question.

39. Encore dans Thuillier, 1994, p. 248, n° 56. Voir G. Briganti, *Pietro da Cortona o della pittura barocca*, Florence, 1962-1982.

40. Ferrari, *op. cit.* n. 25 (1633), p. 475; Ferrari, *op. cit.* n. 20, p. 473.

41. Florence, musée des Offices, cabinet des Estampes et des Dessins, n° 11759F, et New York, The Metropolitan Museum of Art, n° 61.2.1.

42. Ferrari, *op. cit.* n. 20, p. 467. « Mutationum omnium Daedalum [*sic*] » (Ferrari, *op. cit.* n. 25 (1633), p. 469).

43. « *Legite iam florum avidi mortales, inter flores artificose coloratos ornandae veritati natam, floridulam fabellam* » (Ferrari, *op. cit.* n. 25 [1633], p. 468). « *Leggete hora, o mortali bramosi di fiori, una fiorita favoletta, nata in mezo agli stessi fiori artificiosamente colorita, per abbellire la verità* » (Ferrari, *op. cit.* n. 20, p. 466).

44. Spear, 1965, pp. 564-569.

45. *Ibidem*, pp. 566 et 569. Il faut peut-être noter ici que le véritable ancêtre de ce personnage, et par conséquent de la *Flore* de Dresde, est évidemment la *Flore Farnèse*. Après ma communication lors du colloque, Henry Keazor fit l'importante observation que la figure de Flore du tableau de Dresde doit grandement, notamment dans la position du pied, à la figure de l'Allégresse de Ripa, qui est décrite de façon assez significative comme étant vêtue de vert ... et dansant dans un pré fleuri (« *vestita di verde ... prontamente mostri di ballare in un prato pieno di fiori* »), Cesare Ripa, *Iconologia*, Sienne, 1613, pp. 18-20. Pour cette information de poids et son illustration, voir H. Keazor, *Kunst Chronik*, août 1995, p. 352.

46. Blunt, 1966, p. 113, n° 155. Kauffmann, 1965, p. 96, signale que c'est Pierre Francastel qui a été le premier à faire ce rapprochement.

47. Kauffmann, 1965, p. 93 et fig. 2.

48. Une source d'inspiration plus lointaine, pour les couronnes et l'hermès, pourrait être la gravure du *Triomphe de Priape* exécutée par le Maître au Dé d'après Jules Romain (reproduite dans Blunt, 1966, p. 137, fig. 128).

49. J. M. Merz, *op. cit.* n. 22, p. 299.

50. Thuillier, 1994, p. 248, n° 56. Voir aussi G. Briganti, *op. cit.* n. 39.

51. J. M. Merz, *op. cit.* n. 22, pp. 96-98 et 299.

52. Le 30 septembre 1631, F. G. Greuter a reçu 21 écus du comptable des Barberini, pour la gravure de l'« historia Rosa » (Merz, *op. cit.* n. 22, p. 327), qui doit être à mon avis la *Danse de Vertumne* de Cortone, exécutée par conséquent au plus tard à cette date. On notera également que l'autre personne très souvent citée dans les comptes relatifs aux travaux préparatoires pour les illustrations du *De florum cultura*, si utilement rassemblés par Merz, est Niccolò della Flora, sûrement le Nicolas de La Fleur (ou Nicolas Robert) que Poussin connaissait bien à l'époque.

53. Bellori (1672), 1976, p. 425; Passeri (1772), 1934, p. 324 (voir Blunt, 1966, p. 54); et Félibien, 1725, IV, *Entretien* VIII, p. 10.

54. Voir par exemple Blunt, 1966, pp. 85-88. Mais voir aussi Rice, *op. cit.* n. 38, p. 502.

55. Sur la *Polyxène*, voir D. Posner, « Pietro da Cortona, Pittoni, and the Plight of Polyxena », *Art Bulletin*, LXXIII, 1991, pp. 399-414.

56. Vaduz, collection Ratjens, reproduit dans J. M. Merz, *op. cit.* n. 22, fig. 334. La composition est également connue par une peinture de Romanelli reproduite dans *ibidem*, fig. 336.

57. L'inventaire des collections d'Amadeo dal Pozzo, dressé en 1634, est présenté, avec une bonne analyse de ces peintures (toutes sur des thèmes liés à l'histoire de Moïse, dans R. Ferretti, « A Preparatory Drawing for One of the dal Pozzo Paintings of Scenes from the Life of Moses », *The Burlington Magazine*, 127, 1990, pp. 617-620. Voir aussi J. M. Merz, *op. cit.* n. 22, p. 219.

Fig. 1
Nicolas Poussin
*L'Empire de Flore*
Toile, 1,31 x 1,81
Dresde, Staatliche Kunstsammlungen, Gemäldgalerie.

Fig. 1
Nicolas Poussin
*Le Triomphe de Flore*
Toile, 1,65 x 2,41
Paris, musée du Louvre.

Fig. 3
F. G. Greuter
d'après Pierre de Cortone
*La Danse de Vertumne*
extrait de G. B. Ferrari
*De Florum Cultura,*
Rome, 1633, p. 47.

Fig. 4
Pierre de Cortone
*Vertumne*
Florence, musée des Offices, cabinet des Estampes et des Dessins.

Fig. 5
Pierre de Cortone
*La Danse de Vertumne*
New York, The Metropolitan Museum of Art.

Fig. 6
Nicolas Poussin
*L'Empire de Flore*
Windsor Castle, The Royal Library, 11983.

Fig. 7
Nicolas Poussin (?)
*L'Empire de Flore*
Toile, 1,31 x 1,81
Windsor Castle, The Royal Library, 11878.

Fig. 8
Maître LD d'après Primatice
*Le Jardin de Vertumne*
Burin.

Fig. 9
F. G. Greuter
d'après Pierre de Cortone
Frontispice du
*De Florum Cultura,*
Rome, 1633.

# Poussin et le cardinal Massimi d'après les archives Massimo

**Timothy J. Standring**
Professeur à l'université de Denver, Colorado
Conservateur au Denver Art Museum

*Traduit de l'anglais par Jeanne Bouniort*

Malgré tout le travail de recherche accompli depuis quelques dizaines d'années sur l'environnement culturel de l'art du Seicento à Rome, il reste à dépouiller beaucoup de documents concernant Poussin et ses collectionneurs romains[1], surtout compte tenu de son importance capitale pour l'histoire de la peinture européenne. Certaines pièces nouvellement versées au dossier nous offrent l'occasion de récuser plusieurs clichés tenaces, touchant notamment aux relations de Poussin avec ses clients à Rome. Comment ses tableaux et dessins sont-ils passés de main en main, entre l'artiste et tel mécène, tel marchand et tel acheteur, ou encore tel collectionneur et tel autre ? Sachant que des intermédiaires comme Stefano Roccatagliata vendaient des œuvres de Poussin et des copies dès 1633, on aimerait pouvoir se faire une idée exacte de son attitude face au commerce de l'art tel qu'il a pu le connaître au cours de sa carrière[2]. De quelle façon lui et ses contemporains déterminaient-ils le prix de leurs œuvres ? Si l'on admet qu'il devait savoir faire la différence entre un collectionneur, un mécène, un marchand et un spéculateur – autant de personnages dont les rôles sont encore trop rarement définis dans les études sur le Seicento romain –, on s'aperçoit qu'il a réalisé aussi bien des tableaux tout prêts que des compositions sur mesure, commandées par des mécènes aux exigences précises. Les documents relatifs aux œuvres de Poussin dans les archives Massimo n'éclairent peut-être pas toutes ces questions. Du moins permettent-ils de commencer à les formuler.

## Camillo Massimi[3] (1620-1677)

La plupart, mais pas la totalité, des œuvres attribuées à Poussin dans les documents des archives Massimo ont appartenu au cardinal Camillo Massimi (fig. 1). Il semble avoir rencontré Poussin dès 1640, date à laquelle tous deux ont collaboré aux illustrations d'une édition des *Documenti d'amore* de Francesco Barberini[4]. Bellori écrit que Camillo Massimi a pris des cours de dessin auprès de Poussin, mais on connaît mal son œuvre graphique[5].

En revanche, on a quelques informations sur les acquisitions du cardinal et sur l'ampleur de sa fortune grâce à des registres comptables, où l'on constate que ses moyens lui permettaient largement de rassembler de somptueuses collections de dessins, antiquités, peintures et livres, de publier des découvertes archéologiques, de créer lui-même des œuvres et d'entretenir toute une série de résidences[6]. Sa bibliothèque, qui reflète son haut rang dans la diplomatie cléricale et son vif intérêt pour l'archéologie, mériterait une analyse plus approfondie[7]. Il possédait d'importants ouvrages imprimés ou manuscrits, rédigés en latin, en grec, en hébreu, ainsi qu'en français, en italien, en espagnol, en allemand et dans diverses autres langues dont l'albanais. À parcourir les titres, on sent que le cardinal s'est appliqué à constituer une collection personnelle répondant aux besoins de ses occupations intellectuelles. Comme beaucoup d'hommes cultivés du Seicento, c'était un esprit universel capable de s'intéresser aux multiples domaines du savoir de son temps : études bibliques, littérature contemporaine, hagiographies des saints, vies des grands hommes, histoire, généalogie, récits de voyage et correspondances. Il avait aussi des traités de géométrie, de chimie pneumatique et de logique, des ouvrages sur les fortifications, la navigation et la géographie et de nombreux recueils de droit canon, de droit civil et de décrétales. Sa curiosité pour les vestiges de l'Antiquité romaine est attestée par bien des manuscrits, dont un de sa propre main, intitulé *Libro de disegni delle fabriche, e pitture fatte fare dal Sig. Cardinale in Roma, e fuori ne suoi castello, fol. reale verde*[8]. On ne saurait s'étonner de découvrir que la bibliothèque de Camillo Massimi était bien fournie en livres sur les arts plastiques, étant donné la richesse de sa collection de peintures et de sculptures. Il a acquis entre autres trois traités de Léonard de Vinci, ainsi répertoriés dans l'inventaire de 1677 : *Leonardo da Vinci della Pittura, ms fol. picco, Leonardo da Vinci diverse ms. fol. verde non impresso* et *Leonardo da Vinci mss con le figure disegnate simili allo stampato fol. verde*[9].

D'autres dépenses de Camillo Massimi témoignent de sa manie de collectionneur. Le 1er juin 1669, l'aménagement de son « musée-galerie » situé au carrefour des Quatre-Fontaines lui coûte 44 763,32 écus[10], une somme considérable engagée avant sa promotion au grade de *maestro di camera* en 1670 et au cardinalat en 1671. L'estimation des biens conservés à son domicile révèle l'envergure de sa collection de sculptures. Des statues d'Hercule, Méléagre, Livie, Ganymède et Vénus côtoient des bas-reliefs figurant des bacchanales, *La Mort d'Adonis*, *Le Triomphe de Bacchus*, *La Force d'Hercule*, *Les Dieux de la mer et du ciel*, et des bustes de Marc Aurèle jeune et de Cléopâtre. L'œuvre la plus célèbre peut-être, une statue de Pyrrhus, est estimée à 600 écus[11].

Pour financer ses activités de collectionneur et d'archéologue, Camillo Massimi n'hésite pas à faire des emprunts assez substantiels en complément des revenus procurés par ses diverses fonctions. En 1665, il a déjà contracté une série de dettes variant entre 450 et 12 000 écus auprès de nombreuses personnes[12], pour un montant total de 66 500 écus. Le chiffre le plus éloquent pourrait bien être celui des dettes accumulées à sa mort : 104 114,42 écus. Son frère et héritier direct, Fabio Camillo III Massimi (1621-1686), commencera à rembourser les créanciers en vendant des biens de la succession à maintes reprises, entre août et septembre 1678[13]. Plusieurs de ces objets sont décrits sous la rubrique « Concordia fra li Sigri fratelli Massimi » dans un volume relié expliquant les raisons de la vente[14], dont la perspective, très attendue, avait sans doute suscité les commentaires que l'on trouve dans une lettre du 13 avril 1678 rédigée par l'ambassadeur de Florence à Rome, Torquato Montauti[15]. Cette liste donne les noms des acquéreurs, les prix payés et, dans certains cas, les dates d'achat (voir l'annexe II, ci-après).

## Les œuvres attribuées à Poussin dans les archives Massimo

À divers moments de sa vie, Camillo Massimi a acquis des peintures et des dessins attribués à Poussin, qui proviennent de différentes périodes dans la carrière du peintre. Apparemment, il ne les a pas tous obtenus directement de l'artiste, avec qui il avait pourtant des liens intimes. On voit mal, par exemple, comment il aurait pu commander la version des *Bergers d'Arcadie* conservée aujourd'hui à Chatsworth, et généralement datée de 1628-1629 environ, alors qu'il n'avait même pas dix ans. En réalité, il faut replacer ces acquisitions dans le contexte plus général de sa collection. Malgré ses relations personnelles avec Poussin, Camillo Massimi n'a pas forcément joué un rôle, aussi minime fût-il, dans la création des œuvres en question, sauf peut-être le *Moïse enfant foulant aux pieds la couronne de Pharaon* et le *Moïse changeant en serpent la verge d'Aaron*, aujourd'hui au Louvre. Du fait que tous les registres comptables sont incomplets, on a moins de renseignements sur les dates et les conditions d'acquisition des tableaux et dessins que sur leur vente après le décès du cardinal. L'essentiel de mon propos se fonde d'ailleurs sur les mentions d'œuvres attribuées à Poussin dans des documents postérieurs à la mort de Camillo Massimi. On sait désormais quand plusieurs pièces importantes de la collection ont été vendues et, en particulier, quand les héritiers du cardinal se sont séparés des dessins de Poussin. Ainsi, on est en mesure de préciser que Louis Alvarez, le marchand qui a revendu les deux tableaux de *Moïse* à Louis XIV en 1683, pour 2 800,16 livres[16], les avait achetés à Rome en 1678, et qu'il les avait payés 800 écus.

L'inventaire de 1677 signale « *due quadri compagni, di monsó Pusino, alti palmi 4 e larghi palmi 3; in uno vi è il rè Mida, che si lava nel fiume Patolo, e l'altro li pastori d'Arcadia* » (archivio Massimo, vol. 265, fol. 36 v°). Bellori identifie dans ses *Vite* trois tableaux de Poussin appartenant au cardinal Massimi, mais pas ces deux là, qui datent des années 1620, époque à laquelle Camillo n'était qu'un enfant. Le second correspond aux *Bergers d'Arcadie* de Chatsworth (fig. 2; cat. 11). Sachant que le cardinal avait aussi des dessins de jeunesse de Poussin, on peut penser qu'il a acquis *Les Bergers d'Arcadie* par l'entremise d'un *revenditore di quadri*, voire directement auprès de l'artiste, à supposer que celui-ci ait gardé dans son atelier des tableaux invendus. Camillo Massimi, ayant collaboré avec Poussin au début des années 1640, était bien placé pour connaître ses œuvres des périodes antérieures.

L'autre tableau, figurant « *il rè Mida, che si lava nel fiume Patolo* », n'est pas forcément le *Midas se lavant dans le Pactole* conservé aujourd'hui au Metropolitan Museum of Art de New York (fig. 4, p. 223 ; cat. 10*) : celui d'une collection privée à Londres[17] (voir fig. 5, p. 223) pourrait aussi bien avoir appartenu au cardinal[18]. Le fait que cette œuvre soit présentée comme un des « *due quadri compagni* » n'exclut pas une version au profit de l'autre. Elles ont toutes deux des dimensions qui conviendraient très bien à un pendant du tableau de Chatsworth. Rien n'interdit d'imaginer que Camillo Massimi, qui, rappelons-le, collectionnait les dessins de jeunesse de Poussin, ait acheté une œuvre plus ou moins inachevée, tel le *Midas se lavant dans le Pactole* aujourd'hui à Londres.

Par ailleurs, les différents inventaires de la collection Massimo mentionnent des copies et originaux de Poussin qui se sont perdus depuis. En 1677, il est question d'un paysage présenté comme « *un quadro di un baccanale di putti, e fiumi, della maniera di Posino*[19] ». À l'occasion des ventes de la succession Massimi, en 1677 et 1678, le marquis Pallavicini achète « *tre quadri di quattro palmi copie di Posino*[20] », ainsi que des œuvres attribuées à Claude Lorrain, Gaspard Dughet et Guido Reni.

En 1735, Marco Benefial attribue à Poussin et son entourage un « *paese con cornice dorata di pmi due e due mezzo dipinto à guazzo di Nicolo Posino*[21] », un « *altro quadro alto sei, e 1/3 e largo a palmi pp traverso rapte figurine, animali, e paesi originale del Posino con cornice liscia dorata*[22] », un « *paese con due figurine dipinto à guazzo alto pmi 3¹/₂, e largo 1¹/₂ con cornice dorata liscia originale di Nicolo Posino*[23] », un « *paese in tela da mezza testa grande con cornice bianca, scuola di Nicolo Posino*[24] » et un « *altro compagno con cornice dorata rapte il transito d. S. Giuseppe della scuola del Posino*[25] ». Benefial signale en outre « *due disegni con cornice dorata di due palmi alta e tre larghi scarsi uno rapte Orfeo colle muse copie di Nicolo Posini, e l'altro originale di Giaccinto Camessei rapte la battaglia di Costantino contro Massenzio*[26] ».

Le *Moïse enfant foulant aux pieds la couronne de Pharaon* (fig. 3 ; cat. 152) et le *Moïse changeant en serpent la verge d'Aaron* (fig. 4 ; cat. 153) figurent dans l'inventaire après décès de Camillo Massimi, en 1677 : « [...] *un quadro historia di Mose quando fanciullo calpesta la corona di Faraone con molte figure di mano di Nicolo Posino long. p. 5 alto p. 4*[27] » et « *un quadro grande con l'istoria di Mose, et Aron avanti Faraone, che vincono i Maghi con li serpenti con molte figure di mano di Nicolò Pussino long. p. 5 alto p. 4*[28] ». Contrairement à beaucoup d'autres œuvres attribuées à Poussin, ces deux toiles semblent avoir été commandées par le cardinal. Bellori écrit en effet que Poussin les a peintes « *per l'eminentissimo Sig. Card. Camillo Massimi, che al suo nobil diletto le riserba*[29] ». Alvarez les a achetées à Rome, à une vente Massimo de 1678, où il les a payées 800 écus[30], et revendues cinq ans plus tard à Louis XIV, pour 2 800 livres. Curieusement, des copies de ces tableaux sont restées dans la collection Massimo, car Benefial répertorie dans son inventaire de 1735 « *due quadri dipinti pp. traverso con cornice bianche di quattro, e cinque pp istoria del re Faraone copie di Nicolo Posino*[31] ».

Au sujet d'*Apollon amoureux de Daphné* (voir fig. 1, p. 561; cat. 224), Bellori rapporte que Poussin a offert cette œuvre à Camillo Massimi au début de 1664. Il explique que les personnages « *mancano l'ultime pennellate, per l'impotenza e tremore della mano, e Nicolò non molto tempo avanti la sua morte dedicollo al sig. card. Camillo Massimi, conoscendo non poter ridurlo a maggior finimento, essendo nel resto perfettissimo; ma prima in un altro quadro egli aveva dipinto*[32] ». Le tableau est décrit dans l'inventaire de 1677 : « *Un quadro grande con la favola d'Apollo che innamora di Dafne con molte figure, e un bel paese di mano di Monsu Pusino long. p. 8 larg. p. 6 1/2*[33]. » Apparemment, le cardinal Nerli est entré en possession de cette peinture en achetant le palais du cardinal Massimi aux Quatre-Fontaines, à Rome. Elle y est restée jusqu'au tout début du XIX^e^ siècle[34].

Les deux gouaches sur bois représentant une *Allégorie de la peinture* (fig. 5) et une *Allégorie de la poésie* (fig. 6) soulèvent un problème intéressant au sein de l'œuvre de Poussin. Ces peintures rapidement exécutées sur des supports non préparés, dans une technique inhabituelle pour Poussin, apparaissent difficiles à situer dans la période qui précède ou suit de près son arrivée à Rome en 1624. Or, leur facture rapide et spontanée paraît justement désigner une certaine tendance stylistique qui traverse son œuvre complexe. Si les *putti* présentent des similitudes avec d'autres que l'on rencontre à différents moments de sa carrière, les personnages principaux ont des corps singulièrement étirés, qui peuvent s'expliquer par le brio de l'exécution. Le recours à la gouache n'est pas tout à fait exceptionnel, car c'est le matériau que Poussin a également utilisé pour ses deux *Bacchanales d'enfants* (Rome, Galleria nazionale di Palazzo Barberini), sur de la toile cette fois[35].

L'argument le plus convaincant peut-être à l'appui d'une attribution à Poussin réside dans les concordances étroites entre ces tableaux et deux mentions de l'inventaire de 1735 dressé par Marco Benefial, qui établissent un lien avec la collection Massimo : « [...] *altro dipinto à guazzo di palmi tre, e mezzo, e largo uno, e mezzo rappte una pittura originale di Nicolò Posino*[36] » et « *un paese con due figurine dipinto à guazzo alto pmi 3 1/2, e largo 1 1/2 con cornice dorata liscia originale di Nicolò Posino*[37] ». Comme on n'a pas retrouvé la trace de ces tableaux parmi les inventaires antérieurs de la collection Massimo, il n'est pas possible d'affirmer catégoriquement qu'ils ont appartenu au cardinal.

Du point de vue iconographique, ces allégories constituent pourtant un genre de rébus bien fait pour plaire à un érudit comme Camillo Massimi. L'*Allégorie de la peinture* figure cet art sous les traits d'une femme muette assise devant une toile posée contre une statue d'Apollon muni de sa lyre. À sa gauche, un *putto* fait signe de se taire. Un autre chérubin assis par terre tient une colombe. L'autre composition rappelle *L'Inspiration du poète* (cat. 30). Apollon, dieu de la Lumière et protecteur des Muses, est descendu sur terre porté par un nuage. Un instrument d'écriture dans la main droite et une tablette dans la gauche, il lève la tête vers le ciel dans une attitude d'inspiration divine. Aux premier et second plans, des personnages surgissant d'un gouffre symbolisent les difficultés rencontrées par l'esprit créatif. Le personnage qui court devant une grotte, au loin, renvoie peut-être à la métaphore platonicienne.

Concernant l'*Assomption de la Vierge* actuellement à Washington[38] (fig. 7), on savait que Niccolò Soderini (1691-1779) l'avait prêtée à l'une des expositions des « Virtuosi del Pantheon » en 1750[39]. On pensait donc que cette œuvre se trouvait dans la collection Soderini, à Rome, depuis la seconde moitié du XVII^e^ siècle. Mais il apparaît que Niccolò a acquis l'*Assomption de la Vierge* entre 1744 et 1750, lorsqu'il administrait le patrimoine familial dont le jeune Francesco Camillo VII Massimi (1730-1801) avait l'usufruit. Un document des archives Massimo nous apprend que Niccolò Soderini a acheté plus de cent vingt-cinq peintures durant cette période, pour un prix total de 3 254 écus. Parmi ces œuvres figure « *un quadro di Nicola Pusino rapp. l'Assunta* » payé 80 écus[40] (fig. 8), qui est manifestement le tableau prêté à l'exposition de 1750, dont on connaît parfaitement l'historique jusqu'à son entrée à la National Gallery of Art de Washington. Par conséquent, l'*Assomption de la Vierge* n'était pas dans la collection Soderini à la fin du XVII^e^ siècle comme le supposait Blunt[41]. On ne sait malheureusement pas à qui Soderini a acheté le tableau. Son appartenance probable au marquis Vincenzo Giustiniani reste donc à confirmer. On sait maintenant, grâce à des preuves documentaires, que James Byres (1733/4-1817) a acquis l'œuvre, au nom de Lord Exeter, de Soderini en 1764 pour « 500 couronnes[42] »; un fait qui confirme ce qu'Anthony Blunt avait suggéré, sur cette peinture, dans l'introduction de son catalogue.

La réputation du mécène Camillo Massimi ne tient pas seulement à ses vastes collections de peintures, d'antiques et de livres, mais aussi à son goût pour l'art du dessin, et plus particulièrement pour les œuvres graphiques de Poussin dont il a acquis de nombreuses feuilles antérieures aux années 1640. Bon nombre des dessins de Poussin conservés aujourd'hui à Windsor proviennent de la famille Massimi qui les a vendus le 31 janvier 1739 – et non pas en 1695 ou

1696 comme on le croyait – à un certain Enrico Mead, sans doute Richard Mead (1673-1754), médecin du roi George II[43]. Apparemment, Mead a cédé les dessins au prince Frédéric de Galles qui les a transmis par héritage à son fils, le futur George III[44]. On sait que Mead a acheté *un libro di disegni di Niccolo Pussini* au prix de 300 écus (fig. 9). C'est sans doute l'album que Benefial désigne comme suit dans l'inventaire de 1735 : « *Altro* [*libro*] *legato come sopra piu largo come di Casa Massimi di fogli 173 disegni originali di Nicolò Posino con suo frontespezio che figura il ritratto di do autore legato in cordovano*[45] » (fig. 10). Benefial signale aussi dans son inventaire la description de Marinella intitulée *Li studiosi della pittura*[46], qui a accompagné l'album Massimo à Windsor, et c'est là que les choses se compliquent, car Marinella ne recense que soixante-treize dessins. La différence entre les cent soixante-treize feuilles dénombrées par Benefial et les soixante-treize décrites par Marinella peut s'expliquer de trois manières : soit Benefial a fait une erreur d'écriture, soit Marinella n'a décrit que soixante-treize dessins sur un ensemble de cent soixante-treize, parce que ce travail était destiné à préparer un traité sur l'art et non pas à fournir un catalogue, soit enfin cent dessins de la collection Massimo attribués à Poussin n'ont toujours pas été retrouvés. Cette simple hypothèse pourrait éclairer le débat sur le style graphique du jeune Poussin.

## ANNEXES

Les deux annexes fournissent des renseignements sur l'historique de la collection Massimo et sur la dispersion d'une partie de la succession du cardinal. La première récapitule les principaux inventaires de la collection. Sans être exhaustive, elle donne tous les éléments utiles concernant l'historique de la collection de peintures et s'organise en notices conçues pour se compléter entre elles. La seconde annexe est une liste d'objets de la succession du cardinal vendus entre 1677 et 1678.

## ANNEXE I
## Les inventaires de la collection Massimo

### Carlo Camillo II Massimi (1620-12 septembre 1677)

Camillo II recueille le patrimoine transmis par Camillo Ier (23 mars 1577-14 juillet 1640), qui était le petit-fils de Luca (mort en 1550), époux de Virginia Colonna (morte en 1595). En 1550, Luca a instauré le principe de primogéniture pour ses descendants[47].

*Inventaires*. 1677 : archivio Massimo, vol. 265, « *Inventarii* [...] *delle eredita del cardinal Camillo Massimi e marchese Fabio Massimo* ». Plus complet que Bibl. Vat. Capponi Lat 260, partiellement publié par Orbaan en 1920[48].

### Fabio Camillo III Massimi (1621-1686)

L'héritage de Carlo Camillo II revient à son frère Fabio Camillo III (15 août 1621-30 mars 1686), nommé trois fois à la magistrature de conservateur de Rome, en 1651, 1654 et 1678. Pour régler les dettes énormes laissées par le cardinal, Fabio Camillo III doit liquider une bonne partie de la succession. C'est ainsi que le domaine de Baschi et le palais des Quatre-Fontaines sont vendus au cardinal Nerli en 1677 pour la somme de 12000 écus. Fabio Camillo III épouse Laura Ginetti en 1659. Sa seconde épouse, Teresa, héritière du marquis Carlo Maria Lancia, lui donne une fille Giulia qui administre la succession Massimo à la mort de son père en 1686. Elle épouse Giambattista [Camillo V] Massimi, seigneur d'Arsoli (1659-1718), et meurt en 1711.

*Inventaires.* 30 décembre 1672 : archivio Massimo, vol. 342, « Testamenti ed inventarij dall'anno 1455 all'anno 1737 », Arm. III, Prot. II, n° 16, « *Copia dell'inventario delli mobili dell'illmo Sig. Fabio Massimi ritrovate nella casa alla rotonda dove il medo abitava* ». Répertorie quelques tableaux, avec des dimensions approximatives et pratiquement aucune attribution, ainsi que des objets domestiques. Certains de ces tableaux figurent à nouveau dans les inventaires de 1735 et de 1744.

1684 : archivio Massimo, vol. 349, « *Casa Massimi indice delle statue, stima de metalli ed inventarij diversi* », Arm. VII, Prot. XIV, 4e partie, « *Inventario de' mobili, argenti e gioje essenti nel palazzo delle Colonne* [...] » Précise que l'inventaire date de 1684. Donne une liste de tableaux sans attributions.

1686 : archivio Massimo, vol. 265, « *Inventorii dei mobili del palazzo alle Quattro Fontane fatto dalla Msa Giulia* [...] *la eredita del marchese Fabio suo padre* », fol. 238 *sqq*.

**Fabrizio Camillo IV Massimi (1606-1693)**

Fabrizio Camillo IV achète le palais Massimo alle Colonne en 1659 avec son frère Filippo (1601-1660). Il devient Fabrizio Camillo IV à la mort de Fabio Camillo III, en 1686, et hérite des propriétés de Roccasecca et Pisterzo. Sa femme Francesca Maddaleni Capodiferro meurt en 1707.

*Inventaires.* 26 février 1691, rédigé par Luigi Garzi : archivio Massimo, vol. 231, « *Perizie misure, e piante, e stime sopra alcuni terre* [...] *spettante alla Famiga Massimi* », Arm. IV, Prot. LX, n° 26, « *Stima di tutti li quadri del Marche Fabrizio Massimi fatta dal Pittore Luigi Garzi* ». On retrouve le même inventaire dans les archives Massimo, vol. 344, non paginé, après la partie intitulée « *Saletta dell'appartamenti del Sigr marchese Camillo Fabrizio* ». Un autre exemplaire est classé dans les archives Massimo, vol. 345, « *Inventario de beni sottoposti alle Primgenre e Fidecomsi di casa Massimi* », Arm. IV, Prot. IV, Let. F, pp. 85-93 *et passim*. Il existe en outre une variante dans les archives Massimo, vol. 231, « *Perizie misure, e piante, e stime sopra alcuni terre* [...] *spettante alla Famiga Massimi* », Arm. IV, Prot. LX, n° 33, « *Perizie, e stima delli mobili esistenti nel palazzo dell'Illmo marchese Massimo fatta d'Ambrogio Modesti Bonafede Perito Pub.; regattiere* ». Comprend les estimations de Modesti en plus de celles de Garzi.

**Giambattista Camillo V Massimi (1659-1718)**

Giambattista est grand amateur d'antiquités lui aussi. Bernard de Montfaucon évoque ses collections dans le *Diaro italico*. En épousant Giulia, fille de Fabio Camillo III Massimi, Giambattista hérite du reliquat des dettes de son aïeul, le cardinal Camillo Massimi. En 1710, une congrégation lui retire la gestion d'une partie des biens familiaux, pour le laisser administrer seulement Arsoli, Pisterzo et Roccasecca. Il meurt en 1718. C'est Filippo Camillo VI qui recueille la succession.

**Filippo Camillo VI Massimi (15 juillet 1684-19 octobre 1735)**

En 1715, Filippo Camillo épouse Maria Isabella Soderini (1699-1744) qui va administrer la succession Massimo avec son frère Niccolò Soderini (1691-1779) jusqu'à la majorité de Francesco Camillo VII (1730-1801). À la mort de Filippo Camillo VI en 1735, Marco Benefial est chargé de dresser un état estimatif de la collection de peintures. À cette date, la collection Massimo réunit des tableaux acquis par le cardinal Camillo, mais aussi par son frère Fabio et par d'autres. Le document rédigé par Benefial sert à établir l'inventaire après décès d'Isabella Soderini en 1744 (voir ci-dessous). En 1744 comme en 1735, l'essentiel de la collection était conservé dans l'actuel palais Massimo alle Colonne.

*Inventaires.* 1735 : archivio Massimo, vol. 345, « *Inventario delli beni ereditarij del march. Filippo Massimi* », fol. 145-178, estimation des peintures par Marco Benefial, « *perito pittore* ».

24 mars 1744 : archivio Massimo, vol. 254, « *Memorie degli interessi della Marc$^{sa}$ Isabella Suderini Massimi trattati doppo la morte del Marc$^{se}$ Filippo Massimi suo marito* », en particulier la XV$^{e}$ partie, « *Inventario di tutti i beni, e robbe fatto doppo seguita la morte della Msa Isabella Suderini Massimi* ». Signale la vente de certains objets et identifie les acquéreurs. C'est sans doute le plus précieux de tous les inventaires de la collection Massimo, parce qu'on y trouve des notices claires, assorties d'estimations. Il reprend presque mot pour mot les descriptions de Marco Benefial, mais certaines peintures ont disparu entre-temps. Les archives Massimo contiennent une autre version de l'inventaire de 1744, « *Inventario delle robbe trovate in essere alla morte della bo.mem. sig. marchesa Maria Isabella Soderini Massimi come pure delle robbe spttanti* [*sic*] *all'eredita della bo.mem. sig. Mare Camillo al battesimo Filippo Massimi* », sans numéro de volume, Arm. IV, libro X, classé avec les dossiers récemment restaurés dans les archives Massimo.

On trouve une liste partielle des objets vendus avant 1750 dans les archives Massimo, vol. 407 (inscrit à l'encre), « *Administrazione de beni del Marchse Franco Camillo Massimi fatta dal conte Niccolo Suderini suo Tute Cur.colli rend menti de conti, ed altre mem.* », Arm. IV, Prot. XL, en particulier la partie intitulée « *Nota de Denari ritratti da effetti straordinarii cioe per imprestiti avvuti sopra argenti, gioie, et altro, per robbe vendute, crediti ricuperati, et altro, che non concerne entrata cov. dell'Illma casa Massimi da 9bre 1735 a tt.o Xmbre 1750* ».

**Francesco Camillo VII (1730-1801)**

Francesco Camillo VII grandit à Turin et revient en 1749 à Arsoli, où trois mois de siège pendant la guerre de 1744 ont provoqué de gros dégâts. En 1754, il vend les domaines de Roccasecca et de Pisterzo au marquis Angelo Gabrielli. Francesco Camillo épouse Barbara (morte en 1806), fille de Massimiliano Savelli di Palombara, qui a découvert la statue du *Discobole* parmi les ruines de la villa di Palombara.

## ANNEXE II

### *Nota delli mobili argenti, et altre robbe dell'eredita della d :me dell emmo Sigre Cardle Camillo Massimi vendute della bo :me del Sigr marchese Camillo Massimi suo fratello, et erede*[49]

[Liste d'objets de la collection du cardinal]

*Al Sig^re abbate Capponi*[50] *venduto venduto* [sic] *un quadro dell'Arianna e Bacco per scudi cinquanta — 50*
*Al med^o due testine d'argento rappresentanti la Madonna e Cristo per — 45*
*Al med^o ritratto di Virginia Colonna*[51] *per 12*
*Venduti all'Ecc^mo Sig^re marchese del Carpio ambasciatore di Spagna l'infratti quadri cioè una Susanna*[52] *per 25*
*Un paese di Gasparo in tela da testa*[53] *per 20*
*Due altri paesini del medo piccoli per 30*
*Una Madelena di Guido Cagnacci*[54] *et*
*un abozzo di Pietro da Cortona piccolo per 50*
*Un paesino di Gasparo della pma maniera per 10*
*Altro paesino del medo della pa maniera per 10*
*Due specchi per 6*
*Alla Sig^ra marchesa Serlupi un calamazo, polverino, e pennarollo per 13*
*Alla Sig^ra duchessa di Modena*
*Quattro posate dorate di lib:u^e 7 d 22 per 21*
*Due panatiere dorate lib:6 u^e 11.d.21 per 90:86*
*Due boccie dorate di dentro lib:8 u^e u.d.2 per 100.33*
*Concolinetta, e due cucchiaroni lib:1 u^e 10 per 20.16 1/2*

*Calamaro polverino pennarolo lib:1 d.9 per 12.49*
*Al Sig^re abbate Capponi un quadretto di Andromeda del Lanfranco per 15*
*Al med^o un tavolino di castracane per 200*
*Al med^o un tavolino di porfido per 60*
*Al Sig^re conte Capzara* [?] *due paesini di Gasparo piccoli 20*
*Al Sig^re Filippo Baldeschi quattro scabelli di vacchetta 4* ———

*814.85*

*Alla Sig^ra duchessa di Modena venduti due vasi d'alabastro, e*
*Due busti d'alabastro con teste indorate per 300*
*Al Sig^re Marc'Antonio Matteucei una brocchetta d'argento di lib : 4 u^e d.5 per 45*
*Al Sig^re marchese Cavriani*[55] *una cantinetta d'argento di lib : 8 u^e 10 d.3 un campanello di u^e 9 d.13 e due tegamini di lib 1 u^e 3 in tutto per 121.38 1/2*
*Al'l'em^mo Sig^re Cardl Nerli*[56] *quattro candelieri della capella con la sua croce, e piede di peso di lib : 29 u^e 11.a scudi 12 la libra in tutto per 359*

*Venduto un quadro della Madonna in tela da testa del Maratti per 100*
*Al Sig : Franco un quadro di un S. Pietro in tela da testa copie di Guido per 9*
*Al sig : d. Benedetto Panfilio venduti dodici piatti reali tenta tondini, una conchiglia a lumaca, e doi candelierini pic : col. di peso lib : 130.ue 9 a per dieci, e ba : 90 la libra 1424.15*
*Al Sig. Carde Casanatta due vasi eistoriati piccoli di peso lib : 7 ue 1 d 12 a scudi 17 la libra per 121.10*
*Al medo due vasetti piccolo di lib : 1 ue 6 d 9 per 19.80*
*Al medo cueomo [?] grande lib : 2 ue d 18 per 44.10*
*Profumera o cuomo più piccolo lib : 1 ue 9*
*Al medo arazzo dell'altare, e baldachino per 100*
*A Sige marchese Pallavicino due quadretti di herbe per scudi 12*
*A Monsige Boncompagni*[57] *due cornici senza quadri per 6*
*Al Sigr D. Gaspare Altieri*[58] *dodeci scabelli di velluto del salone e cornicea [?] d'audienza per 36*
*Al sre Barnabeo Benigni due specchi grandi della galleria per 20*
*Monsre Patrca Colonna un calice d'argento dorato per 34.30*

*3566.68 1/2*

*Al Sigre marchese Pallavicini venduti l'infratti quadri*
*Quattro paesi di Claudio Lorenese*[59]
*Due paesi di Gasparo di Posino*
*Un S. Girolamo di Guido ovato*[60]
*Un S. Gio : Batta del Maratti ovato*
*Tre quadri di quattro palmi copie di Possino*
*Tutti li sopra quadri venduti per 980 con ordine al Banco di San Spirito 980*
*Al Medo il ritratto del Papa che stava fatto il baldachino del salone per 9*
*Al Medo la cornice dell'altro ritratto per 3*
*All'Eccmo Sig. contestabile Colonna quattro vasi grandi eistoriati di peso lib : 34 ue 7a per 14 la libra 764.16*
*Al Sigre duca di Guadagnolo venduti l'infratti quadri*
*Monte di Parnaso*
*Testa del Baciccio*
*Venere che da lo scuda ad Enea del Rosa*
*Paesino di Gio : Cesare Testa*[61]
*Un Ecce Homo del Veronese*
*Un paesino del Gobbo*
*Due figurine antiche depinte nel muro*
*Una Madonnina col Bambino*
*Una marina con barche del Gobbo*
*Un altro compagno dello stesso*
*Tutti li sopra detti quadri per scudi novant'otto 98*
*All'eccmo Sigre contestabile Colonna sei scabelloni dorati venduti a ragione di scudi 6 l'mo mto 36*
*Al medo un tavolino di diaspro verde per 50*

*Al med$^{o}$ un tavolino d'alabastro per scudi 45*
*Al med$^{o}$ due tavolini di noce per 10*
*Al Sig$^{re}$ D. Gasparo Villalobos vendute due postate dorate per scudi 10.60*

*$5572.44^{1}/_{2}$*

*Venduti al Sig$^{re}$ contestabile Colonna l'infratti quadri*
*Due paesini piccoli in rame per scudi 12*
*Due quadretti ovati in rame piccoli per 9*
*Al Sig$^{re}$ D. Gasparo Altieri vendute dodici sedie di velluto che stavano nella stanza d'audienza per 120*
*Venduti al med$^{o}$ quattro tassettani delle finestre del salone per scudi 16*
*Venduti alla S. Casa di Loreto in Roma due palmastiche di tessetta bianche un paro di sandal di broccato bianco, un paro di guanti di seta, et oro bianchi, un uclo* [?] *bianco per 18*
*Venduta al Sig$^{re}$ Zaccaglione una canestra tonda di argento dorato di lib : 2 u$^{e}$ 8 a per 12 la libra 32*
*Al med$^{o}$ due sottocappe dorate di peso di lib : 6 u$^{e}$ 4 un bacile e bocale dorato di peso di lib : 8 u$^{e}$ 9 tutti a scudi 11 ba:25 la libra per esser'assai lograti into per 170*
*Venduto un tappetto alla turchia alla sagrestia di S. Pietro per scudi 30*
*Venduto a Monsig$^{re}$ d'Aquino il parato della stanza della ringhiera*[62]*, con una portiera, sopraporti e fragia per scudi 150*
*All'ecc$^{mo}$ Sig$^{re}$ ambasciatore di Spagna venduti l'nove idol' di pietra negra, tredici teste de filosofi e due quadri, cioè uno il ritratto di Luca de Massimi, e l'altro di Virginia Colonna per scudi novecento, in tutto*
*All Sig$^{re}$ abbate Lisinot venduto un quadro del Beato Amadeo di Savoia*[63] *per scudi cinquantacinque 55*

*$7084.44^{1}/_{2}$*

*Al Sig$^{re}$ abbate Pauluci venduti l'infratti quadri per 150*
*Una Madonnina di Guido*
*Testa d'un angelo dell'Albano*
*Testa d'un Cristo di Guido*
*Abozzo d'Adone, e Venere piccolo di Guido*[64]
*Due rittratini tondi*
*A Monsig$^{re}$ Ginetti Tesoruere vendute l'infratte robbe*
*Mazza d'arg$^{o}$ dorata lib : 18 ue 8*
*Scaldaletto d'arg$^{o}$ lib : 7 ue 7 d 12*
*Valigie n° 2 ricamate crema, e panonazza* [?]
*Altra valigia di campagnia*
*Cappa di triglia panonazza con pelliccia*
*Sedie di velluto cremesino n° 16 con frangia, e trinad'oro*
*Strato di panno rosso con due cuscini*

*Strato panonozzo con due cuscini*
*Pianeta di tocca ricamata bianca con stola mani polo, e borsa*
*Pianeta simile panonazza*
*Cappelline; et altre robbe tutte furono pagate scudi mille duecento sessenta portati dal sig : monte monti al monte della Pietà, e pasti in credito dell'eredità del Sig : Card$^{le}$ Massimi l'11 decembre 1677 1260*

*Adi 4 gennaro 1678 vend$^{o}$ al medo mons$^{re}$ Te [?] due cavalli fregioni, un orologio d'oro, una penna d'oro, et un toccalapi [?] d'oro, e portati dal Sig. Monti al mta di pietà a credo d.s.a 140*
*Al sigr Amb$^{re}$ di Spagna vend$^{o}$ un zampanaro di velo, una sedia di marocchino con le vittorie, e 4 bassirilievi di marmo mto 120*
*Al S. Card$^{le}$ Altieri vendo un bacile, e bocale per la messa, un bicchiero dorato, et una tazza dorata per 112.50 con ord. e al s. Donato fini 122.50*
*Al med$^{o}$ vend$^{o}$ a di 28 feb. 1678 un calice d'oro con patena simile di peso lib : 3 ue 5 d'oro a rage di giulii quindeci per scudo in tutto per 522.75 pago con orde al Sigre Pietro Nerli 522.75*

*9389.69$^{1}$/$_{2}$*

*Adi 27 agosto 1678 venduta a Monsig$^{r}$ Ill$^{mo}$ Tes$^{re}$ la libraria di d$^{o}$ Sig$^{re}$ Card$^{le}$ et otto busti di marmo per pezzo di per 716 riscossi dal Sig : Paolo Girolamo Sorri dal m$^{te}$ della Pietà, e posti in credito di do sig. marchese Camillo Massimi sotto do giorno 716*
*Adi 9 settembre 1678 vendute al Sig$^{re}$ Card$^{le}$ Azzolino*[65] *le due colonne di alabastro, et il piedestallo del Ganimede*[66] *per 300 con ordine al monte della Pietà 300*
*Vendute al medo Sig$^{re}$ Card$^{le}$ le statue di Castore e Polluce*[67] *per mille con ordine al monte 1000*
*All'e$^{mo}$ Sig$^{re}$ Card. Carpegna*[68] *venduto il parato di tassetta torchino per 115, e riscosi il prezzo dal S. D. Gio : Anto Barbati a conto del legato fatto alla fama e per la sua portione 115*
*All'e$^{mo}$ Sig. card. Portocarrero*[69] *venduto un anello con rubino balasso per 300*
*Al Sig$^{e}$ ambasciatore di Spagna venduta la statua del Ganimede*[70] *per scudi centotrenta 130*
*A Monsù Alvares vendute due quadri di Monsù Possino in tela d'imperatore per 800*
*Al med$^{o}$ vendute due pele della mitre cioè una grande e l'altra piccola tonda per scudi mille 1 000*
*Al med$^{o}$ venduto un anello con smeralda piccolo per 180*
*Al med$^{o}$ vendute le due statue della loggia, due altre che stavano per le scale, e l'altre che stavano nel teatro, e loggia del palazzo un bassorilievo di Prometeo; un altro bassorilievo di un Triclinio; un bassorilievo con 4 baccanti, quattro teste di marmo, un busto di porfido una lapide sepolirale con due ritratti due capitell' di marmo tutte le de robbe per 1300*
*Venduto a monsig$^{re}$ Gio : Franco Ginnetti Tressre un focone d'argento pesso lib : 120, e mezza a per 10.50 la libra in tutto per* 1265.25

*e posti in credito del Sigre marchese Camillo Massimi a monte di Pietà sotto l'29 8bre 1678 per 1265.28*

---

*16498.89*$^{1}/_{2}$

*Al Sig*$^{re}$ *ambasciatore di Spagna venduti due ritratti cioè*
*uno di D. Olimpia*[71]*, e l'altro del Sigre Cardle quando era prelato per 20*
*A Monsig*$^{re}$ *Manfrone vendute l'infratte robbe*
*Piatto d'ampolline dorato di peso lib : 1 ue 8 d. 18*
*Secchio, e asperges per l'acqua benedetta lib : 1 u*$^{e}$ *3 d*
*Budia liscia ue 7 bugia dorata lib : 1 u*$^{e}$ *2 d. 18*
*Sottocoppa dorata lib : 3 u*$^{e}$ *9 tazza dorata lib : 2*
*Pace dorata lib : 1 u*$^{e}$ *8 d. 12*
*Sei candelieri d'argento lib : 15 u*$^{e}$ *3*
*Quattro pianete, due cotte, un rochetto, due rimazze*
*et un calamaro d'ebanno tutte per 360*
*Venduto due colonnette d'arg*$^{o}$ *al Sig*$^{re}$ *duca Cesarini*[72]
*di peso libre 77 a per 10.50 la libra in tutto per 798*
*Venduta al Sig*$^{re}$ *Fabrizio de Massimi una carozza che era la prima del Sig. Card*$^{le}$ *per 600*
*Al med*$^{o}$ *vendute due portiere di damasco per 90*
*Al Sig*$^{re}$ *Barnabeo Benigni vendute l'infratte robbe*
*Dodeci sedie di vacchetta a per 3 l'una*
*Otto sedie di velluto*
*Sei scabelletti di damasco*
*Quattro scabelli dorati*
*Quattro quadri de ritratti tutte per 138*
*Al Sig*$^{re}$ *Antonio de Cavalieri venduto lo studio delle medaglie, e casnei* [?] *per 3 500*

---

*22001.89*$^{1}/_{2}$

## Notes

Je tiens à remercier Don Carlo Massimi et Donna Isabella di Carpegna pour m'avoir autorisé à consulter les archives de la famille Massimi. Il me faut également citer d'autres personnes, car l'histoire de l'art en train de s'écrire passe assurément par les échanges d'informations et la collaboration : Francesco Solinas pour ses encouragements, Burton Fredericksen et Carol Togneri, pour leur travail au Provenance Index du J. Paul Getty Center, Sir Denis Mahon et Pierre Rosenberg pour avoir répondu à d'innombrables questions, Janis Bell, Martin Clayton et Tom Willette, pour m'avoir aidé de diverses façons.

* Les références mentionnées ainsi renvoient au catalogue d'exposition du Grand Palais, Paris, 1994-1995.

1. Le *Patrons and Painters* de Francis Haskell décrivait dans leurs grandes lignes les rapports de Poussin avec bon nombre de ses mécènes, collectionneurs et marchands. Avec son texte très complet sur « Poussin et les collectionneurs romains au XVIIe siècle », Elena Fumagalli offre une mise à jour de l'étude d'Anthony Blunt, 1965 (voir cat. exp. Paris, Grand Palais, 1994-1995, pp. 48-58). Au sujet de Massimi et Velázquez, on pourra lire l'article récent de José Luis Colomer et Enriqueta Harris, « Two Letters from Camillo Massimi to Diego Velázquez », *The Burlington Magazine*, août 1994, pp. 545-548.

2. Voir Standring, 1988, p. 617, n. 51.

3. Carlo Massimi a fait ses études à la Sapienza di Roma, où il a obtenu un doctorat. En 1640, il change son nom pour celui de Camillo Massimi, qui lui revient en héritage avec la succession de son oncle Camillo. Le jeune clerc se partage entre les fonctions ecclésiastiques, la diplomatie, l'archéologie et les arts. Il voit se succéder quatre papes au cours de sa carrière, mais il est particulièrement actif sous le pontificat d'Innocent X, devenant le chambellan secret du pape de 1646 à 1652. En 1650, il reçoit le titre de *« camiere d'honore di S. Beatitude »* et siège au chapitre de la basilique Saint-Pierre. En 1653, il est nommé patriarche de Jérusalem. L'année suivante, il occupe le poste de nonce apostolique à la cour d'Espagne. Tenu un peu à l'écart par Alexandre VII et Clément IX, il est fait *« maestro di camera »* à l'intronisation de son proche parent Clément X en 1670. Le 22 décembre 1671, Camillo Massimi devient cardinal, titulaire de Santa Maria in Domenica. Il participe à plusieurs congrégations : *« de riti »*, *« della propaganda fede »*, *« de bono regimine e della gratia »*, *« d'altre congragationi particolari »*. Si ces nombreuses charges ne nous apprennent pas grand-chose sur ses activités d'archéologue et collectionneur d'antiquités, elles donnent quelques indications quant à sa capacité à les financer. Sur Camillo Massimi, voir Abbate Michel Giustiniani, *Lettere memorabili,* 1675, III, p. 319 *sqq.*; Pompeo Litta, *Famiglie celebri italiane. I Massimo di Roma*, Rome, 1819-1881, fascicule 74, en particulier p. V; et Ceccarius [Giuseppe Ceccarelli], *I Massimo*, Rome, Istituto di studi romani, 1954.

4. *L'Amour debout sur un cheval* dessiné par Poussin et conservé à Windsor reprend le même motif insolite du *Triomphe de l'amour divin* de Camillo Massimi gravé par G. F. Greuter (reproduits dans cat. exp. Paris, Grand Palais, 1994-1995, p. 366). De même, *La Charité* de Poussin (cat. 88), qui se trouve également parmi les dessins Massimi à Windsor, s'inspire d'une illustration de Camillo Massimi gravée pour l'édition de 1640 des

*Documenti d'amore*. Baglione attribue à Massimi les illustrations figurant *Industria, Gloria et l'Amour* pour l'édition de 1640 : voir ses *Vite*, 1642, p. 366. Si l'on admet que L'*Amour debout sur un cheval* et *La Charité* sont des emprunts à Massimi, on ne peut exclure qu'il soit l'auteur d'une troisième composition pour les *Documenti d'amore*, comme le suggérait Witzman en 1962. Voir David Freedberg, « Poussin et Sienne », dans cat. exp. Paris, Grand Palais, 1994-1995, pp. 62-68.

5. Cependant, Marco Benefial, qui a inventorié les peintures, les dessins et les livres d'art en 1735, décrit précisément des feuilles attribuées à Camillo Massimi. Voir archivio Massimo, « Inventario di tutti i beni e robbe fatte doppo sequita la morte della marchesa Isabella Soderini Massimi », vol. 254, n° 15, rédigé en 1744, d'après l'inventaire dressé par Benefial en 1735, archivio Massimo, vol. 347 : « *Un disegno con cornice liscia dorata longo p$^{mi}$ quattro e mezzo, alto palmi due, rappresentante Enea con Didone, fatto dal fù Sig. cardinal Massimi* » (fol. 8), « *Due disegni pp traverso longhi palmi due, e largo mezzo rap$^{te}$ molte dietà antiche copiatà dal cardinal Massimi con cornice liscie dorate — 6* » (fol. 47, n° 205); « *Due disegni longhi palmi due, et altri uno scarso copiata sopra le figure antiche di marmo del S$^{re}$ cardinal Massimi, con cornice dorata — 6* » (fol. 49, n° 222); « *Due disegni longhi palmi due, et altri un palmo scarso, dipinti del Sig. cardinal Massimi, con cornice dorata — 75* » (fol. 50, n° 235); « *Altri due disegni sopraporti della medema misura con cornici fatti dal Sig. Cardl di Massimi — 10* » (fol. 78, n° 443); « *Due disegni con cornici dorate quasi quadrati di due palmi in circa, uno rapte un carro con 4 cavalli e l'altro due cavalli con Vittoria, copiati dall'antico dal Cardl Massimo — 60* » (fol. 78, n° 451). Étant donné que Camillo Massimi était étroitement associé à la réalisation de l'album d'aquarelles de Santi Bartoli d'après le Virgile du Vatican, on est tenté de supposer que l'esquisse à la plume de *Didon et Énée* conservée à l'Ermitage pourrait bien être la composition « *rappresentante Enea con Didone* » dont parle Benefial. Je remercie Pierre Rosenberg de m'avoir signalé ce dessin.

6. Ainsi, un registre révèle une partie des achats extraordinairement dispendieux effectués pendant son séjour en Espagne, entre 1655 et 1657. On apprend qu'il s'est offert des objets aussi luxueux que des diamants, rubis, émeraudes, perles, horloges, métrages de soie, velours, tapisseries et, entre autres, « *un quadro della Madonna di mano di Raffaello* » acquis le 24 septembre 1656 au prix de 1200 écus. Le plus coûteux de tous ses achats en Espagne est peut-être la tenture présentée comme un ensemble d'« *otto panni d'Brusselles d'lana oro, et argento, di giardini coll'historia di Vertumno e Pomona* » payés 22000 écus. Archivio Massimo, vol. 281, dans le dossier « Spesa fatta nella Spagna », non paginé.

7. Le plus ancien inventaire de la bibliothèque de Camillo Massimi, rédigé en 1677, est conservé à Rome, archivio Massimo, vol. 265, fol. 37 r°-72 v°.

8. Rome, archivio Massimo, vol. 347, fol. 162 v°. On pourrait citer aussi, entre autres : *Museo disegni di varie antichità in fol. ducale* (vol. 265, fol. 39 r°), *Roma antica, cioè con le vestigii farnesiani, e diverse piante, pitture antiche miniate fol. papale* (vol. 265, fol. 39 r°), *Libro de disegni d'architettura in 4. grande* (vol. 265, fol. 39 v°), et *Libro d'edificii antichi di Roma designati d'acquarella in 4. verde* (vol. 265, fol. 39 v°).

9. Rome, archivio Massimo, vol. 265, fol. 39 v°. En 1735, Marco Benefial signale une édition du *Trattato della pittura* de Léonard de

Vinci dédicacée à la reine de Suède (vol. 347, fol. 163 v°). Dans la bibliothèque de Camillo Massimo, bon nombre des ouvrages consacrés aux arts plastiques comportaient des dessins originaux et Benefial, reconnaissant leur grande valeur, en a répertorié plusieurs dans l'inventaire des peintures, sous la rubrique « *Segue la descrizione de libri de disegni di varii autori esistenti nella libraria* ». Les descriptions de Benefial complètent les indications succinctes de l'inventaire après décès dressé en 1677 et confirment que le cardinal projetait de publier des documents sur l'Antiquité classique tels que les aquarelles commandées à Pietro Santi Bartoli pour les Sepoltri antichi (archivio Massimo, vol. 347, fol. 161 v°), et l'album d'aquarelles de Bartoli d'après le Virgile du Vatican (Cod. Vat. Lat. 3867) présenté comme « *Altro di miniature in acquarella coperto alla francese con cordomano rosso, et rame della casa rappte favole di Virgilio* » (archivio Massimo, vol. 347, fol. 165 r°). Henry Mead a acheté ces dessins le 20 août 1738 pour 80 écus (archivio Massimo, vol. 402, non paginé, « *Nota de denari ritratti da effetti straordinarii* »). Voir également David H. Wright, « The Study of Ancient Virgil Illustrations from Raphael to Cardinal Massimi », *Cassiano dal Pozzo's Paper Museum*, I, 1992, pp. 137-155. Un inventaire de 1684 (archivio Massimo, vol. 349, « Casa Massimi indice delle statue, stima de metalli ed inventarij diversi », Arm. VII, Prot. XIV, 4e partie, « *Inventario de' mobili, argenti e gioje essenti nel palazzo delle Colonne* [...] ») répertorie divers livres d'art (fol. 290 v° *sq.*) : « *Un libro in foglio di carte lettantino coperto verdedi disegni intitolato Raffael d'Urbino* » ; « *Altro libro di stampe del medo Raffaele di carte cento novantuna con coperta verde indorata* » ; « *Altro libro intitolato l'architettura di S. Pietro coperto di corvona con l'arme dell'elmo Sig. Card. de Massimi ch. mem.* » ; « *Altro intitolato Antiche Pitture di foglio cento cinquantotto con la medo arme coperto di corame* [?] *rosso messo a oro* » ; « *altro libro in foglio in carte settanta tre di diverse battaglie pure coperto di corame rosso* » ; « *Altro libro con coperta rossa con arme de Massimi interziata con quella de Giustiniani intitolato Galleria Giustiniani* ».

10. Rome, archivio Massimo, vol. 266, « *Memorie dell'acquisto fatto dal Cardin. Massimi del palazzo, ed altri adjacenti all 4 Fontane vertenze insorte, e alienazione di do palazzo, e sue adiencenze* », non paginé.

11. Sa valeur a considérablement augmenté par la suite : en 1738, le cardinal Corsini l'a achetée aux héritiers de Camillo Massimo pour 2 000 écus (archivio Massimo, vol. 402, non paginé, partie intitulée « *Nota de denari ritratti da effetti straordinarii* »).

12. Par exemple le prince Marc Antonio Borghèse, la princesse Camilla Orsini Borghèse, Francesco Marescotti, la comtesse Vittoria Ruspoli Marescotti, le duc Luigi Strozzi, l'archiconfrérie de l'Immaculée Conception à San Lorenzo in Damaso, le cavalier Francesco Bonaventura d'Aste, le monastère de Sainte-Catherine de Sienne (Rome, archivio di Stato, Misc. Famiglie, 107, 3, « *Concordia fra li Sigri fratelli Massimi* », 1696, n° 12, non paginé, partie « C »).

13. En 1696, les héritiers n'avaient réussi à rembourser que 80 000 écus sur le montant total de la dette.

14. Rome, archivio di Stato, Misc. Famiglie, 107, 3, « *Concordia fra li Sigri fratelli Massimi* », 1696, n° 12, non paginé, partie « C ».

15. Voir Fumagalli, dans cat. exp. Paris, Grand Palais, 1994-1995, p. 55, n. 85.

16. Voir cat. exp. Paris, Grand Palais, 1994-1995, nos 152-153.

17. Sur la version de New York, voir Blunt, 1966, n° 165; Verdi, cat. exp. Paris, Grand Palais, 1994-1995, n° 12. Sur la version de Londres, voir Blunt, 1981, pp. 226-228.

18. L'historique de ce tableau est encore incertain jusqu'à son acquisition par Alphonse Kann (1870-1948), de Saint-Germain-en-Laye, qui l'a confié à Anthony Blunt dans les années quarante. Ce dernier semble l'avoir conservé au Courtauld Institute, à Londres, puis il fut vendu à plusieurs reprises et se trouve dans une collection privée.

19. Archivio Massimo, vol. 265, fol. 33 v°.

20. Rome, archivio di Stato, Misc. Famiglie, 107, 3, non paginé, partie « C » dans le volume relié « Concordia fra li Sigri fratelli Massimi », 1696, n° 12. Voir l'annexe II ci-dessus.

21. Archivio Massimo, vol. 347, fol. 148 r°.

22. *Ibidem*, fol. 151 r°.

23. *Ibidem*, fol. 153 r°.

24. *Ibidem*, fol. 160 r°.

25. *Ibidem*, fol. 148 v°.

26. *Ibidem*, fol. 157 r°.

27. Archivio Massimo, vol. 265, fol. 33 v°. Blunt, 1966, n° 15.

28. *Ibidem*, fol. 35 r°. Blunt, 1966, n° 19.

29. Bellori (1672), 1976, p. 467.

30. Rome, archivio di Stato, Misc. Famiglie, 107, 3, *« Concordia fra li Sigre fratelli Massimi »*, 1696, n° 12, non paginé, partie « C » : *« A Monsó Alvares venduti due quadri di Monsó Posino in tela d'imperatore per 800. »* Sur l'historique de ces deux tableaux, voir cat. exp. Paris, Grand Palais, 1994-1995, cat. 152-153.

31. Archivio Massimo, vol. 347, fol. 171 v° et 172 r°.

32. Bellori (1672), 1976, p. 459; éd. fr. (S. Germer), 1994 : « Il manque à cette composition les derniers coups de pinceau, par suite de la faiblesse et du tremblement des mains de Nicolas qui, peu de temps avant sa mort, la dédia au cardinal Camillo Massimi, sachant qu'il ne pouvait la conduire à meilleure fin. Pour le reste, elle est parfaite. Mais auparavant, il avait peint un autre tableau. »

33. Archivio Massimo, vol. 265, fol. 36 v°.

34. Voir l'historique de l'œuvre dans cat. exp. Paris, Grand Palais, 1994-1995, cat. 242.

35. Blunt, 1966, n$^{os}$ 192 et 193; de plus, Bellori rapporte que Poussin exécuta six grandes peintures *a tempera* pour les jésuites en 1622.

36. Archivio Massimo, vol. 347, fol. 154 r°. Copie à Rome, archivio di Stato, 30 Not. cap. Uff. 6, vol. 313, fol. 447 r°. Inscription au verso de l'*Allégorie de la Peinture* : 449 (à la peinture noire) / P1200 (à la peinture rouge); inscription au verso de l'*Allégorie de la Poésie* : 432 (à la peinture noire) / P184/AM (monogramme à la peinture noire).

37. Archivio Massimo, vol. 347, fol. 153 r°. Copie à Rome, archivio di Stato, 30 Not. cap. Uff. 6, vol. 313, fol. 446 v°.

38. Blunt, 1966, n° 92.

39. *La Peinture française du XVII$^{e}$ siècle dans les collections américaines*, cat. exp. Paris, 1982, n° 88.

40. Archivio Massimo, « Amministrazione de beni del Marchese

Franco Camillo Massimi fatta dal conte Niccolò Suderini [*sic*] suo tut : e cur. colli rendimenti de conti, ed altre men. », Arm. IV, Prot. XL, vol. 407, non paginé. Ce document nous apprend qu'il a acheté diverses œuvres à Dom. Mazzoli, Angelo Calcagnini, Cesare Capranica, Matteo Ducci Reccattiere, Niccolò Bassarini, Lorenzo Toma. Les dates des acquisitions ne sont pas précisées, mais on peut les situer dans la période 1744-1750 où Niccolò Soderini (1699-1779), frère de Maria Isabella Soderini Massimo, était le tuteur du jeune Francesco Massimo. Il a ainsi acheté des œuvres attribuées notamment à Luigi Garzi, Jan Frans Van Bloemen dit Francesco Orizzonte, Jan Miel, Andrea Locatelli, Paolo Aniene, Francesco Trevisani, Claude Joseph Vernet, Marco Benefial, Carlo Maratta, Annibale, Augustin et Ludovic Carrache, Monsù Theodoro, Andrea Mantegna, Monsù Dupre, Michele Campidoglio, Francesco Vanni et Véronèse.

41. Blunt, 1966, n° 92.

42. 20 septembre 1764. « *At Byre's lodgings ses a Picture of the Assumptiun by Poussin lately purchased for 500 crowns for Lord Exeter from the Count Soderini* », d'après une note dans le fonds Brinsley au Mellon Center à Londres, avec la citation manuscrite « *ames Martin's Ms Journal of his Grand Tour* », 1763-1765, 9 vol., t. VI [s.p.].

43. Archivio Massimo, « *Amministrazione de beni del Marchese Franco Camillo Massimi fatta dal conte Niccolò Suderini* [sic] *suo tut : e cur. colli rendimenti de conti, ed altre men.* », Arm. IV, Prot. XL, vol. 407, non paginé. Les achats de Mead sont mentionnés sous la rubrique « *Nota de denari ritratti da effetti straordinarii cioè imprestiti avuti sopra argenti, gioie, et altro, pp. robbe vendute, crediti ricuperati, et altro, che non concerne entrata cov. dell'Illma casa Massimi da 9bre 1735 a tt.o Xmbre 1750* », non paginé, classé par ordre chronologique. Auparavant, Mead avait acheté « *9 pezzi di muro dipinti con figure di varie grandezze* » au prix de 250 écus et « *un libro di disegni, e Mire 9 di Pro Santi Bartoli Rappti l'opere di Virgilio* » pour 80 écus. La réputation d'amateur d'antiquité de Mead repose en partie sur l'acquisition des dessins de Santi Bartoli d'après l'antique. Or, il ne les a pas obtenus directement par les héritiers Massimo. C'est Camillo Paterni qui leur a acheté pour 750 scudi « *un libro di 125 fogli reali dipinti d'acquarella coloriti legato alla francese con arme del Cardo Massimo causati delli disegni da sepolchri antichi stantze sottovane, e dipinti dà Pro Santi Bartoli, antiquario* ». Voir C. Pace, « Pietro Santi Bartoli : Drawings in Glasgow University Library after Roman Paintings and Mosaics », *Papers of the British School at Rome*, XLVII, 1979, pp. 117-155.

44. Voir Clayton, 1995, pp. 10-11.

45. Archivio Massimo, vol. 347, fol. 162 r° (fig. 11).

46. *Ibidem*, fol. 165 v°.

47. Sur la famille Massimo, voir Pompeo Litta, *Famiglie celebri italiani. I Massimo di Roma*, Rome, 1819-1881, fascio 74, en particulier pp. IV-VIII.

48. J.A.F. Orbaan, « Massimi », *Documenti sul barocco in Roma*, Rome, 1920, 515-522.

49. Rome, archivio di Stato, Misc. Famiglie, 107, 3, « *Concordia fra li Sigri Fratelli Massimi* », 1696, n° 12, non paginé, partie « C ».

50. *Dizionario biografico degli Italiani*, XIX, p. 10 *sq*. Capponi a acheté aux Massimo, le 3 juin 1738, « *due libri legati alla francese con armor della casa il pmo di fogli 150 intagliati rappti le statue della gal-*

*leria di Giustignani, et il 2do di carte 168 parimti intagliati — 50 ».* Rome, archivio Massimo, Arm. IV, Prot. XL, vol. 407, non paginé.

51. Archivio Massimo, vol. 265, fol. 33 r° : « *Un ritrattino in tavola della Siga Virginia Colonna alto p. 1 con cornice dorata.* »

52. *Ibidem*, fol. 33 r° : « *Un quadro di rame di pal. 2* [?] *Susanna al bagno, e le due vecchioni di mano del Cavre Giuseppe con cornice dorata.* »

53. *Ibidem*, fol. 33 r° : « *Un paese tela da testa di mano di Gasparo Possini con cornice dorata.* »

54. *Ibidem*, fol. 35 v° : « *Un quadro con una testa della Maddelana alta p. 2 e larg. p. 2 di mano di Guido Cagnacci.* »

55. *Dizionario biografico degli Italiani*, XXIII, p. 150 *sq*.

56. Nerli a été promu au cardinalat le 12 juin 1673. Il est mort en 1708. Voir G. Moroni, *Dizionario di erudizione storico-ecclesiastico*, Venise, 1840-1861, vol. 47, pp. 293-294.

57. Peut-être Jacopo Boncompagni (1652-1731). Voir Moroni, *op. cit.* n. 56, vol. 6, pp. 9-10.

58. Peut-être Don Gasparo Altieri. Voir P. Visconti, *Città e famiglie nobe cel. dello Stato pontificio*, III, Rome, 1847, pp. 602-615; et C. Pietrangeli, *Bolletino dei musei comunale di Roma*, 17, 1970, pp. 1-4, 11-16.

59. Archivio Massimo, vol. 265, fol. 33 v° : « *Un paese dell'istessa grandezza* [5 x 4 palmi] *di mano di Monsó Claudio Lorenese, un paese della med. grandezza di mano del do, un quadro grande paese con marine, et anticaglie di mano di Monsó Claudio alt. p. 4 long. p. 5.* » *Ibidem*, fol. 35 v° : « *Un paese di Monsù Claudio con la tavola di Perseo con la levata del sole simile di grandezza al compagno del muro incontro.* »

60. *Ibidem*, fol. 33 r° : « *Un ovato grande pal. 3 1/2 mezza figura di S. Girolamo di Guido Reno con cornice intagliata e dorata.* »

61. *Ibidem*, fol. 34 v° : « *Un paesino longo p. 2 scarsi alto p. 1 1/2 di mano di Gio : Cesare Testa.* »

62. *Ibidem*, fol. 26 v° : « *Un pariato di damasco cremesino di Lucca di teli 18 alt. p. 18.* »

63. *Ibidem*, fol. 29 r° : « *Quadro del Bo Amadeo di Savoia fuor di misura grande con sei figure del naturale con cornice di legno intagliata e dorata.* »

64. *Ibidem*, fol. 35 v° : « *Un'Adone e Venere con puttini con finiti long. poco pió d'un pe alt. un p. scarso di mano di Guido Reno.* »

65. Cardinal Decio Azzolino (1623-1689). Voir *Dizionario biografico degli Italiani*, IV, pp. 768-771; et Moroni, *op. cit.* n. 56, vol. 3, p. 315.

66. Archivio Massimo, vol. 265, fol. 32 r° : dans la galerie, « *una statua di un Ganimede che lo rapisce l'aquila con suo piedestallo intagliato e dorato* ».

67. *Ibidem*, fol. 32 v° : dans la galerie, « *due statue di Castore e Polluce in un groppo grandi del naturale sopra un piedestallo di legno intagliato, e indorato* ».

68. Gaspare Carpegna (1625-1714), promu au cardinalat par Clément X le même jour que Camillo Massimo, c'est-à-dire le 20 décembre 1670. Voir *Dizionario biografico degli Italiani*, XX, pp. 589-591; et P. Litta, *Famiglie celebri italiane. I Massimo di Roma*, Rome, 1819-1881, fascio 74, p. III.

69. Lodovico Emmanuele Portocarrero, devenu cardinal de Santa Sabina en 1669, mort en 1709. Voir

Moroni, *op. cit.* n. 56, vol. 54, pp. 233-234.

70. Archivio Massimo, vol. 265, fol. 32 r° : dans la galerie, « *Una statua di un Ganimede, che lo rapisce l'aquila con suo piedestallo intagliato e dorato* ». L'ambassadeur a dû obtenir la statue à un prix très avantageux, car elle était estimée 600 écus en juin 1669, date à laquelle elle se trouvait dans la deuxième niche de la « chambre octogonale » dans la galerie inférieure (archivio Massimo, vol. 226, n° 3, « Istrumenti dell'acquisto, e compra, che fece il Card. Camillo Massimi del palazzo, palazzetto, giardino, ed altri adjecenti sposti alle quattro fontane... », non paginé).

71. *Ibidem,* fol. 34 v° : « *Un ritratto di donna Olimpia Pamfili di mano di Diego Velasco.* »

72. S. Galieti, « Per lo storia della famiglia Cesarini », *Archivio della Società romana*, XXXVII, 1914, pp. 658-670.

Fig. 1
Diego Velázquez (1591-1661)
*Portrait du cardinal Camillo Massimi (1620-1677)*
vers 1650
Toile, 0,76 x 0,61 m
Dorset, Kinston Lacy Estate.

Fig. 2
Nicolas Poussin
*Les Bergers d'Arcadie* (dit aussi *Et in Arcadia ego*), 1627-1628
Toile, 1,01 x 0,82 m
Chatsworth, The Duke of Devonshire and the Chatsworth Settlement Trustees.

Fig. 3
Nicolas Poussin
*Moïse enfant foulant aux pieds la couronne de Pharaon,* vers 1647-1648
Toile, 0,92 x 1,28 m
Paris, musée du Louvre.

Fig. 4
Nicolas Poussin
*Moïse changeant en serpent la verge d'Aaron* (dit aussi *Moïse et Aaron devant Pharaon*), vers 1647-1648
Toile, 0,92 x 1,28 m
Paris, musée du Louvre.

Fig. 5
Nicolas Poussin
*Allégorie de la Peinture,* vers 1624-1625
Gouache sur panneau, 90,5 x 46,3 cm
États-Unis, collection particulière.

Fig. 6
Nicolas Poussin
*Allégorie de la Poésie,* vers 1624-1625
Gouache sur panneau, 90,5 x 46,3 cm
États-Unis, collection particulière.

Fig. 7
Nicolas Poussin
*L'Assomption de la Vierge*
vers 1628-1629
Toile, 1,34 x 0,98 m
Washington, The National Gallery of Art.

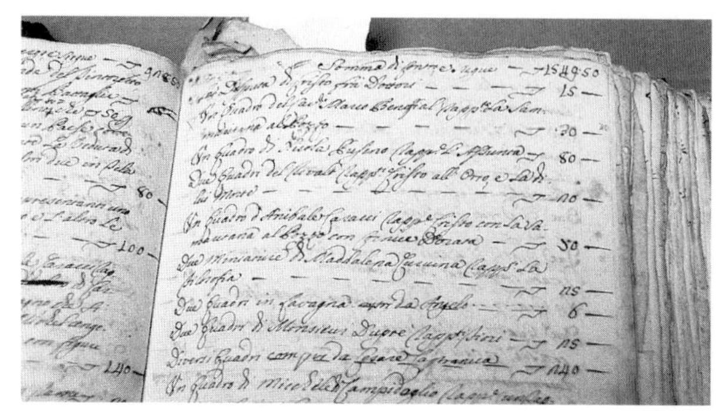

Somma di contro, segue — 1549.50
Un Disegno di Cristo fra Dottori — 15
Un Quadro del Sig.r Marco Benefial rapp.te la Samaritana al Pozzo — 30
Un Quadro di Nicola Pussino rapp.te l'Assunta — 80
Due Quadri del Cavalier rapp.ti Cristo all'Orto e la di lui Morte — 110
Un Quadro d'Annibale Caracci rapp.te Cristo con la Samaritana al Pozzo con Cornice Dorata — 50
Due Miniature di Maddalena Corvina rapp.ti la Filosofia — 115
Due Quadri in Lavagna [illegible] — 6
Due Quadri di Monsieur Dupré rapp.ti Fiori — 115
Diversi Quadri comprati da Cesare [illegible] — 140
Un Quadro di Mico dell'Campidoglio rapp.te [illegible]

Fig. 8
Rome, Archives Massimo, vol. 407.

Somma e segue
338 5. Ott.e dall'Ill.mo Sig.r Conte Niccolò Soderini disse esatti da Camillo Paterni per prezzo di due Filosofi [illegible] 16
9 d.o dall'Ill.ma Sig.ra Marchesa M.a Isabella Soderini Massimi, con Ordine del Sig.r Cardinal Corsini per prezzo d'una Statua rapp.te il Pirro [illegible] venduta per collocarsi in Campidoglio [illegible] — 300
339 18 Gen.o da Ercole, et altri [illegible] la paga di Ott.e 338 à forma dell'Istromento di Concordia [illegible] — 1000
31 d.o dall'Ill.mo Sig.r Conte Niccolò Soderini disse esatti da Enrico Mead per prezzo d'un Libro di Disegni di Niccolò Pussini [illegible] — 50
9 Mag.o da d.o con Ordine al Banco di S. Spirito à favore della Sig.ra Marchesa Maria Isabella Soderini Massimi pagabili nelle Urgenze, che al presente tiene la Casa della Sig.ra Marchesa [illegible] al Battesimo [illegible] Massimo [illegible] — 300
11 d.o da d.o disse esatti dal Milord [illegible] per prezzo d'un vaso di Porfido [illegible] — 1000
16 Giug.o da d.o con Ordine à favore dell'Ill.ma Sig.ra March.a Maria Isabella Soderini [illegible] — 35

Fig. 9
Rome, Archives Massimo, vol. 407.

161
Altro Legato come sopra coll'arme in facciata della Casa Massimi filettata d'oro di fogli 150 carte intagliate [illegible] della Galleria di Giustiniani
Altro libro simile Parte seconda della med.a Galleria di fogli 168 carte intagliate con rame ambedue Coperti di Cordovano
Altro Legato come sopra più Largo con l'arme di Casa Massimi di fogli 133 Disegni Originali di Nicolò Pussino con [illegible] il Ritratto di d.o Autore Legato in Cordovano
Altro Legato alla francese di molte stampe [illegible] di diversi autori intagliate [illegible] famoso Mar. Ant.o [illegible] di Raffaelle in n.o 191 foglio con Arme della Casa Massimi
Altro [illegible] molte pitture [illegible] di S. Pietro stampate con Arme del Card. Massimi legato come sopra
Altro grande legato come sopra [illegible] con Arme della Casa in num. 31

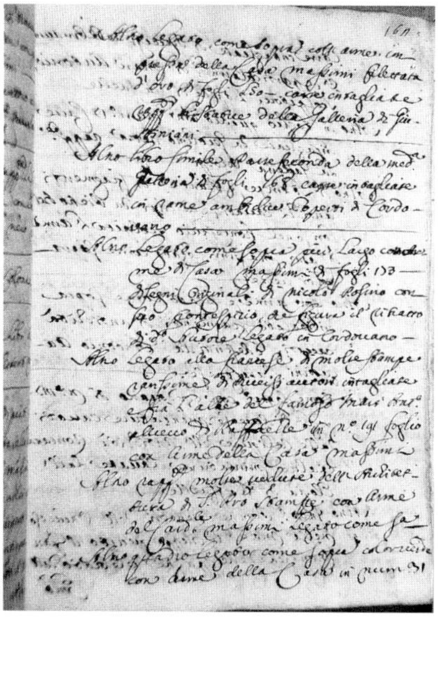

Fig. 10
Rome, Archives Massimo, vol. 347.

# Poussin et Velázquez

**Véronique Gerard-Powell**
Maître de conférences, université de Paris-IV
Sorbonne, Paris

Peut-on renouveler aujourd'hui l'essai qu'Enrique Lafuente Ferrari consacrait il y a trente-cinq ans aux « vies parallèles » de Poussin et Velázquez[1] ? Tout en notant quelques points de convergence entre les deux artistes, l'éminent savant espagnol avait surtout enrichi l'opposition traditionnelle d'une analyse approfondie de leurs conceptions artistiques et de leurs talents respectifs. Sans absolument mettre en question ces divergences fondamentales, il semble possible, en partant de faits plus concrets et grâce aux recherches récentes, de déceler quelques liens probables entre ces deux personnages d'exception qui vécurent trois ans dans la même ville, Rome. Velázquez y fit en effet deux séjours – d'abord en 1629-1630 puis en 1649-1651 – qui eurent une incidence considérable sur sa carrière et ses intérêts artistiques.

Lafuente Ferrari s'appuyait sur deux sources écrites pour étayer l'hypothèse de rapports tangibles : d'abord la fameuse commande des douze tableaux pour le roi d'Espagne – incluant *La Peste d'Asdod* de Poussin – citée par Sandrart[2], confiée à Velázquez par Preciado[3] et déjà mise en doute par Ceán Bermudez[4]. Le mensonge ou l'erreur du peintre allemand et du directeur de l'Académie espagnole de Rome sont maintenant patents[5]. Rappelons cependant qu'en 1627, une première commande de tableaux d'histoire avait déjà fait découvrir aux artistes de Rome les ambitions artistiques de Philippe IV et le rôle capital de son ambassadeur auprès du souverain pontife[6]. Rappelons aussi qu'en 1634, alors que Sandrart vivait à Rome, l'ambassadeur Castel Rodrigo s'occupait d'importants envois et commandes de tableaux, dont les premiers paysages avec des anachorètes pour le Buen Retiro[7]. Ce climat d'émulation né des commandes espagnoles, que suggère le texte de Sandrart, régnait donc effectivement à Rome depuis quelques années et dut se répercuter sur le premier séjour de Velázquez.

La seconde référence citée par Lafuente Ferrari mérite une certaine attention : dans le chapitre de son *Museo Pictórico,* qu'Antonio Palomino consacre à la vie de Diego Velázquez, il énumère quelques personnages qui ont *favorecido* (aidé, accueilli) le peintre de Philippe IV lors de son second passage à Rome ; après avoir cité plusieurs dignitaires ecclésiastiques, il écrit : « Il le fut aussi des plus excellents peintres comme le cavalier Matias, Pierre de Cortone, Monseigneur Poussin, le cavalier Alexandre Algarde, bolonais et le cavalier Gian Lorenzo Bernini, tous deux sculpteurs très célèbres[8]. » Cortone, l'Algarde et Bernin étaient effectivement alors impliqués dans la mission que Philippe IV avait confiée à Velázquez – trouver des décorateurs à fresque et des œuvres antiques – et dans d'autres commandes royales[9]. Mattia Preti ne travailla pas pour Philippe IV mais ses chemins purent à l'évidence croiser en 1650 ceux de l'Espagnol[10]. Pourquoi Palomino cite-t-il donc Poussin, pratiquement ignoré en Espagne au début du XVIIIe siècle ? Vu la fiabilité de la source, cette allusion n'est pas gratuite mais ne peut pas non plus reposer uniquement sur le fait que Poussin participa, vers 1637, à la seconde commande de paysages pour le Buen Retiro. Claude Gellée, qui vivait encore à Rome et avait joué un rôle beaucoup plus important dans cette entreprise, n'est pas cité. L'étude des liens qui purent se créer entre les deux hommes, en 1630 ou en 1650, permettra peut-être de justifier l'allusion de Palomino.

Fort peu documentée, la première visite de Velázquez à Rome se déroule de l'automne 1629 à l'automne 1630[11]. Les deux peintres découvrirent donc la ville pontificale au même âge, l'aube de la trentaine, mais leurs conditions d'existence étaient totalement différentes : l'Espagnol, qui ne recherche absolument pas une clientèle, est venu à Rome « pour voir les choses grandioses qui s'y trouvent » : ce sont en premier lieu les œuvres de Raphaël, de Michel-Ange qu'il dessine au Vatican mais aussi, comme l'a si bien démontré Enriquetta Harris, les antiques[12]. Cette sensibilité commune devait d'autant plus le rapprocher de Poussin que son premier mentor à Rome fut le cardinal Barberini. Peintre du Roi d'Espagne, muni de prestigieuses lettres de recommandation, Velázquez jouit en effet d'un statut exceptionnel qui le place *ipso facto* au-dessus des risques de rixes entre nationalités et lui permet de retrouver à Ferrare le cardinal Giulio Sacchetti qui avait été nonce en Espagne (1624-1625) et, à Rome, Francesco Barberini. Ce dernier s'était rendu, en tant que légat du pape, en Espagne en 1626, accompagné de Cassiano dal Pozzo; celui-ci a laissé le récit du voyage, décrivant les collections royales et madrilènes et jugeant « sévère et mélancolique » le portrait du cardinal que le jeune peintre du Roi avait alors fait pour lui[13]. L'entremise du cardinal, nous assure Pacheco, permet à Velázquez de loger d'abord au Vatican, dans le palais du Belvédère. Grâce à la protection du grand-duc, il s'installe ensuite, en avril 1630, à la Villa Médicis pour y jouir du bon air et y étudier la statuaire antique avant de redescendre près du palais de l'ambassadeur d'Espagne pour y soigner une fièvre[14]. Si le cadre de vie de nos deux peintres est donc bien différent, ils jouissent cependant tous les deux d'une liberté assez semblable dans leur vie artistique, l'un grâce à son statut, l'autre grâce à son éloignement volontaire des commandes officielles. Et tous deux ont évidemment accès aux collections Barberini.

Velázquez ne s'intéresse pas uniquement aux œuvres antiques et aux maîtres de la Renaissance : les deux seules toiles assurément liées à son séjour romain, *La Forge de Vulcain* (fig. 1) et, surtout, *La Tunique de Joseph présentée à Jacob* (fig. 2), sont des peintures d'histoire, d'un style complètement différent de ses réalisations précédentes dans ce domaine; sa première peinture d'histoire, *L'Expulsion des morisques par Philippe III* (1627, perdue), semble, d'après la description de Palomino, dépendre très fortement de *La Religion secourue par l'Espagne* du Titien (Madrid, Prado). Peint en 1628, *Le Triomphe de Bacchus,* dit *Los Borrachos* (Madrid, Prado), adopte une approche très naturaliste du thème et révèle des hésitations dans la construction de la scène.

Avant son départ, les collections royales venaient de s'enrichir de quelques réalisations italiennes contemporaines qui purent déjà susciter son intérêt : depuis l'automne 1628, *Salomon et la reine de Saba* du Dominiquin (perdu, dessins préparatoires à Windsor Castle) et *Hercule et Omphale* (perdu) d'Artemisia Gentileschi étaient accrochés dans le salon central de l'Alcazar de Madrid[15].

Pour expliquer ce profond changement de manière, survenu à Rome, les spécialistes ont suggéré tour à tour l'influence fort peu convaincante de Cortone – qui, comme le montrent les lettres de Velázquez à Malvezzi, ne l'intéressa qu'au moment du second séjour[16] –, de Reni, de Sacchi et, de façon beaucoup plus justifiée, celle du Dominiquin. Jamais celle de Poussin. Or, Velázquez connaissait évidemment, vu ses liens avec la maison Barberini et la renommée de l'œuvre, *La Mort de Germanicus* (fig. 3 ; cat. 18*); ce tableau a pu, me semble-t-il, être l'une des sources visuelles de *La Tunique de Joseph*[17].

Cette influence devait être encore plus sensible avant que le tableau ne soit coupé sur les deux côtés. Quoique en très mauvais état et connue seulement par une photographie (fig. 4), une copie ancienne nous permet de comprendre l'état original de l'œuvre[18] (Madrid, coll. part.). Qu'elle forme ou non une paire, du reste approximative eu égard aux dimensions originales des tableaux, avec *La Forge de Vulcain*, *La Tunique de Joseph* a été assurément peinte en Italie, sans entrer de façon certaine dans le cadre d'une commande précise : Palomino est certes le seul à l'affirmer mais l'utilisation d'une toile « italienne », à la trame assez lâche, fait exceptionnel chez Velázquez, le confirme également[19]. La différence évidente de format, d'échelle des personnages ne doit pas masquer certaines similitudes de goût entre les deux hommes, à cette époque très précise. On sait combien Poussin est, dans ses premières années romaines, sensible à la peinture vénitienne. De son côté, Velázquez, aidé d'ailleurs par Rubens, a déjà étudié en Espagne la manière de Titien ; mais son passage par Venise, au début de ce périple italien, est ici manifeste dans l'éclaircissement de la palette et le choix de certains coloris (qui ne sont pas sans rappeler *Le Mariage mystique de sainte Catherine* de Poussin, Édimbourg, National Gallery of Scotland). Les deux hommes partagent une même admiration, évidente dans certaines réalisations, pour l'œuvre du Dominiquin. On sait également qu'à partir de 1628, Poussin développe un style monumental dans des tableaux à grandes figures, qui le mènera vers la clarté et la justesse de ton dont on le fait le représentant par excellence mais qui caractérisent aussi ces deux toiles du peintre espagnol.

Sans pouvoir encore expliquer les raisons du choix précis du sujet et sans vouloir ici traiter de sa possible portée morale[20], rappelons d'abord que *La Tunique de Joseph* est le seul tableau d'histoire antique ou biblique de Velázquez. Il choisit là un thème rare qui avait cependant été peint à fresque au palais Barberini[21]. Par ce choix même, mais surtout par l'évident traitement des sentiments qui frappa tant les amateurs espagnols, au premier rang desquels le père Francisco de los Santos qui en fit une analyse approfondie, il s'inscrit d'emblée dans le climat esthétique romain de la fin des années 1620[22]. Plusieurs sources d'influences ont été proposées pour ce tableau : *La Cène* de Tintoret (Venise, San Rocco) que Velázquez venait de copier pour le dallage, le bois gravé de la même scène dans les *Icones Historicae Veteris et Novi Testamenti* de Bernard Salomon (Lyon, 1553) qui, effectivement, offre quelques similarités dans le nombre et la disposition des personnages ; en revanche, il faut rejeter l'hypothèse d'une influence du *Jugement de Salomon* de l'école de Rubens (Madrid, Prado) que Velázquez ne pouvait connaître[23].

Il me semble donc que *La Mort de Germanicus* puisse être l'une des sources visuelles du tableau espagnol : pour sa première composition architecturée, Velázquez reprend le même principe d'un encadrement latéral de colonnes et de pilastres (visibles sur la copie ancienne), alors que l'arrière-plan, qui paraît presque inachevé, ne soutient absolument pas le drame, à l'inverse de la perspective intérieure de Poussin. Disposés aussi en frise, sur une faible profondeur, les personnages, beaucoup moins nombreux que dans *La Mort de Germanicus*, évitant ainsi la confusion du nombre que Richardson reprocha à Poussin[24], sont entièrement conçus en fonction de l'expression de leurs sentiments, ce que Velázquez n'a jamais fait jusqu'à présent. Même si leur naturalisme est fort différent, certaines figures semblent directement inspirées du tableau Barberini. En premier lieu l'homme de gauche est bien plus proche du soldat qui ferme, à gauche aussi, la composition de Poussin qu'il ne l'est du bourreau, le dos tourné au centre du *Jugement de Salomon* de l'école de Rubens : son bras droit est certes davantage replié en hauteur et le bras gauche – qui tient le bâton comme celui du soldat tient l'enseigne – est tendu au lieu de se courber; mais c'est la même idée d'ensemble, traduisant le même sentiment de désespoir, peut-être feint chez Velázquez; la pose des jambes avec le talon gauche relevé est identique, la même attention est portée à la musculature du dos. Le berger au pagne rose prend la place du soldat casqué aux bras écartés, et l'éclat vénitien du rose fait écho au manteau rouge du soldat voisin, au premier plan : sa position de profil, avec la pose écartée de la jambe droite et l'épaule qui ressort, ne rappelle-t-elle pas celle de l'homme de gauche, vêtu d'une tunique bleue dans la première version des *Bergers d'Arcadie* (fig. 5) que Velázquez dut facilement connaître? On y retrouve le même traitement simplifié, un peu raide, de la jambe gauche dont le dessin traduit, chez Velázquez, les repentirs et les changements de technique caractéristiques de cette œuvre de « formation ». Le lent mouvement des poses, de dos, de profil et de face qui anime le groupe des soldats de Poussin est encore plus clair – et plus fort ici – puisqu'il n'est exprimé que par trois personnages, ce qui aurait plu à Richardson[25] ! Les deux personnages de face, esquissés dans un *non finito* que Velázquez reprendra souvent, sont certes présents sur la gravure de Bernard Salomon. Mais deux soldats, posés de face, traités plus légèrement, forment aussi la limite avec l'arrière-plan dans *La Mort de Germanicus*. L'émotion pathétique venant du groupe des femmes ne peut avoir d'équivalent dans le tableau espagnol et l'utilisation du rideau est beaucoup plus restreinte. Cependant, les yeux fixes, les bras ouverts de Jacob, qui tente de se relever, traduisent parfaitement sa surprise désespérée. La position des jambes du patriarche et les traits du visage, avec le nez droit et la longue barbe, suggèrent une autre source visuelle : la figure de *Pharaon recevant Moïse et Aaron* dans la fresque que Federico Zuccaro peignit en 1563 dans une salle du Belvédère (aujourd'hui musée Grégorien étrusque ; fig. 6) celle-là même qui servait de pièce principale à Velázquez dans le logement que lui avait procuré le cardinal Barberini. En nous donnant cette précision topographique et en faisant allusion à la gravure de Cort (dans le même sens, 1567), Francisco Pacheco nous révèle à demi-mot l'intérêt de son gendre pour ce décor[26].

Un autre élément du tableau nous permet peut-être de pousser plus loin ce rapprochement entre Poussin et Velázquez : le berger qui, de face, présente la chemise ensanglantée, esquisse avec ses deux bras disposés parallèlement, l'un partiellement caché par son compagnon, un geste qu'on ne trouve pas dans *La Mort de Germanicus*. Mais, dans le sarcophage romain datant du milieu du IIe siècle de notre ère représentant *La Mort de Méléagre* (fig. 7) – dessiné pour Cassiano – qui est l'une des sources du tableau de Poussin, un pleurant placé en arrière du lit esquisse le même geste, en tournant ses bras vers Athéna[27]. L'utilisation d'une source commune ouvre l'hypothèse de la possibilité de rapports directs entre les deux hommes[28]. Dans cette *Tunique de Joseph* qu'il rapporta en Espagne et vendit à Philippe IV en 1634, Velázquez crée donc, avec ses moyens stylistiques propres, un drame soutenu par l'expression des passions qui semble en partie redevable au grand modèle de Poussin.

Après son retour à Madrid, l'œuvre de Velázquez révèle une assimilation très personnelle, diffuse, des données italiennes, sans aucun souvenir direct de Poussin ou de Rome. Seule, peut-être, *La Reddition de Breda* (1634, Madrid, Prado) garde, dans son organisation, le souvenir d'une source visuelle jamais citée : *Le Combat des Horaces et des Curiaces* que peignit le Cavalier d'Arpin pour le palais des Conservateurs. Aucun témoignage ne nous permet d'avancer l'hypothèse d'une participation de Velázquez au choix des peintres – dont Poussin avec au moins un *Paysage avec saint Jérôme* (Madrid, Prado) – qui réalisèrent, à Rome, les deux séries de paysages avec anachorètes pour le palais du Buen Retiro[29]. Vu la datation logique des œuvres (1637-1638) ce choix revient probablement au marquis de Castel Rodrigo, ambassadeur d'Espagne à Rome et amateur éclairé.

C'est donc, nous l'avons vu plus haut, à propos du second séjour de Velázquez à Rome, de septembre 1649 à la fin de l'automne 1650 que Palomino mentionne « Monseigneur Poussin ». À l'inverse des autres artistes cités, Poussin n'est engagé dans aucune commande royale et, comme peuvent, entre autres, en témoigner les deux paysages de la Villa Médicis par Velázquez (Madrid, Prado), leurs préoccupations stylistiques divergent nettement. Cependant, le premier but de la mission de Velázquez – trouver des antiques, faire des moulages – a pu rapprocher les deux hommes. Sa connaissance de l'antique, peut-être formée au départ près des collections du duc d'Alcalá dans sa Casa de Pilatos à Séville, enrichie par le bon état des collections royales et surtout par le premier séjour à Rome, avait déjà permis à Velázquez d'intervenir dans une « querelle » à propos de bustes anciens[30]. Mais la mission est délicate, ralentie par les difficultés d'exportation, d'obtention de permissions pour la réalisation de moulages[31]. Malgré l'assistance de l'ambassadeur d'Espagne, le duc de l'Infantado, Velázquez dut rencontrer des difficultés semblables à celles qu'avait, quelques années plus tôt, affrontées Poussin pour satisfaire Chantelou[32]. Ces recherches le font pénétrer, de toute manière, dans le milieu « d'antiquaires » que fréquentait le peintre français et, en premier lieu, le lie d'une réelle amitié à l'un des derniers grands commanditaires du peintre français, Mgr Camillo Massimi, collectionneur d'antiques[33]. Probable élève de Poussin dont il acheta, avant le second séjour de Velázquez, un fameux ensemble de dessins (Windsor Castle), quelques toiles capitales et dont il reçut en 1664 *Apollon et Daphné* que le vieux peintre ne pouvait achever, il apparaît comme l'un des plus importants collectionneurs d'œuvres de l'artiste espagnol : son inventaire après décès (1677) cite six portraits dont deux, *Donna Olympia Pamphili* (perdu) et celui, direct et intime, de *Massimi* en habit bleu paon de camérier secret (voir fig. 1, p. 388) ont été réalisés à Rome[34]. Les autres datent certainement du voyage de Massimi, nommé nonce, à la cour d'Espagne en 1654. Les liens étroits que cet amateur semble avoir entretenus avec le peintre français comme avec le peintre espagnol n'ont pu que favoriser les rapports entre deux artistes alors engagés dans des voies stylistiques bien différentes.

Alors que Velázquez réalise à Rome quelques-uns des portraits (*Juan de Pareja*, New York, The Metropolitan Museum; *Innocent X*, Rome, Galleria Doria Pamphili) les plus importants de sa carrière, vivement loués par la critique locale, Poussin vient d'achever son autoportrait pour Pointel (1649, Berlin) et travaille à celui que lui a demandé Chantelou[35] (voir fig. 2, p. 93 ; cat. 190). Deux conceptions s'opposent apparemment : le primat du naturel, de la traduction de la vie chez l'Espagnol, une élaboration lente et contrôlée, reflet de son approche intellectuelle de la peinture chez le Français. Cependant, six ans plus tard, lorsque Velázquez réalise *Les Ménines*[36] (fig. 8), il s'aventure pour la première fois, et de manière combien magistrale dans ce même domaine de la peinture « d'Idée » ; dans cette œuvre, où l'autoportrait de l'artiste dans son atelier occupe une place capitale, il reprend clairement quelques-uns des concepts de l'*Autoportrait* Chantelou de Poussin. En matière d'autoportrait, la tradition espagnole ne lui offrait aucun exemple de réflexion, de mise en scène, mais les collections royales abritaient le magnifique modèle de Van Eyck dans *Les Époux Arnolfini* (Londres, National Gallery) dont il tira grand parti[37]. Sans nous aventurer dans les lectures complexes et parfois hasardeuses de ces deux tableaux, notons quelques parallèles entre Poussin et Velázquez[38] : d'abord, l'idée de défense et d'illustration du métier de peintre : quelques châssis retournés suffisent à Poussin pour suggérer l'atelier, Velázquez nous en rend matériellement le volume, l'éclairage. Poussin a revêtu la toge, symbole de la dignité de son métier et rappel de celle que portait toujours le peintre Famulus; Velázquez porte sur son habit de cour les insignes de sa fonction (la clef du Mayordomo mayor) et y rajoutera en 1658, la croix de l'ordre de Santiago. Vient ensuite le mystère de la peinture, l'illusion de la peinture qui crée un véritable rapport formel entre les deux œuvres : Poussin l'évoque par la toile vide, Velázquez par l'immense châssis retourné masquant le sujet de son travail (fig. 9). L'allégorie de la peinture et de l'amitié si matérialisée par quelques indices symboliques (l'allégorie féminine, le diamant) dans l'*Autoportrait* pour Chantelou est diffuse mais capitale dans *Les Ménines* : c'est la présence presque mystérieuse du couple royal, dans ce miroir qui bouleverse la réalité tangible de l'atelier, c'est ce portrait volé au vieux roi que Velázquez sert depuis plus de trente ans, c'est cette scène de cour soumise à l'idée du peintre. Les éléments essentiels de la philosophie de l'*Autoportrait* de Poussin sont au cœur de la conception des *Ménines*. Alors que son roi lui interdisait de retourner une nouvelle fois à Rome, Velázquez s'est-il souvenu, au moment de réaliser cette « Théologie de la Peinture » de la réflexion picturale de Poussin?

## Notes

* Les références mentionnées ainsi renvoient au catalogue d'exposition du Grand Palais, Paris, 1994-1995.

1. E. Lafuente Ferrari (1960), 1963, pp. 35-49.

2. J. von Sandrart, *Academie der Bau-, Bild- und Mahlerey-Künste von 1675*, ed. A. R. Peltzer, Munich, 1925, pp. 27-30.

3. F. Preciado de la Vega, *Arcadia Pictórica en sueño*, Madrid, 1789, p. 192; cité dans *varia Velazqueña*, II, Madrid, 1960, p. 155.

4. J. A. Ceán Bermudez, *Diccionario Histórico de los más ilustres profesores de las Bellas Artes en España*, V, Madrid, 1800, p. 171.

5. J. Costello, « The twelve pictures ordered by Velazquez ant the trial of Valguarnera », *Journal of the Warburg and Courtauld Institutes*, 1950, pp. 237-284; Maria Teresa Dirani, « Mecenati, Pittori e mercato dell'Arte nel Seicento... », *Ricerche di Storia dell'Arte*, 16, 1982, pp. 83-94. Dernier état de la recherche, soulignant combien la question semble insoluble, dans le catalogue de l'exposition *Roma 1630, Il triunfo del penello,* Villa Médicis, Rome, 1994.

6. V. Gerard, « Philip IV's Early Italian Commissions », *Oxford Art Journal*, vol. V, 1981, 1, pp. 9-14.

7. La question est reprise par E. Harris, « G. B. Crescenzi, Velázquez and the Italian' Landscape », *The Burlington Magazine*, 1980, pp. 561-563; J. J. Luna, *Claudio de Lorena y el ideal clasico de paisaje en el siglo XVII*, Museo del Prado, 1984, pp. 31-43; et J. Brown et J. H. Elliott, « The marquis of Castel Rodrigo and the Landscape painting in the Buen Retiro », *The Burlington Magazine*, 1987, pp. 104-107.

8. A. Palomino, *El Museo pictórico y escala óptica*, III, (1724), ed. Aguilar, Madrid, 1947, p. 912 : « *Volvio a Roma donde fué muy favorecido del cardenal Patron Astali Panfilio romano, sobrino el Papa Inocencio Décimo, y del Cardenal Antonio Barberino, del Abad Pereti, del Principe Ludovisio, y de monseñor Camilo Maximo, y de otros muchos señores; como tambien de los mas excelentes pintores, como el caballero Matias, del Habito de San Juan, de Pedro de Cortona, de monseñor Pusino y del caballero Alejandro Algardi bolonés, y del caballero Juan Lorenzo Bernini, ambos estatuarios famosisimos.* » Cette phrase a été relevée par Jacques Thuillier, « Sur un silence de Roger de Piles », *Actes du colloque Velázquez, son temps, son influence*, Casa de Velázquez, Madrid, 1960, Paris, 1963, n. 7, p. 78.

9. Voir E. Harris, « La mision de Velázquez en Italia », *Archivo Español de Arte*, XXXIII, 1960, pp. 109-192; J. L. Colomer, « Dar a Su Majestad algo bueno; four letters from Velázquez to Virgilio Malvezzi », *The Burlington Magazine*, 1993, pp. 67-72; J. L. Colomer et E. Harris, « Two letters from Camillo Massimi to Diego Velázquez », *The Burlington Magazine*, 1994, pp. 545-548.

10. *Civiltá del Seicento a Napoli*, catalogue de l'exposition, Capodimonte, Naples, 1984-1985, I, pp. 167-168.

11. La source essentielle en est toujours le récit de Francisco Pacheco, beau-père de Velázquez, *Arte de la Pintura* (1638), ed. Madrid, 1956, I, pp. 158-161 et ed. Bonaventura Bassegoda i Hugas, Catedra, Madrid, 1990, pp. 206-210. La présentation la plus approfondie de ce voyage se trouve dans E. Harris, *Velázquez*, Oxford, 1982, pp. 75-85.

12. E. Harris, *op. cit.* n. 11, pp. 76-84.

13. Bibliothèque Vaticane, Ms. Barb. Lat. 5689, fol. 133. Les rapports entre Velázquez et Cassiano ont été étudiés par E. Harris, « Cassiano dal Pozzo on Diego Velazquez », *The Burlington Magazine*, 1970, pp. 364-373.

14. Depuis le colloque, Geneviève et Olivier Michel ont trouvé un acte par lequel Poussin loue en 1630, au prix fort, la « maison Mannara » à *« maestro Diego pittore spagnolo »*, ce qui constitue une première preuve matérielle de leurs rapports. Voir G. et O. Michel, « Nicolas Poussin et la maison Mannara », *Gazette des Beaux-Arts,* mai-juin 1996, pp. 213-220.

15. Voir n. 6. Ces œuvres faisaient partie de la première commande italienne de Philippe IV (1627) qui, au départ, comptait aussi *L'Enlèvement d'Hélène* (Paris, Louvre) de Guido Reni.

16. J. L. Colomer, *op. cit.* n. 9, p. 70.

17. Sur le tableau et sa fortune, voir essentiellement P. Rosenberg et N. Butor, cat. exp., Paris, Louvre, 1973; la notice du tableau dans cat. exp., Paris, Grand Palais, 1994-1995, pp. 156-160; voir cat. exp., Rome, 1994-1995, pp. 62-63.

18. D. Angulo Iñíguez, « Velázquez : retrato del Conde Duque de Olivares. "La Tunica de José" », *Archivo Español de Arte*, n° 201, 1978, p. 84. La partie supérieure de cette copie a été coupée.

19. A. Palomino, *op. cit.* n. 8, p. 903; C. Garrido Pérez, *Velázquez. Tecnica y evolución*, Madrid, Museo del Prado, 1992, pp. 120-122.

20. Sur cette question, voir notamment K. Justi, *Velázquez und sein Jahrhundert*, Bonn, 1903 (trad. esp. *Velázquez y su siglo*, Madrid, 1950, p. 300) et J. Gallego, *Velázquez*, catalogue d'exposition, Madrid, 1990, p. 172.

21. J. Beldon Scott, *Images of Nepotism. The Painted Ceilings of Palazzo Barberini*, Princeton University Press, 1991, p. 23.

22. F. de los Santos, *Descipción breve del Monasterio de San Lorenzo el Real del Escorial*, 2° ed., Madrid, 1668, fol. 80; repris dans *varia Velazqueña*, II, Madrid, 1960, pp. 63-65.

23. Sources d'influence proposées par M. Soria, « Some Flemish Sources of Baroque painting in Spain », *The Art Bulletin*, 1948, pp. 249-259; pour le rejet du tableau de Rubens, voir M. Díaz Padrón, *Escuela Flamenca, siglo XVII,* Museo del Prado, catálogo de pinturas, I, Madrid, 1975, p. 341.

24. Voir cat. exp., Paris, Grand Palais, 1994-1995, p. 159.

25. Francisco de Los Santos souligne ce mouvement dans son commentaire : *« Uno se ve de frente, otro de medio lado, otro de espaldas y las muestra desnudas, con tal arte y disposición que puede ser ejemplo para la Notomía »* (« L'on voit l'un de face, l'autre de profil, le troisième de dos, et ces corps nus sont d'un art tel et dans de telles dispositions que ce pourrait être un exemple d'anatomie »), *op. cit.* n. 21, p. 64.

26. Un dessin préparatoire de cette fresque est conservé au Louvre : R. Gere, *Dessins de Taddeo et Federico Zuccaro,* Paris, Louvre, 1969, n° 45 p. 44.; F. Pacheco, *op. cit.* n. 11, ed. Bassegoda qui publie la gravure, p. 207.

27. Ph. Pray Bober-R. Rubinstein, *Renaissance artists and Antique sculpture*, Londres, 1986, n° 115.

28. Un détail qui n'est peut-être que fortuit : la présence près de Jacob d'un chien (le premier dans l'œuvre de Velázquez) qui réagit au

drame fait écho au chien qui – dans la tapisserie de *La Mort de Constantin* d'après Rubens, offerte par Louis XIII à Barberini et autre source du tableau de Poussin – pleure son maître. Stirling avait vu dans la collection Madrazo de Madrid une version du tableau de l'Escorial avec le chien endormi (W. Stirling-Maxwell, *Velázquez and its Works*, Londres, 1855).

29. Voir n. 7.

30. E. Harris, « Velázquez and Charles I. Antique Busts and Modern Paintings from Spain for the Royal Collection », *Journal of The Warburg and Courtauld Institutes*, 30, pp. 414-419.

31. Le meilleur état de la question sur ce second séjour et les achats d'antiques demeure celui d'E. Harris, « La misión de Velázquez en Italia », *Archivo Español de Arte*, XXXIII, 1960, pp. 109-136.

32. Blunt, 1964, Lettre du 12 novembre 1645, p. 120.

33. Sur Poussin et Massimi, Blunt, 1965, p. 67; et communication de T. Standring dans ce volume.

34. E. Harris, « Velázquez's Portrait of Camillo Massimi », *The Burlington Magazine,* 1958, pp. 279-280; E. Harris, « A letter from Velázquez to Camillo Massimi », *The Burlington Magazine,* 1960, pp. 162-66; E. Harris et H. Lank, « The cleaning of Velázquez's portrait of Camillo Massimi », *The Burlington Magazine*, 1983, pp. 410-415.

35. Présentation de la bibliographie et analyse claire des œuvres dans cat. exp. Paris, Grand Palais, 1994-1995, pp. 425-430.

36. Parmi l'abondante bibliographie, voir J. Brown, *Velázquez, Painter and Courtier,* Yale University Press, 1986, pp. 253-264 et V. I. Stoichita, « Imago Regis : Kunsttheorie und königliches Porträt in den Meninas von Velázquez », *Zeitschrift für Kunstgeschichte*, 2, 1986, pp. 165-189.

37. E. Harris, *op. cit.* n. 11, p. 174.

38. Le gros article de W. Kemp « Teleologie der Malerei, Selbstporträt und Zukunfstreflexion bei Poussin und Velázquez », dans *Der Künstler über sich in seinem Werk*, Internationales Symposium der Bibliotheca Hertziana, Rome, 1989, Acta Humaniora, 1990, fait une analyse de la démarche intellectuelle caractéristique de chaque œuvre mais ne s'intéresse pas à une possible relation directe entre elles.

Fig. 1
Diego Velázquez (1599-1660)
*La Forge de Vulcain*
vers 1630
Toile, 2,23 x 2,90 m
Madrid, musée du Prado.

Fig. 2
Diego Velázquez (1599-1660)
*La Tunique de Joseph*, 1630
Toile, 2,17 x 2,85 m
El Escorial, Nuevos Museos.

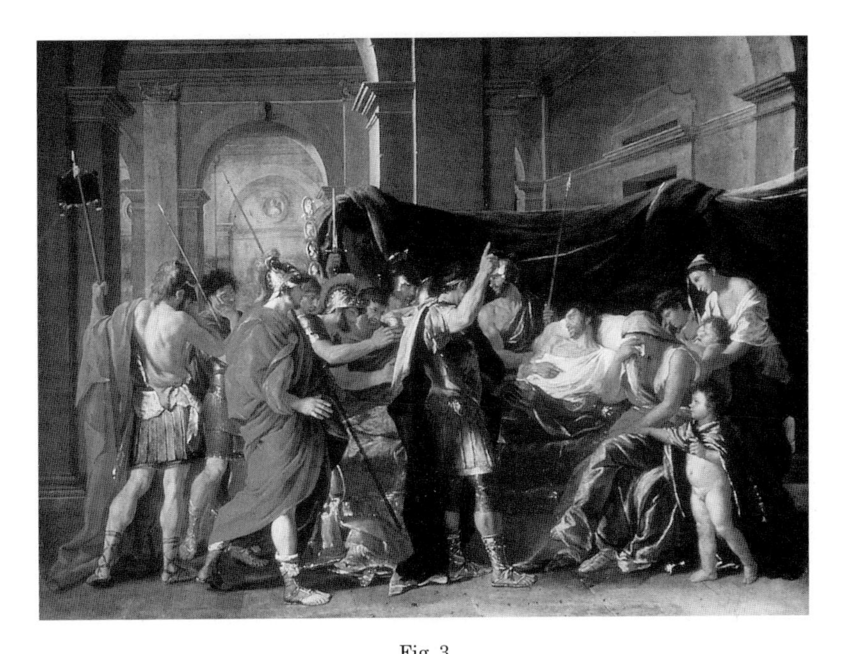

Fig. 3
Nicolas Poussin
*La Mort de Germanicus*, 1627-1628
Toile, 1,48 x 1,98 m
Minneapolis, The Minneapolis Institute of Arts, The William Hood Dunwoody Fund.

Fig. 4
Copie ancienne de Diego Velázquez
*La Tunique de Joseph*
Toile, 1,70 x 3,25 m
Madrid, collection particulière.

Fig. 5
Nicolas Poussin
*Les Bergers d'Arcadie*
vers 1628-1629
Toile, 1,01 x 0,82 m
Chatsworth, The Duke of Devonshire and the Chatsworth Settlement Trustees.

Fig. 6
Federico Zuccaro (1540-1609)
*Pharaon recevant Moïse et Aaron,* 1563
Fresque
Vatican, palais du Belvédère.

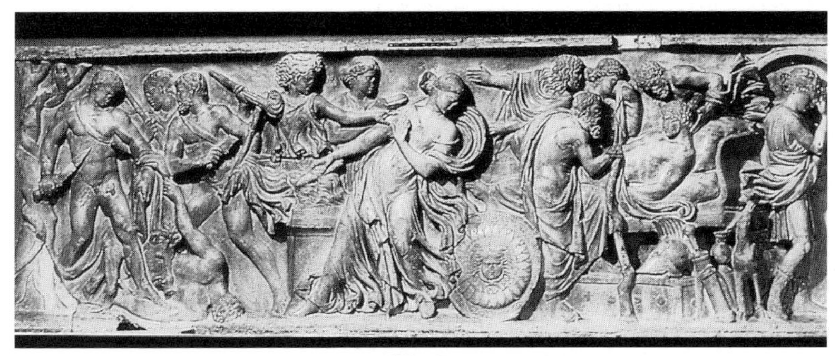

Fig. 7
Sarcophage romain
*Mort de Méléagre*
milieu du IIe siècle après J.-C.
Wilton House (Wiltshire).

Fig. 8
Diego Velázquez (1599-1660)
*Les Ménines*
1656
Toile, 3,18 x 2,76 m
Madrid, musée du Prado.

Fig. 9
Détail des *Ménines*.

# 3e partie

# PROBLÈMES D'ICONOGRAPHIE

# Poussin et la sculpture antique. Le thème du dieu-fleuve

**Ruth Rubinstein**
Chargée de recherche au Warburg Institute, Londres

*Traduit de l'anglais par Jeanne Bouniort*

*À Ernst et Ilse Gombrich*

Les dieux-fleuves interviennent de deux manières différentes dans les œuvres de Poussin. Soit le dieu-fleuve est une présence dans un paysage, qui observe la scène sans y participer et à l'insu des protagonistes, soit il a une identité précise et un rôle actif à jouer dans l'épisode représenté par Poussin. On le rencontre dans une bonne vingtaine de tableaux de l'artiste, sans compter les dessins. Le manque de place m'oblige donc à choisir un petit nombre de peintures pour illustrer quelques réflexions générales en rapport avec certaines des sources d'inspiration que l'artiste a trouvées dans la statuaire antique. Nous verrons ensuite la tradition liée au motif du dieu-fleuve, dont Poussin est l'héritier. Enfin, j'évoquerai le mystère du sphinx et le Nil dans le *Moïse exposé sur les eaux* conservé à l'Ashmolean Museum d'Oxford (cat. 221*).

Voyons d'abord deux exemples opposés d'utilisation du motif, fournis par des peintures ayant appartenu au cardinal Massimi. Dans l'allégorie des *Bergers d'Arcadie* de Chatsworth (voir fig. 2 p. 388; cat. 11), où les pâtres déchiffrent l'inscription « *Et in Arcadia Ego* » sur une tombe, le dieu-fleuve[1] occupe une place importante au premier plan à droite. Pourtant, il se contente de verser l'eau de son urne et n'a aucune relation avec les personnages, qui ne le voient pas. C'est un *genius loci* qui habite pour l'éternité un lieu où les protagonistes ne font que passer. Sa présence confère plus de gravité au tableau et introduit une dimension intemporelle. Ce dieu de la nature est là depuis bien plus longtemps que l'inscription antique sur la tombe.

L'autre peinture est au Metropolitan Museum of Art. Il s'agit de *Midas se lavant dans le Pactole* (voir fig. 4, p. 223; cat. 10), où le dieu joue un rôle actif, comme c'est souvent le cas lorsqu'il personnifie un fleuve bien déterminé dans les récits mythologiques d'Ovide et Philostrate ou dans *La Jérusalem délivrée* du Tasse. Le Pactole, là aussi au premier plan, le dos tourné au spectateur et occupé à verser l'eau de son urne, participe à l'action représentée, contrairement au dieu-fleuve de la peinture précédente. En versant de l'eau, il aide Midas à se nettoyer de l'or en quoi se transforme tout ce qu'il touche, y compris sa nourriture[2].

Au sujet des dieux-fleuves de Poussin, plutôt que de se demander comment l'artiste a transformé les sculptures antiques dont il s'est inspiré à travers les œuvres de Raphaël et autres, pour en offrir des interprétations créatives, il me semble plus important de voir comment il les a présentés dans ses tableaux. De manière générale, on peut dire que les dieux-fleuves de Poussin sont tellement omniprésents dans certains types de compositions qu'ils en sont devenus invisibles pour les commentateurs. Il y a une exception : Loménie de Brienne (né en 1635), qui connaissait Poussin, collectionnait ses peintures et leur a consacré des textes après la mort de l'artiste, en 1693-1695[3]. Loménie de Brienne déplore la présence de ces dieux qui ne servent, selon lui, qu'à indiquer un lieu. On n'a pas besoin d'une figuration du Nil, explique-t-il, pour savoir que telle ou telle scène se passe en Égypte. L'exemple qu'il cite correspond apparemment au *Moïse sauvé des eaux* du Louvre (fig. 1; cat. 92), mais il songe peut-être au *Moïse exposé sur les eaux* de Dresde, comportant une des premières figurations du Nil peintes par Poussin (« il y a encore un grand fleuve qui ne me plaist guère[4] »), ou encore au *Jeune Pyrrhus sauvé* du Louvre (fig. 2; cat. 51) :

« Je n'aime pas les figures de fleuves dans les tableaux, c'est un écriteau que le peintre y met afin de se faire mieux entendre. [...] Pourquoi me dire que c'est là le Nil quand je le vois [...]. Pour la même raison je condamne le fleuve des Mégariens et tous les autres dont le Poussin n'a que trop rempli ses tableaux. Ces fleuves n'ajoutent rien au sujet. Je vois un fleuve de mes yeux et on me dit *c'est un fleuve*. A quoi bon cela[5]? »

Or, nous savons que Poussin méditait chaque détail dans ses tableaux, ne laissait rien au hasard et respectait les usages antiques tels qu'il les imaginait. Nous pouvons donc partir du principe qu'il n'a certainement pas introduit les dieux-fleuves dans ses tableaux pour des raisons purement décoratives ou topographiques.

D'où viennent ces dieux? Le dieu-fleuve barbu magnifiquement charpenté, plein d'énergie rentrée, couché près de sa source, appuyé sur son urne ou paresseusement allongé sur la rive avec une couronne de feuilles sur la tête[6], est un personnage que l'on ne voit jamais incarner un fleuve dans l'art du Quattrocento[7].

La redécouverte des dieux-fleuves dans les arts plastiques a commencé à Rome, peu après 1512, lorsque la statue colossale du *Tibre*, récemment mise au jour, a pu être identifiée grâce à ses attributs : la louve allaitant les jumeaux Romulus et Rémus, comme nous pouvons le voir dans la gravure de François Perrier, publiée en 1638[8] (fig. 3). Peu après, on a retrouvé au même endroit un dieu *Nil* en marbre, identifié lui aussi grâce à ses attributs, le sphinx et, surtout, des restes des seize enfants représentant le nombre de coudées que le fleuve devait gagner en hauteur pour inonder la campagne environnante et fertiliser les sols (fig. 4). Cette dernière statue correspondait parfaitement avec la description donnée par Pline l'Ancien[9]. L'identification de ces statues du *Tibre* et du *Nil* a permit de reconnaître enfin les représentations analogues dans les statues et bas-reliefs antiques visibles à Rome; elles ont stimulé un renouveau d'une tradition iconographique ancienne, qui s'était perdue[10].

Les dieux-fleuves romains les plus à même de séduire Poussin, avec leur *contrapposto* quasi baroque et leur grâce majestueuse, se trouvaient au Belvédère : le *Tibre* et le *Nil* déjà cités[11], mais aussi le *Tigre*[12] (fig. 5), que l'on avait restauré en lui donnant une tête moderne, à l'expression profondément inquiète, qui l'assimilait à l'*Arno* florentin. Le dieu-fleuve Ladon exprime peut-être une inquiétude assez comparable dans le *Pan et Syrinx*[13] dont Poussin disait qu'il l'avait « peint avec tendresse. Le sujet le vouloit ainsi[14] ».

L'artiste s'est inspiré de l'attitude du *Nil* et du *Tibre* du Belvédère pour certains de ses dieux-fleuves. La pose apparemment naturelle, mais en réalité fort difficile à tenir pour tout autre qu'un dieu-fleuve, consistant à plaquer au sol une jambe fléchie, est celle qu'adopte le Nil dans le *Moïse sauvé des eaux* de 1647, actuellement au Louvre (fig. 6; cat. 159). Poussin les assoit parfois plus confortablement, genoux pliés, comme dans *Armide emportant Renaud*[15].

Les biographes de Poussin nous apprennent qu'il a copié les statues antiques du Belvédère peu après son arrivée à Rome, en compagnie d'un sculpteur (Duquesnoy ou Algardi), et que les deux camarades ont dessiné ou modelé dans la cire des réductions de l'*Apollon du Belvédère*, du *Laocoon* et du pseudo-*Antinoüs*, ou *Mercure*, mais il n'y a aucune allusion précise aux dieux-fleuves[16].

Félibien rapporte que Poussin se bornait à faire quelques esquisses rapides devant les antiques. « Mais il considérait attentivement ce qu'il voyait de plus beau et s'en imprimait de fortes images dans l'esprit, disant souvent que c'est en observant les choses qu'un peintre devient habile, plutôt qu'en se fatiguant à les copier[17]. »

Comme pour d'autres grands artistes attentifs à l'art antique, tels Donatello, Mantegna, Michel-Ange ou Raphaël, la faculté d'« imprimer de fortes images dans l'esprit » s'est sûrement avérée beaucoup plus utile que la consultation de copies fidèles dans la démarche créatrice de Poussin et pourrait expliquer pourquoi il a transformé les poses de certains de ses modèles antiques, dont il n'a pas changé les proportions enregistrées dans sa mémoire. Les dessins d'après l'antique attribués à Poussin prouvent qu'il a aussi consigné ses impressions par ce moyen[18]. On peut observer la transformation opérée à partir d'un dessin de Chantilly[19], représentant un sarcophage à l'effigie d'Endymion conservé au palais Rospigliosi[20], dont la figure devient celle de Renaud dans le *Renaud et Armide* de Moscou[21]. Le dieu-fleuve Oronte y joue un rôle particulièrement actif, pleinement justifié par le chant XIX de *La Jérusalem délivrée* du Tasse.

Outre les statues antiques, une source d'inspiration importante pour les dieux-fleuves de Poussin réside dans les reliefs de sarcophages à thèmes mythologiques, alors visibles dans les églises et les collections d'antiques à Rome. Ces bas-reliefs montrent des dieux-fleuves couchés ou assis au premier plan, qui observent la scène sans y prendre part[22]. Il y en a notamment sur le sarcophage du *Jugement de Pâris*[23] que Poussin a pu voir à la Villa Médicis, et qui figure dans un dessin perdu de Raphaël, gravé par Marcantonio Raimondi, dont il s'est peut-être inspiré pour son *Mars et Vénus* de Boston (cat. 23 ; le dieu-fleuve pensif sur la droite a pour ancêtre une nymphe de la composition gravée).

Quand Poussin transforme ses modèles pour élaborer un langage antique tout personnel, il se conforme aux conventions assimilées grâce à l'observation attentive de nombreuses œuvres du passé classique. Les dessins d'après l'antique rassemblés dans le *Museo cartaceo* de Cassiano dal Pozzo, auquel Poussin a peut-être contribué, ont dû lui rendre de précieux services à cet égard. Parmi eux, un grand nombre représentent des bas-reliefs de sarcophages romains où des dieux-fleuves contemplent passivement l'action.

Ce motif fait son apparition dans l'art du Cinquecento avec Raphaël, qui, peu après la mise au jour des statues du *Nil* et du *Tibre*, introduit des dieux-fleuves étendus au premier plan des bordures dans ses cartons de tapisseries illustrant l'*Histoire des Médicis*[24] (fig. 7). Vasari ne tarde pas à suivre son exemple dans ses décorations pour le Palazzo Vecchio réalisées par lui et par son équipe, où l'on note la présence de Giovanni Stradano[25] (fig. 8). La tradition se poursuit au XVIIe siècle, où elle connaît d'innombrables variantes. En témoignent deux exemples aussi différents que la figure du Tigre dans les *Quatre fleuves* de Rubens et celle du Nil dans la fontaine de Bernin pour la Piazza Navona[26].

L'emploi de ce motif pour symboliser un cours d'eau avec toute l'exactitude topographique voulue dans un contexte historique officiel devient complètement saugrenu dans une composition de Justus Sustermans (fig. 9), peintre flamand établi à la cour des Médicis. C'est une esquisse à l'huile, exécutée vers 1629, pour une immense toile destinée au palais Pitti[27]. La peinture, encore dans le droit fil de Vasari, montre un Arno entièrement nu au premier plan, accompagné du lion florentin (Marzocco) et d'une allégorie de la Toscane, tandis que les sénateurs florentins sobrement vêtus rendent hommage au grand-duc Ferdinand de Médicis.

Poussin ne se préoccupe nullement de cette tradition vasarienne, car il est en dehors de ce genre de propagande politique. À ses yeux, l'endroit idéal pour un dieu-fleuve est une scène bucolique comme la décrit Ovide. On peut citer, entre autres exemples, le merveilleux *Paysage avec un dieu-fleuve* en dépôt au Metropolitan Museum of Art[28], qui formait avec le *Vénus et Adonis* de Montpellier un seul et même tableau, peint pour Cassiano dal Pozzo[29].

Poussin, dont on connaît la théorie sur les modes en peinture, avait des idées bien arrêtées sur les sujets appropriés aux dieux-fleuves. Elles s'appuyaient peut-être sur les enseignements tirés de l'observation des sarcophages romains à thèmes mythologiques[30]. Contrairement à ceux de Vasari et de Rubens, les dieux-fleuves de Poussin se tiennent à l'écart des batailles, attroupements, vacarmes, foules et cérémonies religieuses ou civiles. Seul l'un d'eux est allongé devant un *Triomphe de Bacchus*[31], auquel les dieux-fleuves n'assistent jamais dans l'art antique. En ce qui concerne les scènes de l'Ancien Testament, on ne rencontre le dieu Nil que dans deux sortes de sujets, *Moïse exposé sur les eaux* et *Moïse sauvé des eaux*. Quant aux illustrations du Nouveau Testament, Poussin aurait jugé inconcevable d'y faire figurer un dieu-fleuve[32].

L'exemple le plus complexe est fourni par le *Moïse exposé sur les eaux* de l'Ashmolean Museum, une peinture tardive exécutée en 1654[33] (fig. 10). Dans l'histoire de Moïse, cet épisode précède de peu le sauvetage par la fille de Pharaon. Ici, le Nil et son sphinx, ainsi que les deux arbres où sont accrochés l'arc, les flèches, la syrinx et les cymbales, semblent particulièrement mystérieux. Poussin a choisi la version relatée par Flavius Josèphe[34], qui brode sur l'Exode.

Pharaon, roi d'Égypte, a rêvé qu'un enfant juif allait le renverser et gouverner son pays. Il décrète que tous les bébés juifs de sexe masculin seront noyés dans le Nil à leur naissance. Les espions du roi doivent signaler les femmes enceintes, mais la grossesse de Jocabed, mère de Moïse, passe totalement inaperçue. L'enfant naît tranquillement et ses parents le cachent pendant trois mois. Puis, comprenant le danger de la situation, ils l'exposent à son sort sur le Nil.

Poussin a représenté le moment où Jocabed dépose sur les eaux calmes du Nil son fils placé dans un berceau imperméable. Elle ne peut réprimer un gémissement de douleur à l'idée d'abandonner un si beau bébé. C'est John Whiteley qui a attiré mon attention sur le cri plaintif de la mère, encore souligné par son reflet dans l'eau, où elle apparaît de profil, bouche ouverte. Jusqu'à cet instant, la famille s'est approchée du fleuve de manière tellement silencieuse, dans le petit matin, que le Nil et son sphinx ne s'étaient aperçus de rien. Miriam, la sœur de Moïse, a le réflexe de se mettre un doigt sur les lèvres, dans un geste qui rappelle celui d'Harpocrate, comme le remarque Charles Dempsey[35]. De l'autre doigt, elle désigne prophétiquement le palais de Pharaon[36] en forme de château Saint-Ange, d'où viennent de sortir la princesse et ses compagnes. Le père de Moïse, Amran, s'éloigne dignement, les yeux baissés, drapé dans sa tristesse. Son petit garçon, Aaron, le suit, mais ne peut s'empêcher de se retourner en entendant le cri de sa mère. Une lumière forte tombe sur eux, tandis que le promontoire où se tient le dieu Nil reste dans l'ombre, hormis les fleurs, l'arc, les flèches et le carquois doucement éclairés.

Le Nil et le sphinx reposent devant un gros bac à fleurs en pierre (fig. 11). Il s'agit en fait d'un nilomètre, sorte de puits destiné à indiquer le niveau du Nil afin de prédire la date de la prochaine crue[37]. Il est garni des mêmes petites fleurs, genre *impatiens*, que la couronne et la corne d'abondance du Nil. Le dieu Nil, souvent appuyé sur son sphinx dans la statuaire antique, l'entoure ici de son bras. C'est en réalité une sphinge, qui regarde droit devant elle et nous présente son profil. Elle a le « visage de vierge » et la robe de lion (d'un brun légèrement plus foncé et plus roux que la peau du Nil) décrits par Pline, comme le rapporte Vincenzo Cartari, auteur, au XVIe siècle, d'un traité de mythologie abondamment utilisé par les artistes, et en particulier par Poussin, sans doute dans la traduction française parue en 1623[38]. Le corps léonin de la sphinge est nettement plus décontracté que celui des sphinx de l'Égypte ancienne, généralement figurés de profil dans une pose raide. Sa physionomie virginale exprime le plaisir du contact intime avec le

Nil. Les reflets dans l'eau donnent à voir une étreinte encore plus serrée que sur la terre ferme. À vrai dire, les deux silhouettes fusionnent en un seul et même personnage[39]. La sphinge a légèrement basculé sur le côté, de sorte que l'on voit aussi ses pattes de derrière, y compris le dessous de la patte gauche. Quand le Nil se tourne brusquement vers l'endroit d'où vient le cri, son pouce s'immobilise au-dessus des pattes antérieures de la sphinge, comme dans une caresse interrompue.

Poussin s'était déjà intéressé aux sphinx en 1641, lorsqu'il avait réalisé à Paris un frontispice de la Bible, gravé par Claude Mellan[40] (fig. 12). Il précisait dans une lettre à Chantelou, le 3 août 1641, qu'il avait figuré Dieu le père entre l'Histoire et la Prophétie, cette dernière tenant une Bible. Et, ajoutait-il, « le sphinx qui est dessus ne représente autre [*sic*] que l'obscurité des choses énigmatiques[41] ».

Bellori note dans son commentaire de *Moïse exposé sur les eaux* : « [...] *su la sponda è figurato il fiume Nilo a giacere abbracciato alla sfinge, simbolo dell Egitto.* » Mais ni ses remarques, ni celles de Poussin ne peuvent expliquer la singulière intimité constatée ici entre le Nil et le sphinx.

Sir Ernst Gombrich m'a demandé dernièrement si Poussin connaissait l'érudit jésuite allemand Athanasius Kircher[42]. Sa question m'a renvoyée à l'*Œdipus Ægyptiacus* de Kircher[43]. Parmi les trois volumes que compte cet ouvrage, celui qui nous intéresse le plus est paru en 1654, l'année même où Poussin a peint son *Moïse exposé sur les eaux* pour Jacques Stella. Il devait connaître ce livre, dont certains chapitres sont dédiés à ses amis Cassiano et Carlo Antonio dal Pozzo. Kircher en avait déjà annoncé la parution à la fin de son *Ars magna lucis et umbrae in 10 libros digesta*, publié à Rome en 1646, où il était question, non seulement des ombres et lumières dans la peinture, mais aussi de la perspective, des lois optiques, des images spéculaires et des lanternes magiques. D'après Conor Reilly, auteur d'une biographie de Kircher[44], Poussin aurait étudié la perspective auprès du jésuite et peint son portrait, affirmations que je n'ai pas pu confirmer à ce jour.

Dans le troisième volume de l'*Œdipus ægyptiacus*, Kircher reproduit deux célèbres statues égyptiennes de Rome. La première montre l'un des deux sphinx, actuellement au Louvre, qui flanquaient les marches du Capitole avant d'être transportés à la villa Borghèse du temps de Kircher et de Poussin (fig. 13). Ce sont là les habituels sphinx hiératiques, raides et figés, comme on en voit dans les statues colossales du Nil, au Vatican et au Capitole. La coiffure à stries verticales n'a rien à voir avec le némès lisse de notre sphinge, dont le reflet présente des plis différents, comme le signale John Whiteley.

L'autre illustration de Kircher montre une paire de lions en porphyre (fig. 14), actuellement au Vatican[45], qui étaient juchés sur des colonnes devant le Panthéon romain au XVe et au début du XVIe siècle. C'est là que Francisco de Holanda les a dessinés[46], et ils figuraient aussi dans le *Codex Escurialensis*. Kircher, surtout préoccupé d'interpréter les hiéroglyphes sur leurs socles, indique qu'ils ornent l'Acqua Felice, ou fontaine de Moïse, où Sixte Quint les a fait transporter en 1586[47].

L'un de ces lions a certainement servi de modèle pour le corps félin de la sphinge et sa position décontractée, légèrement basculée sur le côté, pattes de devant croisées, pattes de derrière tournées vers l'extérieur, révélant la face inférieure de celle de gauche. En reprenant le motif du lion dans une attitude asymétrique, Poussin a pu suggérer la réaction de la sphinge à l'étreinte du Nil.

Kircher explique que le nilomètre, le sphinx et le Nil considérés ensemble symbolisent l'inondation et la fertilité, et que la sphinge représentée ici est un composé de vierge et de lion de Mophta. Le lion renvoie à Osiris, puissance tutélaire du Nil. La sphinge symbolise donc le couple Isis-Osiris, tel que l'évoque Plutarque dans son *De Iside et Osiride*, cité par Kircher[48]. De cette union est née Horus.

On sait qu'Osiris est assimilé au Bacchus latin, et Horus à Apollon. Sans vouloir revoir la peinture de Poussin à la lumière de l'exposé compliqué de Kircher, on peut tout de même s'en servir pour répondre à quelques questions, notamment celle de l'étonnante intimité entre la sphinge et le Nil, ou celle que peuvent soulever l'arc et les flèches, souvent associés à Apollon, ainsi que la syrinx et les cymbales, rattachées au culte bachique. L'évhémérisme et le syncrétisme de la *Prisca Theologia*, théologie orphique ancienne qui identifiait Moïse à Apollon, Pan et Priape, étaient monnaie courante dans l'entourage de Poussin[49].

Loménie de Brienne, qui, rappelons-le, n'aimait pas les dieux-fleuves de Poussin et déplorait l'introduction d'une allégorie du Nil dans les tableaux, écrivait à ce propos : « C'est Moyse, le Mosché des Hébreux, le Pan d'Arcadie, le Priape de l'Ellespont, l'Anubis des Égyptiens, que je tire des eaux et à qui j'en donne le nom, Mosché (tiré des eaux) qui ne convient qu'à luy. [...] Ces fleuves n'ajoutent rien au sujet[50]. »

Le *Moïse exposé sur les eaux* de l'Ashmolean Museum mériterait une étude plus approfondie, menée par des personnes plus qualifiées que moi[51]. Même si Kircher peut nous aider à élucider quelques-uns de ses secrets, il semble bien que l'« obscurité des choses énigmatiques », que le sphinx incarne aux yeux de Poussin, assombrisse le promontoire où le Nil et sa sphinge se préparent pour le miracle annuel de la crue pourvoyeuse de fertilité, ou se reposent après l'avoir accompli.

Quant aux dieux-fleuves de Poussin, qu'ils observent la comédie de leur coin tranquille à l'instar de l'artiste lui-même[52], ou qu'ils y participent lorsque leur rôle l'exige, ils restent toujours aussi détachés. Leur présence évoque l'Antiquité et nous fait toucher du doigt l'invariance fondamentale de la nature.

## Notes

* Les références mentionnées ainsi renvoient au catalogue d'exposition du Grand Palais, Paris, 1994-1995.

1. L'Alphée arcadien, d'après Panofsky, 1955, p. 358.

2. Ovide, *Métamorphoses,* XI, 100-145.

3. Texte signalé et partiellement cité par L. Hourticq, « Un amateur de curiosités sous Louis XIV, Louis Henri de Loménie, comte de Brienne », *Gazette des Beaux-Arts*, 1905, I, pp. 57 *sqq.*, 237 *sqq.*, 326 *sqq.* et aussi dans son *La Jeunesse de Poussin*, Paris, 1937, reproduit par Thuillier (1958), 1960, vol. II, pp. 210-224.

4. Loménie de Brienne, dans Thuillier, 1960, p. 215 et n. 44. *Moïse exposé sur les eaux,* Dresde, Staatliche Gemäldegalerie, n° 720. Blunt, 1966, n° 10 ; Thuillier, 1974, n° 9 ; Oberhuber, 1988, n° 60.

5. Loménie de Brienne, dans Thuillier (1958), 1960, vol. II, p. 213. Voir également Gérard de Lairesse, le disciple de Poussin, qui justifie le recours au motif du dieu Nil dans *Het Grootschilderboek*, Amsterdam, 1707 (trad. fr., *Le Grand Livre des peintres,* Paris, 1728), livre IX, chapitre XI. Je remercie Elizabeth McGrath de m'avoir indiqué cette référence bibliographique.

6. *Les Images ou tableaux de platte peinture des deux Philostrate sophistes grecs,* présenté par Blaise de Vigenère, nouv. éd., Paris, 1639, p. 349 (1re édition 1578). Voir également Giovanni Battista Marino, *Adone [Adonis]*, chant Ier, 98-102 ; J. Spence, *Polymetis,* Londres, 1747, pp. 226-229 et 234 *sq.* (un recueil, utile et amusant, de citations classiques sur les dieux-fleuves, aimablement signalé par E. McGrath) ; voir son « River-Gods, Sources, and the Mystery of the Nile. Rubens' *Four Rivers* in Vienna », dans *Die Malerei Antwerpens. Gattungen, Meister, Wirkungen,* E. Mai, K. Schütz, H. Vliege (dir.), colloque international, Vienne, 1993.

7. R. Rubinstein, « The Renaissance Discovery of Antique River-God Personifications », dans *Scritti di storia dell'arte in onore di Roberto Salvini,* Florence, 1984, pp. 257-261.

8. P. P. Bober et R. O. Rubinstein, *Renaissance Artists and Antique Sculpture : A Handbook of Sources,* Londres et Oxford, 1986, n° 66.

9. *Histoire naturelle,* XXXVI, 58. Voir H. H. Brummer, *The Statue Court in the Vatican Belvedere,* Stockholm, 1970, pp. 191-204, au sujet du *Nil* et du *Tibre* ; et Bober et Rubinstein, *op. cit.* n. 8, n° 67. Voir également A. Nesselrath, dans *High Renaissance in the Vatican : The Age of Julius II and Leo X. English Text Supplement,* catalogue d'exposition sous la direction de M. Koshikawa et M. J. McClintock, Tokyo, 1994, pp. 53-54. Le texte anglais renvoie aux illustrations de l'édition japonaise publiée sous la direction de M. Koshikawa et H. Matsuura, Tokyo, 1993, pp. 89-95.

10. R. Rubinstein, *op. cit.* n. 7, 1984, pp. 259-260.

11. Avant de partir pour Rome en 1624, Poussin avait déjà vu des fontes en bronze des grandes statues du Belvédère, réalisées vers le milieu du XVIe siècle par Primatice, à la demande de François Ier. Voir S. Pressouyre, « Les fontes de Primatice à Fontainebleau », *Bulletin monumental,* 127-1, 1969, pp. 223-239.

12. D'après Vasari, cette statue fut installée vers 1532 dans une niche

créée tout spécialement par Michel-Ange dans la cour du Belvédère. Voir Vasari, *Le Opere,* éd. G. Milanesi, I, Florence, 1906, p. 114; H. H. Brummer, *op. cit.* n. 9, 1970, pp. 186-188, fig. 170, 171; M. Collareta, « Michelangelo e le statue antiche : un probabile intervento di restauro », *Prospettiva* 43, 1985, pp. 51-55; R. Rubinstein, « The Statue of the River God *Tigris* or *Arno* », dans *Il cortile delle statue nel Belvedere,* actes du colloque (1992), Rome (à paraître).

13. Dresde, Staatliche Gemäldegalerie, n° 718; Blunt, 1966, n° 171; Thuillier, 1974, n° 104; Mérot, 1990, n° 155; Ovide, *Les Métamorphoses,* I, 703.

14. Voir Blunt, 1966, n° 171, pp. 122-123, qui cite une lettre de Poussin à Jacques Stella, perdue mais partiellement reproduite par Félibien, 1725, vol. IV, *Entretien* VIII, p. 25, et par Loménie de Brienne, dans J. Thuillier (1958), 1960, p. 218.

15. La peinture, aujourd'hui perdue, était conservée à Berlin (Bodemuseum, Gemäldegalerie 486); Blunt, 1966, n° 204; Thuillier, 1974, n° 102; Mérot, 1990, n° 194.

16. Félibien, 1725, vol. IV, *Entretien,* VIII, p. 12 (2-4); Bellori (1672), 1976, p. 426. Voir J. Montagu, *Alessandro Algardi,* 2 vol., New Haven et Londres, 1985, vol. I, pp. 15, 240 n. 68, au sujet des remarques de Félibien et Bellori. Voir également Wittkower, 1975, pp. 104-114. Bellori a publié une reproduction gravée de l'*Antinoüs*, où sont reprises les dimensions mesurées par Duquesnoy et Poussin (R. Wittkower (1961), 1975, p. 105 et fig. 141).

17. Félibien, 1725, vol. IV, *Entretien,* VIII, p. 13. Ce passage est cité dans Blunt, 1964, p. 181.

18. S. C. Emmerling, *Antikenverwendung und Antikenstudium bei Nicolas Poussin, Wurtzbourg,* 1939, pp. 65-67. Voir également Friedlaender et Blunt, 1974; et Blunt, 1979, chapitre V. Voir maintenant Rosenberg et Prat, 1994.

19. Malo, 1933, n° 78. Rosenberg et Prat, 1994, n° R277, parmi les dessins rejetés.

20. C. Robert, *Die antiken Sarkophagreliefs,* Berlin, 1904, vol. III, 2, n° 47.

21. Moscou, musée des Beaux-Arts Pouchkine, n° 2762. Voir Bylenko (dir.), 1990, n° 9.

22. On pourrait citer aussi Océan et Tellus, représentés en position allongée dans le bas-relief de sarcophage sur le thème de Mars et Rhea Silvia, au palais Mattei (Robert, III, 2, n° 188), ou encore Éridan, sur le sarcophage de *La Chute de Phaéton* au musée des Offices (Robert, IV, 3, n° 342).

23. Robert, II, n° 11.

24. I. Romeo, « Raffaello, l'antico e le bordure degli arazzi vaticani », *Xenia,* 19, 1990, pp. 41-86, en particulier la figure 40, reproduisant la gravure n° 13 dans la série de burins de Pietro Santi Bartoli d'après les bordures de tapisseries de Raphaël.

25. U. Muccini et A. Cecchi, *The Apartments of Cosimo in Palazzo Vecchio,* Florence, 1991, repr. p. 172; *Le stanze del principe in Palazzo Vecchio,* Florence, 1991, p. 72 : *Hippolyte de Médicis envoyé en Hongrie* de Giovanni Stradano, dans la chambre de Clément VII. Voir aussi les autres exemples, *passim.*

26. Voir E. McGrath, *op. cit.* n. 6, au sujet des *Quatre fleuves* de Rubens, et R. Preimesberger, « Obeliscus Pamphilius. Beiträge zu Vorgeschichte und Ikonographie des Vierströmebrunnens auf Piazza Navona », *Münchner Jahrbuch der bildenden Kunst,* 25, 1974, pp. 77-

162, au sujet de la fontaine des Fleuves sur la Piazza Navona, à Rome. Voir également G. Cipriani, *Gli obelischi egizi. Politica e cultura nella Roma barocca,* Florence, 1993, pp. 115-118.

27. Esquisse conservée à Oxford, Ashmolean Museum, inv. A1074. Voir M. Chiarini, « Giusto Sustermans. Il giuramento di fedeltà del Senato fiorentino a Fernando de'Medici », *Bolletino d'arte,* 25, 1984, pp. 77-84.

28. Thompson, 1993, pp. 7-9, fig. 3; Oberhuber, 1988, n° 20b, reproduit en couleur, p. 124.

29. Thompson, 1993, fig. 4; Oberhuber, 1988, n° 20a.

30. Je remercie Elizabeth McGrath pour cette observation.

31. Cat. exp. Paris, Grand Palais, 1994-1995, p. 229, fig. 55a.; Kansas City, Nelson-Atkins Museum of Art; Blunt, 1966, n° 137 (qui refuse l'attribution à Poussin); Thuillier, 1974, n° 91a; Mérot, 1990, n° 129.

32. Y compris le Jourdain, alors même que ce fleuve était parfois personnifié dans les miniatures médiévales figurant le baptême du Christ, mais il est vrai que la tradition s'est perdue à la Renaissance. Une exception, mentionnée dans la discussion qui a suivi mon intervention au colloque, est la fresque du *Baptême du Christ* (1541) de Jacopino Del Conte (1510-1598) dans l'oratoire de San Giovanni Decollato, à Rome. Voir R. E. Keller, *Das Oratorium von San Giovanni in Decollato in Rom,* Rome, 1976, pp. 83-84, fig. 16.

33. Cat. exp. Paris, Grand Palais, 1994-1995, n° 221. Je tiens à remercier Jon Whiteley, de l'Ashmolean Museum, de m'avoir fait part de ses réflexions sur ce tableau.

34. *Antiquités judaïques,* II, 9, 3-5.

35. Dempsey, 1963, p. 117.

36. Carrier, 1993, p. 181.

37. Blaise de Vigenère, *op. cit.,* n. 6, p. 32. Sur Poussin et sa connaissance du nilomètre représenté dans les mosaïques de Palestrina, voir Dempsey, 1963, en particulier pp. 110-112 à propos du *Latium* de Kircher (Rome, 1671) qui commente ces mosaïques attentivement examinées par Poussin lorsqu'il travaillait à sa Sainte *Famille en Égypte* (cat. exp. Paris, Grand Palais, 1994-1995, n° 223) peinte la même année que *Moïse exposé sur les eaux.*

38. V. Cartari, *Les Images des dieux contenant leurs pourtraits, coustumes et cérémonies de la religion des payens,* traduit par Antoine du Verdier, Lyon, 1623, p. 386.

39. Voir Pace, 1981, p. 160 (notes relatives à l'*Entretien* VIII, 64.2, renvoyant à l'*Entretien* V, 48-49, au sujet de la science optique chez Poussin et de son habileté à manipuler les effets de surfaces réfléchissantes dans ses tableaux).

40. *L'Œil d'or de Claude Mellan 1598-1688,* cat. exp. par M. Préaud et B. Brejon de Lavergnée, Paris, Bibliothèque nationale, 1988, p. 149, n° 189.

41. Blunt, 1964, p. 87 (rééd. 1989, p. 57).

42. Voir G. Cipriani, *op. cit.* n. 26, p. 102 (bibliographie) *et passim.*

43. A. Kircher, *Œdipus ægyptiacus,* 3 vol., Rome, 1652-1654.

44. C. Reilly, *Athanasius Kircher, S.J., Master of a Hundred Arts,* Wiesbaden, 1974 (comprend une bibliographie).

45. G. Botti et P. Romanelli, *Le sculture del Museo Gregoriano Egizio,* Vatican, 1951, n^os^ 26 et 27, pp. 14-18 (avec une traduction des hiéroglyphes), pl. XVI-XVIII.

46. E. Tormo, *Os desenhos das antiqualhas que vio Francisco d'Olanda, pintor portugés,* Madrid, 1940, fol. 16 v°. Francisco était à Rome en 1538-1540.

47. A. Kircher, *op. cit.* n. 43, vol. III, chapitre III, p. 463. Un siècle plus tard, Piranèse allait s'émerveiller devant cette fontaine aux lions. Voir R. Wittkower, « Piranesi and Eighteenth-Century Egyptomania », dans *Studies in the Italian Baroque,* Londres, 1975, p. 271. Sur l'histoire de la fontaine de Sixte Quint, voir C. Onofrio, *Le fontane di Roma,* 2[nde] éd., Rome, 1962, pp. 85-95 ; pour la photographie d'un des lions, maintenant au Vatican, voir J.-M. Humbert, *L'Égyptomanie dans l'art occidental,* Paris, 1989, p. 14.

48. A. Kircher, *op. cit.* n. 43, vol. III, chapitre III, p. 468.

49. Sur A. Kircher et la diffusion de ses idées dans l'entourage de Poussin, voir Blunt, 1967, p. 314 et n. 1 ; et Santucci, 1985.

50. Loménie de Brienne, dans Thuillier (1958), 1960, vol. II, p. 213. Voir D.P. Walker, *The Ancient Theology : Studies in Christian Platonism from the Fifteenth to the Eighteenth Century,* Londres, 1972, pp. 216 et 227, au sujet de Pierre-Daniel Huet (1630-1721), un auteur très lu, qui ramenait tous les dieux païens au personnage de Moïse et que Loménie de Brienne connaissait sans doute.

51. Voir dans le présent ouvrage l'étude d'Anthony Colantuono.

52. Voir la lettre de Poussin à Chantelou, 17 janvier 1649, où il parle de « se mettre à couvert en quelque petit coin pour pouvoir voir la comédie à son aise » (Blunt, 1964, p. 135 et note, rééd. p. 146 et n. 8).

Fig. 1
Nicolas Poussin
*Moïse sauvé des eaux,* 1638
Toile, 0,93 x 1,21 m
Paris, musée du Louvre.

Fig. 2
Nicolas Poussin
*Le Jeune Pyrhus sauvé,* 1634
Toile, 1,16 x 1,60 m
Paris, musée du Louvre.

Fig. 3
François Perrier (1590-1650)
Gravure de la statue du *Tibre*
dans *Segmenta nobilium signorum et statuarum quae temporis dentem invidium evasere*, Rome et Paris, 1638, fol. 92.

Fig. 4
François Perrier (1590-1650)
Gravure de la statue du *Nil* dans *Segmenta nobilium signorum et statuarum quae temporis dentem invidium evasere*, Rome et Paris, 1638, fol. 93.

Fig. 5
Œuvre romaine du IIe siècle après J.-C. avec une tête du XVIe siècle
Statue du *Tigre*
copie d'un original grec en bronze du IIe siècle avant J.-C.
Marbre, 1,56 x 3,10 m
Rome, musée du Vatican.

Fig. 6
Nicolas Poussin
*Moïse sauvé des eaux,* 1647
Toile, 1,21 x 1,95 m
Paris, musée du Louvre.

Fig. 7
Pietro Santi Bartoli (1635-1700)
*Le Dieu-fleuve Arno* représenté dans une composition avec le cardinal Giovanni de Medicis lors de son voyage à Rome avant son élection comme pape (Léon X), extrait d'une série de gravures d'après des cartons de tapisseries de Raphaël, dans *Leonis X admirandae virtutis imagines, ab Hetruriae legatione ad pontificatum, a Raphaele Urbinate ad vivum et ad miraculum expressas, in Aulaeis Vaticanis, textili monocromatae elaboratas...*, Rome, s.d., fol. 13
Gravure, 11,4 x 27 cm
Londres, bibliothèque du Warburg Institute.

Fig. 8
Giovanni Stradano (Jan Van der Straet) (1523-1605)
*Le cardinal Hippolyte de Médicis envoyé en Hongrie comme légat du pape en 1532*
vers 1560-1562
Fresque
Florence, Palazzo Vecchio.

Fig. 9
Justus Sustermans (1597-1681)
*Le Sénat florentin prêtant serment de loyauté envers Ferdinand II de Médicis*
1625
Toile, 0,61 x 0,82 m
Oxford, Ashmolean Museum.

Fig. 10
Nicolas Poussin
*Moïse exposé sur les eaux,* 1654
Toile, 1,50 x 2,04 m
Oxford, Ashmolean Museum.

Fig. 11
Détail de la figure 10.

Fig. 12
Claude Mellan (1598-1688)
d'après un dessin de Nicolas Poussin
de 1641
Frontispice de la Sainte Bible, Paris,
1642
Gravure, 41 x 26 cm.

Fig. 13
Anonyme romain
du XVII^e siècle
*Un Sphinx égyptien*
Gravure dans *Œdipus*
*Ægyptiacus* d'Athanasius
Kircher (1602-1680), Rome,
1652-1654, III, p. 469
Gravure sur bois,
5,5 x 8,5 cm
Londres, bibliothèque du
Warburg Institute.

Fig. 14
Anonyme romain
du XVII^e siècle
*Un Lion égyptien*
Gravure dans *Œdipus*
*Ægyptiacus* d'Athanasius
Kircher (1602-1680),
Rome, 1652-1654, III,
p. 463
Gravure sur bois,
5,7 x 8,3 cm
Londres, bibliothèque du
Warburg Institute.

# Héros de légende : Achille et Énée

**Claire Pace**
Maître de conférences à l'université de Glasgow

*Traduit de l'anglais par Jeanne Bouniort*

Les sujets des tableaux dont nous allons parler ici, *Achille parmi les filles de Lycomède* et *Vénus armant Énée*, pourraient sembler disparates à première vue, et pourtant ils ont bien des points communs : ils proviennent tous deux des récits légendaires de l'Antiquité classique touchant à l'histoire de Troie; ils se rapportent tous deux à des « héros » au sens où les entend Philostrate, traduit par Blaise de Vigenère, qui cite précisément ces exemples : « Des hommes valeureux [...]. Ce mot de héros est employé [...] premièrement pour un illustre & renommé personnage, de grand cœur & haute entreprise, qui aura faict plusieurs belles choses en sa vie; fils de quelque dieu & d'une femme mortelle, ou d'une déesse & un homme mortel [...]. Là où les enfans de déesses & hommes ont senty la mort, ainsi qu'Achille fils de Thétis & de Pélée; Énée de Vénus & Anchise[1] [...]. »

L'artiste est revenu sur chacun des deux sujets quelques années après avoir exécuté une première version (nous admettrons l'authenticité de l'*Achille* de Richmond et de l'*Énée* de Toronto, qui ne semble plus contestée aujourd'hui[2]). Une comparaison des deux versions successives, à la lumière des préoccupations de l'époque, devrait mettre en évidence les changements intervenus dans l'interprétation de ces thèmes par Poussin.

Chaque fois, la découverte des armes occupe une position centrale. Dans l'histoire d'Achille, c'est le temps fort de l'action, annonçant la véritable destinée du héros. Dans celle d'Énée, c'est l'acte qui conforte le héros dans sa détermination à accomplir sa mission. Les deux thèmes renvoient au destin collectif d'une civilisation tout entière (grecque ou troyenne, et en fin de compte romaine, pour ce qui concerne Énée).

La relation mère-fils joue aussi un rôle cardinal. Thétis, absente de la scène représentée, a essayé de soustraire Achille à son sort guerrier en le déguisant en femme. (On la voit embrasser son fils dans un des « dessins Marino » conservés à Windsor[3].) Vénus, au contraire, exhorte Énée à obéir à la fatalité, et l'on sait que dans le poème de Virgile elle est la sévère déesse romaine du Devoir, bien plus que la divinité de l'Amour.

On a déjà essayé de déterminer dans quelle mesure exacte Poussin utilisait directement les sources classiques. Au colloque de 1958, Henri Bardon estimait que l'artiste était certainement capable de se reporter au texte original si nécessaire, lorsqu'il traitait des sujets empruntés à l'Antiquité, mais qu'il consultait plus volontiers des traductions françaises ou italiennes et des traités de mythologie, dont il faisait un usage personnel passablement éclectique[4]. C'est ce que confirment les recherches ultérieures, dont celles de Charles Dempsey et Marc Fumaroli. Les premiers biographes de Poussin nous parlent de son étude des classiques. Ainsi, d'après Bellori, « *Leggendo historie greche, e latina, annotava li soggetti, e poli all'occasioni se ne serviva*[5]... » (« il lisait des histoires grecques et latines, notait les sujets, et puis s'en servait à l'occasion »). C'est Mancini qui insiste le plus sur la culture classique de Poussin, affirmant que l'artiste avait déjà une solide connaissance de la mythologie et de l'histoire antique avant de partir pour Rome : « *Dopo haver apreso la lingua latina et havendo acquistato eruditioni storie et di favole si dette alto studio della pittura... per l'erudition litterale è capace di qualsivoglia historia favola, o poesia per poterla poi, come fa felicamente, exprimerla con il pennello*[6] » (« Après avoir appris la langue latine et acquis un immense savoir en matière d'histoire et de fable, il s'adonna à l'étude de la peinture. Il a une assez bonne érudition littéraire pour pouvoir exprimer n'importe quelle histoire, fable ou poésie dans des tableaux, comme il le fait avec bonheur »).

Cependant, prévient Bardon, « malgré Mancini, il paraît certain que Poussin savait assez mal le latin », même s'il « était capable, au besoin, de se rapporter à l'original[7] ». À ce propos, on notera que Bardon cite Vénus armant Énée comme exemple de sujet pour lequel Poussin s'est référé au texte de Virgile, ce qui ne l'empêche pas de conclure qu'« il ne fut pas véritablement latiniste » et qu'il utilisait plutôt des documents de seconde main. D'autres auteurs soulignent également son attitude sélective et éminemment personnelle à l'égard des sources classiques[8].

## Achille

Poussin a peint deux versions d'*Achille parmi les filles de Lycomède*, ou *Achille à Skyros*, vers 1650 et en 1656 respectivement[9]. L'une est conservée à Boston, l'autre à Richmond (fig. 1 et 2; cat. 209 et 225*). Pietro Del Po les a gravées toutes les deux[10] (fig. 3 et 4). Ce sont des peintures qui présentent de grandes divergences dans leur conception ou, pour reprendre la formule de Bellori, « *due immagini con due differenti invenzioni* » (l'emploi du terme « invenzione » n'étant pas sans soulever la question de sa signification chez Poussin, surtout s'agissant d'un thème déjà traité auparavant[11]). D'après la légende, Thétis donne des vêtements féminins à son fils et le cache au milieu des filles du roi Lycomède, sur l'île de Skyros, pour lui éviter d'aller à la guerre de Troie. Ulysse et Diomède se déguisent en marchands (selon certaines sources) pour tenter de le retrouver à Skyros. Ils ont dissimulé une épée et un casque parmi les bijoux et autres « *munera feminea* » qu'ils proposent aux clients. L'attirance d'Achille pour les armes trahit sa véritable identité.

On pourrait s'étonner que Poussin ait choisi à cette époque un sujet aussi éloigné des valeurs stoïciennes, illustrées notamment par Phocion, Coriolan ou Eudamidas, avec son héros grec « travesti en femme[12] », comme l'écrit l'artiste lui-même, entouré des séduisantes filles de Lycomède. Pourtant, j'essaierai de montrer que cette image reflète en réalité certaines préoccupations de Poussin, car elle renvoie aux thèmes de l'acceptation de soi, de la volonté d'assumer ses responsabilités, et de la résistance aux appâts factices de l'amour et de la beauté (dont la puissance est néanmoins reconnue).

On a beaucoup écrit sur les sources probables de Poussin (visuelles et littéraires) pour les deux peintures. L'épisode ne se trouve pas dans Homère, mais figure dans plusieurs textes de l'Antiquité et de la Renaissance, principalement l'*Achilléide* de Stace et les *Fables* d'Hygin[13]. S'il ne change pas dans ses grandes lignes, il présente tout de même quelques variations dans les détails, par exemple le déguisement d'Ulysse ou les circonstances exactes de la découverte d'Achille. D'après Stace et Hygin, c'est par le « cliquetis des armes » et le son du clairon guerrier que notre héros se fait démasquer[14].

Poussin s'est surtout inspiré de traités de mythologie tels que celui de Natale Conti[15] ou, plus particulièrement, la traduction de Philostrate par Blaise de Vigenère[16]. De toute évidence, c'est là, et non pas chez les auteurs classiques, qu'il a trouvé les indications concernant les habits des faux marchands, entre autres[17].

Compte tenu des liens d'amitié noués entre Poussin et le Cavalier Marin depuis les années 1620 et des commandes passées très tôt par le poète, il n'est pas impossible que son *Adone* de 1623 ait contribué au choix du sujet, même s'il n'a pas exercé une influence directe sur le tableau[18]. Marino souligne la réaction du héros devant le casque et l'épée, évoquée ainsi dans la strophe 311 :

> « *Dissimular non può l'esser virile*
> *E, disprezzando quel ch'a donna aggrada,*
> *Tosto a l'elmo s'avventa ed a la spada*[19]. »

Quant aux sources visuelles, il faut citer les bas-reliefs de sarcophages signalés par Friedlaender comme des modèles probables à la fois pour le Cavalier Marin et pour Poussin[20]. On retiendra notamment celui de Woburn Abbey, mis au jour au XVI^e siècle à Santa Maria in Aracoeli, et celui qui fut découvert en 1639 au Palazzo Lante (fig. 5), tous deux dessinés pour le *Museo cartaceo* de Cassiano dal Pozzo, et donc bien connus de Poussin, selon toute vraisemblance[21].

L'aventure d'Achille à Skyros compte parmi les sujets privilégiés des artistes de l'Europe septentrionale au début du XVII^e siècle. Rubens et Anton Van Dyck en ont donné les plus célèbres illustrations, à commencer par le tableau conservé au Prado (sans doute dû pour l'essentiel à Van Dyck, car Rubens dit, dans une lettre à Carleton de 1618, que son « *allievo* » l'a exécuté[22]). Rubens a également réalisé des esquisses (fig. 6) pour cette peinture et pour sa suite de tapisseries sur le thème de *La Vie d'Achille*[23]. Là, il mettait l'accent sur le groupe de jeunes femmes sensuelles et, du moins dans le tableau du Prado, sur le geste énergique d'Achille tirant l'épée, décrit en détail par Natale Conti et par le Cavalier Marin.

Avant Friedlaender, d'autres auteurs ont supposé qu'un tableau disparu d'Annibal Carrache, connu par une gravure de Gérard Audran (fig. 7), avait pu fournir une source d'inspiration plus directe. Or, il semble bien que la gravure en question soit en réalité un pastiche de Poussin, où se mêlent des éléments de ses deux versions du sujet[24]. La composition d'Audran fait surtout ressortir le personnage d'Achille, agenouillé au premier plan comme chez Poussin, qui brandit l'épée dégainée. Le vaste décor naturel et les somptueuses architectures dans le fond rappellent le paysage et le palais dans le second tableau de Poussin. Les deux Grecs à l'arrière-plan ont aussi des équivalents dans cette peinture.

Il n'est peut-être pas indifférent que l'on ait donné à Paris en 1645 un opéra relatant le même épisode de la vie d'Achille, *La Finta Pazza* de Strozzi, avec des décors de Giacomo Torelli gravés par Nicolas Cochin (la première représentation a eu lieu à Venise en 1641). Sans aller jusqu'à dire que Poussin a forcément vu les décors de Torelli, il est évident (comme le souligne Oskar Bätschmann) que la scénographie en général a exercé une influence déterminante sur son attitude à l'égard de l'architecture dans la peinture, surtout dans ses rapports avec le paysage. Il n'est peut-être pas totalement absurde de percevoir dans le palais représenté au fond du second tableau de Poussin quelque réminiscence des décors de Torelli pour le *Bellérophon*, dont les connotations de magie et de métamorphose seraient en rapport avec le thème d'Achille à Skyros[25].

Si les deux versions peintes par Poussin diffèrent fondamentalement des interprétations données par Rubens, elles diffèrent aussi entre elles, par leur conception même (comme le notait Bellori) et par l'importance relative accordée aux diverses sources. Le changement reflète l'évolution des préoccupations de Poussin entre leurs dates d'exécution. Dans la première version, conservée à Boston, l'accent porte sur le geste d'Achille qui dégaine brusquement l'épée, et sur les réactions émotives des autres personnages du premier plan, notamment Déidamie (future mère du fils d'Achille, Néoptolème). Cette mise en avant est bien sensible dans les dessins préparatoires conservés à l'Ermitage. Dans l'un (fig. 8), les principaux éléments de la composition sont en place. Achille dégaine l'épée, mais il est debout et non pas agenouillé. Déidamie lui jette un regard effrayé, mais elle n'occupe pas encore sa position définitive au premier plan. Dans un autre dessin (fig. 9), Déidamie est au premier plan, et sa pose se rapproche de celle qu'elle adopte dans le tableau. Quant au casque, posé par terre dans la peinture, il est sur la tête du héros dans les deux dessins[26].

Bellori observe que *« nell'historie cercava sempre l'attione »* (« dans les scènes figurées, il recherchait toujours l'action »), et sa remarque vaut certainement pour le tableau de Boston, où prédomine le souci de la tension dramatique. Bellori explique que la peinture *« vien rappresentato Achille in atto di trarre la spada dal sadro... figliola di Licomed inclinata anch'esso... si spaventa, ed alza l'altro mano, mirando il ferro ignudo[27]... »* (« représente Achille en train de tirer l'épée du fourreau. [...] La fille de Lycomède se penche, s'épouvante et lève la main en regardant la lame nue. » La réaction de Déidamie est un mélange de terreur et d'émerveillement, que traduisent à la fois son geste et l'expression de son visage[28]. Bellori note aussi qu'« Ulysse regarde attentivement et reconnaît le jeune guerrier[29] ». Ce « regard attentif », et actif, en direction d'Achille sert à unifier la composition. Il contraste avec le climat de contemplation passive de la seconde version, et souligne peut-être le rôle du regard comme mode de compréhension et de connaissance, et pas seulement d'observation[30].

L'importance accordée à l'action et aux sentiments qu'elle éveille chez les autres personnages révèle un Poussin très attentif à exprimer les émotions et leurs nuances par les jeux de physionomie, malgré l'effet assez statique de la composition, surtout comparée à celles de la fin des années 1630[31]. Le même instinct de la « péripétie », où la tension dramatique s'accroît soudain, caractérise d'autres œuvres de cette période, dont *Le Jugement de Salomon*[32]. La faculté d'amener ainsi le spectateur à participer à la scène représentée est aussi un des objectifs visés par les orateurs, et l'on sait, grâce à ses écrits, que Poussin était profondément influencé par les principes de la rhétorique classique concernant la signification des gestes et attitudes. Marc Fumaroli a souligné cette préoccupation de l'artiste, et aussi les liens que la peinture et la littérature entretiennent avec la rhétorique[33].

Il semble probable que Poussin, toujours soucieux de prendre exemple sur les Anciens, ait retenu l'épisode d'Achille à Skyros parce que Polygnote de Thasos en avait peint une version, décrite par Pausanias[34]. Or, Pline l'Ancien nous apprend que Polygnote était renommé pour avoir remplacé la rigidité primitive par la vivacité de l'expression[35]. On suppose qu'une fresque de Pompéi sur ce sujet pourrait s'inspirer de la peinture perdue de Polygnote[36]. Un autre artiste de l'Antiquité dont Pline nous dit qu'il a représenté ce même sujet est Athénias de Maronée, « au coloris plus austère que celui de Nicias, et néanmoins aimable, de sorte que son savoir transparaît dans ses peintures[37] ». On pourrait déceler une « austérité » analogue, ou du moins un certain intellectualisme, dans le coloris de Poussin à partir de la fin des années 1640. Ici, la juxtaposition hardie de bleu et de vermillon de même intensité, où Avigdor Arikha reconnaît une caractéristique de la palette de Poussin[38], accentue la force théâtrale du tableau.

Walter Friedlaender suppose que le thème d'Achille à Skyros a peut-être attiré Poussin, entre autres raisons, parce qu'il offrait une occasion de représenter de jolies jeunes femmes (comparables aux personnages de l'*Éliézer et Rébecca* peint pour Pointel), afin de rivaliser avec la « grâce » de Guido Reni[39]. En tout cas, c'est un aspect qui n'avait pas échappé à Rubens, car il écrit, à propos de la peinture aujourd'hui au Prado, qu'elle est « pleine de jeunes filles très belles[40] ». Philostrate traduit par Vigenère évoque avec beaucoup de verve la beauté de ces jeunes filles et de leur environnement : « Voyez-vous pas bien cette prairie devant la tour? C'est l'endroit le plus commode de toute l'île pour fournir abondamment des fleurs à ces filles [...] toutes belles par excellence [...] inclinant à une beauté féminine [...] tous leurs gestes et mouvements manifestant je ne sais quoi de féminin[41]. » Si l'on en croit Stace[42], Achille lui-même est remarquable non seulement pour sa « valeur inimitable », mais aussi pour sa « beauté merveilleuse » et son « sexe ambigu ». Il possède, au dire de Philostrate, « un fier maintien joint à une tendre délicatesse ».

La verte prairie dont parle Philostrate revêt un caractère plus majestueux dans la seconde version, qui s'apparente aux paysages mythologiques de la dernière période. Il y a là une relation avec la pensée stoïcienne que l'on retrouve peut-être aussi dans la façon d'incorporer les figures dans le paysage, renvoyant à l'idée d'une activité humaine « absorbée » dans le cosmos[43]. Cette version a pu susciter des doutes autrefois, mais je pense que son authenticité n'est plus remise en cause (malgré les parties abîmées), surtout après sa restauration scrupuleuse[44], qui a révélé toute la subtilité du coloris, notamment dans le jeu délicat des bleus et des ors ou dans le moiré de la robe rose de la jeune fille au premier plan, bien loin des contrastes vigoureux de la première version[45]. Le « château qui est au bas de la montagne » (Philostrate), dans le fond, appelle la comparaison avec le projet de Pierre de Cortone pour une reconstitution du temple de la Fortune à Palestrina, connu par un dessin (fig. 10) et par une reproduction dans le *Praenestes antiqua* de Suarès, paru en 1655, soit un an seulement avant l'exécution du tableau de Poussin[46]. Ce palais pourrait rappeler aussi les architectures de scénographies comme celles de Torelli, dont j'ai parlé plus haut, qui évoquent la féerie grandiose des légendes.

À présent, Ulysse et Diomède sont tous deux au second plan, relégués au rang des observateurs. Un rocher escarpé encadre leurs silhouettes masculines. Plongés dans l'ombre, immobiles et pensifs, ils contrastent avec le groupe vivement éclairé formé par Achille et les jeunes filles au premier plan. Cette opposition souligne leur différence, même s'ils sont contrebalancés sur la droite par la vieille femme (une nourrice, d'après Bellori) qui est aussi en position d'observateur. En outre, il y a désormais un partage de la composition entre les hommes (y compris Achille) à gauche et les femmes à droite.

Mais peut-être faudrait-il s'arrêter un instant sur le rôle d'Ulysse. Chez Natale Conti comme chez Philostrate, l'épisode s'insère dans un récit des exploits d'Ulysse, considéré comme un modèle de sagesse, ou d'astuce[47]. Ses aventures occupent une place particulièrement importante dans l'art français. À Fontainebleau, une galerie tout entière leur était consacrée, tandis que l'épisode d'Achille à Skyros était représenté dans la chambre du Roi, parmi une suite de huit sujets tirés d'Homère[48]. Un dessin conservé à l'Albertina de Vienne, attribué à Theodor Van Thulden, semble reproduire la peinture originale[49] décrite par le père Dan : « Le huitième et dernier tableau représente comme Achille, caché par sa mère au palais de Lycomède avec les filles de roy, est découvert par la ruse d'Ulysse déguisé en marchand, le reconnoissant au moyen des armes, qu'il préféra à tout le reste de cette marchandise[50]. »

Philostrate évoque « le divin Ulysse dont l'esprit est si prudent & le courage magnanime en tous travaux [...] estant fort avisé & très ingénieux découvreur des choses cachées[51] ». Le titre *Achille reconnu par Ulysse* souvent donné aux deux tableaux de Poussin (notamment par Félibien[52]) indique bien que c'est la « prudence » d'Ulysse qui a permis de démasquer Achille. Un des exemples reproduits dans le livre d'emblèmes de Maccio (fig. 11) confirme que telle était bien l'interprétation habituelle de cette histoire[53]. De même, Natale Conti explique que : « Ayant été découvert par la subtilité d'Ulysse, [Achille] ne se peut exempter de voyage[54]. »

Ici, Ulysse est en fait « une image ou pourtrait auquel on peut voir les perturbations de la vie humaine. [...] par les fictions d'Ulysse, ils vouloient signifier qu'il falloit sagement & avec quelque modération de courage supporter tant la prospérité que l'adversité, tant les fâcheries que les plaisirs de cette vie mortelle[55] ».

La révélation du destin du héros devient encore plus évidente dans la seconde peinture de Poussin. La composition se distingue par sa monumentalité immobile, un aspect figé caractéristique des œuvres de la fin des années 1650[56]. Les gestes et expressions qui servaient à établir des liens entre les personnages ont cédé la place à une distanciation contemplative. Chacun des protagonistes semble perdu dans ses pensées, tandis que le groupe dans son ensemble s'intègre dans le paysage, conformément à la conception stoïcienne des rapports entre l'homme et la nature[57].

Un dessin de l'Ermitage (fig. 12 ; cat. 224) correspond apparemment à une étape intermédiaire. Achille dégaine l'épée et Déidamie a un mouvement de frayeur. Mais, comme dans la seconde version, Achille se trouve maintenant à gauche, tandis que les deux faux marchands observent d'assez loin la scène. La peinture baigne dans une atmosphère d'introspection et de réflexion, aux deux sens du terme, étant donné la présence du miroir. Dans le dessin, c'est une des jeunes filles qui a pris le miroir, alors que, dans le tableau définitif, Achille lui-même le tient dans la main, peut-être parce que Stace dit que le héros admire son image reflétée par le bouclier[58]. La description de Bellori nous fait toucher du doigt la métamorphose qui est suggérée ici : « Il se mire non point de manière féminine, mais d'un air très farouche, où l'on sent le mâle courage avec lequel il vaincra sous peu les Troyens[59]. »

Wallace suppose[60] que le motif du miroir s'inspire du traité de Cesare Ripa, où il est présenté comme un attribut de la Prudence, signifiant la connaissance (fig. 13). Or, Ripa l'associe également à la « beauté féminine[61] ». Les deux connotations se mêlent peut-être dans le tableau de Poussin, signalant à la fois l'élégance androgyne d'Achille et son tempérament guerrier. Wallace fait aussi un rapprochement avec *La Jérusalem délivrée* du Tasse, qui assimile Renaud à un Achille chrétien, d'autant que le chant XVI, strophe 20, comporte une métaphore compliquée sur le thème du miroir[62]. Ce motif peut encore faire penser aux histoires de Vénus et Mars ou de Vénus et Adonis. L'*Énée chez Didon* de Poussin conservé au Museum of Art de Toledo, parfois identifié à un *Vénus et Mars*[63], montre l'héroïne qui admire son reflet dans le bouclier du héros, et non pas dans un miroir, attribut féminin par tradition[64]. À mon avis, par-delà ses connotations narcissiques[65], le miroir est là pour renforcer sur le mode de la métaphore le climat général de « réflexion » et faire ressortir l'idée sous-jacente du regard considéré comme une forme de compréhension. Le thème de la réflexion est d'ailleurs repris dans le paysage lui-même, où les montagnes se reflètent dans les eaux calmes du lac[66].

Toujours est-il que l'*astuto Ulisse* (selon Bellori) reconnaît Achille à son geste ambigu et c'est donc au « divin Ulysse, dont l'esprit est si prudent & le courage magnanime » que revient le mérite d'avoir révélé la véritable personnalité du héros. Celui-ci renonce alors aux « plaisirs, voluptés & délices » de Skyros et à son entourage féminin pour obéir à l'« instinct généreux de la vertu étant en lui ». Philostrate invoque Plutarque et son traité *Comment il faut lire les poètes* (traduit par Amyot) pour expliquer « la répréhension que fait Ulysse à Achille : lors qu'il estoit oisif entre des filles en l'île de Scyros [...]. Cela même se peut dire à un homme dissolu en volupté, & à un nonchalant & paresseux, & à un ignorant[67] ». L'allusion mérite sûrement d'être signalée, sachant que Poussin avait lu attentivement Plutarque.

On voit donc qu'un sujet qui pouvait sembler de prime abord surprenant, voire frivole par rapport à la *maniera magnifica* de Poussin (Blunt le qualifie de « pas très héroïque[68] »), concorde en réalité avec bien des préoccupations de l'artiste à cette époque, en évoquant un héros qui accepte la fatalité et refuse de se laisser enchaîner par les plaisirs ou les sentiments. De plus, si l'on compare les deux tableaux figurant *Achille parmi les filles de Lycomède*, on perçoit des changements dans la conception du sujet, l'insistance sur l'action dramatique et sur les réactions affectives qui relient les protagonistes entre eux cédant la place à un groupe de personnages plus tranquilles, presque irréels, à la fois repliés sur eux et, selon la théorie stoïcienne des rapports entre l'homme et la nature, intimement unis à un paysage splendide.

**Énée**

Du héros grec, nous passons au troyen, avec *Vénus armant Énée*, un sujet tiré du livre VIII de l'Énéide. Bardon note à ce propos qu'« après Ovide, le poète latin qui eut l'action la plus forte sur le peintre est Virgile[69] ». Entre autres œuvres de Poussin inspirées de l'*Énéide*, il cite un dessin de *La Mort de Camille*[70] (d'après le livre XI) et deux autres (peut-être des copies d'un tableau perdu de Poussin) figurant *Vénus dans la forge de Vulcain*[71], soit l'épisode qui précède immédiatement la scène où *Vénus arme Énée*. Ce n'est peut-être pas un hasard si Montaigne, l'un des rares auteurs nommément cités dans la correspondance de Poussin, reprend ce passage dans son essai « Sur des vers de Virgile » pour commenter la passion amoureuse de Vulcain, qui ne lui semble guère appropriée à une union conjugale[72]. En réalité, Virgile y décrit une Vénus qui utilise ses pouvoirs de déesse de l'Amour pour persuader Vulcain de forger des armes destinées à son fils Énée[73].

Les allusions à Virgile dans la correspondance de Poussin, certes espacées, n'en sont pas moins significatives pour autant. Outre les remarques sur le dessin préparatoire[74] (fig. 14) pour le frontispice des œuvres de Virgile, gravé par Mellan, on trouve des lignes élogieuses (empruntées à Giuseppe Zarlino) sur l'habileté de Virgile à changer de ton en fonction des circonstances, dans le cadre de la théorie des modes[75]. Le nom de Virgile réapparaît dans la lettre du 3 juillet 1650 à Chantelou, au sujet du futur emplacement de l'*Autoportrait* que Poussin envoie à son mécène[76]. Enfin, il y a, dans une lettre à Chambray, la célèbre référence au

« rameau d'or de Virgile » symbole de l'inspiration artistique. On en revient là au thème du destin, ou de la fatalité, car c'est un rameau « que nul ne peut trouver ni cueillir s'il n'est conduit par la fatalité[77] ». Fait tout aussi notable, l'*Énéide* est l'un des trois livres représentés aux pieds d'Apollon dans *L'Inspiration du poète* du Louvre, dont Marc Fumaroli a donné une analyse très convaincante[78].

L'intérêt de Poussin pour Virgile a dû être favorisé par son amitié avec Cassiano dal Pozzo et, plus encore, avec le cardinal Massimi, qui possédait à partir de 1642 un important album d'aquarelles d'après le Virgile du Vatican, gravé ensuite par Pietro Santi Bartoli[79]. Même si les illustrations d'épisodes bien précis de l'*Énéide* restent peu nombreuses, l'exemple de Virgile, ce grand poète épique de l'Antiquité, a joué un rôle fondamental pour l'artiste.

De fait, les peintures de Poussin sur des thèmes tirés de l'*Énéide* sont relativement rares (en laissant de côté le débat sur le sujet exact du tableau de Toledo). L'exemple le plus notable, avec les deux versions de *Vénus armant Énée*, est sans doute l'hallucinant *Paysage avec Hercule et Cacus* du musée Pouchkine (cat. 235), où les exploits du héros Hercule sont subordonnés à une vision de la nature à l'âge d'or, à l'aube de toute civilisation[80].

En ce qui concerne le thème de *Vénus armant Énée*, il peut être intéressant de comparer les interprétations de Poussin avec celles de Claude Lorrain, dont certaines des plus belles peintures tardives évoquent des passages de l'*Énéide*[81]. Claude Lorrain a également consacré un dessin à cet épisode (fig. 15), montrant une scène fabuleuse dans un cadre romantique foisonnant. Le char prodigieusement ouvragé (peut-être inspiré de Cartari) est particulièrement saisissant[82]. Dans cet épisode, la déesse Vénus, portée par un nuage, apparaît à son fils Énée qui se repose après la bataille, dans un bosquet isolé au bord de la rivière Caere. Elle lui apporte des armes que lui a fabriquées Vulcain et les dépose contre un chêne. Avec ces armes, il est destiné à vaincre Turnus en combat singulier, préparant ainsi la suite d'événements qui débouchera sur la fondation de Rome. Le bouclier, ouvragé comme celui d'Achille décrit par Homère, s'orne de représentations de la future histoire de Rome. L'artiste Claude Lorrain a dû utiliser une des traductions françaises ou italiennes publiées à l'époque, notamment celle d'Annibale Caro, parue en 1592[83].

La première version de *Vénus armant Énée* peinte par Poussin[84] (fig. 16), actuellement à Toronto, est généralement datée de 1636-1637 environ. Blunt suppose que le tableau, exécuté à l'origine pour un mécène romain, est entré ensuite dans la collection de la famille de Cellamare à

Naples, où il est signalé par l'inscription au bas de la gravure de Francesco Aquila[85] (fig. 17). Il est vrai que ce thème revêtait des connotations particulières pour un Romain.

Poussin suit d'assez près le texte de Virgile, malgré certains éléments synthétisés[86]. Énée est seul. Vénus apparaît sur un char tiré par des colombes. Virgile ne parle pas de ces colombes, mais, d'après Cartari, elles font partie des oiseaux sacrés de Vénus au même titre que les cygnes, et ce sont des symboles de l'amour[87] (fig. 18). La déesse, accompagnée de *putti*, descend *inter aetherios nimbos*, selon le poète. Le bosquet ombragé est signalé par quelques arbres et un escarpement rocheux. Vénus montre les armes posées en tas au pied d'un chêne, comme le précise Virgile, et c'est un Énée raphaélesque qui les contemple avec étonnement[88]. Sa main légèrement tournée correspond aux recommandations de Quintilien quant aux gestes exprimant l'émerveillement[89]. L'artiste a figuré le casque empanaché, flamboyant à défaut de « vomir des flammes », et la cuirasse d'airain rutilante, sinon « sanguine », mais il a dû se borner à indiquer la décoration compliquée du bouclier, avec Romulus et Rémus allaités par la louve et aussi une personnification du Tibre, ajoutée pour mieux souligner la relation avec Rome. La composition s'organise autour d'un axe oblique très accusé, qui part des collines, en haut à gauche, suit le geste de Vénus ainsi que le regard d'Énée et son bras levé, pour aboutir aux armes entassées au pied du chêne.

La disposition des personnages est à peu près la même (inversée) que dans une estampe de Pietro Testa sans doute légèrement postérieure au tableau de Poussin, et datable vers 1638-1640 (fig. 19). Toutefois, comme le remarque Elizabeth Cropper, leur style doit beaucoup plus à la préciosité de l'école de Fontainebleau qu'à l'exemple de Raphaël[90]. On notera au passage que l'on retrouve une disposition identique des personnages dans la gravure de François Chauveau illustrant la traduction française de Virgile par Marolles, parue en 1649 (fig. 20). Mais là, le format vertical comprime davantage les silhouettes, le chêne occupe plus d'espace, les détails du bouclier sont plus clairement lisibles et la déesse Vénus a perdu son char.

La seconde version de *Vénus armant Énée*, peinte vers 1639 et conservée à Rouen[91] (fig. 21), produit une impression plus solennelle et impersonnelle. La pose d'Énée luimême n'a guère varié, mais les personnages sculpturaux sont plus intimement liés par leurs gestes éloquents et leurs attitudes figées. Ces formes immobiles et cristallines situent la composition à mi-chemin entre la peinture narrative et l'allégorie. Ce deuxième tableau est le seul dont parle Bellori, qui le dit *seguitando Virgilio*. Poussin l'a peint pour Jacques Stella, si l'on en croit Félibien, et il a été gravé par Alexis Loir[92] (fig. 22). Par rapport à la version précédente, la mise en page suit un schéma pyramidal plus classique. Vénus, placée au sommet de la pyramide, tend les deux bras à présent, pour désigner d'un côté Énée, et de l'autre l'armure qu'il est destiné à porter. Dans le décor plus spacieux, les silhouettes de Vénus et d'Énée, auxquelles répondent deux arbres, se découpent sur un ciel dégagé.

Le dieu-fleuve, bien plus en évidence que dans l'autre version, s'inspire étroitement d'une statue antique du Tibre alors au Vatican (*contrasegne di Roma*, écrit Bellori[93]). La naïade du centre, qui s'essore les cheveux, représente peut-être la rivière Caere[94]. Elle pourrait signifier aussi la fertilité, car les nymphes ont cette connotation dans certains dessins de Poussin[95]. Serait-ce une allusion à Vénus déesse de l'Amour?

Mais ici, Vénus est avant tout la déesse inflexible du Devoir, ou du Destin, conformément à la religion romaine. Elle flotte dans les airs, sans aucun nuage pour la porter. Des cygnes (*suoi dolci e candidi cigni*, pour citer Bellori) remplacent les colombes, associées à la volupté amoureuse. Par d'autres aspects, elle ressemble à la déesse « candida » de Virgile. Sa silhouette limpide domine la composition. Avec sa silhouette marmoréenne en suspension, et singulièrement son geste autoritaire, elle relie les formes plus raides et verticales d'Énée et de l'arbre où sont posées ses armes. Bellori souligne l'émerveillement d'Énée en contemplation devant les armes, émerveillement traduit par le même geste que dans la version précédente.

La netteté des contours, leur sobriété relative, indiqueraient-elles chez Poussin une plus grande adhésion à un protocole de style virgilien, en accord avec le thème de l'amour rejeté au profit du destin guerrier? Les armes prennent maintenant autant d'importance que les personnages, formant un des pôles du récit. Virgile, traduit par Marolles, décrit la scène : « Ses armes rayonnantes sous un chêne [...]. Il admiroit entre ses mains l'armet aux crêtes terribles qui vomissoit des flammes, la fatale épée, la cuirasse grande et sanguine faite d'un airain de bonne trempe, jetant un éclat pareil à une nuée d'azur qui s'enflamme aux rayons du soleil, & qui brille de fort loin [...] la lance & le bouclier orné de figures difficiles à représenter, les plus mémorables histoires d'Italie, & les triomphes des Romains. »

On pourrait conclure par cette phrase de Virgile à la fin du livre VIII : « Ainsi Énée admiroit sur le bouclier, ouvrage de Vulcain, la rareté du présent de sa mère; & ravi d'y voir tant de belles choses, qu'il n'entendoit point, il se chargea les épaules de la renommée & des destinées de son illustre postérité. »

En somme, Poussin nous présente Achille et Énée, ces deux héros de la légende classique, qui se détournent des « voluptés » de l'amour pour répondre à l'appel du destin, matérialisé par les emblèmes, étincelants mais implacables, de la guerre.

## Notes

Je remercie Jennifer Montagu pour ses critiques constructives sur une première version de cet article.

* Les références mentionnées ainsi renvoient au catalogue de l'exposition du Grand Palais, Paris, 1994-1995.

1. Philostrate, *Les Images ou tableaux de platte peinture des deux Philostrate sophistes grecs*, traduit et présenté par Blaise de Vigenère, Paris, 1578, nouvelle édition, 1615, préface. Il ajoute : « Finalement, les héros sont pris pour tous braves & vaillants personnages, qui en leur temps ont exploité de belles choses, tant à la guerre qu'à la paix. »

2. La première version d'*Achille parmi les filles de Lycomède* est au Boston Museum of Fine Arts, généralement datée de 1650 environ. Voir Mérot, 1990, n° 178 (« après 1650 »); Blunt, 1966, n° 126. La seconde est à Richmond, Museum of Fine Arts, datée de 1656. Voir Mérot, 1990, n° 179; Blunt, 1966, n° 127. Les deux tableaux figuraient dans l'exposition du Grand Palais, Paris, 1994-1995, cat. 209 et 225. Il faut citer également le tableau autrefois attribué à Poussin et donné maintenant à Charles-Alphonse Dufresnoy (voir cat. exp. Paris, Louvre, 1994-1995, pp. 35-37, n° 3). La première version de *Vénus armant Énée* est à Toronto, Art Gallery of Ontario, datée vers 1636-1637. Voir Mérot, 1990, n° 164; Blunt, 1966, n° 190. La seconde est à Rouen, musée des Beaux-Arts, daté de 1639. Voir Mérot, 1990, n° 165, qui en donne un historique complet. D'après Alain Mérot, l'attribution du tableau de Toronto soulève encore quelques doutes. Son authenticité est acceptée dans la plupart des ouvrages de référence antérieurs. Les deux versions figuraient dans l'exposition à Paris, 1960, n^os^ 44 et 59.

3. Sur les « dessins Marino », voir Friedlaender et Blunt, 1953, III, p. 9 *sq.* (le *Thétis et Achille* porte le n° 15); Costello, 1955, pp. 296-317; Rosenberg et Prat, 1994, n° 11. Il semblerait que, pour son *Thétis et Achille*, Poussin se soit inspiré directement de l'*Iliade* d'Homère, et pas des *Métamorphoses* d'Ovide, qui lui ont servi pour les autres dessins (voir Friedlaender et Blunt, 1953, p. 13).

4. Bardon, 1960. Au sujet de Poussin et ses sources visuelles ou littéraires, voir les écrits de Charles Dempsey, en particulier « The Greek Style and the Prehistory of Neoclassicism », dans Elizabeth Cropper (dir.), *Pietro Testa : Prints and Drawings,* cat. exp. Philadelphie, 1988.

5. Bellori (1672), 1976, p. 431.

6. Giulio Mancini, *Considerazioni* (v. 1626), édition établie par A. Marucchi et L. Salerno, Rome, 1956, I, p. 261.

7. Bardon, 1960, p. 125. Il invoque la lettre du 27 juin 1655 à Chantelou, où Poussin reprend les remarques de Quintilien au sujet de la variété des talents. Jouanny, 1911, n° 194, p. 43 *sq*.

8. Par exemple Dempsey, *in* E. Cropper, *op. cit.* n. 4.

9. Le tableau de Richmond peut être daté de 1656 grâce à un reçu rédigé par Poussin au dos d'un dessin préparatoire pour la *Sainte Famille en Égypte*, conservé à Chantilly. Voir cat. exp. Paris, 1994-1995, fig. 225a; cat. exp. Chantilly, 1994, n° 41; Friedlaender et Blunt, 1939, I, pl. 36, n° 60.

10. Au sujet des gravures attribuées à Pietro Del Po, voir Wildenstein (1955), 1957, n^os^ 104 et 105; Andresen, 1863, n^os^ 302 et 303; Davies et Blunt, 1962, p. 213.

11. Voir Bätschmann, 1982, p. 12 *sq*. Colantuono, 1986.

12. La description se trouve dans le reçu de Poussin, au dos d'un dessin préparatoire. Voir la n. 9 *supra*.

13. Stace, *Achilléide*, III, 173 ; Hygin, *Fables*, XCVI. Voir également Apollodore, *Bibliothèque*, III, XIII, 8.

14. Dans le texte d'Hygin, le héros arrache ses vêtements de femme et s'empare du bouclier et de l'épée. Stace, traduit par Marolles en 1658, insiste sur la ruse d'Ulysse, qui est peut-être l'une des raisons de l'attention accordée à cet épisode par les artistes français. Il relate notamment un dialogue entre les Grecs sur la meilleure façon de piéger Achille (pp. 250-251) : « Ces choses-là [cymbales de cuivre, petits tambours, guirlandes, etc.] vous feront connaître le fils de Pélée, & il vous viendra même de bon gré à la guerre, s'il est caché par quelque artifice entre les filles du roi Lycomède [...] souvenez-vous de joindre à ces présents un bouclier qui est admirable par les excellentes figures qui y sont représentées, & par le vif éclat de l'or dont il est orné, cela suffira, pourvu qu'Argyrte, qui sonne si bien du clairon, vienne avec vous. » En fait, le sonneur de clairon ne figure dans aucune des deux versions de Poussin.

15. Natale Conti, *Mythologiae sive explicationes fabularum*, Rome, 1551. Poussin a probablement consulté l'édition française : *Mythologies ou explication des fables*, traduit par Jean de Montlyard, 1597, rééd. Baudoin, 1627.

16. Voir la n. 1 *supra*.

17. Les emprunts de Poussin à Natale Conti étaient signalés dès 1947 par R. McLanathan, dans une étude pionnière sur le tableau de Boston (1947). À cette date, on ne connaissait la version de Richmond que par une gravure. Sa redécouverte, en 1958, a donné lieu à un article de H. Glasson.

18. L'hypothèse d'une influence directe du poème de Marino a été avancée par A. Moschetti, 1913. Elle est contestée par Walter Friedlaender, qui donne un compte rendu de l'article de Moschetti dans le *Repertorium für Kunstwissenschaft*, XXXVII, 1915, p. 234.

19. Adone, *Canto XIX*, stanza 311, éd. M. Ren, Rome, 1975, p. 590. A. Moschetti, « Dell influsso del Marino sulla formazione artistico di Nicolas Poussin » (1913), in *Atti del confresso internazionale si storia dell'Arte*, Rome, 1922, pp. 356-384, spécialement p. 372.

20. Voir Friedlaender, 1926-1927, p. 141.

21. Les deux bas-reliefs de sarcophages identifiés par W. Friedlaender sont décrits par C. Robert, *Die antiken Sarcophagen-Reliefs*, Berlin, II, 1890, n^os^ 28 et 34. Le dessin exécuté d'après le sarcophage du Palazzo Lante, correspondant au n° 28, est au British Museum, Franks Collection, fol. 11 (147). Celui qui représente le sarcophage de Woburn Abbey est à Windsor, n° XVIII, fol. 75 (4).

22. Voir Friedlaender, 1926-1927. La lettre à Carleton, datée du 28 avril 1618, est reproduite dans la *Correspondance de Rubens*, traduite et présentée par M. Rooses et C. Ruelens, X, p. 143.

23. Voir l'introduction d'E. Haverkamp Begemann, *Corpus Rubenianum Ludwig Burchard*, X, en particulier p. 20 *sq*.

24. La gravure de Gérard Audran, est dite « d'après Carrache » dans l'*Inventaire du fonds français du* XVII^e^ *siècle de la Bibliothèque nationale de France*, par R. A. Weigert, I, p. 34, n° 59, Ed 66 fol. ; et par McLanathan, 1947. Je remercie Ann Sutherland Harris de m'avoir fait

part de ses observations. Elle remarque que la composition gravée est « trop strictement verticale » pour se rapporter à une œuvre d'Annibale, mais que l'attribution indiquée par Audran confirme le prestige dont jouissait l'artiste italien dans la France du XVII^e siècle (communication personnelle).

25. Les décors d'opéra de Torelli, gravés par Nicolas Cochin (voir l'*Inventaire* de la BNF, III, n^os 739-743, Ed 23a fol.), sont décrits par P. Bjurström, *Giacomo Torelli and Baroque Stage Design*, Stockholm, 1961, p. 53 *sq*. Sur les décors de Torelli pour le *Bellérophon* (1642), voir *ibidem*, p. 58 *sq*. Les relations avec l'œuvre de Poussin sont mises en évidence par Bätschmann, 1982, en particulier p. 79.

26. Les dessins en question sont à Saint-Pétersbourg, musée de l'Ermitage, n^os 5136 et 5071. Voir Friedlaender et Blunt, II, 1949, n° 104, pl. 83 et A 23, pp. 3-4, P 118 ; Rosenberg et Prat, 1994, n^os 354, 355 et R 522. A. Blunt considère le second dessin comme une copie probable d'après un original perdu de Poussin.

27. Bellori (1672), 1976, p. 446.

28. Les nuances de l'expression de Déidamie dénotent un souci de la vérité des émotions qui semble préfigurer les théories de Le Brun, plus ou moins inspirées de Descartes. Voir J. Montagu, *The Expression of the Passions,* Londres, 1994.

29. Certains auteurs, dont McLanathan, 1947, ont attiré l'attention sur les déguisements de marchands portés par Ulysse et Diomède. Ils sont également signalés par Bellori. On les trouve chez Natale Conti, mais pas chez Stace. « On dit qu'Ulysse ayant su [...] qu'Achille estoit là caché, se déguisa en mercier porte-faix passant pays, & porta aux filles de Lycomède beaucoup de sortes de mercerie, principalement de besognes de filles » (Natale Conti, *op. cit.* n. 15, 1627, livre IX, p. 958). Voir également Philostrate : « Ulysse usa de malice pour le discerner [...] s'estant habillé en mercier » (Philostrate, *op. cit.* n. 1, p. 290). Les deux Grecs sont déguisés de la même façon dans les versions de Rubens et de Van Dyck.

30. Cette notion est peut-être liée à la distinction entre « aspect » et « prospect », suggérée à Poussin par la lecture des traités d'optique. Voir Arikha, 1989, p. 42, lettre à Sublet de Noyers, et p. 212, commentaire d'A. Arikha, 1989. (Plusieurs auteurs ont souligné l'intérêt de Poussin pour l'optique, en particulier les traités de Vitelio et d'Ibn al-Haytham. Voir par exemple Blunt, 1966, p. 224 *sq.*) Dans ce contexte, l'idée du regard comme mode de compréhension s'applique à la faculté de reconnaître Achille sous son déguisement. On notera que, par une singulière ironie, Ulysse lui-même s'est « travesti » pour déjouer un travestissement.

31. Sur les « affetti » et la théorie de l'expression des émotions élaborée à partir de là au XVII^e siècle, voir, entre autres, R. W. Lee, *Ut Pictura Poesis,* New York, 1967, p. 23 *sq.* ; et J. Montagu, *op. cit.* n. 28.

32. Voir J. Thuillier, « Temps et tableau, la théorie des "péripéties" dans la peinture française du XVII^e siècle », dans *Stil und öberlieferung in der Kunst des Abendlandes,* III, Berlin, 1967, pp. 193-210. C'est Friedlaender, 1926-1927, qui a fait la comparaison avec *Le Jugement de Salomon* de 1649 conservé au Louvre.

33. Quintilien, *De institutione oratoria,* XII, 10.2 et *sq.*

34. Pausanias, *Périégèse ou description de la Grèce*, I, « L'Attique », XXII, 4-6.

35. Pline l'Ancien, *Histoire naturelle,* XXXV, 59 : « Voltum ab antiquo rigore variare. »

36. La fresque pompéienne provient de la maison des Dioscures (Iᵉʳ siècle de notre ère ; musée de Naples, n° 9110). Elle est reproduite dans R. Ling, *Roman Painting*, Cambridge, 1991, pl. 137.

37. Voir Pline l'Ancien, *Histoire naturelle*, XXXV, 134 : « [...] *austeriore in colorire et in austeritate iucundus, ut in ipsis pictura eruditio eluceat.* »

38. Arikha, 1989, p. 208.

39. Voir Friedlaender, 1926-1927, p. 141. Félibien rapporte que Pointel avait commandé un tableau comportant des images de beauté féminine et une grande diversité d'expression, pour tenter d'égaler *La Vierge cousant* de Guido Reni (actuellement à l'Ermitage).

40. Rubens, lettre à Carleton, dans la *Correspondance de Rubens*, *op. cit.* n. 22, p. 143. Citée par Friedlaender, 1926-1927.

41. Philostrate, *op. cit.* n. 1, pp. 565-566.

42. *Les Sylves et l'Achilleide*, traduit par Marolles, Paris, 1658, p. 228. Stace écrit lui aussi que les filles de Lycomède « estoient toutes fort belles, & toutes estoient également propres et bien vestues ».

43. Les paysages mythologiques de la dernière période traduisent aussi cette idée des personnages comme « absorbés » dans l'environnement naturel. Voir Blunt, 1966, pp. 313-334 ; et Verdi, cat. exp. Édimbourg, 1990.

44. Je tiens à exprimer ici ma gratitude à Malcolm Cormack, conservateur au Virginia Museum of Fine Art, et, surtout, à la responsable de l'équipe de restauration du musée, Carol Woods Sawyer, qui m'a autorisée à examiner le tableau lors de mon passage à Richmond.

45. Un emploi subtil et éloquent de la couleur peut être trouvé dans d'autres œuvres de Poussin après 1655.

46. Sur les ressemblances avec le temple de Palestrina, voir McLanathan, 1947 ; Wallace, 1962, p. 323. Le dessin de Windsor (inv. 10384, reproduit dans Wittkower, *Festschrift zum 70. Geburstag von Adolf Goldschmidt,* Berlin, 1935, p. 137) est attribué à Capitelli par N. Turner, dans le catalogue d'exposition *The Paper Museum of Cassiano Dal Pozzo*, Londres, 1993, n° 74 (avec une bibliographie complète). Le dessin de Pierre de Cortone est conservé à Londres, Victoria and Albert Museum. On trouve une reproduction du temple dans A. Kircher, *Latium,* Amsterdam, 1671, IVᵉ partie, ch. III, pp. 96-97. Concernant l'intérêt de Poussin pour ce monument, voir son allusion, dans la lettre du 25 novembre 1658 à Chantelou, à « ce fameux temple de la Fortune de Palestrine », et ses emprunts, souvent cités, à la célèbre mosaïque, connue elle aussi par le *Museo cartaceo* de Cassiano dal Pozzo (par exemple *La Sainte Famille en Égypte*, dans le catalogue d'exposition, Paris, Grand Palais, 1994-1995, cat. 223).

47. Natale Conti, *op. cit.* n. 15, p. 958 *sq.* : « D'Ulysse, ses exploits. Et premièrement il fut cause qu'Achille, qui se tenoit caché parmi les filles de Lycomède roi de l'isle de Scyros, en habit de fille, revint à la guerre », etc.

48. Sur la galerie d'Ulysse au château de Fontainebleau, voir notamment S. Béguin, dans *L'Art de Fontainebleau. Actes du colloque international sur l'art de Fontainebleau* (1972), sous la direction d'André Chastel, Paris, 1975, p. 216.

49. Le dessin attribué à Van Thulden d'après Primatice est conservé à l'Albertina de Vienne. Voir S. Béguin, *op. cit.* n. 48.

50. R. P. Pierre Dan, *Le Trésor des merveilles de la maison royale de*

*Fontainebleau,* 1642, II, p. 81 *sq.*, « Du pavillon de Saint Louis [...] l'Iliade d'Homère dépeinte en la chambre du roi ».

51. Philostrate, *op. cit.* n. 1.

52. Félibien, *Entretiens,* VIII, 1688, p. 65.

53. P. Maccio, *Emblemata,* Bologne, 1628, emblème LVII, « *naturam abdi non posse* ».

54. Natale Conti, *op. cit.* n. 15, 1627, livre IX, pp. 1011-1012.

55. Natale Conti, *op. cit.* n. 15, 1627, livre X, p. 1088.

56. Voir notamment Friedlaender, 1962, pp. 252-253.

57. Je remercie un membre de l'assistance au colloque d'avoir attiré l'attention sur ce point.

58. Stace, 1658 (traduction Marolles), pp. 258-259 : « Quand il se fut approché de plus près, la surface polie du bouclier représentait naïvement son visage, & s'estant vu dans un or semblable à celui de ses beaux cheveux, il frémit & rougit en même temps. »

59. Bellori (1672), 1976, p. 446.

60. Wallace, 1962.

61. Cesare Ripa, *Iconologia,* Rome, 1603, rééd. Sienne, 1613, IIe partie, p. 167.

62. Wallace, 1962, p. 328.

63. Voir Mérot, 1990, p. 36 (attribué à Nicolas Poussin); et cat. exp. Paris, 1960, n° 1. Ce tableau est rejeté par Blunt, 1966, n° R 76, qui propose de l'attribuer au Maître de Hovingham, tout en admettant l'identification avec le thème de Didon et Énée.

64. Wallace, 1962, p. 329. Voir également L. Bonfante et N.T. de Grummond, 1980, pp. 72-80.

65. Sur Narcisse, voir en particulier D. Panofsky, « Narcissus and Echo », *Art Bulletin,* XXXI, n° 1, mars 1949, pp. 112-120. Il faut citer ici une illustration de la traduction de Philostrate par Vigenère (éd. de 1615), p. 191, où l'on voit Narcisse admirer son reflet à la surface d'un étang.

66. Concernant le thème de la « réflexion » en général, je suis très reconnaissante à Martin Kemp de m'avoir aimablement communiqué la copie d'un texte à paraître sur Piero della Francesca et l'étude scientifique de la propagation de la lumière.

67. Philostrate, 1615, p. 299 : « Ainsi que dit Plutarque au traité de la lecture des poetes... »

68. Blunt, 1966, p. 306.

69. Bardon, 1960, pp. 127-128. Voir également H. Bardon, « L'*Énéide* et l'art, XVIe-XVIII[e] siècle », *Gazette des beaux-arts*, XXXVII, 1950. À propos du poème de Virgile comme source d'inspiration artistique, il écrit que « l'*Énéide* est, après les *Métamorphoses*, l'œuvre la plus utilisée » par les artistes.

70. Le sujet de *La Mort de Camille* est tiré de l'*Énéide*, XI, 648 et *sq*. Voir Friedlaender et Blunt, 1949, II, n° 113, pl. 90 (parmi les scènes de bataille contenues dans la série Marino à Windsor). Voir également Rosenberg et Prat, 1994, n° 17. Le dessin figurait dans l'exposition à Paris, Grand Palais, 1994-1995, cat. n° 4.

71. Les dessins de *Vénus dans la forge de Vulcain* sont reproduits dans Friedlaender et Blunt, II, n[os] A 52 et A 53, pl. 179. Voir Blunt, 1966, pp. 31-32, et Rosenberg et Prat, 1994, n[os] R 875, R 874.

72. Montaigne, *Essais*, livre III, v. Les affinités avec Montaigne sont mises en évidence par Cropper, 1992, pp. 485-509.

73. Voir R. Schilling, *La Religion romaine de Vénus,* Paris, 1954.

74. Blunt, 1989, pp. 50-51. Le dessin préparatoire pour le frontispice est conservé à Windsor. Voir Fumaroli, 1989.

75. Blunt, 1989, p. 137 (lettre du 24 novembre 1647) : « Comme Virgile a observé par tout son poème, parce qu'à toutes ses trois sortes de parler, il accommode le propre son du vers avec tel artifice que proprement il semble qu'il mette devant les yeux avec le son des paroles les choses desquelles il traite, de sorte que, où il parle d'amour, l'on voit qu'il a artificieusement choisi aucunes paroles douces, plaisantes et grandement gracieuses à ouïr ; de là, où il a chanté un fait d'armes ou décrit une bataille navale ou une fortune de mer, il a choisi des paroles dures, âpres et déplaisantes [...]. » Sur les emprunts de Poussin à Giuseppe Zarlino, voir Blunt, 1989, p. 135, n. 91, qui renvoie à Alfassa, 1933, p. 125 *sq*. La diversité des traitements à l'intérieur d'un même sujet pourrait sembler incompatible avec la notion de « mode », mais c'est une théorie assez souple pour permettre à l'artiste de se concentrer sur divers aspects de l'histoire représentée en fonction de ses préoccupations personnelles. Pour poursuivre la métaphore musicale, l'œuvre comporte des « variations sur un thème ». Comme le dit l'artiste (Blunt, 1989, p. 128), « je sais varier quand je veux ».

76. Blunt, 1989, p. 158 : « Il y sera aussi dignement comme fut celui de Virgile au musée d'Auguste. »

77. *Ibidem,* p. 175. Voir également la communication de Youri Zolotov, dans le présent ouvrage.

78. Fumaroli, 1989.

79. Sur les copies du Virgile du Vatican dans l'entourage de Poussin, voir D. H. Wright, « The Study of Ancient Virgil Illustrations from Raphael to Cardinal Massimi », *Quaderni Puteani* 2, 1992 ; *Cassiano Dal Pozzo' Paper Museum,* I, 1992, p. 137 *sq*., en particulier p. 144, où l'auteur établit que Cassiano dal Pozzo a emprunté des manuscrits, dont le Virgile du Vatican, pour les faire copier (peut être par Pietro Testa) et que le cardinal Massimi se l'est fait prêter lui aussi en 1641. Voir Londres, British Museum, Lansdowne Ms 834, page de titre, datée de 1642 (Wright, *op. cit.*, pl. 7). Voir également J. Ruysschaert, « Les dossiers dal Pozzo et Massimo des illustrations virgiliennes antiques de 1632 à 1782 », Cassiano Atti, 1989, p. 177 *sq*. Il n'est guère besoin de souligner l'importance des *Bucoliques* de Virgile pour la tradition du paysage idéal, et en particulier pour les deux tableaux des *Bergers d'Arcadie* de Poussin.

80. Là encore, le sujet choisi renvoie à l'histoire ancienne de Rome. Voir Blunt, 1966, pp. 320-321 ; et Mérot, 1990, n° 217.

81. Sur Claude Lorrain et les sujets tirés de l'*Énéide*, voir en particulier M. Kitson, « The Altieri Claudes and Virgil », *The Burlington Magazine,* CII, 1980 ; et H. Wine, *Claude : The Poetic Landscape,* Londres, National Gallery, 1994.

82. Claude Lorrain, *Vénus armant Énée,* v. 1670. Londres, collection Lady Bonham Carter. Voir M. Röthlisberger, *Claude Lorrain : the Drawings,* Berkeley et Los Angeles, 1961, n° 1026. Au sujet du char, voir Vincenzo Cartari, *Le Imagini degli dei degli antichi*, Padua, 1608, p. 48.

83. *L'Eneide di Virgilio del Commendatore Anibal Caro,* 1581. Claude Lorrain a utilisé l'édition de 1623 (voir Kitson, *op. cit.* n. 81). Une traduction française établie par L. de Masures est parue en 1574, avec une réédition en 1588.

84. Voir Mérot, 1990, n° 164; Blunt, 1966, n° 190; et Paris, cat. exp. 1960, n° 44. Je remercie M. Kelleher, conservateur adjoint pour l'art européen, Toronto, Art Gallery of Ontario, de m'avoir envoyé des documents sur le tableau.

85. Voir Blunt, 1958, pp. 83-84. La gravure de Francesco Aquila (1677-1759) n'est pas datée, mais on peut la situer vers 1700. Voir Andresen, 1863, n° 354; G. Wildenstein, 1955, n° 125.

86. *Énéide*, VIII, 597 et *sq.* Voir Blunt, 1958; et Bardon, 1960, p. 125.

87. Cartari, *op. cit.* n. 42.

88. On a proposé divers prototypes pour le personnage d'Énée, mais, bien entendu, il n'y a sans doute pas de modèle précis. Cependant, l'aspect sculptural de cette figure dénote l'influence évidente de Raphaël et de son entourage. Il y a peut-être un rapprochement à faire avec l'effigie d'Alexandre le Grand dans l'embrasure de fenêtre de la chambre de la Signature au Vatican. Voir E. Cropper, *op. cit.* n. 4, n° 59, pp. 117-118.

89. Quintilien, *De institutione oratia*. Sur les analogies entre les théories artistique et rhétorique de l'expression des sentiments, voir notamment Fumaroli, 1984, pp. 31-48.

90. E. Cropper, *op. cit.* n. 4. Dans la version de Pietro Testa, le bouclier est plus grand, ce qui laisse plus de place pour transcrire les détails des scènes figurées.

91. Voir Mérot, 1990, n° 165; Blunt, 1966, n° 191; cat. exp. Paris, 1960, n° 59; et cat. exp. Rouen, 1961, n° 9. Voir également le *Guide des collections* XVI^e^-XVII^e^ *siècles,* Rouen, musée des Beaux-Arts, 1992, pp. 140-141.

92. Andresen, 1863, n° 353; et G. Wildenstein, 1955, n° 124.

93. La statue du Tibre est actuellement au Louvre. Voir F. Haskell et N. Penny, *Taste and the Antique*, New Haven et Londres, 1981, fig. 164, pp. 310-311. Il n'est peut-être pas inutile de noter que cette statue a servi de modèle pour une fontaine à Fontainebleau, décrite par le R. P. Dan, *op. cit.* n. 50, 1615, p. 156 (et illustrée par une gravure d'Abraham Bosse) : « Cette première et principale fontaine est au milieu du jardin [...] on l'appelle le Tibre à cause d'une fort grande & excellente figure de bronze, laquelle représente ce fleuve sous la forme d'un homme couché. »

94. Voir par exemple Philostrate, éd. cit. n. 1, 1615, p. 376 : « Par les nymphes [...] faut entendre la surface de la terre, avec les eaux douces dont elle est arrosée. [...] Les naïades, qui respandent de l'eau de leur chevelure, sont les fontaines & rivières, ensemble telles autres sortes d'eaux vives. »

95. Voir Blunt, 1966, p. 118. Par exemple, le dessin de *Trois nymphes*, reproduit dans Friedlaender et Blunt, 1953, III, n° 1798, pl. 145.

Fig. 1
Nicolas Poussin
*Achille parmi les filles de Lycomède,* vers 1650
Toile, 1,96 x 1,29 m
Boston, Museum of Fine Arts,
The Juliana Chaney Edwards Collection.

Fig. 2
Nicolas Poussin
*Achille parmi les filles de Lycomède,* 1655?
Toile, 1,00 x 1,33 m
Richmond, Virginia Museum of Fine Arts,
The Arthur and Margaret Glasgow Fund.

Fig. 3
Attribué à Pietro del Po (1610-1692)
*Achille parmi les filles de Lycomède*
Gravure d'après Poussin
Londres, The Courtauld Institute of Art, Witt Print Collection.

Fig. 4
Attribué à Pietro del Po (1610-1692)
*Achille parmi les filles de Lycomède*
Gravure d'après Poussin
Londres, The Courtauld Institute of Art, Witt Print Collection.

Fig. 5
*Dessin d'après un sarcophage antique, Museo cartaceo*
Plume, encre et sépia, 24 x 45 cm
Collection Franks, vol. I, fol. 11, n° 12
Londres, British Museum.

Fig. 6
P.P. Rubens
Esquisse pour l'*Achille parmi les filles de Lycomède*
Bois, 11 x 10 cm
Cambridge, The Fitzwilliam Museum.

Fig. 7
Gérard Audran
*Achille parmi les filles de Lycomède*
Gravure
Paris, Bibliothèque nationale de France, Cabinet des Estampes, Ed. 66 fol.

Fig. 8
Nicolas Poussin
*Achille parmi les filles de Lycomède*
Plume et encre brune sur traits de pierre noire, 15 x 19 cm
Saint-Pétersbourg, musée de l'Ermitage.

Fig. 9
Nicolas Poussin
*Achille parmi les filles de Lycomède*
Plume et encre brune sur traits de pierre noire, 11 x 14 cm
Saint-Pétersbourg, musée de l'Ermitage.

Fig. 10
Anonyme, *Temple de la Fortune*
Windsor, The Royal Library, inv. RL 10384.

Fig. 11
Gravure de l'emblème LVII, dans Paolo Maccio,
*Emblemata,* Bologne, 1628, p. 233 :
*«Naturam abdi non posse»*
Glasgow University Library.

Fig. 12
Nicolas Poussin
*Achille parmi les filles de Lycomède*
Plume et encre brune sur traits de pierre noire, 16 x 20 cm
Saint-Pétersbourg, musée de l'Ermitage.

Fig. 13
Cesare Ripa, «*La Prudence*»
gravure dans *Iconologia*, Sienne, 1613, p. 166
Glasgow University Library.

Fig. 14
Atelier de Nicolas Poussin
Étude pour le frontispice de Claude Mellan
*Publii Virgilii Maronis Opera*
Encre et lavis bistre, plume, 37 x 23 cm
Windsor, The Royal Library.

Fig. 15
Claude Gellée
*Vénus armant Énée*
Dessin, plume et lavis gris, avec rehauts de blanc, 17 x 24 cm
Collection privée.

Fig. 16
Nicolas Poussin
*Vénus armant Énée,* vers 1636
Toile, 1,07 x 1,33 m
Toronto, Art Gallery of Ontario.

Fig. 17
Francesco Aquila (1677-1759)
Gravure d'après Poussin
*Vénus armant Énée.*

Fig. 18
Gravure de Vénus dans son char, dans Vincenzo Cartari, *Le Imagini degli dei degi antichi,* Padoue, 1608, p. 482
Glasgow University Library.

Fig. 19
Pietro Testa
*Vénus présentant les armes à Énée*
Plume et encre brune, 31,5 x 41,6 cm
Édimbourg, National Gallery of Scotland.

Fig. 20
François Chauveau (1613-1676)
*Vénus armant Énée*
Gravure des *Œuvres de Virgile* (1649) par Michel de Marolles
Paris, Bibliothèque nationale de France, Cabinet des Estampes.

Fig. 21
Nicolas Poussin
*Vénus armant Énée,* vers 1636
Toile, 1,05 x 1,42 m
Rouen, musée des Beaux-Arts.

Fig. 22
Alexis Loir, d'après Nicolas Poussin
*Vénus armant Énée,* vers 1678
Gravure
Londres, The Courtauld Institute of Art, Witt Print Collection.

# *L'Empire de Flore* et le problème de la couleur

**Matthias Winner**
Directeur de la Bibliotheca Hertziana, Rome

Le 21 juillet 1631, Don Fabrizio Valguarnera, gentilhomme de Palerme, présente ses tableaux au juge à Rome. Parmi eux figurent deux peintures à l'huile de Poussin : *La Peste d'Asdod* qu'il avait achetée à l'artiste pour 110 écus cinq ou six mois plus tôt, selon ses dires, ainsi qu'un « *quadro grande* » acquis à Rome dans les mêmes conditions trois mois auparavant environ pour 100 écus. Le propriétaire cite textuellement le sujet du tableau *« il quadro grande della Primavera »*. Poussin, quant à lui, l'intitule « *un giardino di Fiori* » (voir fig. 1, p. 358).

Bellori décrit le tableau en 1672, c'est-à-dire quelque quarante ans plus tard, en le nommant « *La trasformazione de' Fiori* ». Et presque simultanément, on trouve sur la gravure de Gérard Audran le titre *L'Empire de Flore ou les Métamorphoses des personnes changées en Fleurs* (fig. 1). La légende française de la gravure évoque la métamorphose des mêmes fleurs que Bellori avait identifiée : *Ajax changé en hyacinte marqué des deux premiers lettres de son nom. Clytie en girasol qui suit le Soleil. Adonis en passe-fleur. Narcisse en une fleur de son nom. Hyacinte en hyacinte. Smilax et Crocus en petites fleurs.*

Depuis que Dora Panofsky a découvert la source littéraire principale du tableau dans le cinquième livre des *Fastes* (V, 183-378) d'Ovide, la recherche d'autres sources littéraires ayant présidé à l'invention de Poussin n'a plus connu de fin.

Dans le tableau de Dresde, Flore danse seule. Dans les *Fastes* (V, 183-378), Ovide n'avait pas parlé du personnage de Flore en train de danser. Flore et Primavera ont une fonction commune. Dans les *Fastes* d'Ovide, la saison de Flore commence bien au printemps, fin avril, et se prolonge jusqu'en mai. Le poète s'adresse à Flore : « Viens, *Mère des fleurs*, afin que nous te rendions honneur par des jeux pleins d'allégresse ». Les jeux du cirque à Rome tombent en effet pendant ces journées printanières. Flore raconte au poète que, malgré ses tentatives de fuite, Zéphyr l'a violentée au printemps, mais qu'ensuite, pour leurs noces, cet amant tyrannique lui a offert un jardin fertile dans les champs (« *fecundus hortus in agris* »). Désormais, elle jouit d'un printemps éternel. Son jardin est irrigué par une source d'eau vive. Zéphyr a couvert ce jardin de fleurs délicates et précieuses et dit : « Toi, déesse, sois la reine des fleurs. » – Et Flore de poursuivre (*Fastes* V, 213-214) : « Souvent, j'essaie de compter les *couleurs* de mes parterres de fleurs. Mais je n'y parviens pas car la profusion (« *copia* ») de couleurs des fleurs dépasse toujours les nombres que l'on connaît. De même que la rosée du matin tombe des feuilles et que le feuillage est réchauffé par les rayons du soleil, les Heures surgissent et ramassent mes présents dans des corbeilles. Elles sont rejointes par les Grâces qui leur tressent des couronnes dans les cheveux. » – « Moi, Flore, je fus la première à semer de nouvelles graines de fleurs parmi des peuples innombrables ; jusqu'alors, la terre n'avait qu'une seule couleur » – « *unius tellus ante coloris erat.* » (*Fastes* V, 222.)

Flore n'est donc pas uniquement la reine des fleurs. Elle est en même temps la reine des couleurs. Voilà qui devait retenir la plus grande attention d'un peintre tel que Poussin en lisant le texte d'Ovide. Flore est maîtresse de tant de couleurs qu'elle est dans l'incapacité de les compter. Avant elle, la terre ne présentait qu'une couleur. Les commentaires du XV^e^ siècle expliquent qu'avant Flore, le vert et les couleurs variées n'existaient pas sur terre. Ils renvoient à Pline l'Ancien et comparent l'inestimable diversité des couleurs de Flore à la peinture et à sa variété de couleurs (*Antonii Fanensis et Pauli Marsi in Ovi. Nas. sex libros Fastorum ennerationes, Venetiis G. Tacuini de Tridino,* 1520, fol. 147.) Avant d'être violée par Zéphyr, Flore se serait appelée Chloris, affirme-t-elle en continuant de relater son destin au poète Ovide (*Fastes* V, 195-198). Mais l'initiale grecque (X) de son nom aurait été altérée par la prononciation latine (*Latino sono*) ; elle aurait été littéralement déformée par le « son » latin. Maintenant, elle s'appellerait Flore. C'est-à-dire qu'un F latin s'est substitué au X grec. Les commentateurs de ce passage ovidien savent que le X grec (*chloris*), en latin *viriditas*, signifie la verte ; car la terre revêt une nouvelle couleur – tout verdoie. C'est pourquoi Flore, le personnage de Poussin, porte une robe verte. Dans la première esquisse du tableau de Dresde, il avait voulu montrer Flore en train de disperser les fleurs en les puisant dans sa robe qui formait une poche devant son giron maternel. Par un tel détail dans son tableau, Poussin se réfère de toute évidence au nom de « Mère des fleurs » (« *mater florum* »; *Fastes* V, 183) donné à Flore par Ovide. C'est pourquoi il convient de comparer encore une fois le dessin conservé à Windsor à la toile exposée à Dresde (voir fig. 6, p. 360). C'est à juste titre que ce premier dessin est daté de 1626-1628, c'est-à-dire trois à quatre ans avant la réalisation de la peinture à l'huile. Partant de là, Poussin aurait déjà présenté un *concetto* achevé avant la commande de Valguarnera ; cette œuvre antérieure ne reflétait donc pas l'idée du commanditaire, mais celle du peintre.

En quoi le tableau de Poussin destiné à Valguarnera s'est-il modifié par rapport à son premier *concetto* ?

Ce n'est plus la partie bouffante de la robe située devant le ventre de Flore qui sert à recueillir les fleurs. Flore, qui, à l'origine, dansait de profil, se retourne plutôt avec un visage souriant dans le tableau. Elle a le regard posé sur le couple amoureux de Narcisse et Écho placé au centre. La main droite de Flore éparpille les pétales de fleurs sur la tête d'Écho. Dans le dessin, la nymphe Écho, qui éprouvait un amour vain pour Narcisse, occupait la place la plus importante parmi les fleurs de Flore avant leur métamorphose. Poussin avait déjà fixé l'axe principal de la composition dans cette esquisse. Dans le ciel, Apollon trône sur le char du Soleil. En dessous, Flore danse de gauche à droite ; sa tête est entourée de la roue du char du Soleil qui forme une auréole. Les arcades de feuillage du jardin bordent le royaume de Flore des deux côtés de manière symétrique si bien que, tel un troisième arc surhaussé, l'arc du zodiaque met l'axe central Apollon-Flore-Écho mieux en relief que dans la peinture. Le dessin ne nous montre donc que Flore, Mère des fleurs dans son jardin fertile qui, d'après Ovide, se trouve dans les champs, « *in agris* ». Écho n'est pas une fleur. Que vient-elle chercher dans le jardin de Flore ?

Étant donné que sa voix est renvoyée par les parois des grottes et les rochers, la modification de Poussin sur le côté gauche du tableau, où nous pouvons observer des parois rocheuses et le profil d'une énorme vasque naturelle en pierre, nous permet d'établir un lien avec Écho. Une deuxième esquisse dont ne subsiste malheureusement qu'une copie, également au château de Windsor, nous transmet cette idée du tableau à un stade antérieur (voir fig. 7, p. 360). La protubérance rocheuse devait avancer à ce point dans le tableau qu'elle aurait partiellement recouvert Apollon sur son char. La vasque en pierre semble pourtant constituée de roche naturelle aux formes irrégulières. Ici, la gaine surmontée d'un buste du dieu Pan est également entourée de deux troncs d'arbre recouverts de guirlandes correspondant, dans le texte d'Ovide, aux couronnes de fleurs tressées par les Grâces; quant aux corbeilles de fleurs ramassées par les Heures, elles sont placées devant la paroi rocheuse sur un sarcophage. En tout cas, le sarcophage a un rapport étroit avec Ajax qui, lui tournant le dos, se perce le flanc de son épée et meurt. Il a choisi le suicide lorsque les armes d'Achille ont été remises à Ulysse et non à lui. Ovide raconte que Hyacinthe a fleuri à partir du sang du héros Ajax. Dans la discussion précédente avec Ulysse, Ajax déclare sur un ton de reproche à son adversaire que le bouclier sur lequel est ciselé le vaste monde (« *clipeus vasti concretus imagine mundi* », *Mét.* XIII, 110) ne devrait pas revenir à une main gauche « qui n'obéit qu'à la crainte et qui n'est faite que pour des manœuvres furtives » (trad. Lafaye, éd. Belles Lettres, Paris, 1925-1930, p. 38).

Est-ce un hasard si dans le dessin antérieur au *Giardino di Fiori*, Poussin fait figurer uniquement le geste d'Ajax à l'agonie renonçant au bouclier circulaire (« *clipeus* »)? C'est seulement dans la peinture à l'huile que la cuirasse d'écailles dorée d'Achille est disposée devant son *clipeus*. L'*ekphrasis* d'Homère sur ce que Vulcain avait gravé sur le bouclier servit de modèle à de nombreuses interprétations de tableaux et fit partie des exemples principaux pour exprimer par des mots le lien existant entre la poésie et la peinture. Il faut cependant noter que la représentation du vaste monde sur le bouclier d'Homère (« *clipeus vasti concretus imagine mundi* ») fut ciselée (« *caelamina* ») par Vulcain et sans couleur. Au sens strict, ces *opera artis* ne peuvent être intégrées au royaume des couleurs, au royaume de Flore. Le sarcophage à l'arrière, le buste de Pan en hermès et les ciselures (*caelamina*) sur le bouclier se rattachent plutôt à l'art de la sculpture et, par ce biais, sont soumis au sens du toucher (*tactus*). Ajax lui-même est peint en couleurs. Il ne fait pas partie des fleurs que Flore mentionne par leur nom dans les *Fastes* d'Ovide (*Fastes* V, 221-228). Mais en tant que personnage humain peint avant la métamorphose en fleur de Hyacinthe, il appartient avant toute chose au royaume des couleurs que Flore tente vainement de compter dans son jardin. Le fait que Poussin, allant au-delà du texte d'Ovide, place le héros Ajax en tête de la série de fleurs, souligne son intention en tant que peintre de mettre en évidence l'achèvement ultime de sa peinture. Poussin a sans aucun doute appris que Parrhasius et Timanthes, deux des plus célèbres peintres grecs, étaient entrés en compétition à Samos à propos du même sujet : le héros Ajax à qui l'on conteste la remise des armes d'Achille. D'après les écrits de Pline (XXXV, 72), le tableau de Parrhasius n'a pas été couronné de succès; quant au vainqueur du concours, Timanthes, il n'était pas toutefois un adversaire indigne car, dans l'Antiquité, ses tableaux étaient considérés comme des chefs-d'œuvre pour la représentation des émotions humaines. En repoussant Ajax, Poussin veut rivaliser avec Timanthes dans la mesure où l'on peut lire sur le visage du héros les sentiments de la douleur, de l'affliction et de la colère.

En peignant Ajax, Poussin montre qu'avec son art, il veut dépasser les deux adversaires. Nous ne poussons certainement pas trop loin l'interprétation du *Giardino di Fiori* de Poussin, comme l'artiste intitula son œuvre, en affirmant que nous considérons ce tableau comme une représentation de la peinture par elle-même.

C'est pour cette raison qu'Ajax au royaume de Flore semble être un sujet de prédilection de la peinture depuis l'Antiquité. Le fait que Poussin voie les fleurs de Flore sous l'aspect de leurs couleurs est corroboré par la corne d'abondance remplie de fleurs et posée au sol. Dans les deux esquisses qui ont précédé la toile de Dresde, Poussin voulait à l'origine ne peindre à cet endroit que la source dans laquelle Narcisse se mirait. En revanche, dans le coin droit en bas, Cupidon devait vider une grande corbeille de fleurs qui, selon Ovide, avaient été ramassées par les Heures et les Grâces dans le royaume de Flore. Au lieu de le voir déverser cette corbeille de fleurs, nous voyons le jeune Cupidon respirant le parfum d'une poignée de fleurs. Par ce moyen, Poussin illustre le texte d'Ovide avec une plus grande précision. En effet, après un long dialogue avec Flore, le poète décrit comment il voit disparaître la déesse dans les nuages vaporeux, devant ses yeux (*Fastes* V, 375 : « *tenues secessit in auras* »). Seul son parfum a subsisté (« *mansit odor* »; *Fastes* V, 376). Ce serait un moyen de reconnaître que la déesse Flore est bien passée.

Après la disparition de Flore, le poète invoque la déesse en la suppliant de le combler de ses présents afin que sa chanson puisse fleurir pour l'éternité. Il est bien plus légitime pour un peintre comme Poussin d'implorer Flore pour qu'elle lui donne les couleurs de ses fleurs dans son cœur afin que son tableau soit éternel! Les pétales qu'elle distribue (« *spargere* ») tout en dansant devraient retomber à la surface de l'eau entre les têtes de Narcisse et d'Écho. Flore n'avait-elle pas raconté à Ovide que le printemps régnait éternellement dans son jardin? Dans le tableau de Poussin, le dieu du Soleil, placé au-dessus de Flore, conduit son char sur le cycle éternel de l'année. Une lumière intense jette ses reflets sur le signe du Taureau (« *taurus* ») dans le cercle du zodiaque. C'est le signe du printemps, la saison de Flore.

La corne d'abondance de Poussin n'est cependant pas comparable à la corne lisse de Taurus, mais plutôt à la corne arquée et cannelée de la chèvre Amalthée. Jadis, les nymphes avaient enveloppé d'herbes la corne tombée de la chèvre Amalthée et l'avaient remplie de fruits pour nourrir Jupiter enfant. Ovide le relate aux calendes de mai dans le cinquième livre des *Fastes*, où plus tard, Flore lui apparaît. Mais au lieu de fruits, la corne d'abondance de Poussin est remplie de fleurs. La multitude de fleurs permet de percevoir la « *copia* » (quantité) infinie de couleurs des fleurs que Flore elle-même ne parvient pas à compter. Poussin a disposé des fleurs colorées dans la *cornucopia* placée devant l'eau qui reflète en couleurs Ajax et Narcisse. « Toi aussi, Narcisse, tu as un nom dans mon jardin bien entretenu », déclare Flore, le personnage de Poussin, en empruntant les mots d'Ovide, pour s'adresser au jeune homme malheureux qui s'est épris de son reflet dans l'eau (*Fastes* V, 225-226). Lorsque la nymphe Écho est tombée amoureuse de lui, lit-on dans les *Métamorphoses* d'Ovide (III, 359-399), elle était encore en possession de son corps, telle que Poussin la peignit devant le vase de bronze rempli d'eau. C'est là que se mire Narcisse, épris de son image. C'est seulement lorsque Écho se voit dédaignée qu'elle se pétrifie et répond à Narcisse mourant par l'écho de ses propres mots.

Narcisse invoque son reflet dans l'eau et l'entend de nouveau avec sa propre voix de la bouche d'Écho. Poussin a peut-être placé l'amour tragique de Narcisse et Écho au centre du tableau parce que Narcisse fut considéré dès 1435, dans l'ouvrage de Leon Battista Alberti, *Della pittura* (II, 26, trad. J.-L. Schefer, Paris, 1992, p. 135), comme l'inventeur de la peinture : « ... l'inventeur de la peinture, selon la formule des poètes, a dû être ce Narcisse qui fut changé en fleur, car s'il est vrai que la peinture est la fleur de tous les arts, alors la fable de Narcisse convient parfaitement à la peinture. La peinture est-elle autre chose que l'art d'embrasser ainsi la surface d'une fontaine?... » « Ce que tu vois », dit le poète à Narcisse au comble du désespoir, « c'est l'ombre de l'image renvoyée » (« *ista repercussae quam cernis imaginis umbra est!* ») (*Mét.* III, 434). Le sens profond dont Ovide revêt l'ombre de l'image reflétée (« *umbra imaginis* ») est la mort de Narcisse qui, devenu ombre, se mirera encore dans l'eau du Styx. Alberti avance comme argument que l'histoire de Narcisse concerne la peinture (« *pittura* ») parce que celle-ci est la *fleur des arts*. Il en tire une conclusion : « L'action de peindre n'est-elle rien d'autre que "*abbracciare con arte quella superficie della fonte*?" »

C'est seulement en 1613 que le poète et ami de Poussin, Giambattista Marino, qui réunit ses descriptions poétiques de tableaux dans un ouvrage intitulé *Galleria*, mettra le reflet de Narcisse dans la source sur un pied d'égalité avec la peinture représentant Narcisse dont il fit la louange :

*Qui dipinto è Narciso,*
*ma non so dir, qual più vivace e bello*
*rappresenti il suo viso*
*o la tela, o'l ruscello.*
*Quella in me, questo in lui*
*tragge foco da l'onda, e dal pennello.*
*Così dàn forza, acciò che piaccia altrui*
*come a se stesso ei piacque,*
*l'Arte ai colori, e la Natura a l'acque.*

(Ici est peint Narcisse
mais je ne sais point dire
quoi de la toile ou du ruisseau
représente son visage
avec plus de beauté et de vie.
La toile en moi, en lui le ruisseau
tirent leur éclat de l'onde et du pinceau.
Ainsi, afin qu'il plaise aux autres
autant qu'à lui-même il se plut,
l'Art aux couleurs donne force et la Nature à l'eau.*)

Le modèle littéraire de Marino, qui mélange l'image virtuelle reflétée dans la source et l'imitation réelle d'un Narcisse peint qui se mire dans l'eau, est le texte de Philostrate qu'Alberti connaissait aussi. Philostrate commence en effet son *ekphrasis* d'une représentation de Narcisse par ces mots (nous citons la traduction française de Blaise de Vigenère, *Les images ou tableaux de platte peintures des deux Philostrates,* Paris, 1615, 193) que Poussin connaissait :

« La fontaine de vray réprésente fort bien Narcisse; mais la peinture faict voir la fontaine, et tout ce qui dépend de Narcisse. » La vérité naturelle du tableau pousse l'auteur à faire des injonctions à Narcisse représenté en peinture : « ... ce n'est pas aucune peinture qui t'a abusé, et ne te consommes pas ainsi, pour t'estre mis à contempler ne des couleurs, ne des figures de relief; ainsi l'eau ayant exprimé ta semblance, tu n'as sceu descouvrir quelle estoit la fraude et tromperie que tu as veu en cette fontaine... »

C'est en tout cas le sens de la vue qui conduisit Narcisse à s'éprendre de sa propre image de la même façon que c'est la vue qui séduit les observateurs d'un Narcisse peint par la couleur naturelle et les ombres naturelles et les entraîne à jeter des regards admiratifs sur Narcisse représenté en peinture. C'est aussi en contemplant le beau visage de Narcisse qu'Écho découvre une grande passion pour lui, raconte Marino dans le cinquième chant de *L'Adone*.

*Eco per nome, ardea del suo bel viso,*
*ed adorando quel divin sembiante*
*parea fatta idolatra e non amante.*

(La nymphe Écho s'enflammait de son beau visage
et, adorant cette divine apparence,
semblait s'être faite idolâtre et non amante.*)

Chez Poussin, Écho est en adoration devant le visage de Narcisse. Son visage est plongé dans l'ombre car il baisse la tête pour contempler son reflet dans le récipient qu'Écho semble lui tendre. Derrière son dos, Clytie, le tournesol, a relevé la tête en direction de son ancien amant. Du revers de la main, elle se protège les yeux des rayons du soleil. Elle est assise, nue sur le sol, comme le relate Ovide (*Mét.* IV, 255-270). Elle tourne constamment son regard vers la face du Soleil en pleine course. Toutefois, le tournesol en lequel elle se métamorphose par chagrin d'amour – posé par Poussin dans la corbeille derrière Clytie – n'est pas la fleur proche de la violette qu'Ovide et les Romains associaient jadis à ce nom. Il s'agit bien plus de notre tournesol actuel qui fut importé du Nouveau Monde en Europe, il y a relativement peu de temps. Jusqu'aux tableaux de Van Gogh, les peintres ont compris son image comme une incarnation de la lumière du soleil. Poussin a aussi donné la couleur jaune d'or caractéristique du tournesol à la robe qui recouvre le genou de Clytie et relie d'un arc coloré les yeux de Narcisse et d'Écho. Hyacinthe, le favori d'Apollon, est à la même hauteur que Clytie, à droite de Flore. En jouant, il avait été blessé par le disque d'Apollon car, par jalousie, le vent Zéphyr avait fait dévier le disque qui, dans un rebond, avait touché mortellement le jeune homme à la tête.

Poussin a illustré dans la représentation de Hyacinthe les paroles suivantes de Flore extraites des *Fastes :* « En premier lieu, j'ai transformé le sang spartiate [Hyacinthe est fils du roi Amyclas de Sparte] en une fleur. Une plainte reste inscrite sur un pétale » (*Fastes* V, 223-224). Nous devons consulter les *Métamorphoses* (X, 205-215) pour comprendre les paroles de Flore. Quelle plainte est donc associée à la fleur de Hyacinthe? Apollon a écrit lui-même ses gémissements plaintifs sur les pétales à l'aide des deux lettres A et I. Ovide les appelle les lettres du deuil – « *funesta littera* ». Un commentaire humaniste du Quattrocento appelle ces deux lettres A et I, que l'on peut reconnaître dans les veines des feuilles de fleurs, la voix du deuil, *vox lugubris* (Antonii Fanensis, *loc. cit.*, fol. 147-148). Quand le personnage de Hyacinthe représenté par Poussin regarde les pétales de la fleur du même nom, il semble vouloir déchiffrer en elles les lettres AI d'Apollon, la voix du deuil d'Apollon. D'un geste plaintif en direction de sa plaie à la tête, il semble même prononcer lui-même le son de la douleur, *Ai*. Au-dessus de lui évolue le char du dieu du Soleil qui l'avait pleuré à haute voix. Mais à la mort de Hyacinthe, Apollon avait aussi juré qu'il ne cesserait d'avoir le nom du jeune garçon « à la bouche ». Les chants d'Apollon accompagnés à la lyre rendraient hommage à Hyacinthe et le jour viendrait, prédit le dieu, où le héros le plus courageux se métamorphoserait en la même fleur et où l'on pourrait lire son nom sur les mêmes pétales. Il faisait ici allusion à Ajax dont le nom serait inscrit avec les deux premières lettres de la fleur équivalant au *Ai* du deuil d'Apollon à propos de Hyacinthe. Le dernier mot d'Ajax avant de s'enfoncer l'épée d'Achille dans la poitrine fut son propre nom : « Aucun autre qu'Ajax ne peut vaincre Ajax » (*Mét.* XIII, 390-398). C'est ainsi que Poussin l'a peint avec son propre nom sur les lèvres ouvertes.

Le chasseur Adonis est à droite de Hyacinthe et montre du doigt sa blessure mortelle à la cuisse. Sa transformation en anémone n'est pas représentée par une fleur de cette espèce. Ses attributs sont plutôt ses deux mains et son épieu. Vénus, celle qui l'aimait, manque sur le tableau. Mais avant de métamorphoser le sang d'Adonis en fleur, Vénus avait juré de conserver l'image du mort (*imago mortis*) comme monument représentant son deuil. Elle ferait renaître l'« image » d'Adonis avec ses lamentations à voix haute (« *plangor* »; *Mét.* X, 725-727). Il devient évident que Poussin a suivi de près le texte d'Ovide quand son « image » d'Adonis nous met devant les yeux ce que nous devrions en fait entendre : la plainte à haute voix de Vénus. En revanche, Smilax, le liseron des champs, s'enroule à ses pieds autour de son cher Crocus en lui déposant sa fleur dans la main. En tant que plante, il doit posséder une propriété semblable à celle du lierre, dit un commentaire des *Fastes* d'Ovide (V, 227 ; *Antonii Fanensis, loc. cit.*, fol. 147-148), bien que Flore ne parle que de Crocus dans son jardin et non de Smilax. Comme avec le lierre, le déplacement du liseron de Smilax doit provoquer un léger bruissement à nos oreilles. («... *ut auribus ad mota levem sonum reddat* »).

Cette remarque vaut la peine d'être mentionnée car, en règle générale, les fleurs sont muettes. Dans la toile de Poussin, nous avons affaire aux fleurs avant leur métamorphose, c'est-à-dire à des personnes qui parlent avec éloquence, qui nous présentent la déesse Flore par son nom dans son jardin. Dès le départ, Poussin prévit de mettre la nymphe Écho, l'unique jeune fille de la toile qui ne fut pas transformée en fleur, au centre de la composition. Mais cette place d'honneur ne s'explique pas seulement par la fonction d'attribut de Narcisse. Sur la première esquisse, en effet, Écho portait encore une couronne de fleurs qui l'aurait distinguée dans le royaume des fleurs et des couleurs de la même manière que Flore. Dans ce cas, la tête d'Écho couronnée de fleurs et placée exactement au dessous de la partie bouffante de la robe aurait été couverte de fleurs.

Dans le tableau de Dresde, Flore est déjà passée près d'Écho en dansant; elle se retourne en regardant Narcisse, l'inventeur de la peinture, mais parsème les pétales de fleurs la main pointée vers l'arrière au-dessus de la tête d'Écho. Ici, Écho ne porte pas de couronne, mais les présents de Flore, invoqués par le poète Ovide pour que ses chants soient éternels, flottent sur le tableau et tombent sur Écho. Son pied touche simultanément la corne d'abondance dans laquelle nous voyons réunies la multitude infinie (« *copia* ») des couleurs de Flore. Poussin nous démontre qu'avec la variété infinie des couleurs du jardin de Flore, le peintre réussit à rendre la voix d'Écho dans la peinture.

Dans une célèbre épigramme (XXXII) sur le sujet du tableau représentant Écho, le poète latin Ausone a refusé de reconnaître cette faculté à la peinture. Cette épigramme intitulée *In Echo pictani* fut citée dans toute interprétation poétique ou savante du phénomène acoustique de l'écho. Vincenzo Cartari a transformé cette épigramme latine en un sonnet italien où Écho s'adresse au peintre :

*A che cerchi tu pur sciocco Pittore*
*Di far di me Pittura? che son tale*
*che non mi vide mai occhio mortale,*
*E non ho forma, corpo, ne colore.*
*Dell'aria e de la lingua à tutte l'hore*
*Nasco, e son madre poi di cosa, quale*
*Nulla vuol dir, però che nulla vale*
*La voce, che gridando i' mando fore.*
*Quando son per perir, gli ultimi accenti*
*Rinovo, e con le mie l'altrui parole*

*Seguo, che van per l'aria poi co i venti*
*Sto nelle vostre orecchie, e come suole*
*Chi quel, che far non può, pur sempre tenti,*
*Dipinga il suon chi me dipinger vuole.*

(A quoi bon cherches-tu, Peintre stupide,
A vouloir me peindre ? Je suis telle
Que jamais œil mortel, ne me vit
Et n'ai ni forme, ni corps, ni couleur.
De l'air et de la langue à tout moment
Je nais, et suis mère de choses
Qui ne veulent rien dire, car elle ne vaut rien
La voix qu'en criant je produis.
Lorsque je vais périr, je renouvelle
Les derniers accents et poursuis, avec les miennes,
Les paroles des autres, qui s'enfuient dans les
[airs avec le vent.
Je suis dans vos oreilles et comme celui qui,
Ne pouvant rien faire, au moins tente toujours,
Qu'il peigne donc le son celui qui veut me
[peindre.*)

Dès 1979, Oskar Bätschmann (« Poussins *Narzissus une Echo* im Louvre : Die Konstruktion vom Thematik und Darstellung aus den Quellen », *Zeitschrift für Kunsgeschichte*, 42, pp. 31-47) a mis en évidence, à propos de l'*Écho et Narcisse* du Louvre, où Écho pleure la mort de Narcisse allongé devant elle, que Poussin a élevé l'épigramme d'Ausone au rang de *concetto*. Le mort ne peut plus se laisser leurrer par son reflet dans l'eau. Mais Écho reforme de sa bouche en se lamentant le dernier mot « Adieu » (« *vale* ») que Narcisse avait prononcé dans son dernier souffle en s'adressant à son image qui venait de disparaître (*Mét.* III, 501). Simultanément, la silhouette d'Écho se déforme devant nos yeux en se fondant au gris brun du rocher qui l'enveloppe. Comme Écho l'exigeait de son image, selon la version d'Ausone, l'artiste a peint le « son » qu'elle a produit et en même temps, il l'a dérobée à nos regards.

Dans l'histoire de Narcisse, Ovide (*Mét.* III, 385) a également considéré l'écho de la nymphe du même nom comme l'image de la voix (« *imago vocis* »). Étant donné qu'Écho est aussi appelée « image de la voix » chez Virgile, Horace, Lucrèce et même chez Vitruve, sa représentation par Poussin dans le jardin de Flore illustre ce que la peinture ne peut pas être selon Ausone : l'« image de la voix » ou le son. Comme chez Ausone, la représentation d'Écho en peinture s'appelle « la fille de l'air et de la langue » (« *lingua* »), on ne s'étonnera pas que l'effet de l'air transporté par le vent ne soit peint qu'au-dessus de la tête d'Écho. Zéphyr, le vent printanier invisible y folâtre en effet avec le ruban changeant bleu et jaune de Flore. La robe d'Écho est bleue et blanche, les couleurs du ciel et des nuages printaniers balayés par le vent. Écho est représentée la bouche fermée. En revanche, Flore placée plus haut qu'Écho a la bouche souriante, prête à parler, de même que Narcisse parle à son reflet, la bouche entrouverte et qu'Ajax prononce son dernier mot, Ajax. Puisque dans la peinture de Poussin, Adonis, en position debout, est l'« image » qui se répète chaque année des lamentations exprimées à haute voix de Vénus, nous voyons dans le jardin des images de voix entièrement différentes (« *imagines vocum* »). Les couleurs de Flore permettent ainsi de représenter l'« image de la voix » quand Poussin peint la nymphe Écho dans sa matérialité corporelle antérieure. Tout ce qui est peint en matière de bruit et de parole autour d'Écho, elle le répétera en n'en prononçant que les derniers sons et syllabes, bien que l'écho d'autres voix ne puisse avoir de sens. Or, ses os transformés en pierre avaient pourtant subsisté dans les interstices des rochers après son dépérissement. Pan doit avoir été épris d'amour pour la déesse Écho car il fut le premier à avoir imité par des sons l'harmonie des sept sphères célestes, ceci à l'aide de sa flûte aux sept roseaux (Macrobe, *Saturnales* XXII). D'après cette source, la nymphe Écho était aussi déesse. Si l'on considère que Poussin avait déjà prévu à gauche d'Écho un buste en hermès de Pan dans sa première esquisse du tableau de Dresde, le lien étroit qui unit Écho à Pan en tant que symbole de la nature matérielle et de ses bruits apparaît plus évident. Selon Ovide, le jardin de Flore se situe en terrain plat dans les champs ; les forêts de montagne et les bois en général n'auraient rien à voir avec ses fleurs. Quand Poussin remplace ultérieurement dans sa toile la pergola de fleurs prévue par une paroi rocheuse escarpée et par une vasque de pierre qui n'a pas été façonnée par l'homme, nous devons aussi comprendre cette modification comme « *imago vocis* ». L'écho produit par la nymphe doit parvenir à l'oreille de Narcisse ; toutefois, celui-ci ne pourrait voir que la paroi rocheuse s'il voulait étudier l'origine de l'écho de sa propre voix.

C'est pourquoi le profil de la paroi rocheuse peinte par Poussin montre une partie de tête monumentale, une tête de femme semble-t-il, au-dessus des contours d'une vasque modelée par la nature. Seule la partie de la bouche d'un visage féminin vu de profil doit être identifiée, c'est-à-dire le siège de l'outil humain de la parole, le lieu de la « *lin-*

*gua* », de la voix. Des nuages balayés par le vent s'étirent dans le ciel à partir de l'endroit où la bouche de la tête en pierre devrait se trouver. Chez Cartari, Écho ne disait-elle pas d'elle-même : « *La voce, che gridando i mando fore... gli ultimi accenti rinovo, e con le mie l'altrui parole / Seguo, che van per l'aria poi co i venti.* » (« La voix qu'en criant je produis... je renouvelle les derniers accents, et poursuis avec les miennes, les paroles des autres qui s'enfuient dans les airs avec le vent. »)

Le bassin en pierre, situé en dessous, dissimule le profil de la tête en pierre à la hauteur de son menton. L'eau, qui en déborde et tombe au sol, disparaît derrière la tête de Narcisse. Comme Narcisse s'admire dans un autre récipient disposé plus bas, une cuve de métal plus petite dont les rebords laissent tomber des gouttes d'eau à leur tour, un modeste débordement d'eau dans la partie basse répond à la cascade du haut. Dans la nature, une cascade serait accompagnée de bruits. En peignant une minuscule répétition de la cascade en bas, l'artiste n'aurait-il pas eu l'intention de représenter l'écho du bruit intense des eaux tombant de la partie élevée? On ne peut répondre à cette question que si l'on comprend le sens donné par Poussin au vase de métal dressé devant Écho. Dans une position peu gracieuse, Écho entoure de ses jambes la partie renflée du vase métallique. De la main gauche, elle touche fermement le récipient. Dans le dessin de Windsor, le contact franc avec le récipient est encore plus frappant alors que Narcisse, tant sur la toile que les dessins, maintient une certaine distance entre ses mains et le vase. C'est pourquoi Bellori avait prétendu reconnaître une naïade dans ce personnage féminin. Quand les nymphes ou les dieux des fleuves tiennent un vase dans les tableaux de Poussin, le vase est la plupart du temps renversé devant eux et se vide de son liquide. De tels objets sont couleur de terre; ils sont en terre cuite. Une nouvelle comparaison entre le vase posé devant Écho dans le tableau et le même récipient sur le croquis nous confirme que dans les deux cas, il s'agit d'un vase fabriqué dans un matériau métallique. Les effets de miroir et surtout la lumière intense sur la partie bombée du vase dans le tableau ainsi que les cannelures sur le dessin attestent de leur consistance métallique car de telles cannelures verticales et arrondies, comme on les voit sur le dessin, correspondent à un travail de repoussage accompli par un chaudronnier sur des récipients de cuivre. Des vases en métal, la plupart du temps en cuivre, étaient disposés dans les niches sous les degrés de tous les théâtres grecs. Vitruve en parle dès le premier chapitre du premier livre de son traité d'architecture (I, 9). L'auteur romain affirme qu'il est du devoir de l'architecte de s'y connaître en musique et en acoustique. Les Grecs appellent ces vases de métal des *Echeia*, explique Vitruve. Dans le cinquième chapitre du cinquième livre, l'auteur revient en détail à ces vases qui matérialisent l'écho de la nymphe du même nom et sont aussi désignés par le mot grec *Echeia* chez les Romains. Auparavant, dans le quatrième chapitre du cinquième livre, Vitruve traite de l'harmonie. Elle représenterait un problème difficile en littérature et en musique, notamment pour ceux qui ne comprennent pas le grec. C'est la raison pour laquelle Vitruve aurait traduit la question, pour l'essentiel, des traités de musique d'Aristoxène. Vitruve aborde d'abord la question de la hauteur du son de la voix humaine. Quand la voix (« *vox* ») émet des modulations, elle peut devenir plus aiguë ou plus grave. D'une part, en continu, d'autre part, avec des interruptions. La voix continue (« *vox* ») n'a pas de limites perceptibles (« *terminationes* »), mais de petites pauses (« *intervalla* ») comme par exemple, dans la série de mots : « *sol, lux, flos, vox* » (soleil, lumière, fleur, voix).

Poussin a transposé dans sa peinture cette série de mots de Vitruve comme s'ils étaient dits ou chantés par une voix. Tout en haut, au ciel, au-dessus des nuages, c'est le soleil (« *Sol* »). La lumière indirecte (« *lux* ») sur les cheveux blonds flottant de Flore resplendit sous le banc de nuages le plus élevé. Les pétales logés dans la main de Flore parlent de fleur (« *flos* »). Ils tombent devant le souffle d'Écho, c'est l'image de la voix (« *vox* ») : l'*imago vocis*, comme l'écho est défini par les poètes latins. Poussin peut l'avoir empruntée à la traduction italienne de Daniele Barbaro que lui-même et son ami peintre Pietro Testa utilisaient fréquemment. Dans la traduction, la série de mots de Vitruve est partiellement modifiée par d'autres termes italiens d'une seule syllabe comme : « *Sol, fior, mar, ben.* » Revenons à l'exemple de Vitruve, à la modulation d'une voix humaine que Poussin a transposée en une sorte d'échelle visuelle de sons, sur l'axe central de sa composition; car Vitruve donne les explications suivantes au sujet de la suite de sons « *sol, lux, flos, vox* » : on ne peut percevoir là où elle commence et là où elle finit, mais ce qui est perceptible à nos oreilles, c'est le passage de sons aigus à des sons graves et à l'inverse, de sons graves à des sons aigus.

Dans la représentation d'Écho, Poussin a donc peint la voix. Ce que nous entendons en prononçant ou en chantant les mots « *sol, lux, flos, vox* » est révélé à nos yeux par les couleurs de l'empire de Flore à l'aide de la lumière du soleil.

Le poète et ami de Poussin, G. B. Marino avait fait l'éloge d'un tableau d'« *Écho* » vue par le peintre siennois Ventura Salimbeni :

*La bella di Narciso*
*Amante desperata*
*qui vedi effigïata.*
*Vedi il crin, vedi gli occhi, e vedi il viso,*
*vedi la bocca replicar gli accenti,*
*ma le voci non senti.*
*Ben sentiresti ancor le voci istesse,*
*se dipinger la voce si potesse.*

(La belle amante
désespérée de Narcisse,
tu vois ici son effigie.
Tu vois la chevelure, tu vois les yeux et le visage,
tu vois la bouche répéter les mots,
mais tu n'entends pas les paroles.
Ces paroles elles-mêmes, tu les entendrais bien
si l'on pouvait peindre la voix*.)

Ausone et à sa suite Marino croyaient connaître les limites de la peinture. Or, Poussin a réalisé ce qu'ils estimaient impossible : l'artiste a peint la voix (« *vox* ») proprement dite en intégrant Écho dans le tableau comme « *imago vocis* » et, par ailleurs, il a utilisé les couleurs de Flore que la lumière solaire nous fait percevoir quotidiennement. C'est pourquoi Poussin n'a pas intitulé son tableau *Primavera* comme son premier propriétaire, mais de manière plus pertinente « *...un giardino di fiori* ».

* Les traductions des passages en italien signalés ainsi sont dues à Jacqueline Brunet.

Fig. 1
Gérard Audran
*L'Empire de Flore*
Gravure d'après Nicolas Poussin.

# Poussin et la *Vie de Phocion* de Plutarque

**Richard Verdi**
Professeur et directeur du Barber Institute of Fine Arts, The University of Birmingham

*Traduit de l'anglais par Jeanne Bouniort*

« La *Vie de Phocion* de Plutarque devait être un des livres de chevet de Poussin[1] », écrit Anthony Blunt dans sa monographie parue en 1967. Comme bien des réflexions que Blunt formule incidemment dans son étude magistrale sur Poussin, cette petite phrase provoque tout un enchaînement d'idées. Bien entendu, on songe d'abord aux deux grands paysages de 1648 sur le thème de la mort de Phocion, des peintures que leur splendeur et leur ampleur ont fait considérer depuis longtemps comme quelques-uns des chefs-d'œuvre absolus de Poussin, mais aussi comme des pierres angulaires de la tradition du paysage classique. Dans le premier (fig. 1; cat. 168*), deux fidèles serviteurs transportent le corps de Phocion. Dans le second (fig. 2; cat. 169), une femme, accompagnée d'une servante, recueille les cendres en cachette, après l'incinération aux abords de la ville de Mégare. Nous reviendrons sur cet épisode et sur son importance pour Poussin.

À regarder de plus près les deux tableaux de Phocion, on s'aperçoit bientôt, après quelques recherches, que ce sont les premiers et uniques paysages à aborder le sujet de la mort de Phocion, dans tout l'art occidental, et que, loin de lancer une mode, ces scènes majestueuses semblent avoir en fait découragé tous les rivaux ou imitateurs tentés de peindre des représentations analogues. (Les seules exceptions dont j'ai connaissance sont quelques copies et pastiches ultérieurs des *Phocion* eux-mêmes, que l'on ne pourrait guère tenir pour des œuvres originales.) On ne peut pas en dire autant de deux autres paysages de Poussin exécutés la même année, qui traitent aussi des sujets entièrement inédits dans la peinture : le *Paysage avec Diogène* (fig. 6; cat. 171) et le *Paysage avec un homme tué par un serpent* (cat. 179). Le premier a servi de prétexte à une composition originale de

Jean-Victor Bertin (le maître de Corot), réalisée en 1805 et perdue depuis, mais connue par des gravures, tandis que le second a inspiré plusieurs œuvres sur le même thème dans la période néo-classique, dont un dessin de Girodet actuellement à Dijon[2]. Si Bertin et Girodet ont pensé qu'il y avait encore place pour l'imagination en ce qui concernait ces deux sujets, il n'en allait pas de même, apparemment, pour les motifs des *Phocion*. Cela tient peut-être pour une part au caractère inimitable de ce que Poussin a accompli dans ces deux œuvres magnifiques. Cela s'explique peut-être aussi par l'obscurité du thème, voire du héros, qui comptait beaucoup pour Poussin, semble-t-il, mais ne disait rien ou presque à ses successeurs[3].

Avant d'en venir aux raisons de l'attirance de Poussin pour les aventures de Phocion, il serait bon de voir rapidement le contexte de la commande des deux paysages et la signification réelle du sujet. Poussin a peint ces tableaux pour le marchand de soie lyonnais Sérisier, qui allait lui commander deux autres œuvres, l'*Esther devant Assuérus* de 1655 environ, conservé à l'Ermitage (cat. 220), et une *Fuite en Égypte* de 1658 dont on connaît au moins deux versions prétendues originales. La présence de Sérisier est attestée à Rome en novembre 1647, par la correspondance de Poussin lui-même. Il pourrait très bien avoir passé sa commande à cette date. A-t-il également dicté les sujets ? J'en doute fort, à moins de vouloir lui attribuer l'une des principales innovations iconographiques dans l'art du XVIIe siècle. À en juger par les autres œuvres de Poussin entrées dans sa collection, deux scènes de l'Ancien et du Nouveau Testament, Sérisier a tout l'air d'un mécène capable de s'adapter aux circonstances qui, à l'instar de Pointel ou Passart, se satisfaisait de posséder des exemples des sujets très divers où l'artiste excellait.

À supposer que Poussin ait choisi lui-même le sujet de ces tableaux, sur quoi s'est-il fondé pour élaborer ses motifs, et pourquoi ? Telles sont les questions que je voudrais élucider ici.

On admet généralement que la *Vie de Phocion* de Plutarque a fourni à Poussin sa principale source d'inspiration pour les deux paysages[4]. D'autres auteurs classiques ont évoqué ce héros grec, notamment Cornelius Nepos, Douris de Samos et Valère Maxime, mais le texte de Plutarque, rédigé quatre siècles après la mort de Phocion, offre le récit le plus complet et le plus émouvant de ses actions illustres et de sa fin tragique.

On y apprend que Phocion a vécu de 402 à 318 av. J.-C., que c'était un général, politicien et homme d'État éminent, qui a joué un rôle décisif à Athènes à l'époque mouvementée de Philippe, Alexandre et Antipatros. Formé par Platon, et très probablement par Diogène, il a remporté une série de victoires militaires à la tête d'une armée de mercenaires à Chypre en 351-350 av. J.-C., puis de troupes athéniennes en Eubée (348 et 341 av. J.-C.), et encore à Mégare (343 av. J.-C.), à Byzance, au nord de l'Égée (340-338 av. J.-C.) et dans la guerre lamiaque (322 av. J.-C.). Si ses exploits guerriers attestent sa bravoure, ses sympathies politiques n'en ont pas moins précipité sa chute. Ce vigoureux défenseur du parti oligarchique, qui s'opposait à toutes les formes de gouvernement populaire, se retrouva dans le camp des Athéniens perdants lorsque Polyperchon rétablit un régime démocratique dans la cité, et fut condamné à mort pour trahison par un tribunal de citoyens déchus de leurs droits, parmi lesquels figuraient des exilés démocrates et des esclaves. Or, la loi interdisait d'inhumer les traîtres intramuros. Après l'exécution, son corps fut donc transporté aux abords de Mégare et une femme vint recueillir ses cendres, finalement rapatriées à Athènes, où sa mémoire fut réhabilitée par des funérailles dignes de ce nom, après un revirement de la situation politique.

Voilà pour la vie publique de Phocion, celle d'un grand chef militaire et homme d'État dont la destinée bascule soudain à cause de l'inconstance des foules. Est-ce suffisant pour retenir l'attention de Poussin? La réponse est sans doute à la fois oui et non.

Dans son fameux article de 1944 sur le paysage héroïque et idéal dans l'art de Poussin[5], Anthony Blunt avance l'hypothèse fort plausible que l'histoire de Phocion a séduit Poussin en raison de l'agitation politique qui régnait à Paris à la fin des années 1640 et devait aboutir à la Fronde. Comme le note Blunt, le commanditaire des tableaux, Sérisier, appartenait aux échelons les plus riches de la bourgeoisie, de même que beaucoup d'autres clients de Poussin dans cette période. De ce fait, il avait tout à craindre d'un soulèvement populaire en France, et tout à gagner d'un maintien de la paix. Étant donné les inquiétudes de Poussin au sujet des autres insurrections survenues en Europe au même moment (la sédition menée par Masaniello à Naples, l'exécution de Charles I$^{er}$ à Whitehall et la révolte des Cosaques contre la Pologne), cette explication semble tout à fait convaincante et serait confirmée par un autre tableau de la période, le *Coriolan* de 1650 environ, sur lequel je reviendrai.

Indépendamment de l'actualité politique, je crois qu'une autre considération a incité Poussin à consacrer deux de ses plus superbes peintures à l'histoire de Phocion. En effet, le Phocion dont Plutarque relate les faits et gestes incarnait à ses yeux le héros stoïque par excellence et réunissait en un seul personnage des actions et, surtout, des vertus déjà exaltées dans son art, qui allaient occuper ses pensées au cours des années suivantes. Pour s'en persuader, il suffit de se reporter à la *Vie de Phocion* de Plutarque et de voir combien d'œuvres de Poussin viennent aussitôt à l'esprit.

Vers le début de la *Vie* rédigée par Plutarque (III), la position de Phocion est comparée à celle de Caton d'Utique, dont le suicide en 46 av. J.-C. a inspiré un dessin émouvant à Poussin vers la fin des années trente (fig. 3). Comme le souligne Plutarque, les deux hommes ont vécu dans une époque dépravée qui était l'exacte antithèse de leur idéalisme politique, et tous deux en ont durement pâti, Caton en se donnant la mort plutôt que de supporter la tyrannie de César, et Phocion en devenant la victime d'un complot politique qui allait se solder par son exécution.

Par ses exploits militaires, Phocion s'est érigé en modèle de courage, de sagesse et de vertu. Bon nombre de ces péripéties rappellent d'autres héros antiques privilégiés par Poussin. À un moment, nous dit Plutarque (IX), les Athéniens l'ont exhorté à prendre les armes contre l'ennemi et l'ont traité de lâche parce qu'il refusait. Leur mécontentement trouve un parallèle dans la fureur des Volsques contre un autre héros stoïque représenté par Poussin à la même époque : Coriolan, qui a fourni le sujet d'une toile exécutée vers 1650 (fig. 4). Comme chacun sait, lorsque Coriolan, sur les instances de sa mère, sa femme et ses enfants, cesse le combat contre Rome, sa ville natale, ses compatriotes d'adoption volsques l'accusent de trahison et le tuent. On peut donc voir en lui un archétype du héros courageux et sensible, dont les vertus causent la perte en fin de compte.

Un autre épisode raconté par Plutarque (XI) fait penser à un héros stoïque évoqué à plusieurs reprises par Poussin. D'après Plutarque, chaque fois que les Athéniens envoyaient dans les îles des émissaires placés sous les ordres d'un autre général que Phocion, les habitants les accueillaient en ennemis, bloquaient les accès des villes et fermaient les ports. Mais quand c'était Phocion qui commandait, ils venaient à sa rencontre au large des cités et le recevaient chez eux avec plaisir. L'accueil réservé à Phocion est à rapprocher de celui que les pirates ont réservé à Scipion l'Africain dans un épisode relaté par Valère Maxime et illustré au moins quatre fois par Poussin. Le sujet, quelque peu obscur, tient néanmoins en deux mots. Lorsque Scipion se retire dans sa villa de Liternum, il reçoit la visite de pirates. Pensant que ces hommes viennent l'attaquer, Scipion s'apprête à se défendre. En réalité, les pirates sont venus saluer le grand homme. Jetant leurs armes, ils s'agenouillent devant Scipion et lui baisent les mains. C'est l'instant que Poussin a choisi de représenter dans un dessin conservé à l'École nationale supérieure des beaux-arts (cat. 106) et dans trois autres, réalisés également au début des années 1640, conservés aujourd'hui à Windsor[6] (fig. 5).

Si l'on en vient maintenant à la personnalité et au comportement de Phocion, on trouve des affinités encore plus grandes avec la nature même de l'homme et de l'artiste Poussin. Il y a d'abord le physique de Phocion, qualifié par Plutarque de « rude et austère » (X) ou encore « sévère et revêche » (V). De toute façon, l'impression produite correspond bien à la gravité austère de Poussin dans son *Autoportrait* de 1650 (voir fig. 2, p. 93; cat. 190). On en arrive à se demander si, à force de lire Plutarque, l'artiste ne s'est pas identifié inconsciemment à son héros d'élection. À cela s'ajoute l'étonnante maîtrise de soi manifestée par Phocion, entre autres dans la brièveté de ses paroles. Un jour, raconte Plutarque (V), on a vu ce grand orateur faire les cent pas en coulisse, « perdu dans ses pensées », avant de s'adresser à la foule. « Tu sembles méditer quelque chose, Phocion », lui dit un ami. « Oui, répond notre héros, je réfléchis à la façon de raccourcir le discours que je vais prononcer devant les Athéniens. » *Mutatis mutandis*, on peut dire que Poussin s'entendait lui aussi à condenser et abréger, avec sa tendance à réduire à l'essentiel certains motifs repris à des années d'intervalle. On songe évidemment à ses quatre grandes compositions centrées sur des lits de mort – *La Mort de Germanicus* (fig. 9; cat. 18), les deux versions de *L'Extrême-onction* (cat. 64 et 107), et *Le Testament d'Eudamidas* (fig. 7; cat. 139) ou aux variations sur le thème du baptême du Christ, qui vont du mode épique foisonnant des deux séries de *Sacrements* à la ferveur spirituelle de la version plus concise conservée à Philadelphie, peinte vers 1656-1658 (cat. 119). La recherche du maximum d'effet avec un minimum de moyens caractérise bien souvent le style de Phocion comme celui de Poussin.

Phocion avait aussi un minimum de moyens pour vivre. Il s'honorait de mener une existence frugale, habitait le plus humble des logements et accomplissait régulièrement des tâches ménagères ou allait tirer de l'eau au puits pendant que sa femme pétrissait la pâte à pain (XVIII). Il restait tout le temps pieds nus et en chemise, sauf dans les grands froids, si bien que le fait de le voir vêtu d'un manteau était le « signe d'un hiver rigoureux » (IV). Un jour où des visiteurs s'horrifiaient de sa pauvreté, Phocion leur montra un vieillard vêtu d'un manteau miteux et « leur demanda lequel des deux leur semblait dans une situation inférieure, de lui ou du vieil homme » (XVIII). Les autres l'ayant supplié de ne pas faire ce genre de comparaison, il répliqua : « Cet homme a moins de ressources que moi, et pourtant il estime en avoir assez. » Cette anecdote rappelle le sujet d'un autre paysage peint par Poussin en 1648, le *Paysage avec Diogène* (fig. 6; cat. 171), où le célèbre philosophe cynique (qui fut sans doute, rappelons-le, le maître de Phocion), jette son écuelle en voyant un garçon qui boit l'eau de la rivière dans ses mains nues. Dès lors, il ne possède plus qu'une chose : son manteau. On retrouve le motif qui sert à illustrer l'abstinence de Phocion et celle du vieillard auprès duquel il mesure ses besoins matériels. Comme le remarque Plutarque un peu plus loin dans sa *Vie de Phocion* (XXX), « Phocion pouvait invoquer sa pauvreté comme la preuve la plus visible de sa vertu ».

Poussin aussi, nous dit-on. Cet aspect de sa personnalité est mis en lumière par une célèbre anecdote rapportée par Bellori et immortalisée au XIXe siècle dans un dessin de François-Marius Granet (fig. 8). Un soir où Poussin le raccompagnait à la porte en tenant une chandelle pour l'éclairer, le cardinal s'apitoya sur le sort de son hôte qui n'avait pas de domestique pour remplir un aussi humble office. À quoi l'artiste répondit : « Et moi, je vous plains bien davantage, Monseigneur, de ce que vous en avez plusieurs. » (Voir la contribution de D. Sparti dans le présent ouvrage.)

Ni la pauvreté de Phocion ni celle de Poussin ne peuvent se comparer toutefois au dénuement d'Eudamidas, qui a inspiré à l'artiste une de ses toiles les plus « misérabilistes », le *Testament d'Eudamidas* peint vers 1644 (fig. 7; cat. 139). L'épisode est relaté dans le *Toxaris ou De l'amitié* de Lucien (XXII-XXIII). Parmi les quasi-contemporains de Poussin, Montaigne et Pierre Charron ont repris cette histoire. Or, ces auteurs, que l'artiste a certainement lus, se plaisent également à vanter les vertus de divers héros stoïques représentés par Poussin, y compris Phocion. Ici, il ne s'agit pas seulement de la vertu de pauvreté, mais aussi de l'importance de l'amitié, deux thèmes communs à l'histoire d'Eudamidas, à celle de Phocion et, finalement, à celle de Poussin lui-même.

Eudamidas, citoyen de Corinthed pauvre et âgé, sent venir la fin. Sur son lit de mort, il lègue à ses deux meilleurs amis le soin de s'occuper respectivement de sa mère et de sa fille, de pourvoir à leurs besoins quand il ne sera plus là pour le faire. La lecture du testament d'Eudamidas ne suscite que risées et railleries. Les gens l'accusent d'avoir eu l'audace de prétendre dépenser l'argent de ses amis depuis la tombe. Mais ses amis acceptent cet honneur et cette responsabilité.

Quand l'un d'eux meurt cinq jours après, l'autre prend en charge les deux femmes. Il veille sur la vieille mère d'Eudamidas et dote richement sa fille.

Ce sujet trouve un parallèle évident chez Phocion qui, après la mort de son grand ami Chabrias, prend en charge toute sa famille et se donne beaucoup de mal pour instruire son fils, un jeune homme « stupide » et « récalcitrant » au dire de Plutarque (VII), autrement dit un pensionnaire ingrat. Un jour Phocion, exaspéré par ce garçon impossible, s'exclame à l'adresse de son ami défunt : « Ô Chabrias, Chabrias, quelqu'un t'a-t-il jamais mieux remercié de ton amitié que moi, qui supporte ton fils? » Cette anecdote permet de mesurer la fidélité de Phocion envers son ami.

Si l'attachement d'Eudamidas à sa famille et ses amis a un équivalent dans la vie de Phocion, il en a un autre, plus saisissant encore, dans celle de Poussin. En 1664, alors qu'il lui reste moins d'un an à vivre, Poussin rédige son avant-dernier testament. Peu avant, il a écrit à son cher Chantelou pour déplorer la dégradation de sa santé et formuler une demande : « Me voyant en cet état qui ne peut durer, j'ai voulu me disposer au départ. J'ai fait pour cet effet un peu de testament, par lequel je laisse plus de dix mille écus de cette monnaie à mes pauvres parents habitant à Andelys, qui sont gens grossiers et ignorants, lesquels, ayant après ma mort à recevoir cette somme, auront grand besoin du secours et aide de quelque personne fidèle et charitable. Je vous viens supplier en cette nécessité de leur prêter la main et les conseiller et prendre leur protection, afin qu'ils ne soient trompés ou volés. Ils vous en viendront humblement requérir[8]. » Comment s'étonner, alors, que Poussin ait introduit le motif du testament d'Eudamidas dans la peinture? Là comme ailleurs dans son art, le grand maître français a joint les actes à la peinture.

Pour finir, une autre composition centrée sur un lit de mort, qui est aussi l'un de ses plus grands chefs-d'œuvre, *La Mort de Germanicus* de 1627-1628 (fig. 9), appelle encore plus la comparaison avec les deux paysages de Phocion. On sait par Bellori que Poussin a choisi lui-même le sujet de Germanicus, également inédit dans la peinture. Germanicus était un grand général romain qui vécut au I^er^ siècle av. J.-C., et fut empoisonné par ses ennemis politiques à l'intérieur de la cité, sur ordre de l'empereur Tibère. Poussin le montre pleuré par sa femme Agrippine et trois de ses enfants, tandis que ses fidèles soldats, à gauche, jurent de venger sa mort. De même que Phocion, Germanicus est l'exemple du chef noble et juste, dont la mort cruelle ne peut s'expliquer que d'une façon. Comme le remarque Tacite dans ses *Annales*,

Germanicus fut le jouet du hasard. À ceux qui connaissent bien la correspondance de Poussin et ses tableaux les plus célèbres, il n'est nul besoin de rappeler à quel point le thème de l'inconstance du destin était omniprésent dans son esprit et dans son art. « Nous n'avons rien en propre, nous tenons tout à louage », confiait-il à Chantelou en 1643. Cette paraphrase de Sénèque aurait pu servir d'épitaphe aussi bien pour Germanicus que pour Phocion. Dans son essai *De la tranquillité de l'âme* (XVI, 2), Sénèque désigne lui-même l'enseignement à tirer des sujets de ces tableaux, quand il écrit que « le meilleur des hommes subit le pire des sorts ».

D'autres ont déjà noté que Poussin révèle son adhésion scrupuleuse au texte de Plutarque dans les détails qui rehaussent les deux paysages de Phocion. Il a représenté des personnages qui vaquent à leurs occupations quotidiennes dans la campagne, sans avoir l'air de s'aviser du destin tragique qui est échu au grand homme. Dans le *Paysage avec les funérailles de Phocion*, il a même introduit un cortège qui se dirige vers le temple de Zeus en haut à droite du tableau, conformément au récit de Plutarque. Celui-ci rappelle que Phocion a été exécuté le 19 munychion 318, c'est-à-dire au début mai (et non mars, comme on le lit régulièrement depuis Félibien). C'est justement la date fixée par les Athéniens pour la procession sacrée en l'honneur de Zeus. D'après Plutarque, « tous ceux qui étaient encore capables d'humanité et dont les meilleurs sentiments n'étaient pas occultés par la fureur ou la jalousie estimaient qu'il était sacrilège de ne pas repousser l'exécution d'un seul jour afin de préserver la ville de la souillure encourue en procédant à une exécution publique un jour de fête » (XXXVII).

L'ironie de la chose, et de ce détail dans la peinture de Poussin, est encore accentuée par un autre élément de la composition, dont on parle beaucoup moins souvent : le tombeau somptueux érigé sur une butte à gauche du cortège, exactement au milieu du tableau, juste au-dessus du corps de Phocion enveloppé dans un linceul. C'est manifestement le tombeau d'un riche Athénien, qui semblerait honorer l'opulence pure et simple, bien plus que la vertu authentique. Une lecture plus attentive de la *Vie de Phocion* de Plutarque donne à penser que Poussin a probablement utilisé ce détail pour évoquer en fait la grandeur et l'excellence de son héros.

Les tombeaux interviennent deux fois dans le récit de Plutarque, et chaque fois, ils renvoient à la dignité et à la compétence de Phocion. Dans le chapitre XXII, Plutarque parle d'un monument fastueux qu'Harpalus a fait construire pour sa maîtresse la courtisane Pythonisse, qui lui a donné une fille. Phocion, qui désapprouve hautement la liaison, ainsi que le monument, recueille tout de même la fillette à la mort de son père, la protège et l'éduque « avec la plus grand sollicitude ». Le tombeau imposant qui se dresse au-dessus de Phocion dans le paysage de Poussin ferait-il allusion à cet épisode, qui dénote chez le héros la volonté de contrebalancer les vices de ses compatriotes par sa vertu personnelle?

L'autre tombeau évoqué par Plutarque a une valeur purement symbolique et intervient dans le chapitre XXIII. Laissons la parole à l'auteur :

« Quand Léosthène eut engagé les Athéniens dans la guerre lamiaque, voyant que Phocion réprouvait ses actes, il lui demanda dédaigneusement s'il pouvait dire ce qu'il avait fait, lui, pour sa cité du temps où il était général. "Vous trouvez donc que ce n'est rien si nos citoyens sont tous enterrés chez eux dans leurs propres tombeaux?" répliqua Phocion. »

Tous sauf Phocion, tragiquement couvert d'opprobre.

## Notes

* Les références mentionnées ainsi renvoient au catalogue de l'exposition du Grand Palais, Paris, 1994-1995.

1. Blunt, 1967, vol. 1, p. 165.

2. S. Gutwirth, « Jean-Victor Bertin, un paysagiste néo-classique (1767-1842) », *Gazette des Beaux-Arts,* LXXXIII, 1974, p. 344, n° 41. G. Levitine, « Quelques aspects peu connus de Girodet », *Gazette des Beaux-Arts,* LXV, 1965, p. 243.

3. Bien que le thème de la mort de Phocion ait été le sujet imposé pour le concours du Prix de Rome de 1804, il s'agissait d'une peinture d'histoire et non d'une peinture de paysage. Le lauréat Joseph-Denis Odevaëre, dont l'œuvre est à l'École des beaux-arts de Paris, a trouvé sa source d'inspiration non dans les deux paysages héroïques, mais dans la *Mort de Socrate* de son maître David.

4. La vie de Phocion a fait l'objet d'une étude admirable de L. A. Tritle, *Phocion the Good*, London, New York et Sydney, 1988.

5. Blunt, 1944, pp. 157-164.

6. L'analyse la plus récente de ces dessins est celle de Clayton, 1995, pp. 152-153.

7. Félibien, 1725, p. 77.

8. Jouanny, 1911, pp. 459-460.

Fig. 1
Nicolas Poussin
*Paysage avec les funérailles de Phocion,* 1648
Toile, 1,17 x1,78 m
Oakley Park, comte de Plymouth, en dépôt à Cardiff, National Museum of Wales.

Fig. 2
Nicolas Poussin
*Paysage avec les cendres de Phocion,* 1648
Toile, 1,16 x 1,78 m
Liverpool, National Museums and Galleries on Merseyside, Walker Art Gallery.

Fig. 3
Nicolas Poussin
*La Mort de Caton*
Encre brune, 9,6 x 14,9 cm
Windsor Castle,
Royal Collection.

Fig. 4
Nicolas Poussin
*Coriolan,* v. 1650-1652
Toile, 1,12 x 1,98 m
Les Andelys, hôtel de ville.

Fig. 5
Nicolas Poussin
*Scipion et les pirates,* 1642
Pierre noire, plume et lavis bistre,
33,1 x 46,8 cm
Windsor Castle,
Royal Collection.

Fig. 6
Nicolas Poussin
*Paysage avec Diogène,* 1648
Toile, 1,60 x 2,21 m
Paris, musée du Louvre.

Fig. 7
Nicolas Poussin
*Le Testament d'Eudamidas,* 1645-1650
Toile, 1,10 x 1,38 m
Copenhague, Statens Museum for Kunst.

Fig. 8
François-Marius Granet
*Poussin et le cardinal Massimi*
Plume et lavis
Paris, musée du Louvre.

Fig. 9
Nicolas Poussin
*La Mort de Germanicus,* 1627-1628
Toile, 1,48 x 1,98 m
Minneapolis, The Minneapolis Institute of Arts, The William Hood Dunwoody Fund.

# À propos de *Camille et le maître d'école de Falèries* : aspects iconographiques

**Saburo Kimura**
Professeur à l'université de Nihon

*Camille et le maître d'école de Faléries*, conservé au musée du Louvre[1] (fig. 1), a été souvent mentionné dans la littérature[2]. On en connaît une autre version, conservée à Pasadena[3], ainsi que plusieurs dessins préparatoires. Nous en parlerons peu ici, préférant nous consacrer à une étude iconographique du tableau du Louvre.

Dans un fragment de lettre à Jacques Stella, citée par Félibien, Poussin indique qu'il a peint celui-ci « d'une manière sévère, comme il est raisonnable, considérant le sujet qui est héroique[4] ». Dans son huitième *Entretien*, publié en 1685, Félibien en précise la date : ce fut en 1637 que le peintre « travailla à un grand tableau [...] dans la Galerie de M. de La Vrilliere Secrétaire d'État, où est représenté comment Furius Camillus renvoye les Enfans des Faleriens, & fait foüetter leur Maître, qui par une infame lâcheté, les avoit livrez aux Romains leurs ennemis[5] ».

Vers 1655, Henri Sauval avait déjà rédigé une belle description du tableau. Dans son *Histoire et recherches des antiquités de la ville de Paris*, il notait à propos de l'hôtel de La Vrillière que « la gallerie est sans contredit la plus achevée de Paris, & peut-être de toute la France[6] ». Puis il écrit : « Dans le premier de ces tableaux en entrant, & qui est à main droite, Poussin a représenté Camille renvoyant aux Faleriens leurs enfans, & leur Precepteur : dans la tête de ce traître, aussi-bien que dans son action, on voit la honte, l'horreur du crime, & la crainte de la mort naïvement exprimés : dans les visages & les attitudes différentes des enfans, on remarque la satisfaction que vrai-semblement doivent avoir des écoliers à se venger & enfin sur les épaules de celui, qui ne les a jamais épargné des ferules et du fouet, que tant de fois ils en ont reçus. Les uns y admirent l'union des couleurs, les autres le choix des draperies; mais tous, les airs de tête, la varieté des passions bien remuées, & la composition entiere de cette grande histoire; & quoique ce ne soit pas le chef-d'œuvre du Poussin, on tient neanmoins que c'est le meilleur tableau de cette galerie[7]. » Cette description a été reprise par d'autres auteurs, à commencer par Germain Brice. Récemment, Sabine Cotté et Christel Haffner ont précisé l'historique de l'œuvre dans leurs remarquables études publiées dans le catalogue de l'exposition *Seicento*[8].

Nous connaissons plusieurs dessins préparatoires[9], en particulier celui du Fogg Art Museum[10] (fig. 2). La comparaison de ce dernier avec le tableau montre que Poussin s'est d'abord intéressé aux personnages du premier plan, depuis Camille siégeant sur le prétoire à gauche, avec un licteur derrière lui, jusqu'aux écoliers avec leur maître à droite. Ces deux groupes, vus de profil, constituent l'essentiel de la composition : la référence aux bas-reliefs antiques accentue le style « héroïque » voulu par l'artiste[11].

Poussin a utilisé plusieurs sources littéraires : Plutarque[12] (*Vie de Camille*, X,5), Tite-Live[13] (V, 27, 2-9) et Valère-Maxime[14] (VI, 5, 1). Les *Vies* de Plutarque avaient été traduites dès le XVI^e siècle par Jacques Amyot[15]. Poussin semble avoir eu accès à l'édition publiée en 1606 à Paris[16], illustrée d'un portrait gravé de Camille (fig. 3). Alors que Camille assiège Faléries, un pédagogue de cette ville veut lui livrer en otages, contre de l'argent, ses propres élèves, enfants des patriciens falisques : « Camille ayant ouy ces paroles trouva l'acte bien malheureux, & meschant, dit à ceux qui estoient autour de luy, que la guerre estoit bien chose mauvaise, & où il se faisoit beaucoup de violence et d'outrages, toutesfois qu'encore y avoit-il entre gens de bien quelques loix & quelques droits de la guerre, & qu'on ne devoit point tant chercher ne pourchasser la victoire, que l'on ne suit les obligations d'en estre tenu à si maudits & si damnables moyens, & qu'il faloit qu'un grand Capitaine fist la guerre se confiant en sa propre vertu, non point en la meschanceté d'autruy. Si commanda à ses Sergeans qu'ils deschirassent les habillements de ce mauvais homme, en luy liant les deux mains par derriere, & qu'ils donnassent des verges & des escorgées aux enfants, afin qu'ils ramenassent le traistre qui les avoit ainsi trahis en le foüettant iusques dedans la ville[17]. »

L'iconographie de Camille a été excellemment étudiée par Gabriele Sprigath et Günter Schiedlausky[18]. Le sujet avait déjà été traité au XIV^e siècle. Dans une miniature, datée des environs de 1370 et illustrant Tite-Live (fig. 4), les enfants de Faléries reconduisent à coups de verge leur précepteur, vêtu seulement de braies, vers la ville de Faléries située à droite[19]. Sur un cassone florentin exécuté vers 1440 et conservé à la National Gallery de Londres[20], un panneau montre Camille à droite, devant le maître d'école assis par terre avec plusieurs élèves en arrière. Le même sujet a été aussi gravé sur bois pour un Tite-Live illustré[21] (fig. 5) : au centre un livre, à droite le maître fouetté par les écoliers, et à gauche Camille devant le camp. On pourrait citer aussi un autre bois gravé de l'Allemand Hans Schaeuffelin, daté 1534[22], dont la composition est voisine : le camp est à l'arrière-plan, Camille est debout sur la gauche et le maître et ses élèves forment un groupe au premier plan.

Poussin se démarque nettement des exemples précédents dans sa mise en scène du premier plan : Camille y est montré de profil et le groupe du maître et des élèves est représenté de près. Le peintre semble s'être inspiré d'une édition latine de Plutarque, publiée à Venise en 1516[23] (fig. 6). Au folio 53, une gravure sur bois[24] (fig. 7) fait voir en arrière-plan des remparts, comme dans les exemples précédents, tandis que, sur le devant, Camille est assis de profil sur son siège, la main droite tendue en avant. À droite, le maître (qui détourne la tête) et les écoliers. Derrière Camille se trouvent des licteurs, chacun tenant une lance à la main. Ce dernier détail n'annonce-t-il pas les étendards du tableau de Poussin? D'autres illustrations de la même édition nous montrent des personnages de profil placés au premier plan à gauche : Cimon, stratège athénien[25] (fig. 8), et Agésilas[26] (fig. 9). Cette mise en page est reprise par Poussin dans *La Continence de Scipion* du musée Pouchkine[27], datée de 1640 par Pierre Rosenberg : une frise de figures se déployant depuis la gauche et le motif du héros siégeant de profil.

Otto Grautoff estime que la *Timoclée captive amenée devant Alexandre* du Dominiquin (Louvre) a servi de modèle à Poussin pour son Camille[28]. L'œuvre a été peinte vers 1615 pour le cardinal Alessandro Peretti Montalto (1571-1623), neveu du pape Sixte Quint, pour décorer le *salone* de son palais romain, sur l'Esquilin[29]. Le sujet est également tiré de Plutarque[30] (*Vie d'Alexandre*, XII). Alexandre y figure assis sur un siège, au premier plan à gauche. Dominiquin n'aurait-il pas, lui aussi, consulté l'édition vénitienne de 1516 des *Vies*?

Tite-Live a également rapporté l'histoire de Camille et du maître d'école de Faléries. Une édition in-folio publiée en 1568 à Francfort[31] (fig. 10) comporte une gravure due à l'artiste suisse Jost Amman[32] (fig. 11) sur laquelle Camille, le pédagogue et ses élèves qui le fouettent figurent au premier plan. Si nous l'inversons, nous obtenons une composition qui annoncerait celle de Poussin (malgré l'attitude de Camille, debout à l'extrême gauche de l'image), avec notamment le motif des remparts au loin.

En 1572, un petit livre d'images de Philippe Lonicer, les *Icones Livianae*[33] présentait à son tour les principaux événements de l'*Histoire romaine* de Tite-Live. Il contient une suite de 75 pièces portant la signature de Jost Amman. Comme le rappelle Adam Bartsch, ces images ont d'abord servi à orner l'édition de 1568 mentionnée ci-dessus[34]. Le livre de Lonicer est de petit format (environ 16 cm de long sur 21 de large), ce qui permettait de l'emporter facilement avec soi, alors que l'édition de 1568 est in-folio. Poussin (ou La Vrillière) a-t-il connu cet ouvrage? Notons aussi que la réédition de 1578 du Tite-Live de Francfort comporte, à la page 151, la même image[35] – que l'on retrouve dans une traduction latine de Plutarque publiée aussi à Francfort en 1600[36].

La Vrillière avait aussi passé commande à des peintres italiens comme le Guerchin et Pierre de Cortone. Malvasia[37] mentionne un tableau du Guerchin représentant *Mucius Scaevola devant Porsenna* daté des environs de 1640 et actuellement au palais Durazzo-Pallavicini à Gênes. Cette œuvre ne fut finalement pas livrée à La Vrillière[38]. Le sujet[39] avait été souvent représenté avant le Guerchin[40]. Citons au XVIe siècle un bois gravé allemand où Mucius Scaevola figure en gros plan[41] et une gravure de Goltzius[42] (fig. 13) montrant le héros un peu comme une statue antique insérée dans une composition verticale. Jost Amman a traité le même sujet dans une illustration pour le Tite-Live de 1568[43] (fig. 14) ainsi que dans ses *Icones Livianae* de 1572[44]. Selon Tite-Live, Mucius était mêlé à la foule qui se pressait devant le tribunal du roi Porsenna. On voit les soldats étrusques à l'arrière-plan. Le héros pose sa main droite sur un brasier allumé pour le sacrifice. Porsenna siège à gauche sur une estrade. La très grande parenté de traitement des figures du premier plan permet de supposer que le Guerchin (ou La Vrillière) ont eu connaissance de ces images.

Un dessin de Poussin, daté des années 1650 et conservé à l'Ermitage, représente le même sujet[45] (fig. 15). Nous y retrouvons des éléments de la gravure d'Amman : Mucius debout à côté de l'autel, Porsenna sur son podium, à gauche de cette composition plutôt horizontale. Amman comme Poussin se sont davantage intéressés au traitement narratif du sujet qu'à un simple portrait de héros romain. Notre peintre s'est-il ici aussi inspiré du graveur? Comme pour Camille (pour lequel, nous venons de le voir, il a peut-être repris l'illustration du Plutarque vénitien de 1516 et la gravure d'Amman de 1572), Poussin aurait donc suivi la méthode de travail que nous rapporte Bellori[46] : « *Leggendo istorie greche e latine annotava li soggettie e poi all'occasione se ne serviva* » (« En lisant l'histoire grecque et romaine, il en annotait les sujets pour s'en servir à l'occasion »).

## Notes

Nous remercions pour leur aide : Mme Erika Peschard-Erlih ; MM. François Desbrosses, René Faille, Hidenori Kurita, Alain Mérot, Pierre Rosenberg, Yasuhido Shinhata, Shuji Takashina et Jacques Thuillier.

1. I. Compin et A. Roquebert, *Catalogue sommaire illustré des peintures du musée du Louvre et du musée d'Orsay,* Paris, 1986, t. IV, p. 144 (Inv. 7291).

2. Pour une bibliographie complète de l'œuvre, les expositions où elle a figuré et les œuvres qui s'y rapportent, voir Blunt, 1966, n° 142 ; A. Brejon de Lavergnée et I. Auffret, catalogue de l'exposition *Seicento*, Paris, 1988-1989, n° 116 ; Mérot, 1990, n° 181 ; Thuillier, 1994, n° 122 ; Rosenberg et Prat, 1994, n^os^ 125-127.

3. Félibien, 1725, p. 25 (voir aussi éd. de C. Pace, 1981, p. 115) ; Friedlaender, 1931, pp. 52-57 ; Mérot, 1990, n° 180 ; Thuillier, 1994, n° 109.

4. Jouanny, 1911, p. 4.

5. Félibien, 1725, p. 25 (éd. Pace, 1981, p. 109).

6. H. Sauval, *Histoire et recherches des antiquités de la ville de Paris,* Paris, 1724, (rédigé vers 1655), t. II, p. 229.

7. *Ibidem*, p. 230.

8. C. Haffner, « La Vrillière, collectionneur et mécène », dans catalogue de l'exposition *Seicento*, Paris, 1988-1989, pp. 30, 32 ; S. Cotté « Un exemple du "goût italien" : la galerie de l'hôtel La Vrillière à Paris », *idem*, p. 40.

9. A. Blunt, *The French Drawings in the Collection of His Majesty the King at the Windsor Castle,* Londres, 1945, p. 39, n° 190 ; Friedlaender et Blunt, 1949, pp. 12-13, n° 123 (pl. 97, Windsor n° 11913), n° A 30 (pl. 121, British Museum, n° 1895-9-922).

10. Dubaut, 1950, p. 95 (pl. 75) ; cat. exp. Paris, Grand Palais, 1994-1995, n° 126.

11. Grautoff, 1914, I, pp. 137-138.

12. Cat. exp. Paris, 1960, n° 46.

13. *Ibidem.*

14. Blunt, *op. cit.* n. 9, n° 190.

15. Plutarque, *Les vies des Hommes illustres Grecs et Romains, Comparées l'une avec l'autre par Plutarque de Chaeronée, Translatées de Grec en François,* Paris, Imprimerie de Michel de Vascosan, 1559. Voir le t. I, p. 92, l. 15-23.

16. *Idem,* Paris, chez N. Buon, 1606, I, p. 170 (portrait), 177-178. Un autre portrait (gravé sur bois, 3,8 x 6,5 cm) de Camille figure dans l'édition parisienne de 1583 (chez Jacques Dupuys). Pour une traduction moderne, voir celle de R. Flacelière, E. Chambray et M. Juneaux, Paris, Les Belles Lettres, 1968, II (10-5), p. 164.

17. *Ibidem.*

18. G. Sprigath et G. Schiedlausky, « Falisker Schulmeister », *Reallexikon zur Deutschen Kunst-Geschichte,* VI, 1973, pp. 1237-1251. Voir aussi A. Pigler, *Barockthemen,* Budapest, 1974, II, pp. 375-376 et III, pl. 303 ; H. Van de Waal et L. D. Couprie, *Iconclass,* VIII-IX, Amsterdam, 1980, p. 202 (98 B), qui font référence aux publications de Reinach (1914), Schubring (1915), Robot-Delondre (1917-1918) et Goebel (1923).

19. A. Masson, « Le "Tite-Live" de Bordeaux. L'Atelier du "Maître aux

Boqueteaux" », *Les Trésors des bibliothèques de France,* 1938, VI, pp. 11-33 (p. 26, fol. 101, n° 24, pl. IX, reprod. V, 27); cit par Sprigath, art. cit. n. 18, p. 1237, repr. 1242.

20. Sprigath et Schiedlausky, art. cit. n. 18, p. 1244. Voir *National Gallery, Illustrated General Catalogue,* Londres, 1986 (2nde éd. revue), p. 201, n° 3826, repr.

21. Sprigath et Schiedlausky, art. cit. n. 18, p. 1239, repr. 1242.

22. Voir V. Villiger, « Macht, Moral », *Zeitschrift für Schweizerische Archaeologie und Kunstgeschichte,* 1993, Band 50, Heft 1, p. 37.

23. *Vitae Plutarchi, Cheronei novissime... Impressasq Venetiis exactissima cura p Melchiore sessam & Petru de Rauanis focios,* Anno domini M. CCCCCXVI.

24. Avec l'inscription : ROMA RESTITVTA. Cité par Sprigath et Schiedlausky, art. cit. n. 18, p. 1243.

25. *Ibidem,* fol. CLXXV v°.

26. *Ibidem,* fol. CCCLIIII v°.

27. Blunt, 1966, n° 181 (vers 1643-1645); Thuillier, 1994, n° 146; Rosenberg, exposition Grand Palais, 1994-1995, n° 96 (des derniers mois de 1640 au plus tard, donc juste avant le départ de Poussin pour Paris).

28. Grautoff, 1914, I, pp. 137-138; voir aussi Bellori, 1672, pp. 321-322. L. P. Scaramucia, *Le finezze de'penneli italiani,* 1674 (s.d.), Pavie, G. A. Magri, p. 14; R.E. Spear, *Domenichino,* New Haven – Londres, 1982, I, pp. 184-186, n° 43; II, repr. fig. 156 (avec bibliographie antérieure).

29. *Ibidem.* D'après Blunt (1966, p. 104), le tableau se trouvait alors dans la villa Montalto à Rome.

30. R. E. Spear, *op. cit.* n. 28.

31. *Titi Livii Patavini Romanae Historiae Principis,* Francofurti Ad Moenum, M.D.LXVIII (1568), apud G. Corvinum, S. Feierabend et Haeredes W. Galli, 2 t. en 1 vol. in-fol. (Paris, Bibliothèque nationale de France.)

32. *Idem, Liber Quintus,* p. 164. A. Bartsch, *Le Peintre-Graveur,* nouvelle éd., t. VI-XI (1854-1870), p. 188, n° 3 ; C. Becker, *Jost Amman,* 1854, Leipzig, p. 58, n° 164 ; A. Andresen, *Der Deutsch Peintre-Graveur,* t. I, 1864, Leipzig, p. 329, n° 37, 29 (s.d.); M. Goering, « Die Malerfamilie Bockberger », *Münchner Jahrbuch der Bildenden Kunst,* VII, 1930, pp. 245-246; Sprigath et Schieldausky, art. cit., p. 1242.

33. *Icones Livianae : Praecipuas Romanorum Historias magno artificio ad vivum expressas oculis repraesentantes, succinctis Versibus illustratae per Philippum Lonicerum,* M.D.LXXII (Paris, Bibliothèque nationale de France). Avec l'inscription : *Puerorum Magister Camillo Prodendi Falerios sceleratum init consilium XXXVI.* Voir A. Bartsch, *op. cit.* n. 3, et F.W.H. Hollstein, *German Engravings. Etchings and Woodcuts,* ca. 1400-1700, II, p. 40; voir aussi A. Andresen, *op. cit.,* n° 32, 36 (s.d.); J. S. Peters (éd.), *The Illustrated Bartsch,* 20 (Part 1), autrefois vol. 9 (Part 3), Arabis Books, 1985, 3.36 (367).

34. A. Bartsch, *op. cit.* n. 32, p. 188.

35. *Titi Livi Patavini..., op. cit.* n. 31. Voir aussi A. Andresen, *op. cit.* n. 32, I, p. 329.

36. *Plutarchi Chaeronensis Summi et Philosophi et Historici Parallela, Id Est Vitae Illustrium Virorum Graecorum et Romanorum...,* Francofurti, Ex Officina Chalcographica Ioannis Saurii impensis Elie Willeri, M.D.C. (*cf.* p. 88 repr.). Voir aussi Thuillier, 1961, p. 14.

37. C. C. Malvasia, *Felsina Pittrice,* Bologne, 1678, II, p. 384; Mahon, 1965, p. 128; L. Salerno, *I dipinti del Guercino,* Rome, 1988, n° 248; S. Loire, cat. exp. *Le Guerchin en France,* Paris, Louvre, 1990, n° 35.

38. L. Salerno, *op. cit.* n. 37. Ce tableau a été exécuté vers 1646-1648.

39. Tite-Live, *Histoire romaine,* traduction de G. Baillet, Paris, Les Belles Lettres, II, livre second, 1991, XII, pp. 18-20.

40. A. Pigler, *op. cit.* n. 18, II, pp. 410-412.

41. A. Bartsch, *op. cit.* n. 32, IX, p. 76, n° 2. La marque et l'année 1536 sont gravées en haut à droite.

42. *Ibidem,* III, p. 19-20, n° 3. Voir aussi : *The Illustrated Bartsch,* éd. W. L. Strans, 3, autrefois volume 3, Part 1, 1980, p. 98 (35).

43. *Titi Livii, op. cit.*, n. 31; voir A. Andresen, *op. cit.* n. 32, I, p. 323, n° 18.

44. Une autre gravure dans Lonicer, *op. cit.* n. 33. Voir A. Bartsch, *op. cit.* n. 32, p. 188, n° 3 (Jost Amman).

45. Blunt, 1967, p. 161, repr. fig. 140; Friedlaender et Blunt, V, 1974, p. 94, repr. pl. 305; cat. exp. Paris, Grand Palais, 1994-1995, I, n° 353.

46. Bellori, 1672, p. 438.

Fig. 1
Nicolas Poussin
*Camille et le maître d'école de Faléries*,1637
Toile, 2,52 x 2,65 m
Paris, musée du Louvre.

Fig. 2
Nicolas Poussin
*Camille et le maître d'école de Faléries*
Dessin à la plume et encre brune sur traits de pierre noire, 17,5 x 17,7 cm
Cambridge (Mass.), Fogg Art Museum (Inv. 1984.609).

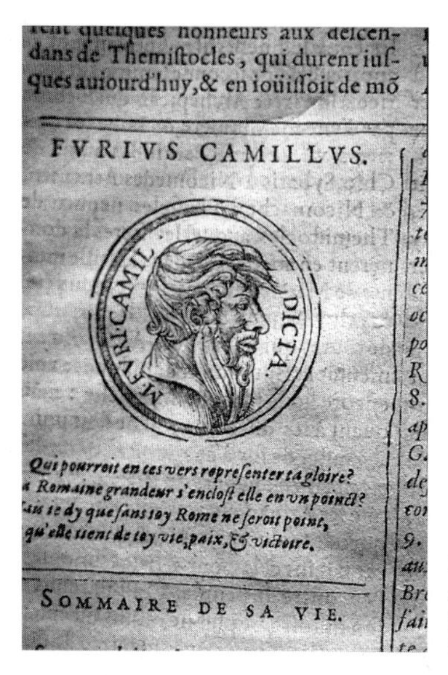

dans de Themiſtocles, qui durent iuſques auiourd'huy, & en ioüiſſoit de mõ

FVRIVS CAMILLVS.



*Qui pourroit en ces vers repreſenter ta gloire?*
*Romaine grandeur s'encloſt elle en vn poinct?*
*te dy que ſans toy Rome ne ſeroit point,*
*qu'elle tient de toy vie, paix, & victoire.*

SOMMAIRE DE SA VIE.

Fig. 3
Anonyme
*Camille* (1606)
Gravure sur bois.

Fig. 4
Anonyme
*Camille et le maître d'école de Faléries*
Miniature (vers 1370)
Bordeaux, Bibliothèque municipale.

Fig. 5
Anonyme
*Camille et le maître d'école de Faléries*
Gravure sur bois (Mayence, 1505).

Vitae Plutarchi
Cheronei nouissime post
Jodocũ Badiũ Ascē
sium lõge diligentius repositae: ma
ioreq; diligẽtia castigatae: cũ
copiosiore: verioreq;
indice. Necnon cũ
Aemilij Pro
bi vitis.
Una cũ figuris: suis locis
apte dispositis.

Fig. 6
*Vitae Plutarchi...* (Venise, 1516)
Frontispice.

Fig. 7
Anonyme
*Camille et le maître d'école de Faléries* (1516)
Gravure sur bois.

Fig. 8
Anonyme
*Cimon* (1516)
Gravure sur bois.

Fig. 9
Anonyme
*Agésilas* (1516)
Gravure sur bois.

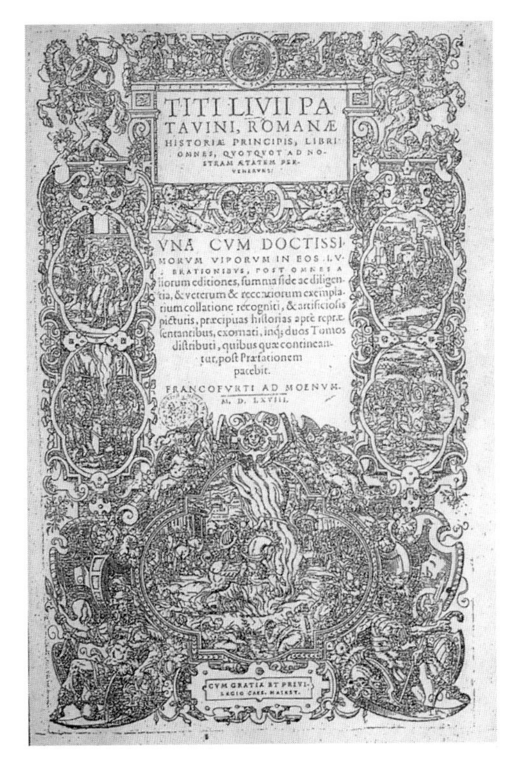

TITI LIVII PA-
TAVINI, ROMANÆ
HISTORIÆ PRINCIPIS, LIBRI
OMNES, QVOTQVOT AD NO-
STRAM ÆTATEM PER-
VENERVNT:

VNA CVM DOCTISSI-
MORVM VIRORVM IN EOS LV-
BRATIONIBVS, POST OMNES A-
liorum editiones, summa fide ac diligentia, & veterum & recentiorum exempla-
rium collatione recogniti, & artificiosis
picturis, præcipuas historias aptè repræ-
sentantibus, exornati, inq; duos Tomos
distributi, quibus quæ contineantur,
post Præfationem
patebit.

FRANCOFVRTI AD MOENVM.
M. D. LXVIII.

CVM GRATIA ET PRIVI-
LEGIO CAES. MAIEST.

Fig. 10
*Titi Livii Patavini, Romanae Historiae Principis...*
(Francfort, 1568)
Frontispice.

Fig. 11
Jost Amman
*Camille et le maître d'école de Faléries* (1568)
Gravure sur bois, 10,5 x 14,5 cm.

Fig. 12
Le Guerchin
*Mucius Scaevola devant Porsenna*
vers 1646-1648
Toile, 2,90 x 2,82 m
Gênes, Palazzo Durazzo Pallavicini.

Fig. 13
Hendrick Goltzius
*Mucius Scaevola devant Porsenna*
(vers 1586)
Gravure au burin, 35,3 x 23,2 cm.

Fig. 14
Jost Amman
*Mucius Scaevola devant Porsenna* (1572)
Gravure sur bois, 10,6 x 14,8 cm.

Fig. 15
Nicolas Poussin
*Mucius Scaevola devant Porsenna* (vers 1650)
Dessin à la plume et encre brune, 13,2 x 14 cm.
Saint-Pétersbourg, musée de l'Ermitage (Inv. 5146).

# Mort en Arcadie. Les derniers tableaux de Poussin

**Charles Dempsey**
Professeur à la John Hopkins University, Baltimore

*Traduit de l'anglais par Jeanne Bouniort*

*À la mémoire de Rensselaer Wright Lee*

*La Naissance de Bacchus et la mort de Narcisse* de Nicolas Poussin (fig. 1; cat. 228*) est un hapax dans la mesure où l'on ne connaît pas d'autre œuvre d'art associant le mythe de Bacchus à l'épisode de la mort de Narcisse[1]. Giovan Pietro Bellori précise que la nymphe à qui Mercure confie le petit Bacchus est Dircé, fille d'Achéloos[2]. Cette interprétation se fonde sur un second hapax, car Euripide est le seul auteur ancien à présenter Dircé comme la nourrice de Bacchus, dans *Les Bacchantes*[3]. La fontaine sacrée de Dircé sur le mont Cithéron à Thèbes prenait sa source à l'intérieur de la grotte d'Achéloos, qui était dédiée, nous dit Euripide, à Pan et aux nymphes[4]. C'est pourquoi Carlo Maratta, dans son dessin de *La Remise de Bacchus aux nymphes* gravé par Andrea Procaccini (fig. 2) – et plus ou moins inspiré par la composition de Poussin, comme l'attestent les vases sacrés posés sur une table dans la grotte – représente Pan frappé de stupeur en voyant « sa grotte s'orner inopinément de vigne verdoyante et de grappes blondes[5] ». La vigne et le lierre ont poussé spontanément au moment où Mercure a remis Bacchus à Dircé. Dans le fond, Maratta ajoute le palais de Cadmos, le fondateur de Thèbes, ravagé par l'incendie où devait périr Sémélé, fille de Cadmos et mère de Bacchus. Dans un dessin antérieur[6] (fig. 3), Maratta a figuré une nymphe supplémentaire, séparée des autres, assise derrière Mercure, près de la grotte de Pan. Il s'agit apparemment d'Écho, si l'on en juge par les fleurs rapidement esquissées au premier plan, non loin d'elle, qui représentent sans doute des narcisses. Dans ce cas, le tableau de Poussin réunissant Bacchus et Narcisse ne serait pas tout à fait un hapax à ce point de vue, et l'utilisation (incontestable de toute façon) qu'en a faite Maratta n'en serait que plus remarquable.

Bellori écrit que Poussin a trouvé le thème de la remise de Bacchus à Dircé chez Philostrate. D'après Philostrate, Pan aurait accueilli Bacchus avec de la musique et des chants d'Évion sur le Cithéron, la montagne thébaine où se trouvaient la fontaine de Dircé et la grotte d'Achéloos. Poussin a lu Philostrate dans la célèbre édition française de Blaise de Vigenère, qui commente ce passage en citant Euripide, mais aussi les *Satires* de Perse (*Evion ingeminat : reparabilis adsonat écho*[7]). Il représente donc un dieu Pan qui improvise une étrange musique roucoulante sur sa flûte (que Blaise de Vigenère appelle *gringotte* dans sa traduction), entouré d'Achéloos et des nymphes compagnes de Dircé, près de la grotte qui lui est dédiée et d'où jaillit la fontaine. L'une des nymphes a revêtu les traits d'Écho, que Pan aime en vain et qui aime en vain Narcisse. Dora Panofsky a pu montrer, voilà plus de quarante ans, que la fontaine de Dircé imaginée par Poussin d'après Philostrate était le lieu de la nourriture de Bacchus et aussi de la mort de Narcisse[8]. C'est là un autre hapax, car Philostrate est le seul à faire mourir Narcisse dans l'eau d'une fontaine consacrée aux nymphes servantes de Bacchus, et il est le seul à situer cette fontaine dans une grotte consacrée à Achéloos et aux nymphes[9].

À l'époque, on n'a pas su tirer toutes les conséquences de la découverte de Dora Panofsky, d'abord parce qu'elle avait laissé de côté le fait que Bellori identifie nommément Dircé, ensuite et surtout à cause de l'opinion courante selon laquelle les peintres illustraient les textes, mais ne s'en servaient pas pour inventer autre chose. Or, *La Naissance de Bacchus* constitue bien moins une illustration d'un mythe ancien que ce que Félibien appelle une « pensée[10] » poétique à propos de la conception des *Bergers d'Arcadie*. Le véritable sujet du tableau de Poussin tourne autour d'une méditation sur un lieu donné, la fontaine sacrée de Dircé à Thèbes, et sa « pensée » poétique repose sur la dimension divine et mystérieuse du lieu, telle que la traduisent les légendes qu'y s'y rapportent. Sur la fontaine de Dircé règne un climat de magie impénétrable, d'émerveillement halluciné et de terreur. C'est à la fontaine de Dircé, dans la grotte d'Achéloos sur le mont Cithéron à Thèbes, que Narcisse (dont le nom vient de *narkáo*, « torpeur »), envoûté par l'image reflétée par la surface de l'eau, a sombré dans une torpeur narcoleptique et dépérit[11]. Dans l'ombre humide de la grotte, la chaleur qui accompagnait la venue sur terre de Bacchus deux fois né, fils de Zeus et de Sémélé fille de Cadmos, a engendré spontanément la vigne et le lierre. C'est un lieu étrange et mystérieux, où la lumière étincelle et les échos résonnent inexplicablement, provoquant des hallucinations panoleptiques du type de celle qui induira les chiens d'Actéon, petit-fils de Cadmos, à confondre leur maître avec un cerf et à le déchiqueter vif, ou de celle qui poussera les femmes de Thèbes, affolées par la magie illusionniste de Bacchus, à prendre Penthée l'impie pour un fauve et à déchirer son corps dans un accès de délire nympholeptique[12]. Dans la vision qu'en donne Poussin, Narcisse s'érige en première victime et emblème de la violence hallucinatoire du lieu évoqué.

Le dernier tableau de Poussin, l'*Apollon amoureux de Daphné* resté inachevé[13] (voir fig. 1, p. 561; cat. 242), procède également d'une longue méditation poétique sur la mythologie d'un lieu, et nous avons affaire ici à l'ultime « pensée » de l'artiste sur le grand thème de l'Arcadie. Si le principal épisode figuré par Poussin est bel et bien la légende d'Apollon et Daphné, le tableau doit sa célébrité à son foisonnement d'allusions mythologiques, apparemment sans rapport avec le sujet central, hormis peut-être le fil conducteur constitué par la légende d'Apollon. Le dieu drapé de rouge, sur la gauche, garde un troupeau rassemblé au bord d'un lac, au milieu du tableau, devant une montagne qui se dresse à l'horizon. Il est assis sous un chêne. De la main gauche, il tient sa lyre à l'envers, fermement appuyée contre sa jambe. Deux dryades l'accompagnent. La première, vêtue de bleu et coiffée d'une couronne de feuilles de chêne, serre dans ses mains une branche d'arbre. La seconde, vêtue de jaune, est juchée dans l'arbre, les pieds plaqués contre la branche tenue par sa compagne, autour de laquelle s'enroule le python d'Apollon. Mercure s'est approché du dieu par derrière et lui subtilise adroitement une flèche de son carquois. Cupidon, debout aux pieds d'Apollon, pointe sa flèche de plomb vers Daphné, assise à l'extrême droite du tableau. Bizarrement, Daphné est habillée en chasseresse, avec une tunique courte et un carquois à la ceinture. Elle passe les bras autour du cou de son dieu-fleuve de père. Autre bizarrerie, pas moins de six nymphes l'entourent, certaines debout, certaines étendues dans l'eau fraîche où elles viennent manifestement de se baigner, comme l'indique notamment le geste de la jeune femme du premier plan au milieu, qui s'essore les cheveux. Enfin, on découvre au second plan à droite un très mystérieux jeune homme mort (fig. 4), juste derrière deux nymphes couchées aux pieds du dieu-fleuve. Un berger appuyé sur son bâton veille le mort. Une jeune fille agenouillée à côté de lui observe attentivement un tas de terre près de la tête du défunt et tend la main vers le tas. Certains auteurs ont identifié ce cadavre avec Narcisse, d'autres avec Hyacinthe, mais ces deux interprétations semblent d'autant plus contestables que l'on ne voit aucune fleur à proximité du jeune homme[14].

Il semble logique de supposer que le lieu représenté par Poussin est la vallée de Tempé, en Thessalie, un authentique *locus amoenus* qui occupait dans l'imaginaire grec une place comparable à celle de l'Arcadie pour les Romains, et qui allait devenir, par transposition métonymique, le pays de la beauté naturelle parfaite et de la félicité terrestre, telle la *frigida Tempe* chantée par Virgile. C'est dans la Tempé de Thessalie que Daphné subit la métamorphose, relatée par Ovide dans la version du récit qui fait référence. Le fleuve Pénée, identifié par Ovide avec le père de Daphné, arrose la vallée de Tempé emplie de lauriers, qui est un sanctuaire d'Apollon. C'est en Thessalie qu'Apollon fait pénitence pour avoir tué le serpent Python et garde le troupeau du roi Admète, sur les rives du Pénée selon certains auteurs, sur celles de l'Amphryse selon d'autres. Servius explique, à propos de l'Apollon *pastor ab Amphryso* évoqué par Virgile, que « l'Amphryse est une rivière de Thessalie, près de laquelle Apollon, dépouillé de sa divinité pour avoir tué les Cyclopes, aurait, dit-on, gardé les vaches du roi Admète, d'où son invocation sous le nom de Nomios[15] [le dieu pâtre] ». C'est encore dans la vallée de Tempé qu'Apollon tombe amoureux de Daphné, se lance à sa poursuite et la voit se métamorphoser en un laurier. Cependant, un détail dans la peinture de Poussin va à l'encontre de l'hypothèse thessalienne : le mystérieux jeune homme mort. À supposer qu'il s'agisse de Hyacinthe, dont la légende se rattache à celle d'Apollon, le site représenté ne pourrait être en Thessalie, puisque ce jeune homme était un prince spartiate mort en Laconie. Si l'on admet qu'il s'agit de Narcisse, dont la légende n'a aucun rapport avec celle d'Apollon, on se heurte à une autre contradiction, parce que son histoire fait partie de la mythologie béotienne[16].

Face à cette difficulté d'interprétation, une solution merveilleuse se présente à nous. Dans une autre version du mythe d'Apollon et Daphné, beaucoup plus ancienne que celle qu'a popularisée Ovide, avant de se lancer à la poursuite de la nymphe, le dieu a manifesté sa jalousie pour un jeune noble arcadien du nom de Leucippos, qui est tombé amoureux de Daphné et a su gagner son affection. Apollon a fait tuer Leucippos par les compagnes de Daphné qui allaient se baigner dans le Ladon en Arcadie et qui ont abandonné son cadavre au bord de l'eau. Le mythe d'Apollon et Daphné remonte aux temps les plus reculés, et l'on en connaît plus d'une variante. Comme tous les autres, il a subi des changements au fur et à mesure de sa diffusion, afin de s'adapter aux différents centres du culte d'Apollon apparus dans le monde grec, engendrant par là des divergences généalogiques et narratives qui se reflètent dans la multiplicité des récits contradictoires rapportés par les mythographes de l'Antiquité ou de la Renaissance[17]. La légende thessalienne contée par Ovide, qui est la version la plus connue et la plus répandue, dotée de la plus riche postérité littéraire et artistique, intervient en fait relativement tard dans le cours de cette évolution. Le mythe a pris son origine soit en Arcadie soit en Élide, d'où il s'est propagé en Laconie, en Thessalie et, pour finir, jusqu'en Syrie. « En Arcadie, remarque Lucien de Samosate, il y a de très nombreux récits mythologiques, telles la métamorphose de Callisto en animal sauvage et la fuite de Daphné[18]. » La fable de Daphné, comme celle de Callisto, appartient d'ailleurs à un groupe bien déterminé de légendes arcadiennes, dont celles d'Atalante et d'Aréthuse, qui concernent de jeunes chasseresses indomptables, farouchement célibataires[19].

Dans la plus lointaine Antiquité, Daphné, fille du Ladon en Arcadie (Servius l'appelle *Ladonis filia*[20]), était une nymphe virginale vouée à Diane et à la chasse. Voilà pourquoi Poussin l'a munie d'un carquois à la ceinture, ce qui pourrait bien être encore un autre hapax dans le domaine des évocations picturales d'Apollon et Daphné, et qui constitue en tout cas un motif extrêmement rare. Le Ladon, qui passait pour être le plus beau fleuve de toute la Grèce, prend sa source près du lac Phénéos au pied du mont Cyllène, d'où la confusion avec le Pénée, le fleuve qui arrose la vallée de Tempé en Thessalie. C'est là qu'Apollon faisait paître son troupeau, et c'est pour cela que les Arcadiens le nommaient Apollon Nomios, le dieu pâtre[21]. Sur les flancs du Cyllène naquit Mercure, dont l'une des plus célèbres épithètes est justement cyllénien, qui a volé les flèches et les vaches d'Apollon dans une plaine d'Arcadie. Avant d'être poursuivie par Apollon et métamorphosée en laurier, Daphné a rencontré en Arcadie le jeune noble Leucippos, son amant éconduit en raison du vœu à Diane, qui s'est déguisé en femme afin de gagner son affection. Quand les compagnes de Daphné ont découvert la ruse de Leucippos alors qu'elles se baignaient dans le Ladon un jour où Apollon, jaloux, avait augmenté la chaleur du soleil, elles l'ont tué et abandonné auprès du fleuve. Cette histoire est narrée par Natale Conti (Natalis Comes), dont Poussin a très certainement consulté les *Mythologiae* pour son *Paysage avec Orion aveugle cherchant le soleil* (cat. 234) et pour son projet de décoration sur le thème d'Hercule, destiné à la Grande Galerie du Louvre (cat. 103-104). L'artiste a utilisé la traduction française de Jean de

Montlyard parue en 1597, rééditée par Jean Baudouin en 1627[22]. Conti s'est inspiré lui-même de Pausanias, qui raconte ainsi la légende de Daphné :

« À environ cinquante stades de Lycurie se trouve la source du Ladon. L'eau qui descend de la montagne forme un lac appelé Phénéos, lequel est la source du Ladon. Le Ladon est le plus ravissant fleuve de Grèce, célèbre pour la fable de Daphné que conte le poète. En voici la version relatée par les Arcadiens et les Élidiens. Oenomaos, prince de Pise, avait un fils, Leucippos. Leucippos tomba amoureux de Daphné, mais désespéra de la conquérir par la galanterie, car elle évitait toute la gent masculine. Il songea alors à une ruse pour gagner son cœur. Leucippos avait les cheveux longs en l'honneur du fleuve Alphée. Il les tressa comme ceux d'une jeune vierge et, revêtant des habits de femme, il s'en alla trouver Daphné en se faisant passer pour une fille d'Oenomaos qui souhaitait se joindre à sa chasse. Comme il semblait une jeune fille, surpassait toutes les autres par sa noblesse de naissance et son habileté à la chasse, et se montrait des plus attentionnés, il inspira à Daphné une profonde amitié. Les poètes qui chantent ainsi l'amour d'Apollon pour Daphné ajoutent ceci à la fable : Apollon devint jaloux de Leucippos en raison de sa bonne fortune en amour. Il inspira à Daphné et autres jeunes vierges le désir de se baigner dans le Ladon. Elles dévêtirent Leucippos malgré son peu d'empressement à les rejoindre. Voyant qu'il n'était point une jeune fille, elles le tuèrent de leurs flèches[23]. »

Plusieurs détails du tableau de Poussin, dont quelques-uns soulèvent des questions depuis longtemps tandis que d'autres étaient passés inaperçus, trouvent désormais une explication cohérente. La montagne dans le lointain, par exemple, et le lac au bord duquel paissent les vaches d'Apollon, se justifient du point de vue topographique, puisqu'ils représentent le mont Cyllène en Arcadie, dominant le lac Phénéos près de la source du Ladon, personnifié par un dieu-fleuve sur la droite du tableau. Apollon Nomios, le dieu pâtre arcadien, est assis parmi les nymphes, tandis que le Mercure cyllénien lui vole une flèche dans son carquois. Il regarde Daphné, présentée comme une chasseresse portant une tunique courte et un carquois à la ceinture. Une nymphe qui vient de se baigner dans le Ladon s'essore les cheveux. Leucippos gît sur la rive du fleuve, avec sa robe orangée (assurément pas un vêtement masculin) descendue sur les hanches. Un berger le contemple tristement, et une bergère tend la main vers un tas de terre à côté de lui. La présence de Leucippos est justifiée elle aussi par les anciens mythes arcadiens, qui content l'histoire d'Apollon le dieu pâtre et de son amour pour Daphné, la fille chasseresse du fleuve Ladon[24].

Le dernier tableau de Poussin nous présente donc son ultime « pensée », ou méditation poétique, sur le grand thème de l'Arcadie. On doit à Virgile d'avoir introduit dans l'héritage de la pastorale grecque une modification d'une portée considérable et définitive pour la tradition européenne ultérieure, consistant à remplacer la Sicile de Théocrite par l'Arcadie grecque dans le simulacre géographique d'un paysage qui était en réalité un *locus amoenus* purement littéraire. Ce changement semble avoir été inspiré, en partie, par la vision ancestrale de Pan comme divinité tutélaire du *locus amoenus* des bergers. Or, Pan est le dieu de l'Arcadie, comme chacun sait. Une vieille théorie veut que l'Arcadie soit le berceau de la pastorale, qui aurait constitué la première forme poétique jamais inventée, apparue juste après l'âge d'or, du temps où les bergers et vachers qui gardaient leur troupeau sur les flancs des montagnes inhospitalières chantaient pour passer le temps. Pan, divinité des forêts et des troupeaux, avait eu son nom tout naturellement associé à ces chants. Du reste, l'une des épithètes arcadiennes de Pan est aussi Nomios, qui se traduit, avons-nous dit, par *deus pastoralis*, ou dieu pâtre. On la retrouve au tout début de la résurgence de la pastorale à la Renaissance, dans la dixième églogue de *L'Arcadie* de Jacopo Sannazzaro, où il écrit que Pan a été le premier à pratiquer ce genre poétique[25]. C'est de cela, entre autres, que nous entretient le tableau de Poussin. Car les mythographes du XVI^e^ siècle, notamment Lilio Gregorio Giraldi et Natale Conti, expliquent sur la foi d'excellentes sources anciennes que Nomios était également le nom donné à Apollon par les Arcadiens, parce qu'*Apollo pastoralis*, le dieu pâtre, avait gardé son troupeau au bord du Ladon[26], comme le montre Poussin. Conti précise en outre que c'est en gardant les vaches du roi Admète qu'Apollon a inventé la lyre, et qu'il a été le premier à mettre des poèmes en musique, affirmation qui s'appuie sur une phrase de Servius dans l'exorde de son commentaire des *Bucoliques* de Virgile : « *Alii* […] *Apollini Nomio consecratum carmen hoc [bucolicos] volunt, quod tempore Admeti regis pavit armenta*[27]. » (Les uns […] veulent que ce poème soit consacré à Apollon Nomios, parce qu'il fit paître autrefois les troupeaux d'Admète.) D'après cette tradition, Apollon, et non pas Pan, serait le premier des « bucoliques », ou gardiens de troupeau, et c'est lui qui aurait commencé à chanter des poésies pastorales à ses bêtes en Arcadie.

L'esprit de l'Apollon arcadien imprègne d'un souffle divin le paysage de Poussin. Cependant, le vrai sujet de la méditation de l'artiste n'est pas vraiment Apollon initiateur de la poésie pastorale, mais plutôt les fondements de cette poésie même, à savoir le thème à tout jamais arcadien de l'amour juvénile, et la douleur de la séparation. La métamorphose de Daphné en laurier du poète n'en est qu'à ses prémices, et Apollon, assis avec sa lyre dans un paysage empli de chênes, n'est pas encore un chanteur, mais le protagoniste d'une histoire d'amour doublement malheureux. Cupidon pointe sa flèche de plomb vers Daphné, la bien-aimée de Leucippos qui gît près du Ladon, bien-aimée d'Apollon aussi, qu'elle est vouée à laisser soupirer sans retour. Dès l'origine, un climat de tragédie et de mort contamine la beauté du lieu. Apollon aime en vain et Leucippos est mort, le premier à mourir d'amour en Arcadie. Son corps est contemplé par deux personnages tristement songeurs, un berger appuyé sur son bâton et une bergère agenouillée qui semble tracer quelque chose sur le tumulus à côté duquel il gît. Mais que trace-t-elle donc ? N'avons-nous pas ici la réponse personnelle de Poussin à la question de savoir qui est enterré dans le plus illustre des tombeaux arcadiens ?

Il n'est pas nécessaire ici de reprendre la thèse exposée par Erwin Panofsky dans son célèbre essai sur *Les Bergers d'Arcadie* de Poussin (voir fig. 1, p. 622 ; cat. 93), qui est une méditation profondément virgilienne sur l'idée même de l'Arcadie, idée sous-jacente au mystère du tombeau et de son occupant[28]. C'est en effet Virgile qui a conçu l'Arcadie comme un territoire de l'imaginaire, un domaine de félicité parfaite qui ne se situe jamais dans le présent, ni dans un avenir utopique rêvé, mais dans la recréation d'un passé idéal à jamais vivant dans la mémoire et l'émotion. La perception affective bien particulière de l'Arcadie tourne autour de la jeunesse perdue, et repose sur les deux tragédies fondamentales de la vie, l'amour déçu et la mort. Comme le rappelle Panofsky, c'est Virgile qui, dans sa cinquième *Bucolique*, a érigé le premier tombeau en Arcadie : celui de Daphnis, transplanté de la Sicile de Théocrite et assimilé, en totale contradiction avec Théocrite, au lieu poétique du conflit entre, d'une part, la perfection impérissable de la félicité humaine qui sous-tend la notion de jeunesse et d'amour arcadiens, et, de l'autre, le déchirement de sa fin inévitable. Les sentiments élégiaques évoqués par l'Arcadie, et dont elle est l'emblème, trouvent leur expression la plus poignante dans le tombeau de Daphnis et son inscription :

*Spargite humum foliis, inducite fontibus umbras,*
*Pastores (mandat fieri sibi talia Daphnis)*
*Et tumulum facite et tumulo superaddite carmen :*

*"Daphnis ego in sylvis, hinc usque ad sidera notus,*
*Formosi pecoris custos, formosior ipse*[29]*".*

(« Bergers, jonchez le sol de feuilles,
et mettez à l'ombre les fontaines,
Daphnis demande qu'il en soit fait ainsi.
Érigez un tumulus et ajoutez-lui ces vers :
"Moi Daphnis, je fus célébré en cette forêt
[et jusques aux cieux,
gardien d'un beau troupeau, et encore plus beau
[moi-même". »)

Le tombeau de Daphnis a inspiré une illustration de Sébastien Brandt pour la cinquième *Bucolique* dans la somptueuse édition des œuvres de Virgile réalisée en 1502[30] (fig. 5). Le tombeau est jonché de fleurs en signe de deuil, ainsi que l'a dit le poète. On lit sur sa face avant la première partie de l'épitaphe de Daphnis : « *Daphnis ego in sylvis.* » Comme Panofsky l'a bien compris (sans s'étendre là-dessus), c'est cette formule qui sert de point de départ pour la variante « *Et in Arcadia ego* » et pour la façon dont Poussin réinterprète la signification de l'inscription reprise du Guerchin (et déjà utilisée dans un tableau antérieur; cat. 11) en lui restituant ses résonances virgiliennes. Le chant de Daphnis est gravé sur le tumulus en guise d'épitaphe. Quand Virgile parle de cette inscription sur le tumulus, il renvoie à la très ancienne coutume consistant à écrire des vers sur les tertres funéraires (car tel est le sens premier de « tumulus[31] »). C'est justement un de ces tertres que Poussin nous montre à côté du corps de Leucippos dans *Apollon amoureux de Daphné*. Il n'est pas indifférent que les deux formules « *Daphnis ego in sylvis* » et « *Et in Arcadia ego* » soient des extraits de poèmes. Virgile souligne ce fait en exhortant les bergers qui pleurent Daphnis à ériger un tumulus à sa mémoire et à y inscrire des vers (« *et tumulo superaddite carmen* »). La coutume de copier des vers sur les tumulus est d'ailleurs dûment signalée par les commentateurs de Virgile, depuis Servius et Donatus. Autrement dit, le fondement du chant pastoral, l'émotion d'où il procède, est enfermé dans l'épitaphe même. L'origine du mode pastoral élégiaque réside dans l'inscription sur le tombeau. Avant l'existence du tombeau en Arcadie, il n'y avait pas de poésie, car cette région ne possédait pas encore l'atmosphère poétique par quoi elle se caractérise.

Reste la question de l'occupant de ce premier tombeau en Arcadie. Le récit allégorique narré dans *Apollon amoureux de Daphné* nous montre Poussin revenant une dernière fois sur cette question. Dans le petit groupe formé par le berger méditatif et la bergère agenouillée qui trace des mots sur le tumulus à côté de Leucippos mort, Poussin nous propose une réinterprétation explicite de la trame imaginaire des *Bergers d'Arcadie*. Nous ignorons le nom de la personne enterrée dans le tombeau qui figurait au centre de ce précédent tableau, et il serait maladroit de suggérer que ce doit être Leucippos, par une déduction rétrospective, d'après une œuvre beaucoup plus tardive. Disons plutôt que, avec le paysage mythologique d'*Apollon amoureux de Daphné*, l'histoire et la fable se rejoignent dans l'imaginaire de Poussin pour donner le jour à une nouvelle « pensée » sur le thème de l'Arcadie. L'Arcadie historique, région que les Grecs croyaient plus vieille que la lune, est habitée par les êtres mythologiques anciens d'où émane son atmosphère. Dans ce paysage, un tumulus est érigé, non pas à la mémoire du berger-poète Daphnis, mort en Sicile dont il fut le premier chantre bucolique, mais à la mémoire de Leucippos, qui fut le premier à mourir d'amour en Arcadie, juste avant la poursuite de Daphné par Apollon et sa métamorphose en laurier du poète. Il n'y a pas de lauriers dans cette Arcadie, car Daphné ne s'est pas encore transformée et Apollon n'a pas encore chanté. Poussin ne nous parle pas vraiment du poète, mais du thème de ses vers, l'amour tragique et la mort à jamais identifiés avec ce lieu, l'Arcadie. C'est un thème qui a donné naissance au genre de la pastorale, l'émotion précédant le poème et décidant son existence. C'est le thème des poèmes qu'Apollon Nomios, le dieu-pâtre, a chantés pour la première fois à son troupeau quand il a pleuré la mort de Daphné.

## Notes

* Les références mentionnées ainsi renvoient au catalogue de l'exposition du Grand Palais, Paris, 1994-1995.

1. Voir cat. 228 pour les principales publications consacrées à *La Naissance de Bacchus* après 1965. Pour la bibliographie antérieure, voir Blunt, 1966, n° 132. Voir également L. Vinge, *The Narcissus Theme in Western European Literature up to the Early 19th Century*, Lund, 1967.

2. Bellori (1672), 1976, pp. 460-461 : *« Il bambino che Mercurio porge a quella ninfa è Bacco novellamente nato; la ninfa è Dirce, figliuola del fiume Acheloo* [...] *ma l'antro presso il fiume è tutto prodigioso, per essersi vestito di nuovi pampini e d'uve novelle intralciate d'ellera nate al nascere di Bacco. Sopra il poggio il dio Pane per allegrezza dà il fiato alli sonori calami della sampogna, ed in questo modo dipinse anche Filostrato la medesima immagine. »* (« Le nouveau-né que Mercure présente à cette nymphe est Bacchus. La nymphe est Dircé, la fille du fleuve Acheloüs [...] L'autre auprès du fleuve est devenu tout entier miraculeux pour s'être vêtu de pampres et de raisins nouveaux entrelacés de lierre nés en même temps que Bacchus. Sur un tertre, le dieu Pan, dans sa joie, fait résonner les roseaux sonores de sa flûte. Philostrate a dépeint la même image. ») (Trad. N. Blamoutier *in* S. Germer, 1994.)

3. Voir Euripide, *Les Bacchantes*, texte établi et commenté (en anglais) par E.R. Dodds, 2e édition, Oxford, 1960, p. 143 (commentaire des vers 521 *sqq.*). Normalement, la nourrice de Bacchus à Nysa (dont la situation géographique reste sujette à discussion) est identifiée à Ino, notamment par Ovide, qui a donné la version du mythe de la naissance de Bacchus la plus largement reprise dans la littérature et les arts.

4. Sur la grotte de Pan et les nymphes, voir l'étude exemplaire de Ph. Borgeaud, *Recherches sur le dieu Pan,* Rome, 1979. Concernant le dieu Pan, les nymphes et la grotte d'Achéloos dans l'art antique, voir Homer A. Thompson, « Dionysus among the Nymphs in Athens and in Rome », *Essays in Honor of Dorothy Kent Hill' Journal of the Walkers Art Gallery,* vol. XXXVI, 1977, pp. 73-84.

5. Comme l'explique l'inscription sur la gravure : *« Finsero i Greci, che Bacco sottratto a gl'incendi della casa materna, fosse per commando di Giove portato da Mercurio alle ninfe de'fonti per educarlo; con istupore di Pan, che all'arrivo del fanciullo vide la sua spelonca di verdeggianti viti, e di biondi grappoli improvisamente adornarsi. »* (« Les Grecs croyaient que Bacchus, soustrait au crops embrasé de sa mère, fut, sur l'ordre de Jupiter, confié par Mercure, aux nymphes des sources pour qu'elles l'élèvent. À l'arrivée du petit enfant, Pan vit avec stupeur sa grotte se couvrir aussitôt de vertes feuilles de vigne et de blondes grappes. ») (Légende de la gravure d'A. Procaccini d'après Maratta.)

6. Au sujet du dessin, voir J. Byam Shaw, *Dessins italiens de la collection Frits Lugt,* Paris, Institut néerlandais, 1983, t. I, n° 167, pp. 169-170. La deuxième version est reproduite et commentée dans *Römische Barockzeichnungen aus dem Berliner Kupferstichkabinett*, catalogue d'exposition par P. Dreyer, Berlin, 1969, n° 114, pp. 57-58.

7. Perse, *Satires*, I, 102. Voir Philostrate, I, 14, traduit et annoté par Blaise de Vigenère dans *Les Images ou tableaux de platte pein-*

*ture des deux Philostrates sophistes grecs*, Paris, 1614 : « Mais Dionysos ayant faussé le ventre de sa mère, s'en iette dehors, & plus claire luisant qu'une estoille, rend par sa splendeur le feu ténébreux, & sombre. La flamme, au reste, se séparant, luy façonne ie ne sçay quelle apparence de grotte plus agréable que celle d'Assyrie ni de Lydie. Car les lyerres, qven leurs belles grappes sont parcreux à l'entour : & les vignes desia, ensemble les arbres du Thyrse, sortent si volontairement de la terre, qu'il y en a quelques unes mesmes emmy le feu : dont il ne se faut pas esbahir, si en faveur de Dionysos elle coronne les flammes, comme celle qui doibt d'oresnavant rager avec luy; & laissera puiser le vin à pleins seaux dedans les fontaines : traire pareillement le laict, tant des mottes, que des cailloux, tout ainsi que de deux mammelles. éscoutez Pan, comme il gringotte Dionysos sur la cime du mont Cithéron; sautant, ballant, ce mot d'évion en la bouche. Mais Cithéron en forme humain lamentera bien tost les doloreux accidens qui y doivent advenir. »
Les flammes fertilisantes qui éclairent la grotte, faisant naître par génération spontanée de la vigne et du lierre dans ses recoins humides, sont subtilement suggérées par Poussin au moyen de la lumière vive qui entoure le Cithéron. Elles semblent plus explicites dans le célèbre dessin préparatoire conservé au Fogg Art Museum (cat. 229), où Apollon surgit dans la boule de feu du soleil, forçant ses chevaux à sauter par-dessus la montagne, tandis que le petit Bacchus est couronné par une auréole de feu céleste éclatant. Les vases posés sur une table (*mensa*) dans la grotte contiennent le vin et le lait miraculeux. Au lieu de personnifier le Cithéron affligé, Poussin a représenté la mort de Narcisse, c'est-à-dire le premier des « doloreux accidens qui y doivent advenir ».

8. Panofsky, 1949, pp. 112-120. Au sujet de Poussin et la traduction de Philostrate par Blaise de Vigenère, voir Panofsky, 1950, pp. 27-41.

9. Philostrate, *Les Images*, I, 23, traduit par Blaise de Vigenère : « La fontaine de vray représente fort bien Narcisse; mais la peinture faict voir la fontaine, & tout ce qui dépend de Narcisse. [...] C'est au surplus ici la grotte d'Achéloüs & des nymphes [...]. La source néantmoins n'est pas desgarnie de quelque bacchanalerie, comme celle que Bacchus a produite en faveur de ses ministresses : aussi est elle tapissée à l'entour de vigne & de lyerre, avecques de fort-beaux pampres & bourgeons : des grappes aussi, & des Thyrses de costé & d'autre. »

10. Sur la notion de « pensée » (qui traduit tout à la fois les deux mots italiens *concetto*, utilisé par Bellori, et *scherzo*, employé par le cavalier Marin), voir Ch. Dempsey, cat. exp. Paris, Grand Palais, 1994-1995, pp. 88-92.

11. Sur le lien étymologique entre « narcisse » et « narcotique », voir Gianpiero Rosati, *Narciso e Pigmalione. Illusione e spettacolo nelle « Metamorfosi » di Ovidio*, Florence, 1983, pp. 13-14; et James J. Wilhelm, *Narcissus and the Invention of Personal History*, New York et Londres, 1985, pp. 2-4. Le narcisse est également associé à Dionysos, par exemple dans Sophocle, *Œdipe à Colone*, 673-693, où la fleur pousse au milieu d'un bosquet dédié à Dionysos, et dans Nonnos, *Les Dionysiaques*, 48, 582, où elle est rapprochée de la fontaine où le dieu séduit la nymphe Aura en effectuant des tours de passe-passe dont il avait la spécialité.

12. Sur les étranges phénomènes associés aux grottes dédiées à Pan et aux nymphes en général, et à celle du Cithéron en particulier, où se produit le genre d'hallucination panoleptique qui frappe la mère de

Penthée ou les chiens d'Actéon, voir Borgeaud, *op. cit.* n. 4, pp. 47-60. Philostrate (I, 14) fait allusion au Cithéron bientôt endeuillé par les morts d'Actéon et de Penthée.

13. Voir cat. exp., Paris, Grand Palais, 1994-1995, n° 242, pp. 520-521 pour la bibliographie postérieure à 1965; et Blunt, 1966, n° 131, p. 92, pour les publications antérieures à 1966.

14. Le jeune homme est identifié avec le berger poète sicilien Daphnis dans un excellent article de E. M. Vetter, 1971, pp. 210-225.

15. Servius, *Ad Verg. Georg.*, III, 2.

16. L'hypothèse de Vetter, 1971, qui identifie le jeune homme avec Daphnis, soulève aussi des difficultés parce que Daphnis était Sicilien.

17. Voir la précieuse étude de Y. F. A. Giraud, *La Fable de Daphné, essai sur un type de métamorphose végétale dans la littérature et dans les arts jusqu'à la fin du* XVII<sup>e</sup> *siècle*, Genève, 1968.

18. Lucien, *La Danse*, 48.

19. Giraud, *op. cit.* n. 17, I<sup>re</sup> partie, chapitre II (« Origine et évolution du mythe de Daphné »).

20. Daphné est très souvent présentée comme la fille du Ladon chez les auteurs anciens. Voir Giraud, *op. cit.* n. 17, pp. 27-39; et Pauly-Wissowa, *Real-Encyclopädie der classische Altertumswissenschaft*, article « Daphne ».

21. Sur Apollon Nomios, voir notamment Cicéron, *De natura deorum*, III, 23 (« [Apollo] in Arcadia, quem Arcades Nomionem appellant »); Clément d'Alexandrie, *Le Protreptique*, II, 24P (« [Apollon], appelé Nomios chez les Arcadiens »); et Théocrite, *Idylles*, XXV, 21, ou la neuvième *Pythique* de Pindare, 112 *sqq.*, citée par Natale Conti, *Mythologiae*, Venise, 1567, pp. 108-109 (« [Apollo] quem Arcades Nomionem appellant »).

22. Le fait que Poussin a lu Natale Conti est établi de manière indéniable par Gombrich, 1972, pp. 119-122, et aussi par Helsdingen, 1971, pp. 172-184, et Henderson, 1977, pp. 225-234. L'histoire de Leucippos est relatée en français dans Natale Conti, *Mythologie ou explication des fables*, traduit par Jean de Montlyard, éd. Jean Baudoin, Paris, 1627, p. 332. Elle correspond à ce passage de l'édition originale en latin (Conti, 1567) : « *Juniperum spinosam arborem consecratum fuisse, cui laurus praeterea dicata putabatur quod nympham Daphnen ab Apolline amatam in hanc ferunt mutatam, cum fugeret Apollinem : quia magis Leucippo juvene imberbi ac praevalido delectaretur. Ferunt Leucippum fuisse invitatum cum caetero coetu virginum, ut se laveret in fluvio Ladone, cum esset indutus veste muliebri, idque impulsu Apollinis invidentis ejus felicitati, quod cum recusasset Leucippus, fuit denique protractus ac deprehensus virginem ementitus a sociis Daphnes jaculis et pugionibus confossus interiit.* »

23. Pausanias, *Périégèse ou description de la Grèce*, VIII, 20. La seule autre version antique est celle de Parthénios de Nicée, *Erotika pathemata* [*Souffrances d'amour*], 15.

24. Le personnage de Leucippos ne figure dans aucun des dessins préparatoires pour *Apollon amoureux de Daphné*. Toutefois, sur la célèbre feuille du Louvre (cat. 245), Poussin a représenté Daphné munie d'un carquois, désignant par là la vierge chasseresse du mythe arcadien. Derrière, on voit un berger assis dans une grotte. Il tient son bâton dans une main et, de l'autre, semble montrer la paroi de la grotte dans un geste qui répond à celui de la jeune bergère dans la peinture, dont la main est tendue vers le tas de terre à côté de la tête de Leucippos.

25. Jacopo Sannazzaro, *Arcadia, prosa decima.*

26. Conti, traduit par Montlyard, *op. cit.*, pp. 323 et 325.

27. Servius, *Ad Vergilii Eclogas,* poème. Donatus fait également remonter les origines de la pastorale à divers dieux agricoles, depuis Apollon Nomios jusqu'à Artémis et Pan, parce que « *id genus numinum principi, quibus placet rusticum carmen* » (« c'est à ce genre de divinités que plaisent les chants rustiques »). (*Scholia in Theocritum vetera*, Leipzig, 1914, pp. 18, 10-18.) Voir D. M. Halperin, *Before Pastoral : Theocritus and the Ancient Tradition of Bucolic Poetry,* New Haven et Londres, 1983.

28. Voir Panofsky, 1936, pp. 225-254; Id., 1955, pp. 295-320. Après Panofsky, beaucoup d'auteurs se sont penchés sur *Les Bergers d'Arcadie,* et l'on retiendra tout particulièrement les écrits de L. Marin, *Détruire la peinture,* Paris, 1977, et 1988, pp. 63-90.

29. Virgile, *Bucoliques*, V, 40-44.

30. « Publii Virgilii Maronis opera cum quinque vulgatis commentariis, expolitissimisque figuris atque imaginibus nuper per Sebastianum Brandt superadditus », Strasbourg, J. Gruninger, 1502. Après mon intervention au colloque Poussin, Matthias Winner m'a demandé si je pensais que Daphnis pourrait être l'occupant du tombeau dans *Les Bergers d'Arcadie.* J'ai répondu par la négative, non pas parce que Daphnis était Sicilien (comme l'a souligné Panofsky, Virgile avait déjà transféré le tombeau de la Sicile de Théocrite à l'Arcadie), mais bien plutôt parce que Poussin a calligraphié sur la tombe l'inscription ambiguë *Et in Arcadia ego* au lieu de la formule explicite *Daphnis ego in sylvis*, que l'on voit dans la gravure de Sébastien Brandt illustrant la cinquième *Bucolique.* En outre, je suis persuadé de l'importance de cette ambiguïté même, ou de cette indétermination dans l'interprétation des *Bergers d'Arcadie*, que Louis Marin a démontrée de manière convaincante (voir la n. 28).

31. Voir par exemple *Publii Virgilii Maronis bucolicorum eclogae*, Londres, 1749, ad écl. V, 42, où le tumulus est défini comme une « élévation de terre servant de monument » (*heap of earth for a monument).*

Fig. 1
Nicolas Poussin
*La Naissance de Bacchus et la mort de Narcisse*
Toile, 1,23 x 1,79 m
Cambridge (Mass.), Fogg Art Museum.

Fig. 2
Andrea Procaccini d'après Carlo Maratta
*La Naissance de Bacchus*
Estampe
Philadelphie, Philadelphia Museum of Art,
don Muriel et Philipp Berman, estampes européennes.

Fig. 3
Carlo Maratta
*La Naissance de Bacchus*
Dessin à la plume et encre brune, lavis brun
sur esquisse à la sanguine, 22,2 x 29,6 cm
Paris, fondation Custodia, Institut néerlandais,
collection Frits Lugt.

Fig. 4
Nicolas Poussin
*Apollon amoureux de Daphné* (détail)
Paris, musée du Louvre.

Fig. 5
*La Tombe de Daphné*
gravure sur bois extraite des *Publii Virgilii Maronis opera*,
annotées et illustrées par Sébastien Brandt, Strasbourg, 1502.

# *Apollon et Daphné* (1664) de Nicolas Poussin. Le testament du peintre-poète

**Oskar Bätschmann**
Professeur à l'université de Berne

## Une œuvre indépendante

En 1664 déjà, *Apollon et Daphné* (fig. 1), la dernière œuvre de Poussin, fut inventoriée par Giovan Pietro Bellori dans la collection de Monsignore Massimi[1]. Selon toute probabilité, Camillo Massimi, nommé cardinal en 1670, était le récipiendaire, mais non le commanditaire de l'œuvre. Ce fait nous est confirmé par Bellori, qui dans ses *Vite* de 1672 mentionne l'inachèvement de la peinture, ainsi que la dédicace à Massimi : *A questo componimento mancano l'ultime pennellate, per l'impotenza e tremore della mano, e Nicolò non molto tempo avanti la sua morte dedicollo al sig. card. Camillo Massimi, conoscendo non poter ridurlo a maggior finimento, essendo nel resto perfettissimo*[2] [...]. Bellori n'utilisa le terme de *dedicare* qu'à ce propos, recourant partout ailleurs au vocable *fare per* ou *dipingere per*, ou encore, à une seule reprise, *commettere*, à propos de la commande passée par Sublet de Noyers à Poussin[3]. Un autre indice réside dans le fait que Massimi – un collectionneur fanatique, possesseur de soixante-treize dessins de Poussin – reçut le tableau l'*Apollon et Daphné*, mais nulle esquisse préparatoire[4]. Enfin, il existe un troisième indice, quoique plus faible : au moment de commencer l'œuvre, Poussin ne possédait pas une idée précise de son thème.

À partir ce ces données, on peut supposer que l'artiste entreprit cette peinture de sa propre initiative. Il est possible que Poussin ait déjà travaillé parfois sans commande précise – ce qui prouverait que l'artiste tentait de préserver sa liberté de création. Francis Haskell a décrit Salvator Rosa comme le seul artiste du XVIIe siècle qui ait conquis sa liberté artistique[5]. Cependant il semble qu'en 1642 déjà, Poussin, à son retour de Paris, ait renforcé sa marge d'indépendance vis-à-vis de ses commanditaires. Son échec à Paris, comme Premier peintre de Louis XIII, est dû non seulement à son impuissance à organiser un atelier, à résister à la cabale et aux intrigues, mais encore à sa mauvaise volonté à suivre des directives dans le domaine de son art[6]. Déjà, avant la période du service commandé à Paris, Poussin avait su se ménager à Rome une certaine autonomie[7]. Il est vrai qu'avant 1640, il acceptait non seulement des indications générales quant à la thématique à traiter, mais aussi des *invenzioni*, au moins d'un personnage tel que Giulio Rospigliosi, poète et prélat, qui avait trouvé le sujet de la *Danse de la vie humaine*[8] (fig. 2). Après son retour de Paris, Poussin essayait de choisir lui-même ses clients. Pour preuve, la missive du 24 novembre 1647 à Fréart de Chantelou, la fameuse lettre sur les modes. Poussin y assure qu'il servira monsieur de Lysle, parce que Chantelou le lui ordonne, mais il exprime aussitôt son désir tranché de travailler pour lui-même : « Je me suis résolu de servir Monsieur de Lysle puis que vous me le comandés, néanmoins que je m'estois proposé de faire désormais quelque chose comme pour moy sans m'assuiettir davantage aux caprise d'autrui et principallement de ceux qui ne voyent que par les yeux d'autrui[9]. » De Lysle ne recevra jamais aucun tableau.

Si l'*Apollon et Daphné* relève de l'initiative du peintre, sa signification biographique, iconographique et artistique s'enrichit d'autant. Dès 1657, l'image du chant du cygne s'applique à la production de Poussin, qui travaille dans l'attente d'une mort prochaine[10]. Le 20 novembre 1662, il écrit à propos du tableau représentant le *Christ et la Samaritaine :* « Je suis assuré que vous aués reçu le dernier ouurage que je vous ai fait et que je ferei désormais[11]. » Cependant il parvient à remplir son devoir : il achève les *Saisons* pour le duc de Richelieu et travaille à l'*Apollon et Daphné*, son véritable chant du cygne, son testament artistique d'après Jacques Thuillier[12]. Ce tableau est complété d'un dernier mot sur la peinture, dans la lettre du 7 mars 1665 à Roland Fréart de Chambray[13].

## Invention

Les dessins, qui ont été mis en rapport avec l'*Apollon et Daphné*, montrent qu'à l'origine Poussin n'avait pas une idée arrêtée de ce thème. Il rejeta l'iconographie d'*Apollon et Daphné*, basée sur le premier livre des *Métamorphoses* d'Ovide, qu'il avait suivie dans les années

1630[14]. Les recherches d'Erwin Panofsky, Anthony Blunt, Georg Kauffmann et Ewald Vetter ont montré que Poussin a combiné une grande quantité de références littéraires et visuelles, dont Charles Dempsey vient de donner une analyse lors de ce colloque[15]. Ces dessins, parmi lesquels il faut encore inclure, avec Pierre Rosenberg, un fragment représentant *Mercure et Pâris*, ont été mis en rapport avec trois textes : le passage correspondant des *Métamorphoses* d'Ovide, le poème bucolique *Arcadia* (pour la figure 3) de Jacopo Sannazzaro, et l'*Histoire naturelle* de Pline[16]. *Mercure voleur de flèche* a été rapproché par Erwin Panofsky aux *Eikones* de Philostrate, éditées par Blaise de Vigenère[17].

Deux dessins attestent la synthèse des différentes formules : une copie relativement faible aux Offices (fig. 4), et une grande feuille conservée au Louvre[18] (fig. 5). Dans la copie figurent Apollon sous l'arbre à gauche, et à droite, Daphné avec son père ; au premier plan, Poussin a placé bergers et nymphes. Il manque l'Amour, qui vise Daphné avec une flèche de plomb, et Mercure, le voleur – mais seul ce dessin représente la poursuite de Daphné par Apollon. Dans le grand dessin du Louvre, l'Amour et Mercure sont présents, mais la dryade dans l'arbre, ainsi que le mort que l'on pleure au second plan du tableau, n'apparaissent pas, tandis que la lyre d'Apollon est encore présente. La Dryade, comme Georg Kauffmann l'a montré, est inspirée d'un dessin de Giulio Romano, qui figure *La mort de Procris*[19]. On peut établir d'autres parentés dans la composition, mais je rapprocherais plutôt l'occupation des parties latérales, ainsi que l'articulation transversale de la composition, de *Diane et Callisto* (fig. 6) par Titien. Cette peinture était sans doute connue de Poussin : elle est reproduite dans le *Theatrum pictorium* de David Téniers (1660), publication alors très célèbre[20].

Pourquoi cette extraordinaire dépense d'énergie, qui conduit l'artiste à puiser son inspiration parmi de multiples références littéraires et artistiques inhabituelles, même pour un peintre savant comme lui ? Bellori rapporta en 1672 un propos de Poussin, selon lequel l'invention résulte d'une lecture autonome de l'artiste, et marque sa liberté par rapport aux thèmes et aux tarifs imposés par les commanditaires. Le passage le plus important, à cet égard, est le suivant : « *Nell'istorie cercava sempre l'azzione, e diceva che il pittore doveva da se stesso scegliere il soggetto abile a rappresentare, ed isfuggire quelli che nulla operano; e tali sono al certo li suoi componimenti. Leggendo istorie greche e latine annotava li soggetti, e poi all'occasioni se ne serviva : al qual proposito abbiamo udito biasimare, e si rideva di quelli que che pattuiscono una istoria di sei o vero di otto figure o di altro determinato numero, mentre una figura di piu o di meno può guastarla*[21]. » Poussin se moquait de ceux qui fixaient le prix des tableaux selon le nombre des figures – une pratique attestée chez Guido Reni, Domenichino, Giovanni Lanfranco et d'autres encore[22].

Franciscus Junius, le philologue de Heidelberg, bibliothécaire du comte d'Arundel, recommandait en 1637 la méthode même qui sera suivie par Poussin : tout d'abord, la lecture de textes antiques et la contemplation de statues, propres à enrichir les connaissances de l'artiste, mais aussi à susciter en lui la « fureur » apollinienne; ensuite, le choix, l'imitation et la transformation des modèles. Junius recommandait la référence à des modèles multiples, afin d'éloigner le danger du plagiat. Mais l'érudit considérait ce travail comme un jeu savant, qui permet à l'artiste de susciter les interprétations d'un public cultivé. Cependant, ce n'est pas là le seul but de l'art : celui-ci doit imiter la nature. Imitation qui repose sur le jugement, et sur l'accomplissement du procès naturel, le développement jusqu'à la perfection. La faculté imaginative, la *phantasia* permet à l'artiste de parvenir à la perfection par l'intermédiaire de l'*idea*[23].

Elizabeth Cropper, la première, a souligné le rôle de Junius dans le passage de l'enseignement néo-platonicien de Federico Zuccaro à la doctrine classique de Giovan Pietro Bellori[24]. Le *De Pictura Veterum* de Junius n'est pas mentionné par Poussin, sauf dans la lettre de 1665 adressée à Fréart de Chambray sur son *Idée de la perfection de la peinture* de 1662[25]. En 1924, Panofsky a montré comment Bellori fut le premier à énoncer que l'*idée* artistique provenait de l'observation par les sens, observation perfectionnée par le choix et le jugement[26]. Cette hypothèse, capitale pour tous les classicismes et néo-classicismes, fut pressentie par Junius.

Dans l'*Idée de la perfection de la peinture*, Roland Fréart de Chambray décrivit l'invention comme le principe original de la peinture : « L'Invention, ou le Genïe d'historier et de concevoir une belle Idée sur le Sujet qu'on veut peindre, est un Talent naturel qui ne s'acquiert ny par l'estude, ny par le travail : C'est proprement le Feu de l'esprit, lequel excite l'Imagination et la fait agir[27]. » Ainsi, l'invention picturale en tant qu'elle repose sur une faculté rationnelle – que Ludovico Dolce, par exemple, divisa en disposition et *decorum* selon les catégories de la rhétorique du discours – fut liée à l'exercice de l'imagination ou de la *phantasia*. Un peu plus tard, Mario Boschini, dans sa *Breve Istruzione* de 1674, définit l'*invenzione* comme la partie la plus importante de la peinture, la faculté intellectuelle, reposant sur le trésor de l'imagination, et qui dirige toutes les activités de l'artiste[28]. L'analyse de l'*Idea* de l'artiste par Bellori, qu'il présenta pour la première fois à l'Accademia di S. Luca, prend en compte cette nouvelle conception. L'*Idea*, selon Bellori, n'a pas d'origine surnaturelle, elle trouve sa source dans la nature. Elle se forme par le choix et le jugement de l'artiste. Grâce à l'imagination du peintre, elle acquiert la vie. Je cite le passage central : *originata dalla natura supera l'origine e fassi originale dell'arte, misurata dal compasso dell'intelletto, diviene misura della mano, ed animata dall'immaginativa dà vita all'immagine*[29]. Dans son ouvrage, Bellori fait représenter l'*Idea* (fig. 7) sous la forme d'une jeune femme nue, assise sur une pierre de taille. De sa main gauche, elle tient le compas près de sa tête. Son regard tourné vers le haut désigne l'Imagination. La main droite conduit le pinceau sur le tableau et projette une ombre sur sa surface. Elle établit une liaison explicite entre le modèle de l'art et son origine, au moment où l'art sépare l'ombre et la lumière. L'*Autoportrait* de Paris fournit des données concordantes. L'*Idea* de Bellori n'est pas l'idée platonicienne, mais cette *invention imaginative*.

Il convient de souligner les implications politico-artistiques de cette nouvelle définition. Bellori termina son discours sur l'*Idea* par un argument qui donnait à la peinture la suprématie sur l'éloquence : les images sont plus efficaces que les mot. (*Ma perché l'idea dell'eloquenza cede tanto all'idea della pittura, quanto la vista è pù efficace delle parole, io però qui manco nel dire, e taccio*[30].) Il faut y lire non seulement une permutation rhétorique, mais aussi une réponse à une question alors brûlante : les peintres peuvent-ils revendiquer les lauriers d'Apollon ? Dans son analyse de la *Daphné transformée en laurier* (fig. 8) peinte par Carlo Maratta en 1681, Bellori essaya de confronter les caractéristiques de la poésie et de la peinture et de déterminer leurs sphères respectives, afin de contester la supériorité de la poésie sur la peinture. Il insista sur la diversité des moyens des deux arts et sur la concordance de leur but. Selon Bellori l'ivention en peinture consiste à produire une unité claire et intelligible à partir des éléments dispersés dans un texte qu'il faut traduire en image[31]. Nicoletto da Modena semble être le premier (1510) à avoir représenté Apelle en poète, et paré son front d'une couronne[32]. À la même époque, Raphaël revendiqua la responsabilité de l'*inventio* et de l'*invenire* – une revendication attestée par les mentions d'auteur présentes sur les gravures de Marcantonio Raimondi et Marco Dente[33]. L'Académie florentine, aux funérailles de Michel-Ange, lui conféra la couronne de lauriers des mains des allégories de la Musique, de l'Architecture et de la Poésie[34]. En 1602, aux funérailles d'Augustin Carrache, son buste fut également orné de lauriers[35].

Chez Poussin, Apollon couronne seulement les poètes, comme dans l'*Inspiration du poète* du Louvre ou dans le frontispice de l'édition de Virgile publiée en 1641. À l'opposé, en 1649, le peintre et graveur français Nicolas Chaperon orna son édition des *Loges* de Raphaël d'une page de titre où *Fama* – la Gloire – couronne de lauriers le buste du peintre (fig. 9). Il me semble que Poussin a voulu, secrètement, briguer cette gloire posthume dans son *Autoportrait I* de 1649 (Berlin; fig. 10) : on remarque, sur la tombe qui occupe le fond de la toile, une guirlande tenue par deux *putti*. Matthias Winner a remarqué la ressemblance entre ces figures et le prophète que Raphaël peignit à S. Agostino. Chaperon avait choisi cette figure pour sa deuxième page de titre[36] (fig. 11).

Selon Marc Fumaroli, il faudrait reconnaître dans l'*Inspiration* de Hanovre un autoportrait allégorique du jeune Poussin à Rome. Le peintre aurait ensuite représenté ses nouvelles ambitions dans l'image du poète inspiré par les dieux. C'est là – par rapport à Panofsky – une idée à la fois pertinente et audacieuse, que j'aimerais développer[37].

## Apollon, génie de la peinture

L'*Apollon et Daphné* se comprend mieux, à mon avis, replacé dans le contexte du *Paragone*. Giovanni Benedetto Castiglione a dessiné son *Génie* en 1648, puis l'a gravé (fig. 12); l'image fut publiée par le fameux imprimeur et éditeur Iacomo de' Rossi[38].

La gravure, qui suit partiellement l'*Iconologie* de Ripa, réunit la Gloire (évoquée par les instruments et la couronne de laurier), la Fertilité (le nid d'oiseaux et le lièvre, qu'entourent une palette et une partition musicale), et la victime des dieux. Salvator Rosa a gravé son *Génie* peu après Castiglione. Le Génie satirique, couronné de feuilles de vigne, méprise les richesses, et reçoit les insignes de la liberté. Devant lui, un moraliste et un satyre femelle; le personnage de dos, inspirée de Raphaël, est la Peinture[39].

L'image d'Apollon constitue-t-elle pour Poussin une réponse à ces représentations du génie propre? Le thème que Poussin développe avec cette nouvelle mise en forme de l'histoire d'Apollon et Daphné est celui de la vision. Apollon est absorbé dans la contemplation de Daphné. Cette dernière se soustrait à sa vue; elle ferme les yeux, tandis que Cupidon lance sa flèche vers Apollon. Deux *strali* – flèches ou regards – avec deux effets opposés empruntent la même trajectoire. Les nymphes remarquent, regardent et se retournent. À droite de la partie centrale gît Daphnis, aveuglé par Aphrodite, et qui trouva la mort précipité d'un rocher. Poussin a évoqué l'aveuglement et le regard à plusieurs reprises. En 1650, il peint *La Guérison des aveugles de Jéricho*, où la guérison est rendue visible par les couleurs naissant du contraste entre ombre et clarté. En 1658, il représente Orion aveugle, qui sera guéri par les rayons du soleil.

Dans les représentations mythologiques du XVIIe siècle, Apollon est aussi Phoebus, le Soleil, comme le prouvent l'*Apollon dans les forges de Vulcain* de Vélasquez, et la peinture de Poussin qui se trouve à Berlin, Phaéton. Poussin s'intéresse à la vision, au visible et à la formation des couleurs comme conditions de la peinture, et étudie les relations entre l'optique et la peinture dès son arrivée à Rome, en 1624. Dans le second *Autoportrait* de 1650, il pourvoit la figure allégorique de la Peinture des signes de l'amitié; sur son front, on remarque un diadème serti d'un œil. Cette façon de caractériser la Peinture, dans une œuvre destinée à Fréart de Chantelou, doit être rapprochée de la distinction faite par Poussin entre deux types de vision : la vision naturelle, simple enregistrement des formes par l'œil, et la vision réflexive, qui est une opération de la raison, et qui cherche, en plus de la prise en compte des formes, à reconnaître les objets. La dernière peinture, *Apollon et Daphné*, apporte, avec une nouvelle représentation du mythe, une illustration du thème de la vue – et donc, à travers la figure d'Apollon, une allégorie de la vision du peintre. La vision de l'amour va au-delà de la vision du peintre. Apollon, environné des couleurs primaires, est absorbé par Daphné, qui lui refuse sa vue sur un fond presque monochrome, rejeté dans l'ombre. Le regard d'Apollon se porte avec ardeur sur Daphné, mais cet appétit reste insatisfait, sans action ni réponse. L'être regardant et l'être regardé sont mis en relation par un arc formé par le groupe des nymphes, mais ils demeurent séparés, aux extrémités de cet arc. Apollon n'est pas seulement absorbé, mais muet. Le vol des flèches par Mercure – une plaisanterie de Poussin selon Bellori – n'exprime pas seulement l'absorption, mais le détournement de la langue. Mercure, qui n'est pas seulement un voleur et un interprète, mais également le dieu de l'art oratoire, prend possession des flèches de la rhétorique. Un frontispice gravé pour les *Remarques sur la langue française* de Claude Favre de Vaugelas fournit quelques arguments en faveur d'une telle analyse. Je laisse de côté la philosophie de la nature et l'interprétation morale de la fable qui s'articulent, comme nous l'avons vu avec l'opposition voir-non voir/couleurs-non couleurs, et qui composent ainsi l'image complexe et complète du dieu Apollon.

Dans ses derniers propos sur la peinture, contenus dans la lettre à Fréart de Chambray, datée de 1665, Poussin parle d'abord des déterminations de la visibilité comme de conditions générales, et susceptibles d'être apprises par le peintre. Il évoque ensuite le « Rameau d'or de Virgile », que l'on ne peut cueillir par l'exercice studieux, mais que seul le destin peut accorder[40]. Dans sa dernière toile, Poussin parvient à cueillir le Rameau d'or, grâce à l'union d'une nouvelle représentation du mythe et d'une allégorie de la vision. C'est ainsi qu'Apollon devint le Génie de la peinture.

## Le culte de la dernière peinture et la dernière compétition entre Poussin et Apelle

Il faut revenir au culte de la dernière œuvre. Poussin y renvoie plusieurs fois, mais il ne semble pas désireux de renforcer la puissance de ce mythe. Au XVIe et au XVIIe siècle, il était courant de penser qu'un artiste perdait sa capacité de créateur l'âge venant, et que la maladie ne faisait qu'accroître son déclin. Dans un de ses *Essais* consacré à l'âge, Michel de Montaigne écrit que la trentaine marque le plus haut point de la vie. Avec les années, la connaissance et l'expérience s'accroissent, admet-il, mais l'esprit et le corps faiblissent. Montaigne cite à l'appui de son discours un passage du *De natura rerum* de Lucrèce : trois vers décrivant la croissance, le mûrissement et la décrépitude de l'homme au cours du temps, frappé par l'âge et la maladie[41]. Dans les années 1650, les nouvelles sur la mauvaise santé de Poussin donnaient à penser, à Paris, que le peintre n'était plus en état de travailler. Quand l'abbé Louis Fouquet, frère du surintendant général des Finances, affirma le contraire, l'opinion prévalut néanmoins qu'il fallait se dépêcher de passer des commandes[42]. Ainsi, l'administration française n'envoya pas la lettre, pourtant prête, qui devait faire de Poussin le premier directeur de l'Académie de France à Rome[43]. Contemplant le *Christ et la Samaritaine* en 1665 chez Fréart de Chantelou, Gian Lorenzo Bernini remarqua : « Il faudrait cesser de travailler, dans un certain âge ; car tous les hommes vont déclinant[44]. »

À Paris, personne ne connaissait l'existence de l'*Apollon et Daphné*. Félibien ne le mentionne pas, alors que son *VIIIe Entretien* parut en 1685, treize ans après les *Vite* de Bellori. Félibien considéra qu'il avait terminé avec grand soin les *Saisons*[45]. Bellori, lui, rappelle dans sa description de l'*Apollon et Daphné,* l'histoire rapportée par Pline sur Aphrodite, la dernière œuvre laissée inachevée par Apelle, le peintre le plus célèbre de l'Antiquité.

Ce modèle oppose l'inachevé et la perfection, et Bellori y puise les raisons de l'inachèvement. Poussin, comme Apelle, a vu ses forces décliner et la mort venir, ce qui l'empêcha de terminer sa toile. Dans son *Histoire naturelle*, Pline écrit à propos d'Apelle et de son *Aphrodite* inachevée : « Apelle avait aussi commencé une autre Aphrodite de Cos qui devait l'emporter en renom sur sa première œuvre si connue; la mort jalouse l'enleva quand il ne l'avait achevée qu'en partie et l'on ne put trouver personne qui se crût capable de compléter son œuvre conformément au dessin esquissé[46]. » Le respect pour cette dernière œuvre devint tel que personne n'osa y porter la main. Dans un autre passage, Pline explique pourquoi on admira tant les peintures inachevées d'Aristide, Nicomaque, Timomaque et Apelle. Les raisons invoquées sont de deux types : « Chose curieuse et vraiment mémorable : ce sont les dernières œuvres des artistes et les tableaux laissés inachevés qu'on apprécie plus que leurs œuvres achevées [...]. C'est qu'en elles on voit les restes du dessin et on surprend la pensée même de l'artiste et c'est une puissante recommandation que la douleur de sentir cette main arrêtée pour toujours au milieu d'un aussi beau travail[47]. » Pline justifiait ainsi la contemplation sentimentale de la dernière œuvre inachevée. Son dernier témoignage littéraire des temps modernes se trouve dans le chapitre sur Gentile da Fabriano dans *De Viris Illustribus* de Bartholomaeus Facius de 1456[48].

Les funérailles d'Augustin Carrache, organisées en 1602 à Bologne, montrent à merveille comment la dernière œuvre de l'artiste pouvait être mise en scène[49]. Le modèle suivi par les organisateurs n'est autre que l'*apparato* choisi pour honorer la dépouille de Michel-Ange à Florence en 1564[50]. Le catafalque du peintre, comme celui de l'artiste florentin, était couronné d'un obélisque, et orné de figures allégoriques. Audessous, les statues de la Vertu et de l'Honneur couronnaient le buste de l'artiste; sur la plinthe, les spectateurs pouvaient admirer les statues de la Poésie, de la Peinture et de la Sculpture. Des peintures ornaient les trois côtés du catafalque. Face à l'autel, les académiciens présentèrent la dernière œuvre inachevée d'Augustin Carrache, un visage de Christ (fig. 13). Benedetto Morello raconta avec grande précision comment Augustin, sentant sa mort prochaine, se retira au couvent des capucins à Parme et peignit la face du Christ-Juge. Le tableau remplissait ceux qui le contemplaient, et jusqu'à l'artiste même, de respect et de crainte[51].

La mise en scène de Bologne, comme le texte de Morello, prêtent à la dernière œuvre la valeur d'une manifestation sublime de l'artiste. Bellori fit réimprimer le texte de la mise en scène de 1672 en annexe à la *Vita* d'Agostino Carracci; Malvasia le reproduisit en 1678, accompagné d'illustrations dans le premier volume de la *Felsina Pittrice*[52]. À propos de l'*Apollon et Daphné*, Bellori suggéra une analogie avec la dernière œuvre inachevée d'Apelle[53].

La biographie écrite par Félibien et la méconnaissance de l'*Apollon et Daphné* en France eurent pour effet de conférer à *L'Hiver* ou *Le Déluge* (fig. 14) l'aura de la dernière œuvre au début du XIXe siècle. Pierre Nolasque Bergeret, dans son *Service funèbre de Nicolas Poussin* (fig. 15) au Salon de 1819, associa la représentation héroïque du cadavre nu drapé à l'antique, et la présence de *L'Hiver* ou *Le Déluge* au-dessus du lit. Un tel rapprochement suggère une parenté entre la peinture de la fin du monde et la mort de l'artiste[54].

La vénération de la dernière œuvre devait beaucoup au récit de Vasari, qui évoquait le corps de Raphaël mis en bière devant son dernier tableau la *Transfiguration*[55]. Nicolas-André Monsiau s'en inspira dans *La Mort de Raphaël*, qui fut exposée au Salon en 1804. La peinture montre le cadavre du peintre, demi-nu, exposé à la manière antique dans son atelier. La *Transfiguration* est placée sous un baldaquin au-dessus de sa tête, selon le récit de Vasari[56]. Bergeret appliqua cette formule dans son tableau de 1819 en adoptant la composition de Monsiau.

Le culte de la dernière œuvre semble avoir ouvert la voie au concept mystificateur de l'œuvre tardive ou du *late style*, qui se développa à la fin du XIXe siècle[57]. Poussin, après Titien, Donatello et Rembrandt, en subit les effets au début du XXe siècle. En 1914, Walter Friedländer commence le chapitre de sa monographie intitulé : « Style et œuvres de l'âge avancé » avec cette question : « Comment se fait-il que souvent de très grands artistes, dans leurs dernières années d'existence, parviennent à accomplir des progrès si incompréhensibles, comme s'ils voulaient se porter au-devant d'eux-mêmes ? » Friedländer trouva dans les dernières peintures de Poussin le plaisir de la fable, des lignes pures, l'aptitude à rêver, la sensibilité poétique et lyrique comme l'intellectualité qu'il atteignit dans sa dernière œuvre inachevée[58].

Je voudrais ajouter à cette réflexion un lien qui n'a presque jamais été établi entre Paul Cézanne et la dernière œuvre de Poussin. On connaît bien l'intérêt que Cézanne porta à Poussin, ainsi que ses deux dessins d'après la seconde version de l'*Et in Arcadia Ego*, dont la photographie était accrochée au mur dans son atelier[59]. Il faut se rendre compte que Poussin jouissait d'une grande considération au XIX^e siècle, considérablement intensifiée et répandue par le nationalisme vers la fin du siècle[60]. En outre, la référence faite par Cézanne à Poussin fut simplement rapportée par des interlocuteurs et les soi-disant déclarations de Cézanne ne sont pas significatives, car Degas et Pissarro, ainsi que d'autres artistes, affirmaient avoir une relation similaire avec Poussin[61].

À propos de ces documents, on a plusieurs fois tenté de mettre en rapport l'œuvre des deux maîtres. En 1990, Richard Verdi a proposé une analyse critique des analogies entre les paysages de Cézanne et ceux de Poussin[62]. Il s'avéra que le but de Cézanne – « refaire Poussin sur nature » – ne pouvait concerner les paysages. Pourtant, ce qui inquiétait Cézanne dans la dernière phase de son existence, était le problème des baigneurs et baigneuses, c'est-à-dire la mise en relation de figures humaines rythmiquement disposées, avec la nature[63]. Cézanne se référa à l'*Apollon et Daphné*. Dans la peinture de Poussin, les points forts de la composition sont placés sur les côtés, occupés par des figures et des arbres. Au milieu, la vue s'ouvre jusqu'aux montagnes au loin. Une guirlande de nymphes nues relie les deux figures placées aux extrémités, Apollon et Daphné. Cette composition, offrant une articulation rythmique des corps dans une nature composée, constituait pour Cézanne un véritable défi, alors qu'il travaillait à ses *Baigneuses* (fig. 16). C'est cette peinture de Poussin que Cézanne tente d'égaler encore et toujours. Cézanne n'a jamais parlé de l'*Apollon et Daphné* dans sa correspondance, ni dans ses entretiens. Il n'en possédait pas de reproduction dans son atelier. Cette toile constituait une sorte de provocation face à son entreprise audacieuse des *Baigneuses*. Parvenir à l'harmonie des figures et de la nature d'une façon toute nouvelle constitua la dernière tâche qu'il assigna à sa peinture. Là encore, nous retrouvons l'*habitus* d'Apelle, décrit par Pline, et que Bellori appliqua à Poussin.

## Notes

1. [Bellori, Giovan Pietro] *Nota delli musei, librerie, galerie et ornamenti di statue e pitture ne'palazzi, 'nelle case e ne'giardini di Roma*, Rome : B. Deversin e F. Cesaretti, 1664; reprint Rome, Istituto Nazionale di Archeologia e Storia dell'Arte, 1976, p. 33 : *Tra le pitture delle camere due storie di Mosè, la favola di Apolline, che s'innamora di Dafne, di Nicolò Pusino.*

2. Bellori, 1672, pp. 443-444; 1976, p. 459; éd. fr. (S. Germer) 1994, p. 91 : « Il manque à cette composition les derniers coups de pinceau, par suite de la faiblesse et du tremblement des mains de Nicolas qui, peu de temps avant sa mort, la dédia au cardinal Camillo Massimi, sachant qu'il ne pouvait la conduire à meilleure fin. Pour le reste, elle est parfaite... »

3. Bellori (1672), 1976, pp. 431, 436, 437, 444. De même Félibien, *Entretiens...*, 1725, vol. IV, qui n'utilise *ordonner* que pour le roi Louis XIII (p. 33), *désirer* que pour Cassiano Dal Pozzo (p. 23), *demander* que pour Fréart de Chantelou (p. 50) et *faire* pour tous les autres commanditaires (pp. 59-67).

4. Blunt, 1976, pp. 3-31; F. Haskell, *Patrons and Painters. A Study in the Relations Between Italian Art and Society in the Age of the Baroque,* Londres, 1963, pp. 114-119; *Velàzquez,* cat. exp. Prado, Madrid 1990-1991, n° 68, pp. 396-399. D. Wright, « From Copy to Facsimile : a Millenium of Studying the Vatican Vergil », *The British Library Journal,* 17, 1991, pp. 12-35.

5. F. Haskell, *op. cit.,* n. 4, pp. 21-23; voir aussi avec Alessandro Conti, « L'evoluzione dell'artista », *Storia dell'arte italiana*, 12 vol., éd. G. Previtali et F. Zeri, Turin, vol. 2, pp. 117-263.

6. W. Kemp, « Teleologie der Malerei. Selbstporträt und Zukunftsreflexion bei Poussin und Velázquez », *Der Künstler über sich in seinem Werk* (symposium international de la Bibliotheca Hertziana, Rome, 1989), éd. M. Winner, Weinheim, VCH Acta humaniora, 1992, pp. 407-433.

7. Félibien, *op. cit.* n. 3, vol. IV, p. 21 : « [...] on lui envoyoit de divers endroits, & particulierement de Paris, des mesures pour avoir des tableaux de cabinet, & d'une grandeur médiocre. »

8. Bellori (1672), 1976, pp. 463-464.

9. Jouanny, 1911, n° 156, pp. 370-377. Voir n° 162, pp. 383-385.

10. *Ibidem*, n° 199, pp. 444-446 : « L'on dit que le Cigne chante plus doucement lorsqu'il est voisin de sa mort. Je tascherai à son imitasion de faire mieux que jamais et ce peut estre le dernier service que je vous rendrei. » Dans l'édition des *Images de Philostrate* Blaise de Vigenère se référait au chant du cygne et citait Plutarque, Horace, Ovide et Cicéron : à leur dernière heure les cygnes chantent plus doucement, car ils sont consacrés à Apollon et donc capables de prévoir les biens futurs; voir Blaise de Vigenère, *Les Images ou Tableaux de platte Peinture des deux Philostrates Sophistes grecs...*, Paris, Veuve Matthieu Guillemot, 1629, pp. 647-648. Thuillier, 1988, pp. 259-282.

11. Jouanny, 1911, n° 204, pp. 452-453 : « Je suis assuré que vous aués reçu le dernier ouurage que je vous ai fait et que je ferei désormais. » Le tableau peint pour Mme de Chantelou d'après Félibien n'est connu que d'après une gravure de Jean Pesne et d'après une vieille copie; voir Blunt, 1966, n° 73, p. 52; Thuillier, 1974, n° 216, p. 112; Wild, 1980, vol. 2, n° 203, p. 189.

12. Thuillier, 1988, pp. 275-276.

13. Félibien, 1685, pp. 309-311; éd. 1725, vol. IV, pp. 69-71; Jouanny, 1911, n° 210, pp. 461-464. Je reviens à la question de savoir si Poussin se référa au mythe de la dernière œuvre.

14. W. Stechow, *Apollo und Daphne* (Vorträge der Bibliothek Warburg, XXIII), Leipzig et Berlin, 1932; reprint avec un épilogue et des suppléments, Darmstadt, Wissenschaftliche Buchgesellschaft, 1965; M. E. Barnard, *The Myth of Apollo and Daphne from Ovid to Quevedo : Love, Agon, and the Grotesque,* Durham, 1987. Friedlaender, 1953, vol. 3, n° 172, p. 17; Bellori, 1672, p. 444, 1976, p. 459.

15. Panofsky, 1950, pp. 27-41; Blunt, 1967, pp. 336-353; Kauffmann, 1961, pp. 101-127; Vetter, 1971, S. 210-225. D'autres références visuelles ont été proposées : pour Apollon, Kauffmann indiquait une gravure de Marco Dente, Blunt, une sculpture hellénique à Naples, mais la figure assise de Poussin se réfère à une figure de Pâris dans la gravure *Le Jugement de Pâris* de Giorgio Ghisi (B. 60). Ce fait est partiellement confirmé par une figure du Vase Portland, qui fut dessiné pour le *Museo cartaceo* de Cassiano dal Pozzo. Cat. exp. Paris, Grand Palais, 1994-1995, n[os] 242-245, pp. 520-529. Pour les références littéraires voir dans ce volume la contribution de Charles Dempsey.

16. Friedlaender, 1953, vol. 3, n[os] 174-179, pp. 17-20; *Les Métamorphoses* d'Ovide. *Traduites en Prose Françoise [...] avec XV. Discours Contenans l'Explication Morale et Historique...*, Paris, Augustin Courbé, 1651, pp. 22-28; *L'Arcadie de Messire Jaques Sannazar, gentil homme Napolitain, excellent Poete entre les modernes, mise d'Italien en Francoys par Jehan Martin Secrétaire de Monseigneur Reverendissime Cardinal de Lenoncourt,* Paris, Michel de Vacrosan, 1544, fol. 15 et 16. Carel van Mander donnait à l'*ekphrasis* de Sannazzaro une place significative dans le chapitre des tableaux narratifs du Schilder-Const de 1618. Les descriptions de Sannazzaro furent recommandées pour servir à l'instruction du peintre, pour l'aider à composer amplement et avec esprit, et à inventer avec grâce : *lustig te Poëtisieren*, voir Carel van Mander, « Den Grondt der Edel Vry Schilder-Const », dans *het Schilder Boeck* (1re éd. Alkmaar 1604) Amsterdam, Jacob Petersz Wachter, 1618, suite 8v; les dessins de Poussin pour l'*Apollon berger* et *Mercure et Pâris* voir cat. exp. Paris, Grand Palais, 1994-1995, n° 244, pp. 526-527, n° 243, pp. 524-525. Pline, *Naturalis historiae lib. XXXVII, lib. XXXIV, 70* (Apollon Sauroctone). Voir F. Haskell et N. Penny, *Taste and the Antique. The Lure of Classical Sculpture 1500-1900,* New Haven – Londres, Yale University Press, 1981, 2e éd. 1982, n° 9, pp. 151-153 (*Le goût de l'antique*, trad. XXX, Paris, 198X).

17. Panofsky, 1950, pp. 27-41. Cependant Poussin change le sujet : Mercure est adulte et Apollon n'aperçoit pas le vol.

18. Friedlaender, 1953, vol. 3, n° A 46, pp. 18-19 (*a poor copy*); Rosenberg et Prat, 1994, n° 382 (dessin des Offices, considéré comme copie par Friedlander et comme un original par Rosenberg et Prat) et n° 381 (dessin du Louvre).

19. Sur le dessin de Giulio Romano au Städel et la gravure de Giorgio Ghisi : *Italienische Zeichnungen des 15. und 16. Jahrhunderts.* Cat. exp. 1980, par Lutz S. Malke, Francfort/M, Städelsches Kunstinstitut et Städtische Galerie, 1980, n° 82, pp. 167-169.

20. Harold E. Wethey, *The Paintings of Titian.* Complete Edition, vol. III : *The Mythological and Historical Paintings,* Londres, 1975,

n° 11, pp. 142-143 ; David Téniers II, *Theatrum pictorium,* Anvers et Bruxelles 1660, pl. 96. Téniers copia la version, qui se trouve actuellement au Kunsthistorisches Museum de Vienne. Voir *Tenier Galerie de l'Archeduque Leopold Wilhelm à Bruxelles,* 1651, Madrid, Prado.

21. Bellori, 1976, p. 453 ; éd. 1672, p. 438 ; trad. de N. Blamoutier, éd. S. Germer, Paris, 1994 : « Dans les sujets historiques, il recherchait toujours l'action ; le peintre, disait-il, devait choisir lui-même le sujet propre à être représenté et éviter les sujets creux. Ses compositions, certes, sont à ranger dans la première catégorie. Lisant les histoires grecques et latines, il annotait les sujets et s'en servait à l'occasion. À ce propos, nous l'avons entendu blâmer et tourner en dérision ceux qui, convenant d'une scène à six ou huit personnages ou tout autre nombre déterminé de figures, pensaient qu'une demi-figure de plus ou de moins pouvait tout gâter. »

22. Domenichino se référait aux tarifs de Guido Reni et demandait pour chaque figure à la Cappella del Tesoro du dôme de Naples 100 écus romains, pour une demi-figure la moitié, et pour une tête un quart de la somme. Giovanni Lanfranco exigeait pour chaque figure dans la coupole de S. Andrea della Valle, 100 ducats. Voir F. Haskell, *op. cit.* n. 4, pp. 13-15.

23. Franciscus Junius, *The Literature of Classical Art*, 2 vol., Berkeley, Los Angeles, Oxford, University of California Press, 1991, vol. I : *The Painting of the Ancients – De Pictura Veterum*, ch. IV, V, pp. 98-104 ; Id., *De Pictura Veterum Libri tres, [...] Accedit Catalogus, Adhuc ineditus, Architectorum, Mechanicorum, sed praecipue Pictorum, Statuariorum, Caelatorum, Tornatorum, aliorumque Artificum, & Operum quae fecerunt, secundum seriem litterarum digestus,* Rotterdam, R. Leers, 1694, pp. 22-44.

24. E. Cropper, *The Ideal of Painting. Pietro Testa's Düsseldorf Notebook*, Princeton N.J., 1984, pp. 147-175.

25. Roland Fréart de Chambray, *Idée de la perfection de la peinture démonstrée par ses principes de l'art, et par des exemples conformes aux observations que Pline et Quintilien ont fait sur les plus célèbres tableaux des anciens peintres, mis en parallèle à quelques ouvrages de nos meilleurs peintres modernes, Léonard de Vinci, Raphaël, Jules Romain et le Poussin,* Le Mans, 1662 ; reprint Farnborough, 1969. Jouanny, 1911, p. 462.

26. E. Panofsky, *Idea. Ein Beitrag zur Begriffsgeschichte der älteren Kunsttheorie*, Vorträge der Bibliothek Warburg, vol. 5, Leipzig-Berlin, 1924 ; 2e édition corrigée, Berlin, 1960, pp. 57-63.

27. Fréart de Chambray, *op. cit.*, n. 25, p. 11 ; voir aussi Carlo Dati, *Vite de Pittori antichi scritte e illvstrate da Carlo Dati nell'Accademia della Crvsca lo smarrito*, Florence, 1667, p. 1 : *Niuna cosa più chiaramente palesa la simiglianza dell'uomo con Dio, che l'invenzione, ponendo ella quasi in buon lume la bellezza, e la virtù dell'anima nostra.*

28. M. Boschini, « Breve Instruzione per intender in qualche modo le maniere de gli Auttori Veneziani », dans *Le Ricche Minere della Pittura Veneziana. Compendiosa informazione di Marco Boschini [...]*, Venise, 1674. Lodovico Dolce, *Dialogo della pittura intitolato l'Aretino* [1557], dans Barocchi, *Trattati d'arte del cinquecento fra manierismo e controriforma*, 3 vol., Bari, 1960-1962, vol. I, pp. 141-206, 164-173.

29. Bellori (1672), 1976, p. 14 ; Panofsky, *op. cit.*, n. 26, pp. 57-63.

30. Bellori, 1976, p. 25 : « Mais parce que l'idée de l'éloquence le

cède d'autant plus à l'idée de la peinture que la vue est plus efficace que les paroles, je ne trouve plus rien à dire ici, et je me tais. » C. Goldstein, *Visual Fact over Verbal Fiction. A Study of the Carracci and the Criticism, Theory and Practice of Art in Renaissance and Baroque Italy*, Cambridge University Press, 1988 ; O. Bätschmann, « Giovan Pietro Belloris Bildbeschreibungen », *Beschreibungskunst Kunstbeschreibung,* Munich, 1995, pp. 281-313.

31. Bellori, « Dafne trasformata in Lauro. Pittura del Signor Carlo Maratti. Dedicata a Trionfi di Luigi XIV. il Magno. Descritta in una lettera ad un Cavaliere Forastiero da Gianpietro Bellori », dans *Ritratti di alcuni celebri Pittori del secolo XVII [...]*, Rome, 1731, pp. 253-271. Le passage important se trouve pp. 264-265 : « *Laonde il Signor Carlo con grandissima industria della sua invenzione ha saputo unire insieme quello, che Ovidio distingue in pù parti ne suoi versi, e variare i mezzi per giungere col Poeta ad un fine istesso, togliendo, ed aggiungendo quello, che 'divide l'azzione, o la congiunge.* » Maratta avait peint le tableau de 1679-1681 pour le triomphe de Louis XIV de 1684. Le texte de Bellori fut écrit en 1681, mais publié en 1731.

32. A. M. Hind, *Early Italian Engravings,* 7 vol., Londres, 1938-1948, vol. 5, n° 29, p. 119.

33. *Raphael invenit. Stampe da Raffaello nelle collezioni dell'istituto nazionale per la grafica,* cat. exp. Rome, 1985 ; *Raphaël et la seconde main. Raphaël dans la gravure du* XVIe *siècle,* cat. exp. Genève, Cabinet des estampes, 1984.

34. R. et M. Wittkower (éd.), *The Divine Michelangelo. The Florentine Academy's Homage on His Death in 1564. A Facsimile Edition of Esequie del Divino Michelagnolo Buonaroti Florence 1564,* Londres, 1964 ; suivi de Gismondo di Regolo Coccapani en 1640, qui pour l'apothéose de Michel-Ange dans la Casa Buonarotti représentait la Musique, l'Architecture et la Poésie couronnant l'artiste.

35. B. Morello, *Il Funerale di Agostin Carraccio fatto in Bologna sua Patria da gl'incaminati Academici del Disegno scritto all'Ill.mo et R.mo Sig.r Cardinal Farnese,* Bologne, 1603 ; reproduit dans Carlo Cesare Malvasia, *Felsina Pittrice. Vite de Pittori bolognesi alla Maesta Christianissima di Luigi XIIII Re di Francia e di Navarra il sempre vittorioso,* 3 vol., Bologne, 1678, vol. I, pp. 407-423. Bellori et Malvasia, dans la biographie des Carrache, mentionnent une réponse d'Annibale à propos de la question de la supériorité de l'Arioste ou du Tasse : *« il più gran poeta presso a me, disse, è Rafaelle. »* Malvasia, vol. I, p. 480 ; Bellori, 1672, pp. 73-74, 1976, p. 84, apparamment, la faute d'impression n'a jamais été corrigée, car la version reproduite dans *Vite il miglior pittore che mai fosse stato* n'a aucune signification.

36. Nicolas Chaperon, *Sacrae Historiae Acta,* Rome, 1649 ; 3e édition, Paris, s.d.

37. M. Fumaroli, 1989 ; voir aussi M. Fumaroli, *L'École du silence. Le sentiment des images au* XVIIe *siècle*, Paris, 1994, pp. 53-147. Panofsky, 1960 ; Bätschmann, 1994, pp. 71-82.

38. *Saturn, Melancholie, Genie.*, cat. exp. Kunsthalle de Hamburg 1992, pp. 41-43.

39. W. Wassyng Roworth, *« Pictor Succensor ». A Study of Salvator Rosa as Satirist, Cynic and Painter,* New York et Londres, 1978. L'inscription est : *Ingenuus, Liber, Pictor Succensor, et Aequus, / Spretor Opum, Mortisque, hic meus est Genius. / Salvator Rosa.*

40. Jouanny, 1911, n° 210, pp. 461-464.

41. Montaigne, « De l'âge », *Essais*, liv. I, ch. LVII, pp. 326-328; T. Lucretius Carus, *De natura rerum,* lib. III, 445-464.

42. Lettre à Nicolas Fouquet du 2 août 1655, dans Thuillier, 1960, II, pp. 102-106.

43. H. Lapauze, *Histoire de l'Académie de France à Rome,* 2 vol., Paris, 1924, vol. 1, pp. 1-4. On ne peut trouver d'autres raisons pour lesquelles la lettre, dans les mémoires édités en 1759 seulement par Charles Perrault, a été retenue.

44. Le Bernin vit le tableau à Paris chez Fréart de Chantelou; Paul Fréart de Chantelou, *Journal de voyage du Cavalier Bernin en France,* Paris, 1981, p. 104.

45. Félibien, 1685, pp. 306-307.

46. [Pline] C. Plinius Secundi, *Naturalis Historiae, livre XXXVII*, lat.-dt., Munich, 1978, liv. 35, 92, pp. 72-73; Pline, *Natural History in ten Volumes*, translated by H. Rackham (Loeb Classical Library), Harvard University Press, 1968, vol. X, liv. 35,92, pp. 328-329 (Pline l'Ancien, *Histoire naturelle*, éd. bilingue latin-français de J.-M. Croisille, Paris, Les Belles Lettres, 1985) : « *Apelles inchoverat et aliam Venerem Coi, superaraturus etiam illam suam priorem. invidit mors peracta parte, nec qui succederet operi ad praescripta liniamenta inventus est.* » Carlo Dati, *op. cit.* n. 27, p. 97. Franciscus Junius, *De Pictura...*, (*op. cit.* n. 23), propose une analyse détaillée sur Apelle dans son *Catalogus* (pp. 16-23), mais ni dans ce texte, ni dans le *De Pictura Veterum*, qui parut en 1637 où la dernière œuvre est mentionnée, il ne la transforme en mythe. Voir Franciscus Junius, *The Literature of Classical Art...*, *op. cit.* n. 23, pp. 32-45.

47. Pline, *op. cit.* n. 46, livres 37 et 35, 145, éd. R. König (voir note 46), pp. 104-105; ed. Rackham (voir note 46), pp. 366-367 : « *illud vero perquam rarum ac memoria dignum est, suprema opera artificum inperfectasque tabulas* [...] *in maiore admiratione esse quam perfecta, quippe in iis liniamenta reliqua ipsaeque cogitationes artificum spectantur, atque in lenocinio commendationis dolor est manus, cum id ageret, extinctae.* » Le premier témoignage moderne de l'appréciation de la dernière œuvre, dans le sens d'Apelle, peut être trouvé dans le texte sur Gentile da Fabriano de Bartholomeus Facius : Michael Baxandall, « Bartholomaeus Facius on Painting. A Fifteenth-Century Manuscript of the De Viris llustribus », *JWCI*, 27, 1964, pp. 90-107, surtout pp. 100-101.

48. M. Baxandall, *op. cit.* n. 47, pp. 100-101.

49. B. Morello, *op. cit.* n. 35.

50. R. et M. Wittkower, *op. cit.* n. 34.

51. B. Morello, *op. cit.* n. 35, pp. 14-15 : « *Piacque à gli Academici di modo l'abbozzatura d'un volto del Salvatore, ultima opera del nostro Carraccio, ch'egli faece per figurar l'humanità di Christo giudice nel giorno estrmo, che ne vollero empire il terzo spatio, dove appunto capeva. Era dipinto sopra un pezzo di raso nero; e quantunque non fusse finito: tuttavia si vedea pieno di tal maestà, e così terribile, chen non potea senza horrore chi lo mirava fissarvi compitamente lo sguarda. Haveva sotto le parole SIC VENIET.*» (« Une tête ébauchée su Sauveur, dernière œuvre de notre Carrache, qu'il fit pour représenter l'humanité du Christ juge au jour du Jugement, plut tellement aux académiciens, qu'ils en voulurent remplir le troisième espace, où elle figurait justement. Cette tête était peinte sur un morceau de satin noir, et bien qu'elle ne fût pas achevée, elle paraissait néanmoins animée d'une belle majesté et avait un aspect si effarant, qu'on ne pouvait la regarder longuement sans en être

saisi d'horreur. Elle portait en bas les mots suivants : SIC VENIET (ainsi viendra-t-Il). ») Les illustrations de l'édition de Morello sont copiées d'après Guido Reni ; un des modèles se trouve à Vienne, Albertina (inv. 23754) ; voir *Guido Reni und Europa. Ruhm und Nachruhm,* cat. exp. Francfort, Schirn Kunsthalle 1988/89 de S. Ebert Schifferer, A. Emiliani, E. Schleier, Francfort- Bologne, 1989, cat. n° B 4, p. 273.

52. Bellori, 1672, pp. 119-132, 1976, pp. 131-147 ; Malvasia, *op. cit.* n. 35, vol. I, pp. 407-423.

53. C. Dati, *op. cit.* n. 27, pp. 97, 144-146. Junius, *op. cit.* n. 23, I, pp. 55, 252, II, pp. 43-44.

54. Ch.-P. Landon, *Annales du musée et de l'École moderne des beaux-arts, Salon de 1819*, 2 vol., Paris, 1819-1820, t. II, pl. 16 ; Verdi, 1969, pp. 741-750. Dans les *Mémoires d'outre-tombe*, publiés pour la première fois en 1848-1850, Chateaubriand était sûr de la coïncidence de l'*Hiver* ou le *Déluge* de Poussin avec la mort du peintre, voir Chateaubriand, *Mémoires d'outre-tombe*, Paris, 1848, p. 422 ; Chateaubriand, *Vie de Rancé*, Paris, 1955, pp. 172-173. Les explications mythologiques de Henry Houssaye sur la dernière œuvre d'Apelle sont intéressantes : H. Houssaye, *Histoire d'Apelles*, 3e éd., Paris, 1868, pp. 420, 424 : « Se sentant déjà vieux, Apelle pensa à finir sa vie de peintre par une grande œuvre ; grande par la conception, grande par la beauté, grande par la perfection de la manière. [...] Il chercha longtemps un sujet. Aucun ne lui plut autant que celui qu'il avait déjà peint : Kypris Anadyomène. Malgré toute sa beauté, il résolut de la faire plus belle encore. Il entreprit ce travail avec l'ardeur de l'homme qui compte ses jours ; il la caressa avec l'amour d'une dernière passion. Déjà la tête toute pleine de grâce, de beauté et de charme, et le haut de la poitrine de la première Kypris Anadyomène étaient renés sous son pinceau, quand le Génie de la mort, conduit par le Destin, le toucha de sa torche éteinte, mettant fin à sa vie et fin à son œuvre. Il tuait doublement Apelle : il ne lui permettait même pas de survivre dans son dernier tableau, qui aurait été son chef-d'œuvre, et qu'il laissa inachevé. »

55. Vasari, *Le vite...*, Florence, 1976, pp. 202-205, 210-211 ; Vasari, *Le Opere*, con nuove annotazioni e commenti di Gaetano Milanesi, Florence, 1906, reprod. Florence, 1973, vol. 4, p. 383. K. Weil-Garris, « La morte di Raffaello e la Trasfigurazione », dans *Raffaello e l'Europa*, Corso internazionale di alta cultura (1983), éd. par M. Fagiolo et M. L. Madonna, Rome, 1990, pp. 177-187.

56. F. Haskell, « The Old Masters in Nineteenth Century French Painting », dans *Past and Present in Art and Taste. Selected Essays*, New Haven – Londres, Yale University Press, 1987, pp. 90-115 ; voir *Raphaël et l'art français*, cat. exp. Paris, Grand Palais, 1983-1984, n° 138, p. 135, n° 18, p. 78, n° 180, p. 155, pp. 444-445. K. Weil-Garris, *op. cit.* n. 55, pp. 177-187.

57. H. Ost, *Tizian-Studien*, Cologne-Weimar-Vienne, 1992.

58. Friedlaender, 1914, pp. 97-101 : « Le tableau n'est pas tout à fait achevé dans certaines de ses parties, et il est possible que ce fait nous donne une impression plus spirituelle, plus dégagée de la matière. »

59. É. Bernard, « Souvenirs sur Paul Cézanne », *Mercure de France*, 1907, pp. 385-404, 606-627, et dans *Conversations avec Cézanne*, Paris, 1978, pp. 49-80 : « Imaginez Poussin refait entièrement sur nature, voilà le classique que j'entends. » Reff, 1960, pp. 150-174 ; Id., « Reproductions and Books in Cézanne's Studio », *Gazette des Beaux-Arts,* 102, 1960, pp. 303-309 ; R. Shiff, *Cézanne*

*and the End of Impressionism. A Study of the Theory, Technique, and Critical Evaluation of Modern Art,* Chicago et Londres, University of Chicago Press, 1984, chap. 13 : « The Poussin Legend », pp. 175-184.

60. Ph. de Chennevières, *Essais sur l'histoire de la peinture française,* Paris, 1894, p. 141 : «... c'est la consolidation définitive de l'autorité du Poussin, acceptée et saluée par tous comme celle du père et du chef : désormais nul ne le conteste, son bon sens est notre sens; sa forme est notre forme; son imagination poétique demeure notre manière de concevoir la poésie de tout sujet livré à la peinture; à lui nous ramène toute crise grave en nos évolutions d'école; c'est lui que tout critique doit analyser d'abord, s'il veut se pénétrer des conditions vitales de notre génie national... » Chastel, 1960, pp. 297-310; Thuillier, cat. exp. Rome, 1977-1978, pp. 36-67.

61. *Conversations avec Cézanne, op. cit.* n. 59, p. 80 (Bernard), p. 84 (Jourdain), p. 91 (Rivière et Schnerb), p. 97 (Osthaus), pp. 122, 129, 150, 151, 159 (Gasquet), pp. 179, 189 (Denis). Voir les parallèles : Camille Pissarro, *Lettres à son fils Lucien*, Paris, 1950, p. 500; et Degas, le plus grand copieur de Poussin : M. Guérin (ed.), *Lettres de Degas*, Paris 1931, vol. 2, p. 11 : « Je rêve de quelque chose de bien fait, d'un tout bien ordonné, style Poussin, et la vieillesse de Corot, c'est le moment juste, juste... » (1872). Th. Reff, « New Light on Degas Copies », *The Burlington Magazine*, 106, 1964, pp. 250-259; *Degas*, cat. exp. Paris, Ottawa, New York, 1988-1989, n° 28, p. 89; *Copier Créer. De Turner à Picasso : 300 oeuvres inspirés par les maîtres du Louvre,* cat. exp. Paris, Louvre, 1993, pp. 164-199.

62. Verdi, cat. exp. Édimbourg 1990. Berger, 1955, pp. 161-170; Verdi, 1969, pp. 741-750; Id., 1971, pp. 513-533; Id., 1976; Id., 1979, pp. 95-105; *Idem*, 1981, pp. 389-401.

63. Otto Grautoff indique – apparemment pour la première fois – que Cézanne avait créé avec les *Baigneurs* un pendant à l'*Apollon et Daphné* de Poussin. Grautoff trouve une similarité entre le dernier tableau de Poussin et les *Baigneurs* de Cézanne : « Un ornement composé de formes de corps qui oscille en demi-cercle et une vue sur une image de nature variée. » De là, résulte l'observation que les œuvres de Hans von Marées et Cézanne se fondent sur les mêmes principes, comme le dernier tableau de Poussin; voir Grautoff, 1914, I, pp. 288-289. M. L. Krumrine, *Paul Cézanne : Die Badenden,* cat. exp. Bâle, Kunstmuseum, 1989.

Fig. 1
Nicolas Poussin
*Apollon et Daphné*, 1664
Toile, 1,55 x 2,00 m
Paris, musée du Louvre.

Fig. 2
Nicolas Poussin
*La Danse de la vie humaine,* 1638-1640
Toile, 0,83 x 1,05 m
Londres, Wallace Collection.

Fig. 3
Nicolas Poussin
*Apollon berger,* 1660-1664
Plume, 29 x 42,5 cm
Turin, Biblioteca Reale.

Fig. 4
Nicolas Poussin
*Apollon et Daphné,* 1660-1664
Plume, 35,1 x 54,3 cm
Florence, musée des Offices.

Fig. 5
Nicolas Poussin
*Apollon et Daphné,* 1660-1664
Plume, lavis brun, 30,7 x 43,9 cm
Paris, musée du Louvre, département des Arts graphiques.

Fig. 6
Titien
*Diane et Callisto*
Estampe/eau-forte de T. van Kessel, dans David Téniers, *Theatrum pictorium*, 1660, Tf. 96.

Fig. 7
*Idea*
Eau-forte de Charles Errard, dans Bellori, *Le Vite*, Rome, Mascardi, 1672, p. 3.

Fig. 8
Carlo Maratta
*Daphné, transformée en laurier,* 1679-1681
Eau-forte/estampe de G.P. Melchiori, avant 1701, éd. par Jakob Frey 1728, Lucerne, Bibliothèque centrale.

Fig. 9
*Le buste de Raphaël couronné par la Gloire*
Eau-forte de Nicolas Chaperon, dans *Sacrae Historiae Acta,* Rome 1649, 1er frontispice.

Fig. 10
Nicolas Poussin
*Autoportrait I* (1649)
Estampe de Jean Pesne.

Fig. 11
Raphaël
*Le Prophète Isaïe*
Eau-forte de Nicolas Chaperon,
dans *Sacrae Historiae Acta,*
Rome 1649, 2e frontispice.

Fig. 12
Giovanni Benedetto Castiglione
*Le Génie du Castiglione* (vers 1648)
Dessin à la plume, lavis brun
Hambourg, Kunsthalle.

Fig. 13
Guido Reni
*Les Tableaux d'Agostino Carracci*
Eau-forte, dans : Benedetto Morello, *Il Funerale di Agostin Carraccio fatto in Bologna sua Patria da gl'incaminati Academici del Disegno scritto all'Ill.mo et R.mo Sig.r Cardinal Farnese,* Bologne, V. Benacci, 1603.

Fig. 14
Nicolas Poussin
*L'Hiver* ou *Le Déluge* (1660-1664)
Toile, 1,18 x 1,60 m
Paris, musée du Louvre.

Fig. 15
Pierre Nolasque Bergeret
*Service funèbre de Nicolas Poussin*
Salon de 1819
Eau-forte, dans Landon, *Annales du musée, Salon de 1819*, 1820, t. II, pl. 16.

Fig. 16
Paul Cézanne
*Baigneuses* (V. 723), 1900-1904
Toile, 0,29 x 0,36 m
Collection privée.

*achevé d'imprimer*
*sur les presses de graphic-expansion s.a.*
*54000 nancy, en novembre 1996*

*d.l. n° 3206 - 4^e trim. 1996*